GOUVERNEMENT
du
MAINE ET DU PERCHE
Indiquant

les Dép.s de la Mayenne et de la Sarthe
formés de cette Province.

La Sarthe *des origines à nos jours*

ISBN 2-903504-10-5

L'HISTOIRE PAR LES DOCUMENTS
Collection dirigée par Jean BRIGNON, Jean COMBES et Michel LUC.

La Sarthe

des origines à nos jours

Cet ouvrage a été réalisé sous la direction de André LÉVY

Editions Bordessoules
— Saint-Jean-d'Angély —
1983

Préface de Catherine PAYSAN

Les paysages sarthois

Jeanne DUFOUR
Docteur ès lettres, professeur de géographie
à l'Université du Maine.

Les temps préhistoriques

Claude LAMBERT
Correspondant de la Direction des Antiquités
historiques des pays de Loire.

Jean RIOUFREYT
Correspondant de la Direction des Antiquités
préhistoriques des pays de Loire.

La période gallo-romaine

Joseph GUILLEUX
Correspondant de la Direction des Antiquités
historiques des pays de Loire.

Claude LAMBERT
Jean RIOUFREYT

Le Moyen Age

Joëlle BEN-KEMOUN
Agrégée d'histoire.
Docteur en histoire médiévale.

François GARNIER
Chargé de recherche au C.N.R.S.
Chargé de cours à l'Université du Maine.

Philippe LE MAITRE
Agrégé d'histoire.
Docteur en histoire médiévale.

Permanences et évolutions (XVIe siècle - milieu XIXe siècle)

René PLESSIX
Docteur en histoire moderne.
Professeur au lycée de Mamers.

L'avènement du rail

Marc AUFFRET
Maître-assistant d'histoire contemporaine
à l'Université du Maine.

Une Sarthe en mutation (1914-1958)

Hubert NÉANT
Agrégé d'histoire.
Professeur au lycée de La Ferté-Bernard.

Jacques TERMEAU
Agrégé d'histoire.
Professeur au lycée de La Flèche.

La Sarthe d'Aujourd'hui (depuis 1958)

Jeanne DUFOUR

André LÉVY
Agrégé d'histoire.
Professeur au lycée Bellevue, Le Mans.

Robert ROULEAU
Maître-assistant de géographie
à l'Université du Maine.

Que soient remerciés ici tous ceux qui ont permis aux auteurs de réunir, dans les meilleures conditions possibles, documentation et iconographie : responsables des archives, des bibliothèques publiques ou privées, d'entreprises, des musées, hommes politiques, simples particuliers. Tous, recevez l'expression de notre gratitude.

Couverture : Fercé-sur-Sarthe. *(Reyol, détail).*

Dos de couverture : Matrice du sceau du chapitre de la cathédrale du Mans. *(Cliché Musées du Mans).*

Pages de garde :
Gouvernement du Maine et du Perche indiquant les départements de la Mayenne et de la Sarthe formés de cette province.
Détail d'une fresque de Sylvie et Joël Jupin sur le mur du centre socio-culturel, à l'initiative de la municipalité d'Allonnes.

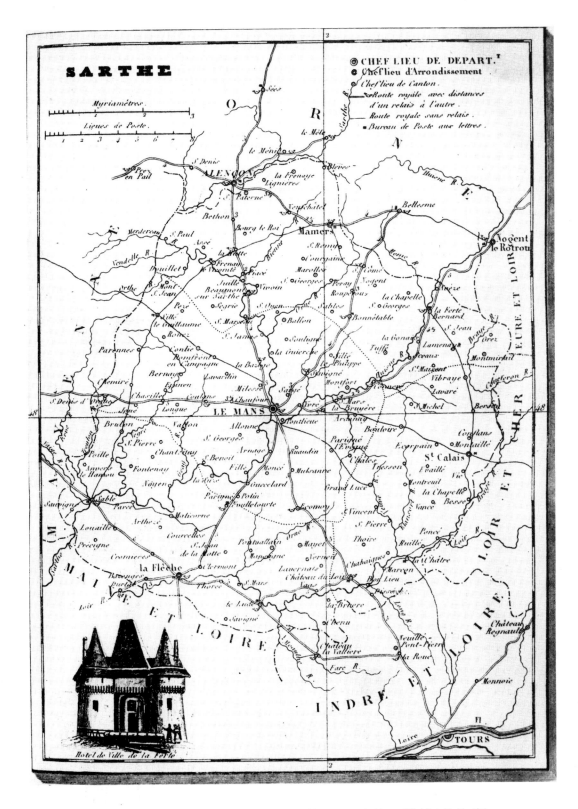

France pittoresque. (*A. Hugo, Paris, 1835, bibliothèque mun. du Mans. Cliché J.-M. Martin*).

PRÉFACE

Ce n'est certes pas un hasard, si des hommes et des femmes de formation distinguée, gens d'esprit et de sensibilité en même temps, certains, sarthois de souche, d'autres de cœur, font paraître aujourd'hui cet important ensemble d'études consacrées au département de la Sarthe et rassemblées, plans, illustrations, iconographie à l'appui, dans le beau volume que voici.

La Sarthe, dont on a déjà ailleurs parlé avec compétence, méritait bien cela une fois de plus. Car elle mérite qu'on parle d'elle, au-delà du renom que lui vaut, une fois l'an, l'épreuve de course automobile sur le circuit internationalement réputé des Vingt-Quatre Heures du Mans. Qu'on en parle en profondeur, à la fois savamment et clairement, et, ce qui ne gâte rien, avec affection et respect. Qu'on la fasse découvrir pour ce qu'elle vaut, ce qu'elle est, avec sa physionomie discrète, mais changeante, mais complexe de « pays de marches » ayant, comme la province du Maine dont elle fait partie, vocation de carrefour géographique, donc historique, à la lisière de Touraine et d'Anjou, de Normandie, de Bretagne et d'Ile-de-France.

Je veux dire que la Sarthe possède un passé, des traditions, une ethnie, une culture, des richesses naturelles variées, bref ce privilège de l'unité dans la diversité qui sont autant d'atouts qui pourraient lui permettre d'affronter l'avenir, de résister aux tentations d'un nivellement futuriste, conçu en vase clos par des super-cerveaux ou, plus exactement, par une poignée de technocrates coupés de toutes racines.

Or, la Sarthe est souvent mal connue, convenons-en. Vieille sarthoise de souche, je ne connais que trop l'intérêt culturel, touristique, humain assez relatif qu'on porte à ma contrée, à Paris ou ailleurs. Oui mais voilà, à qui la faute ? N'est-ce pas aussi un peu aux Sarthois eux-mêmes qui pèchent si volontiers par excès d'humilité provinciale, comme d'autres en la matière pèchent par orgueil ?

Ma propre formule quand on m'interroge sur mes origines est d'ailleurs révélatrice du peu de cas que les Sarthois semblent trop volontiers faire d'eux-mêmes. J'avoue avec timidité n'être « que » sarthoise et j'en reste souvent là, faute d'oser valoriser mon personnage à travers un terroir... Ce n'est donc pas, que je sache, enfoncer, au fil de ce livre, des portes ouvertes, que de rappeler aux Sarthois mainiauts et aux autres qu'ils existent. Qu'ils ont mille bonnes raisons d'en finir, peut-être, avec ces inhibitions qu'ils cultivent en face de leurs voisins normands, angevins ou bretons, qui leur doivent en partie, la préservation de leur identité séculaire, parce que le Maine et la Sarthe dans le Maine étaient là pour leur servir de tremplin, de lieu de passage, de rencontres, de déchirements, en particulier pendant tout le Haut Moyen Age et la guerre de Cent Ans.

Rôle ingrat. Rôle exaltant ! Passionnant pays que ce pays ! Partie prenante de cette « Gaule chevelue » dont elle a gardé, avec ses somptueuses forêts domaniales, quelques beaux restes, et, avec elles, un patrimoine naturel de vie, de silence, d'équilibre climatique qu'il convient de sauver absolument. Et je ne parle pas du bocage, ce modèle de perfection, d'équilibre biologique entre les hommes et la terre dont ils ont la charge, dont ils sont les gardiens, les répondants et non pas les bourreaux, s'ils ne veulent pas mourir à la fin dans les déserts qu'ils auront créés.

Beau pays. Riche parce que varié, parce qu'utile, parce que taillé à l'échelle humaine. Les Romains ne s'y étaient pas trompés, eux. Soucieux de fortifier la colline du Mans et d'en faire la belle cité gallo-romaine dont les actuels vestiges sont quasi uniques en France. Les grands Plantagenêts, les grands Capétiens non plus ! S'y livrant des batailles farouches de cousins ennemis, dont la maîtrise de toute la France était l'enjeu. Soucieux d'y édifier, parallèlement, palais, églises, abbayes, cathédrale, d'y encourager les arts. Henri II, roi d'Angleterre, époux d'Aliénor d'Aquitaine, naquit au Mans, y fut baptisé. Bérengère, veuve de Richard Cœur de Lion, se fit enterrer à l'abbaye de l'Epau. J'en passe... Ce livre est là pour vous parler de la Sarthe, avec compétence et dans les détails. Pour vous aider aussi à vous poser des questions, bilan fait des échecs mais des réussites aussi du passé, en matière économique, de l'équilibre nécessaire à trouver entre l'industrie et le rural, entre le « mercantile » à courte vue et l'aménagement pondéré et intelligent du futur.

Relevez la tête, Sarthois, sans chauvinisme certes, mais relevez-la. Regardez votre terroir. Admirez-le. Aimez-le. Et surtout, défendez votre avenir humain, avec lui. A travers lui. C'est la grâce que je vous souhaite. Que je nous souhaite.

Catherine PAYSAN

Un paysage d'aujourd'hui : le centre du Mans. *(Cliché J.-M. Martin).*

Les paysages sarthois

La Sarthe, qui occupe une position intermédiaire entre les rives de la Manche et la Loire, s'apparente aux deux grandes régions voisines par ses caractères physiques : le nord est comme une Normandie en raccourci, avec ses bocages verdoyants et accidentés dans lesquels s'intercalent des plaines céréalières ; les paysages du sud, plus riants, avec leurs vergers et leurs vignes, évoquent ceux du Val de Loire. Le centre, avec ses bois de pins et ses bruyères, est la partie la plus originale.

Un amphithéâtre de hauteurs ouvert au sud-ouest

Les hauteurs proches des limites départementales à l'ouest, au nord et à l'est forment grossièrement un amphithéâtre autour de la dépression dont Le Mans occupe le centre, au confluent de la Sarthe et de l'Huisne.

A l'ouest et au nord, dans le massif ancien, ces hauteurs, forestières, sont formées par des arêtes de grès primaires, plus résistants à l'érosion que les schistes voisins : le massif de la Charnie culmine à 286 mètres et le Signal de Perseigne, point le plus haut du département, atteint 340 mètres.

Les hauteurs de l'est, qui appartiennent au Bassin parisien (plateaux couverts d'argile à silex formant la retombée sud-occidentale du Perche) sont un peu plus modestes ; elles atteignent, malgré tout, 200 mètres dans la forêt de Montmirail, dans l'extrême pointe orientale du département.

Ces plateaux s'émiettent et s'abaissent vers le sud, au nord de la vallée dont le tracé s'incurve sur la limite méridionale ; cependant, la forêt de Bercé, qui occupe les points les plus hauts à l'ouest du plateau de Saint-Calais, culmine encore à 175 mètres.

Au sud-ouest, ces plateaux s'interrompent dans la trouée qu'emprunte la Sarthe en direction d'Angers, tandis que le centre se présente comme une dépression dans les terrains sédimentaires (calcaires et marnes qui affleurent en bordure du Massif armoricain, puis argiles au nord et à l'ouest du Mans, et, enfin, sables à l'est et au sud du Mans).

Un climat nuancé

Avec le régime de ses précipitations dont les maxima se situent en automne et au début de l'hiver, les minima en juillet, la Sarthe a un climat plutôt océanique, mais août est plus arrosé que juillet et, au total, les pluies liées aux orages d'été ne sont pas négligeables. Le climat est donc teinté d'influences continentales qui se traduisent aussi par des écarts de températures (gelées possibles en mai et en septembre).

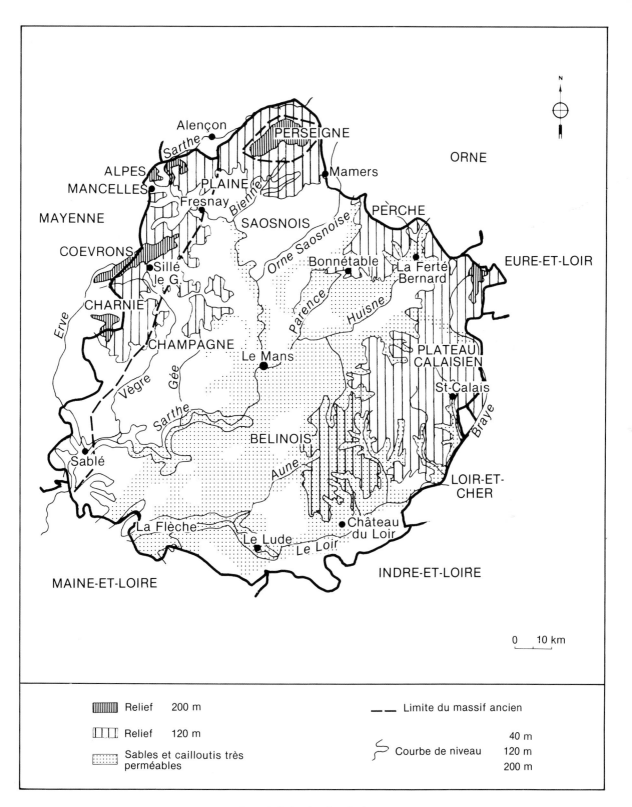

Les principales données physiques

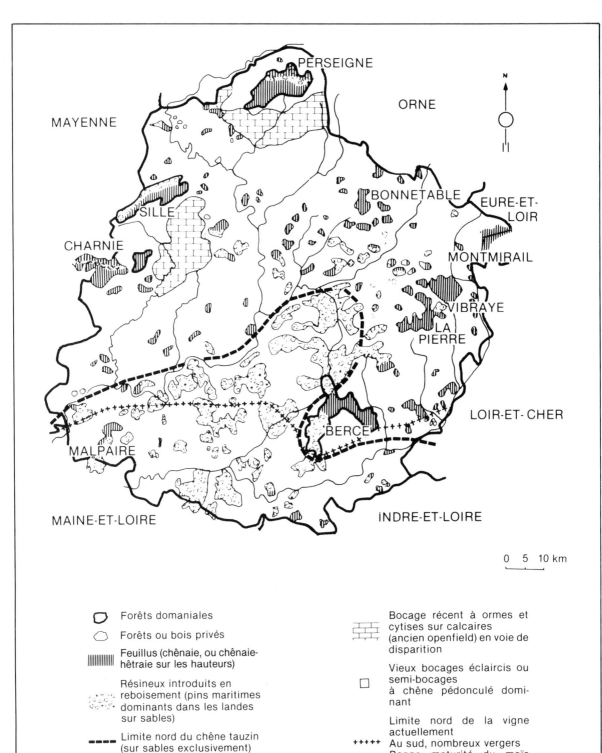

La végétation

En réalité, le relief introduit des nuances. Les hauteurs périphériques, qui reçoivent de plein fouet les vents océaniques, sont un peu plus fraîches et nettement plus arrosées (le massif de Perseigne enregistre, selon les périodes, entre 800 et 850 millimètres de précipitations en moyenne) ; en revanche, la dépression centrale, plus abritée, est un peu plus chaude et plus sèche (environ 660 millimètres à la station météorologique d'Arnage, près du Mans), et la sécheresse s'accentue dans la vallée du Loir où les pluies n'excèdent guère 600 millimètres.

Certes, la Sarthe est assez arrosée pour appartenir tout entière au domaine de la chênaie atlantique dont on peut supposer qu'elle la recouvrait presque entièrement à l'aube des temps historiques, avec des variantes dues aux sols (forêt plus claire sur les plateaux calcaires secs, plus fragile sur les sables grossiers facilement lessivés...). Cependant, les influences ligériennes pénètrent jusqu'au Mans, introduisant dans la végétation spontanée ou cultivée des nuances non négligeables.

Les paysages végétaux sarthois présentent donc des aspects variés, mais le relief et les sols ne suffisent pas à les expliquer, car, même lorsqu'il s'agit de végétation dite « naturelle », les hommes l'ont modifiée et parfois profondément dégradée.

Des forêts de feuillus sur les hauteurs

Les forêts anciennes qui ont échappé aux défrichements médiévaux et couvrent encore les massifs les plus élevés sont des forêts de feuillus analogues aux forêts normandes, c'est-à-dire essentiellement des chênaies-hêtraies : le hêtre, qui redoute la sécheresse, est abondant à Perseigne et encore présent dans la Charnie et à Bercé, mais il disparaît dans la dépression et ne se rencontre guère plus au sud.

Ceci dit, des conifères ont été introduits récemment dans ces massifs et l'allure des peuplements de feuillus peut être fort différente selon qu'il s'agit de forêts domaniales, ex-forêts royales, qui ont toujours été, dans la mesure du possible, traitées en futaies (cf. Perseigne et surtout la partie orientale de Bercé dont les chênes sont célèbres par leur hauteur et la qualité de leur bois), ou de forêts plus récemment acquises par l'Etat (forêt de Sillé, Petite Charnie), ou encore de forêts privées comme la Grande Charnie : ces dernières sont souvent des chênaies dégradées à bouleaux, encore traitées en taillis, car elles ont été surexploitées entre le XVIe et le XIXe siècles, pour alimenter en charbon de bois les industries locales à une époque où la houille n'était pas encore utilisée.

Des landes reboisées en pins

Les régions basses ont été entièrement défrichées dans la mesure où les terres étaient bonnes. Il ne reste plus de forêts sur le Jurassique, mais tel n'est pas le cas sur les sables podzolisés, qu'ils soient cénomaniens dans la dépression ou à Sabals sur les plateaux du sud : à la fin de l'Ancien Régime s'y étendaient de vastes landes à bruyères (Callune mêlée d'Erica cinerea sur les croupes sèches et de Molinie dans les bas-fonds), terme ultime de la dégradation de la chênaie. Ces landes ont été massivement reboisées en pins à partir de l'extrême fin du XVIIIe siècle. Le pin maritime, qui domine largement, passe pour avoir été introduit dans la région par des marchands de toile qui, se rendant en Espagne, auraient été frappés par l'analogie entre les sables du Mans et ceux des Landes. Bien qu'il craigne le gel, il est plus répandu que le pin sylvestre, plus exigeant pour la qualité du sol.

Ferme et caves creusées dans le tuffeau à La Chartre-sur-le-Loir, au début du siècle.

La remontée des influences méridionales

Aux pins se mêlent, jusqu'à la latitude du Mans, sur les sables, des plantes spontanées à affinités méridionales, en particulier le chêne tauzin, et le chêne-vert, courant dans les pays méditerranéens, est encore présent à Sablé sur les calcaires primaires d'un versant bien exposé.

On comprend que, dans ces conditions, la vigne ait pu être cultivée jadis jusqu'au delà du Mans. Elle a régressé mais, comme en Anjou, elle est bien à sa place sur les coteaux en tuffeau de la vallée du Loir, ainsi que les vergers de pommiers. A l'inverse, dans ce sud, l'herbe pousse moins bien que dans le nord plus verdoyant et jadis plus bocager, encore que les plaines calcaires fassent exception.

La nature du sol introduit, en effet, dans les milieux des variantes dont le relief et le climat ne permettent pas de rendre compte.

Une mosaïque de petites régions naturelles

On peut voir dans la Sarthe une grande variété de types de sols qui contribuent à la variété des paysages.

Au massif ancien correspondent des terres acides et cailloureuses, de valeur inégale, meilleures sur les schistes que sur les grès, mais peu profondes ; en outre, les pentes, souvent fortes, créent, pour la mise en valeur, des problèmes qu'on retrouve avec plus ou moins d'acuité dans les régions périphériques accidentées, mais qui sont particulièrement aigus dans le bocage des Alpes mancelles.

40 ALPES MANCELLES. — *Saint-Léonard-des-Bois* — J.L.

Les Alpes mancelles à Saint-Léonard-des-Bois, au début du siècle : vallée profondément encaissée dans le massif ancien, bois sur les pentes, bocage et cultures sur les hauteurs pénéplanées, prairies dans les fonds de vallée.

Même hors des landes reboisées en pins, les sables cénomaniens, acides et grossiers, très perméables, fortement lessivés lorsqu'ils ne sont pas podzolisés, offrent peu d'intérêt agricole, et les sables plus fins mais tout aussi maigres qui recouvrent le plateau de La Fontaine-Saint-Martin et l'ouest du plateau de Saint-Calais ne valent guère mieux.

Ces sables ne s'interrompent que par places lorsque, à la faveur d'un bombement de terrain, le Cénomanien a été déblayé au profit des marnes sous-jacentes, plus fertiles. Le Belinois est la plus vaste de ces « boutonnières » et la plus petite des régions agricoles (à peine six communes) : beaucoup d'auteurs se sont plu à souligner son caractère d'oasis au milieu des sables.

De part et d'autre du croissant des terres pauvres, de plus grandes possibilités s'offrent à l'agriculture. A l'ouest et au nord du Mans, les sables n'affleurent plus que sur les buttes, tandis que les bas-fonds argileux portent de bonnes prairies. Autour de Saint-Calais, les limons des plateaux décalcifiés donnent des « bournais » battants, parfois mouillants ou pierreux (« gruettes »), mais qui, bien amendés, peuvent devenir de bonnes terres à céréales.

Les sols formés sur le Jurassique, riche en bases, sont les meilleurs. Certes, les « terres de groie » de la Champagne mancelle et de la plaine d'Alençon-Mamers deviennent pierreuses et séchantes lorsqu'elles

La Champagne mancelle vue de Vinay à Conlie, au printemps : damier de champs labourés, blé en herbe, haies de cytises et ferme à cour ouverte caractéristique. *(Cliché J. Dufour).*

s'amincissent sur le rebord des plateaux, mais elles ont toujours été considérées comme de bonnes terres à blé. Cependant, les paysans leur préfèrent encore les terres du Saosnois, les plus chères du département. Développées dans des marnes, elles sont bien équilibrées et profondes, capables de conserver de bonnes réserves d'eau lors des sécheresses d'été ; elles ont toujours porté de riches moissons et on peut tout y faire...

Des paysages plus ou moins bocagers

A ces régions naturelles correspondent des nuances dans les paysages, plus ou moins verdoyants et bocagers. Certes, aujourd'hui, le bocage tend à s'éclaircir un peu partout mais, dans ce qui reste des paysages primitifs, la haie n'a pas toujours la même importance.

Le bocage a toujours été plus dense dans les régions accidentées (haie antiérosive) et dans les pays d'élevage au sol trop argileux ou trop en pente pour être aisément cultivé (le fossé joue alors un rôle de drain et la haie sert d'abri pour le bétail) : dans les pays de ce type, les haies sont en général plus exubérantes et comportent souvent de beaux chênes pédonculés.

Ailleurs, le bocage n'a jamais été aussi dense : champs ouverts et champs plus ou moins clos se côtoient souvent. Les pays les plus découverts sont les plaines calcaires. Jadis openfields dénudés, car chênes et pommiers poussent mal sur leurs sols minces, tardivement embocagées, elles se sont toujours distinguées des bocages voisins par leurs haies ténues d'épines, de cytises et d'ormeaux.

Ainsi, le département de la Sarthe se caractérise par la diversité de ses aptitudes agricoles et de ses paysages, tantôt accidentés et bocagers, tantôt plats et découverts. On y retrouve, condensés, les traits caractéristiques des régions voisines.

___

Toute la durée des temps préhistoriques sépare ces deux objets. Les premiers « coups de poing », ainsi les appelait-on au siècle dernier, apparaissent à l'orée de l'humanité. Ils constituent pratiquement les plus anciens outils qu'une main humaine ait utilisés. Une technique de taille rudimentaire a laissé sur ce biface acheuléen, provenant des terrasses de la Sarthe, l'empreinte des éclats enlevés. Pendant plusieurs centaines de millénaires, ce même type d'outil va se répéter et s'affiner progressivement.
La pointe de flèche à ailerons et à pédoncule découverte près de Sablé est datée de l'extrême fin du Néolithique. Elle est l'héritière directe, mais lointaine, du biface. L'élégance de sa forme et sa parfaite symétrie font de cette armature travaillée dans un silex blond translucide admirablement retouché, un des plus beaux spécimens retrouvés dans le département. Avec elle s'achève la préhistoire proprement dite. La protohistoire commence... *(Cliché Claude Lambert).*

Les temps préhistoriques

une histoire sans écriture

Datation	Périodes glaciaires	Types humains	Industries		Sites caractéristiques
1.500.000	Glaciation de Günz	Homo erectus		Pebble Culture	Vallée du Loir
500.000	Glaciation de Mindel		Paléolithique inférieur	Abbevillien	Vallée de la Sarthe (Sablé)
	Interglaciaire Mindel Riss	Anté-néandertal			
200.000	Glaciation de Riss			Acheuléen	Terrasses de l'Huisne et de la Sarthe
100.000	Interglaciaire Riss Würm	Neandertal	Paléolithique moyen	Moustérien	Vallée de la Vègre
80.000	Glaciation Würm I Glaciation Würm II				Vallée de l'Erve
35.000	Glaciation Würm III	Homo sapiens (Cro-Magnon)		Périgordien	Vallée de l'Erve
25.000			Paléolithique supérieur	Aurignacien	Grottes de Thorigné en Charnie (53)
18.000				Solutréen	» »
15.000	Glaciation Würm IV			Magdalénien	» »
8.000			Epipaléolithique	Tardenoisien	St-Mars-la-Brière Montmirail
4.000		Homme actuel		Chasséen	Vion
	Climat actuel		Néolithique	Civilisation SOM	Juigné
2.000				Campaniformes	St-Germain-d'Arcé
			Age du Bronze	Bronze	Asnières/Vègre
700				Hallstatt	Aubigné (Le Vaux)
450			Age du Fer		
—52				Tène	Azé (53)

Chronologie.

Nous venons seulement de lâcher les dernières amarres qui nous retenaient encore au Néolithique...

Un naufrage. Ah, que non pas ! mais la grande houle d'une mer inconnue où nous ne faisons qu'entrer, au sortir du cap qui nous abritait.

P. Teilhard de Chardin *(le Phénomène humain)*

Géologie du Quaternaire et cultures préhistoriques

La durée des temps préhistoriques est immense. Il y a deux ou trois millions d'années, en Afrique orientale, les préhominiens commencent à s'écarter résolument de leur lignée animale : c'est l'âge des plus anciennes manifestations d'activité humaine actuellement reconnues. L'« homo erectus », quittant son berceau africain, vient conquérir l'Europe aux environs du premier million et demi d'années ; 45.000 générations nous séparent de ces premiers ancêtres. De profondes transformations affectent notre région durant cet énorme laps de temps ayant pour conséquence flux et reflux de l'occupation humaine. Les changements de climat alternant phases chaudes et phases glaciaires provoquent un alluvionnement intense dans les vallées de la Mayenne, de la Sarthe et du Loir, dû aux variations du niveau des mers. Pendant les périodes froides, les formations alluviales présentent une sédimentation très grossière, cailloutis, galets, blocs de grès ou de granit charriés par les glaces. Au contraire, les périodes chaudes sont caractérisées par des dépôts de sable et de limon. La reprise de la végétation sur les terrasses des rivières pendant les périodes interglaciaires tempérées ou chaudes, a permis la formation de véritables sols que fréquentèrent les paléanthropiens pour recueillir sur les grèves les galets nécessaires à la taille de leurs outils et pour surprendre les animaux venus boire. C'est donc au niveau de ces paléosols qu'on a le plus de chance de découvrir, en place, des vestiges d'industrie humaine scellés par les dépôts alluvionnaires de la glaciation suivante. Bien souvent, des coulées de sédiments dues aux phénomènes périglaciaires ont entraîné dans les basses terrasses les restes lithiques ou osseux et les découvertes en sont extrêmement rares en Sarthe comme dans tout le nord-ouest de la France. A une exception près, les quelques outils recueillis l'ont été en position remaniée dans les cailloutis servant d'assise aux terrasses. L'étude de ces vestiges est donc intimement liée à celle des sols qui les contiennent.

Les hautes terrasses de la Sarthe sont datées de la période glaciaire de Günz (1.200.000 ans à 700.000 ans), les moyennes terrasses de la glaciation de Mindel (700.000 ans à 350.000 ans), et les plus basses, donc les plus récentes, datent des deux dernières glaciations : Riss (300.000 à 120.000 ans) et Würm (80.000 à 10.000 ans).

Aux lourds bifaces de silex ou de quartzite des cultures du Paléolithique inférieur utilisés pendant plusieurs centaines de millénaires pour creuser la terre, broyer, trancher ou dépecer, va succéder un matériel plus léger en os, en bois de renne et en silex, lentement perfectionné tout au long des dernières phases de la glaciation würmienne.

C'est il y a 20.000 ou 30.000 ans seulement que l'évolution s'accélère aboutissant aux différentes cultures du Paléolithique supérieur. On assiste à l'apparition d'un outillage très diversifié et surtout à la naissance d'un art extraordinairement complexe et varié dans les grottes de la vallée de l'Erve.

La fin de la période glaciaire voit se développer dans les terrains sablonneux de l'est de la Sarthe les cultures épipaléolithiques pendant lesquelles l'homme continue à tirer l'essentiel de sa subsistance de la chasse et de la pêche, de la cueillette des fruits et des céréales sauvages. Le climat progressivement stabilisé, avec des alternances sèches et humides, donnera enfin au paysage l'aspect qu'on lui connaît actuellement. Ces variations du milieu, de la steppe et de la toundra à la forêt atlantique, se traduiront par l'acquisition de nouveaux genres de vie et d'un outillage mieux adapté. Les derniers chasseurs nomades disparaissent avec les derniers rennes et sont peu à peu remplacés par les premiers paysans attachés à la terre.

L'homme paléolithique n'avait pu que survivre et s'appliquer laborieusement au perfectionnement de ses outils. Cette interminable gestation, largement conditionnée par l'évolution du milieu, aboutit à la grande expansion du Néolithique et à l'apparition de ces hommes qui ont formé le fond véritable de notre population rurale actuelle. Trois millénaires avant notre ère, l'habitat est devenu permanent, notre région pratique l'élevage et l'agriculture. La Sarthe voit s'édifier sur les plateaux et les éperons dominant ses rives les premiers villages.

Les deux derniers millénaires avant l'ère chrétienne englobent toute la Protohistoire. C'est au cours de cette période que se répand pratiquement l'usage des métaux, le bronze d'abord, et plus tardivement le fer dont l'arrivée coïncide avec le développement de la civilisation celte. Avec les débuts de la monnaie, nous sommes à l'aube des temps historiques. Le dernier siècle avant notre ère est marqué par de profonds bouleversements. La Protohistoire s'achève ; Rome conquiert l'Europe. Le monde celtique écrasé et absorbé ne survit plus qu'en Irlande. Mais si le paysan gaulois vaincu apprend beaucoup de ses nouveaux maîtres, il n'oubliera rien et le vieux fond indigène ne tardera pas à resurgir.

Les premiers hommes dans le Maine

Le Paléolithique inférieur voit apparaître dans nos régions les premiers outils taillés par l'homme il y a plus d'un million d'années. C'est du moins l'âge accordé aux plus anciens sites européens ayant livré des vestiges d'industrie. Quelques enlèvements d'éclats sur un galet destinés à ébaucher une pointe et une arête tranchante constituent ces premiers outils dits de la pebble-culture. Dans la vallée du Loir, sur les marges de notre province, à Pezou, près de Vendôme, une quinzaine de rognons de silex à taille unifaciale ou bifaciale ont été recueillis à la base de la terrasse de 14 mètres. Un « chopper » isolé, trouvé plus haut sur la pente, indique la voie d'arrivée de ces outils roulés provenant de la terrasse de 40 mètres. Récoltés en milieu remanié, ils ne peuvent être attribués avec certitude à une industrie déterminée du Paléolithique inférieur. Deux pointes trièdriques fortement roulées et patinées, aménagées sur des rognons de silex, le talon conservant le cortex, proviennent de la base d'une terrasse rissienne de la Sarthe (20 mètres), près de Sablé, mais là non plus ces outils ne sont pas en position originelle. La stratigraphie du gisement n'apporte que peu d'éléments car il s'agit de dépôts largement remaniés par les solifluxions et rien ne permet actuellement de situer chronologiquement cette industrie très fruste dans une phase prémindélienne. Tout au plus peut-on lui attribuer un âge moyen d'au moins 300.000 à 400.000 ans. Les rapprochements avec les trop rares découvertes effectuées dans le centre-ouest, en Bretagne et en Normandie, ne permettent guère plus de précision.

Les cultures acheuléennes contemporaines des glaciations de Mindel et de Riss ont laissé des témoignages plus nombreux. Les outils caractéristiques en sont les bifaces. Ce sont, d'abord, des blocs de silex ou de quartzite taillés à grands éclats, en forme d'amande, par percussion à la pierre sur les deux faces, afin de déterminer un tranchant plus ou moins régulier. Deux bifaces en silex, à profonds enlèvements, à patine rousse très marquée et au tranchant sinueux, proviennent d'une basse-moyenne terrasse de la Sarthe, toujours près de Sablé (fondations de l'usine Bel). Appartenant typologiquement à l'Abbevillien, ils sont vraisemblablement à rapporter à un Acheuléen ancien. Les terrasses de la Vègre, près d'Asnières, ont livré un bon biface épais, fortement patiné et du même style.

A l'Acheuléen moyen, les bifaces constituent encore l'essentiel du matériel connu, mais ils sont réalisés de façon soignée. La taille au percuteur léger (taille au bois) permet d'obtenir des outils plus plats, lancéolés ou cordiformes, au profil latéral rectiligne. Ils sont parfois accompagnés de pointes unifaces et de racloirs taillés sur éclats. Les terrasses climatiques de la basse vallée de la Sarthe, près de son confluent avec le Loir, étudiées par M. Gruet en 1959, en ont livré d'assez nombreux exemplaires. Outre une dizaine de bifaces de l'Acheuléen moyen, une lentille argileuse scellée par la basse terrasse a révélé silex taillés et débris osseux. Les ossements ont été brisés par l'homme et l'un d'entre eux présente des incisions de décarnisation. La faune comprend des rejets de cuisine comportant du daim à grandes ramures, du cheval, un ours, un rhinocéros de Merck ainsi qu'une tortue du genre chlémys

Terrasses et bifaces

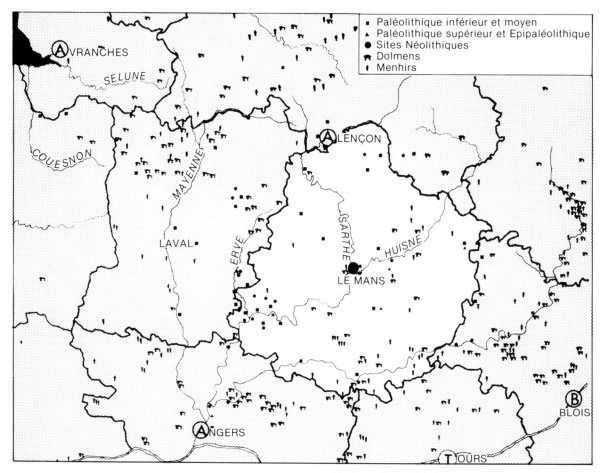

Principaux sites préhistoriques. *(Cartographie Jean Rioufreyt).*

indiquant un climat tempéré interglaciaire (interstade rissien). Un grand biface triangulaire provient de la terrasse de l'Huisne (12-15 mètres), à Saint-Mars-la-Brière. Les terrasses de l'Erve, près de son confluent avec la Sarthe, en ont livré un, en quartzite de la région d'Hambers, en Mayenne, à une quarantaine de kilomètres. Les ballastières de Parcé et les alluvions anciennes bordant le lit fossile de la Sarthe, dans les anciennes landes de Vion, ont livré également plusieurs bons bifaces de l'Acheuléen final. A Fontenay-sur-Vègre, les travaux de remembrement ont permis de retrouver un bel exemple étroitement groupé d'outils sur éclats et d'une douzaine de bifaces en amande, caractéristiques de l'Acheuléen final, vestiges certains d'un habitat ou d'une halte de chasseur établi à cet endroit dans un méandre de la Vègre, il y a une centaine de millénaires.

Dans le nord de la Sarthe, autour de Mamers et de Bellême, un matériel très grossier, composé de « protobifaces », de polyèdres plus ou moins roulés et concassés et d'éclats assez informes, en quartz, en grès armoricain et en silex, a été récolté, çà et là, en surface. J. Blanchard y a vu un faciès du Paléolithique inférieur dépassant en ancienneté toutes les autres industries. Il créa même le terme de Bellêmien pour désigner un outillage antérieur à l'Abbevillien ou à l'Acheuléen.

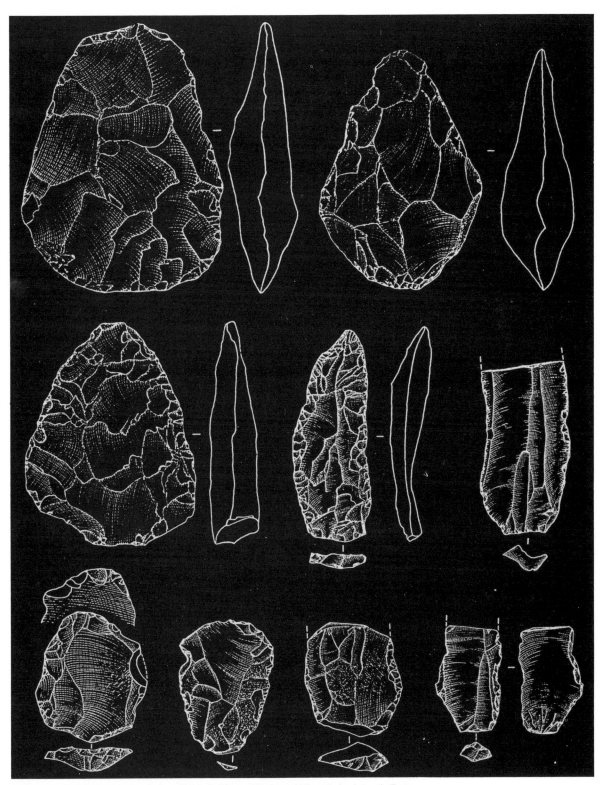

Outillage du Paléolithique moyen de la vallée de la Vègre. Sites moustériens de la région de Fontenay.
(Dessin : direction des Antiquités préhistoriques des Pays de la Loire).

Quelques outils incontestables parmi de nombreuses pièces douteuses recueillies hors stratigraphie ne permettent pas d'assurer une base sérieuse à une telle hypothèse.

L'outillage retrouvé le plus souvent à l'état dérivé dans les alluvions témoigne bien de la présence de ces groupes humains anténéandertaliens qui parcouraient les berges de nos cours d'eau durant l'immense durée du Paléolithique inférieur.

Les cultures moustériennes

Si les découvertes du Paléolithique inférieur sont quantitativement rares, les traces de l'occupation moustérienne sont, en revanche, bien marquées. On les rencontre à l'ouest du département, dans les grottes de Thorigné-en-Charnie, dans la Champagne mancelle et la basse vallée de la Vègre où R. Chaumont a montré récemment leur présence, ainsi qu'à l'est, dans la vallée du Loir, au contact des zones crétacées riches en rognons de silex naturels. Les gisements sont situés près des cours d'eau, mais sur le plateau. L'outillage est très diversifié. Les bifaces ne sont pas abandonnés pour autant, mais leur taille devient de plus en plus réduite et ils sont réalisés de façon fine et soignée au percuteur de bois. Aux bifaces de type lancéolé ou triangulaire pour les plus anciens, mais le plus souvent cordiformes, viennent s'ajouter de nombreux nuclei levallois, des pointes à talon aminci, des lames retouchées en racloir double, des racloirs convergents et des grattoirs. La matière en est le silex local gris bleu à patine café pour la vallée de la Vègre et le silex blond patiné blanc porcelaine pour la vallée du Loir. Quelques outils découverts dans les grottes de Thorigné sont en quartzite (grès lustré de Hambers Mézangers). Un éclat en jaspe rouge, découvert à Fontenay-sur-Vègre, provient du célèbre gisement de Fontmaure, près de Châtellerault (Vienne). Ces objets importés circulaient-ils de proche en proche ? Témoignent-ils d'échanges avec d'autres groupes humains ou de déplacements réels ? Il serait bien imprudent de répondre.

On peut attribuer la plus grande part de l'outillage au Moustérien de tradition acheuléenne (type A), moustérien de plateau qui fait son apparition dans nos régions un peu avant la glaciation würmienne (—80.000). Parmi la vingtaine de sites de la vallée de la Vègre, il faut signaler l'exceptionnel gisement de La Girardière, à Auvers-le-Hamon, qui a livré, à lui seul, plusieurs milliers de bifaces. Des séries moins riches ont été recueillies dans la vallée du Loir, près d'Artins, Troo, Lavardin et Vendôme. On doit y ajouter des trouvailles plus sporadiques sur les bords de l'Orne saosnoise et du Narais.

Cavernes et habitats de plein air

Si l'on connaît assez bien l'industrie des Moustériens, on ne sait que fort peu de choses sur leur habitat et leur mode de vie. Ils occupent dans le temps une grande partie de la glaciation würmienne et en ont subi l'extrême rigueur à peine coupée de quelques adoucissements, mais les outils, retrouvés épars sur les plateaux, suffisent à montrer que leurs auteurs, les néandertaliens, ne vivaient pas dans les cavernes. Même s'ils ont parfois profité de leur abri, ils ont vécu le plus souvent en plein air, aménageant sans doute des cabanes de peaux ou de branchages pour s'y reposer.

Aux environs du XLe millénaire, les hommes de Néandertal, derniers représentants des paléanthropiens, sont supplantés par des types humains très proches de l'homme actuel : les hommes de Cro-Magnon. Le climat est toujours aussi âpre, mais une série d'oscillations moins froides, parfois tempérées, apparaît au début et à la fin des phases majeures du Würm III et du Würm IV. C'est durant ces réchauffements interglaciaires que vont se développer les différentes civilisations du Paléolithique supérieur. Elles n'ont laissé que des traces infimes en Sarthe ; deux ou trois outils découverts isolément sur les plateaux, mais qui suffisent à montrer que notre région n'était pas totalement désertée. Les conditions de gisement sont autres et les habitats restent encore à découvrir.

C'est une fois de plus vers les grottes de l'Erve en Mayenne, entre Saint-Pierre-sur-Erve et Saulges, mais sur la commune de Thorigné, qu'il nous faut regarder. L'Aurignacien y est bien représenté avec de nombreux outils : grattoirs carénés, burins busqués, troncatures retouchées, pointes de la Gravette, en silex local, en jaspe jaune et en cristal de roche.

La culture solutréenne y est caractérisée par les célèbres « feuilles de laurier », lames fusiformes de silex, très minces et à longues retouches couvrantes. Puis vient le Magdalénien, aux environs du XVe millénaire, avec des outils en os et en bois de renne : harpons à barbelures unilatérales, sagaies à double biseau, objets gravés, parures...

La faune froide déjà connue au Moustérien persiste encore. Le mammouth et le rhinocéros laineux sont associés au renne. Quand le froid diminue, le renne régresse et le cheval prédomine, plus rarement les grands bovidés, le bœuf et le bison ou le cerf élaphe. Il faut y ajouter ours, lions et hyènes qui vivent dans les cavernes.

Les civilisations du renne et du mammouth

Peintures rupestres des grottes de Saulges (Mayenne). Groupe mammouth-cheval. Paléolitique supérieur. *(Cliché Claude Lambert).*

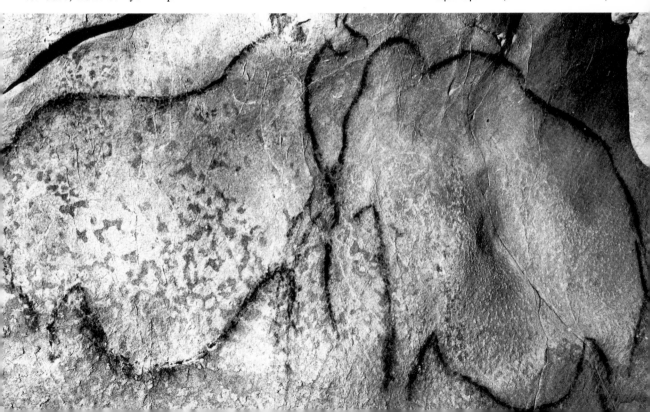

Les premières œuvres d'art

La découverte de peintures rupestres par deux spéléologues, R. Bouillon et L. Avignon, en 1967, est venue concrétiser de façon spectaculaire l'extrême intérêt des sites de la vallée de l'Erve. La grotte sanctuaire de Thorigné a révélé, sur les parois d'une salle magnifiquement concrétionnée, seize figurations qui se répartissent ainsi : sept chevaux, un bison, un mammouth, peut-être un rhinocéros et trois signes symboliques, au total quatorze dessins au trait, une figure tracée à l'argile et une gravure. Sur la fresque principale, deux animaux sont affrontés, un cheval et un mammouth aux ventres volontairement déformés (représentation de femelles gravides). Cette association est particulièrement rare dans l'art pariétal franco-cantabrique. On ne la retrouve qu'une seule fois à La Baume-Latrone, dans le Gard. L'absence d'éléments de comparaison rapprochés et le manque de données archéologiques précises (la grotte n'a pas encore été fouillée) ne permettent pas de dater les peintures avec certitude. On peut retenir leur appartenance au style IV de Leroi Gourhan et les attribuer provisoirement au Magdalénien récent, mais une datation plus ancienne n'est peut-être pas à rejeter.

Les cultures épipaléolithiques ou les derniers chasseurs

La station préhistorique du camp d'Auvours, à Saint-Mars-la-Brière, découverte en 1968 par R. Guyot, est installée sur un plateau sableux dominant la vallée du Narais. Elle est constituée par un ensemble d'habitats dont cinq déjà ont été localisés. L'un de ceux-ci fut étudié d'une façon exemplaire par M. Allard, à partir de 1970. Ses fouilles ont mis en évidence de remarquables structures en pierres sèches délimitant un fond de cabane à peu près carré et le cloisonnant partiellement. Plusieurs emplacements de foyers contenant d'abondantes traces charbonneuses y furent découverts. La communication avec l'extérieur paraît avoir été assurée par des passages abrités en milieu de chaque façade. D'autres structures greffées sur l'enceinte principale pourraient correspondre à un enclos prolongeant cet habitat vers le nord. Le matériel archéologique, essentiellement lithique, abonde à l'intérieur de l'habitat, surtout dans les zones de foyers. L'outillage est caractérisé par une profusion de lamelles à bord abattu et de pointes microlithiques diverses. Les burins surtout dièdres sont aussi nombreux que les grattoirs. Quelques lamelles tronquées, des perçoirs peu nombreux et des plaquettes d'ocre complètent enfin cet inventaire. Un tel outillage se rapporte à un mode de vie purement paléolithique, basé sur la chasse. Cependant, les datations radiocarbones effectuées à partir des charbons ont donné un âge proche de 4.600 B.C., ce qui ferait de cette station la plus récente du genre actuellement datée en Europe. Les caractères très particuliers de l'outillage, mais surtout la conservation exceptionnelle des structures et leur degré d'évolution, font de cette station un centre préhistorique dont l'intérêt paléoethnologique est primordial.

A partir du IVe millénaire, l'est de la Sarthe paraît être occupé par des populations de chasseurs-pêcheurs ajoutant peut-être l'élevage à leur économie traditionnelle. Ces groupes humains sont désignés sous le nom de tardenoisiens. Très tôt, il se produira des phénomènes d'acculturation entre Tardenoisiens indigènes et populations à économie agricole du nord et de l'est de la France, mais l'outillage de type épipaléolithique se maintiendra encore fort longtemps. Le site de La Croix-Verte, à Montmirail, étudié par R. Guyot, est un gisement de surface à grande aire d'extension où abondent les pièces microlithi-

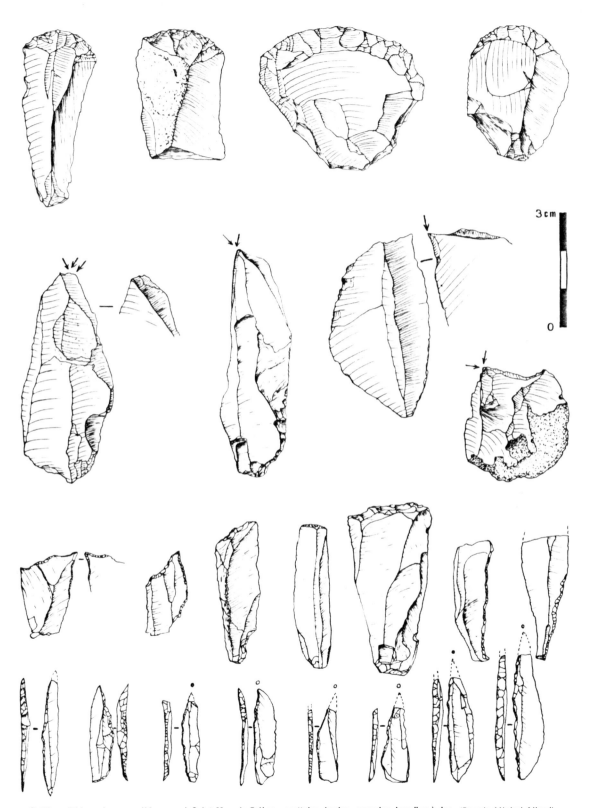

Outillage lithique du camp d'Auvours à Saint-Mars-la-Brière : grattoirs, burins, perçoirs, lamelles à dos. *(Dessin Michel Allard)*.

ques. Ces outils obtenus par fracturation de lamelles préalablement encochées étaient destinés à former les barbelures interchangeables des harpons, ou bien à armer les têtes des flèches utilisées avec l'arc. La forte proportion de microlites mélangés aux flèches à tranchant transversal, aux pointes à ailerons et pédoncules ainsi qu'à des tessons de poterie, incite à y voir une industrie tardive déjà partiellement néolithisée. C'est encore plus vrai pour les gisements de Saint-Mars-d'Outillé où les microlites sont encore présents, mais tendent à se raréfier.

Le village et le champ

Pasteurs et agriculteurs

Le passage d'une économie prédatrice à une économie productrice a dû se faire très progressivement. Notre région subira pendant toute la durée des temps néolithiques des influences diverses encore malaisées à démêler. L'ouest de la Sarthe et le Bas-Maine appartenant géographiquement au Massif armoricain seront soumis à des influences atlantiques. Au contraire, les plaines et les plateaux de l'est sarthois constitueront le point d'aboutissement des vagues culturelles qui envahissent le Bassin parisien, pendant que des influences Loire-Moyenne seront notables dans le sud du département.

C'est à Vion, près de Sablé, dans la station dite du camp de César, que l'on peut le mieux saisir, pour notre région, l'ampleur de ces phénomènes nouveaux. Sur une immense étendue, le sol d'alluvions qui repose sur des formations jurassiques est semé de silex éclatés. Par endroits, à l'extérieur de certaines zones plus ou moins dépressionnaires, on recueille par milliers des outils souvent brisés ou seulement ébauchés dont le plus commun est la hache taillée du type à bords parallèles, aux extrémités arrondies. Elles présentent, la plupart du temps, la gibbosité caractéristique des pièces dites de technique campignienne. On y retrouve aussi des pics, des racloirs énormes (écorçoirs), des perçoirs, des grattoirs carénés, des percuteurs et des nuclei ainsi que des pierres de jet. Tout dénote, ici, une exploitation intensive des bancs de silex sous-jacents et une occupation très longue du site. Ces outils lourds et massifs ne pouvaient servir qu'à l'essartage, au défrichement et comme houes, au travail de la terre. Beaucoup ne sont, en fait, que des ébauches destinées au polissage, dégrossies sur les lieux mêmes de l'extraction afin d'en faciliter l'acheminement vers les habitats voisins ou plus lointains. Toute une économie forestière et agraire est là, en germe, rendue possible par les radoucissements climatiques du postglaciaire. La prépondérance de ces haches taillées, attribuées parfois, à tort, à une culture dite « campignienne », caractérise un faciès du Néolithique moyen désigné sous le nom de Chasséen du Bassin parisien et dont les gisements de la région de Sablé constituent l'extrême avancée vers l'ouest.

Le site de La Croix-Sainte-Anne, à Juigné, proche de la station-atelier de Vion, s'étend au sommet d'un éperon rocheux sur la rive droite de la Sarthe. Découvert en 1895, étudié par R. Triger, en 1908, puis par le baron de La Bouillerie, en 1910, l'outillage fut d'abord

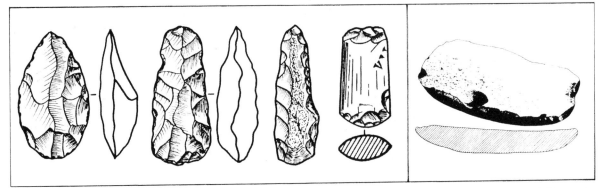

Outillage néolithique : haches de type campignien, Vion (Sarthe) ; hache partiellement polie, Juigné (Sarthe) ; meule dormante, Azé (Mayenne). *(Dessin Jean Rioufreyt).*

attribué au Paléolithique. L. Marsille, en 1920, restitua l'ensemble au Paléolithique. L'industrie lithique est fort riche en haches taillées partiellement polies et en produit de débitage : grattoirs, tranchets, encoches, raclettes et perçoirs, lames retouchées, flèches à tranchant transversal, mais aucune flèche perçante. De nombreux éclats utilisés comme éléments de faucille présentent un lustré d'usage (lustré des céréales ?). Un splendide polissoir en grès comportant plus de vingt rainures a été découvert récemment en réemploi dans un mur à proximité de la station.

Les paysans néolithiques

La domestication des animaux et l'adoption de l'agriculture avec ses corollaires, le polissage de la pierre et la céramique, provoquent un véritable changement de civilisation. Les plateaux à terre lourde sont peu à peu colonisés. Leur déforestation et leur mise en culture sont la justification essentielle du gros outillage campignien. La chasse, la pêche et la cueillette ne subsistent plus que comme techniques d'appoint. L'habitat devient permanent ; c'est la naissance du village et tout un essaimage de stations nouvelles le long des rivières et dans la plaine. On occupe de préférence les éperons ou les rebords de plateau, pour jouir d'une vue étendue, surveiller champs et pâturages et peut-être aussi défendre troupeaux et récoltes qui provoquent la convoitise. C'est le grand essor démographique qui se poursuivra durant le Néolithique final. Il n'est guère de régions de la Sarthe qui n'aient livré des vestiges de ces périodes, au moins les plus connus d'entre eux, les haches polies.

Parmi les stations notables, on peut encore relever, dans la région de Mamers, les coteaux dominant la Dive et le site de La Butte-en-Marolette où l'on a recueilli un outillage très divers : percuteurs, nuclei, grattoirs, retouchoirs, perçoirs, lames, scies, armatures à tranchant transversal, pointes à aileron et à pédoncule ainsi que de nombreuses haches polies en silex et en roche dure, des éléments de parure également, en particulier vingt-cinq fragments d'anneaux disques ou bracelets de pierre en schiste verdâtre. Un atelier de fabrication de tels anneaux a été découvert en 1975, à La Havardière, près de Sablé. La matière utilisée en est le schiste dévonien gris ou lie de vin qui affleure dans la vallée de la Vaige, à moins d'un kilomètre au sud-est du site. Quelques outils de silex accompagnent les anneaux : perçoirs, racloirs, pointes de flèche de type Sublaines. L'étude des objets inachevés ou brisés en cours de réalisation a même permis de reconstituer les techniques de fabrication — par raclage radial du noyau central. Cette opération répétée sur les deux faces a laissé de nombreuses stries parallèles ou croisées sur les fragments retrouvés.

En 1900, un dragage du lit de la Sarthe effectué au sud de Sablé, devant la ferme de La Bouverie, ramena des ossements et des débris divers, meules et broyeurs à céréales, poids en pierre, pendeloques percées en grès lustré et de nombreux tessons de céramique, certains avec empreintes digitées. Pour les ossements, des crânes de bœufs (Bos longifrons), de chevaux, de chiens, des bois de cervidés, des défenses et deux mâchoires de sangliers plus une canine d'ours ! R. Triger y vit une cité lacustre, d'autres auteurs un gué. Le matériel étant perdu et n'ayant fait l'objet d'aucune description précise, il est difficile de se prononcer quant à son ancienneté.

Dans la vallée du Loir, le camp d'éperon du Vaux, en Aubigné, dont l'occupation se prolongera jusqu'à la fin de l'Age du Fer, surplombe la rivière d'une quarantaine de mètres. Il a livré une dizaine de milliers d'outils actuellement en cours d'étude.

Au Néolithique final (2500-1700), sur les franges ouest du département, on retrouve mêlées les influences de la culture Seine et Oise-Marne et du foyer breton. Les produits d'importation sont fréquents et témoignent de la réalité des contacts et des échanges, en particulier les haches polies en dolérite provenant des ateliers de Plussulien, dans les Côtes-du-Nord. Les poignards et les grandes lames en silex blond du Grand-Pressigny, en Touraine, sont également présents dans le sud de la Sarthe. De mauvaises conditions de conservation ne permettent pas, malheureusement, de connaître la céramique.

Au début du IIe millénaire, la civilisation campaniforme se greffera uniformément sur les cultures déjà existantes et annoncera le début des temps protohistoriques.

Allées couvertes et dolmens angevins

La Sarthe est assez pauvre en dolmens en comparaison des régions avoisinantes. Une quinzaine d'entre eux subsistent, la plupart très mutilés, contre trente-cinq en Mayenne, quarante en Loir-et-Cher et cinquante-six en Maine-et-Loire. Un seul a été l'objet d'une fouille complète (Saint-Germain-d'Arcé). Ils sont donc mal connus et difficilement attribuables à une culture donnée. Les monuments mégalithiques du Maine appartiennent, en fait, à deux types principaux. Les premiers, que l'on retrouve sur la frange nord-ouest, exclusivement en Mayenne, sont à rapporter à la série des « allées couvertes armoricaines » caractérisées par des parois latérales et une hauteur constante, sans distinction possible entre chambre et couloir. Nombre d'entre elles possèdent, en outre, une entrée latérale ou une petite cellule axiale supplémentaire placée au fond, à l'extérieur du monument. Les seconds sont à classer parmi les dolmens angevins, individualisés et définis par M. Gruet, en 1956 ; ils sont composés d'une chambre mégalithique quadrangulaire, parfois cloisonnée, précédée d'une courte antichambre, moins large et moins haute, couverte d'une seule dalle, le portique. Les monuments de Duneau près de Connerré, d'Amnon à Saint-Germain-d'Arcé, du Colombier à Aubigné, appartiennent à ce type. Les allées couvertes du Bassin parisien dont il existe deux types différents, le second bien représenté en Touraine et dans la vallée du Loir, ne paraissent pas avoir empiété sur la Sarthe. Il existe, enfin, un dernier lot de monuments qui ne peuvent entrer dans aucune de ces catégories. Il s'agit de petits dolmens simples, vraisemblablement assez tardifs, forme ultime dérivée des monuments précédents. Il est parfois difficile de les différencier d'autres dolmens simples, en réalité résiduels (réduction par destruction partielle d'un monument du type dolmen angevin ou allée couverte). A l'origine, tous les dolmens étaient recouverts d'un tumulus de terre ou de pierrailles plus ou moins important, parfois bordé par des parements réguliers de pierres sèches ou par une rangée de gros blocs, structures actuellement complètement dégradées et même la plupart du temps disparues. Ils ne présentaient donc pas l'aspect qu'on leur connaît aujourd'hui. Il s'agissait de véritables monuments composites dont l'architecture était extrêmement élaborée. Hélas, tumulus, parements, constructions annexes, tout ce qui en faisait la splendeur a, la plupart du temps, disparu. Il ne reste plus qu'empilement de pierres et prouesse technique.

Le plus grand dolmen de la Sarthe, celui de Duneau, présente une dalle de couverture unique de 7 × 4 mètres, pesant environ 35 tonnes, mais le plus complet est sans conteste celui du Colombier, en Aubigné, caractérisé par sa dalle de couverture largement débordante et ses cloisons internes. Le portique existe encore, mais écroulé. Il faut encore citer le petit monument de Vouvray-sur-Huisne (4 × 2 mètres) dont le pilier nord comporte, sur sa face interne, de nombreuses rainures de polissage. Le dolmen d'Amnon, à Saint-Germain-d'Arcé, a été fouillé et restauré en 1972 et 1973. Il s'agit des restes d'un monument autrefois

Le dolmen du Colombier à Aubigné-Racan.
(Relevé Jean Rioufreyt).

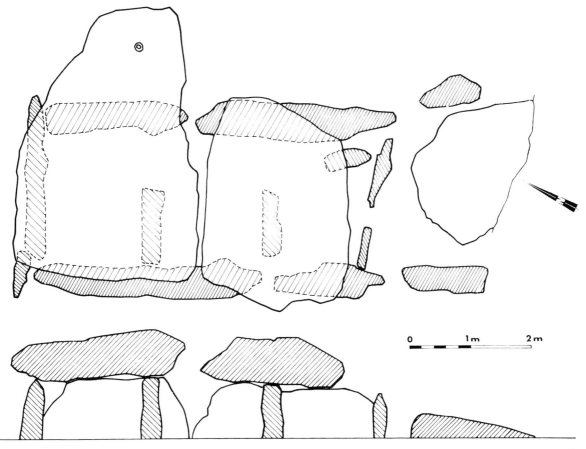

plus important, très ruiné et probablement vidé anciennement. Son étude a révélé l'existence d'un dallage de plaquettes de grès complétant les vides laissés par une énorme dalle de base, dans le fond du dolmen. Quelques tessons décorés de bandes parallèles, délimitées par des incisions ou des lignes pointillées, ainsi qu'une pointe de flèche à ailerons

Alignement de menhirs de Saint-Jean-de-la-Motte. *(Cliché Claude Lambert).*

équarris, appartiennent à la culture campaniforme. Ces vestiges résiduels du mobilier archéologique qui accompagnaient des ossements humains (pariétal et fragment de tibia) témoignent de l'utilisation funéraire du monument à l'extrême fin du Néolithique, au début du IIe millénaire avant J.-C. Ils ne nous apportent aucune information sur la période de construction du monument, certainement antérieure. Le matériel retrouvé correspond aux dernières inhumations, les prédécesseurs ayant été éliminés d'autant plus facilement que les corps devaient reposer à même la grande dalle de base.

Une vingtaine de menhirs subsistent également en Sarthe. Leur signification tout comme leur date d'érection sont bien problématiques. Le plus célèbre est celui de la cathédrale du Mans (4,55 mètres de hauteur). Celui de Courtevrais, à Nogent-le-Bernard, mesure, lui, 5,40 mètres. Signalons aussi la « Mère et la Fille » à Saint-Jean-de-la-Motte (4,80 mètres et 2,30 mètres), « Gobiane » à Chahaignes (3,60 mètres) et La Roche-Voyer à La Flèche (3 mètres). Les menhirs de La Lande-des-Soucis, à Saint-Jean-de-la-Motte, faisaient partie d'un ensemble composé à l'origine de très nombreuses pierres. Au siècle dernier, on en dénombrait encore une cinquantaine disposées en quatre groupes. Aujourd'hui, il n'en subsiste plus que quatre en place. Trois sont alignés et leur orientation (52° géographiques) paraît indiquer la position du lever du soleil au solstice d'été. Sommes-nous en présence de repères solaires ou luni-solaires qui matérialisaient des observations astronomiques ? L'ensemble était-il destiné à annoncer le début des saisons et les grandes dates de l'année agricole ? Avait-il une fonction religieuse ? Bien des questions restent posées. Notons que les « soucis » qui ont donné leur nom au lieu-dit, mais n'ont jamais dû beaucoup pousser dans la lande, ont pour origine le mot latin *solsequia* : qui suit le soleil…

Menhirs et alignements

La Protohistoire

La diffusion de la métallurgie du cuivre et du bronze a dû se faire très progressivement dans notre région, dans le courant de la deuxième moitié du IIe millénaire. Les premiers objets métalliques, en or ou en cuivre martelé, sont dus aux fabricants des gobelets campaniformes, artisans et colporteurs à l'origine vivant en marge des populations indigènes ; ils se sont vite fondus avec les groupes néolithiques locaux, grands utilisateurs de silex et le mode de vie n'a guère dû changer. Leurs traces ont été retrouvées, on l'a vu, dans le sud-est de la Sarthe, à Saint-Germain-d'Arcé.

Après la poterie, le métal

Notre documentation sur ces périodes est bien pauvre, réduite à quelques outils dont la typologie est peu variée. Elle se limite pratiquement aux seules haches de bronze auxquelles il faut ajouter une épée et

L'Age du Bronze en Sarthe

deux objets lithiques, soit seize trouvailles isolées, un dépôt regroupant trois haches et un site d'habitat.

Deux poignards en silex, datables du Bronze ancien, ont été découverts récemment à Noyen et à Avoise, le premier dans les fondations d'une villa gallo-romaine, le second hors de tout contexte archéologique. Le poignard de Noyen est une lame à dos poli, finement retouchée, de 16,5 centimètres de longueur, en silex du Grand-Pressigny. Le poignard d'Avoise, de près de 20 centimètres de longueur, en silex vert olive étranger à la région, imite les modèles métalliques qui commençaient alors à circuler.

Une hache plate en cuivre a été recueillie au siècle dernier dans les landes de Pontlieue. C'est le seul outil métallique imputable au Bronze ancien découvert en Sarthe. On en connaît également un exemplaire dans l'Orne, mais aucun en Mayenne. Ces outils dérivent des haches polies dont ils sont morphologiquement très proches. Au début du IIe millénaire avant J.-C., c'est le centre-ouest, la Vendée et le Maine-et-Loire qui, avec l'Armorique, en sont les plus gros pourvoyeurs : deux cents exemplaires en Bretagne, soixante-dix en Vendée, trente-six en Maine-et-Loire dont vingt pour le seul saumurois où le modèle paraît perdurer.

Une hache à rebord de type vendéen provient de Laigné-en-Belin. Ce genre d'outil caractérise le début du Bronze moyen, mais ce sont les haches à talon qui attestent le mieux de la prospérité économique de cette période. Les neuf exemplaires retrouvés montrent que la Sarthe s'inscrit bien dans la zone atlantique. Les haches au tranchant élargi, décorées de motifs variés, appartiennent au type normand dont la basse Seine constitue le point de diffusion. Les haches au tranchant étroit, sans décor, proviennent de Bretagne. La hache à talon de Sainte-Sabine, près du Mans, du type armoricain (groupe de Tréboul), a été découverte au siècle dernier, associée à un squelette humain, mais faute d'observations précises, toute interprétation paraît bien délicate, sinon impossible. L'épée à base trapézoïdale trouvée dans l'Orne saosnoise et datée également du Bronze moyen rappelle les multiples armes identiques draguées dans la Loire, ultime témoignage de ces combats rituels sur les gués, si fameux dans la tradition celtique irlandaise, à moins qu'il ne s'agisse de jets volontaires en offrande aux dieux. Il est difficile d'expliquer autrement la présence de ces épées, en si grand nombre, dans le lit des rivières.

Les haches à talon resteront largement en usage au Bronze final, mais seront supplantées par les haches à ailerons (deux exemplaires à Pontlieue) et les haches à douille comme celles du dépôt d'Asnières-sur-Vègre où deux hachettes du type de Couville accompagnaient une hache à talon bretonne. Ces deux petites haches (7,50 centimètres de longueur) ont été découvertes sous une dalle près d'un gué de la Vègre. Leur grande teneur en plomb, révélée par l'analyse (27 %), qui les rendait trop ductiles, et le fait que la douille intérieure descende jusqu'à quelques millimètres du tranchant, rendant impossible l'affûtage, ne permettaient pas un usage normal. Une des hypothèses les plus plausibles pour expliquer leur existence est d'y voir un système prémonétaire. Elles auraient ainsi été utilisées comme objets de troc ou comme monnaies à la fin de l'Age du Bronze et au début de l'Age du Fer. On les trouve souvent en quantité considérable. Le nord de la Mayenne en a livré cinq dépôts pour un total de quatre cents haches, l'Orne cent trente quatre et la Manche plus de quatorze mille dans quatre-vingt-dix-sept dépôts. Les nombreux enfouissements retrouvés, toujours

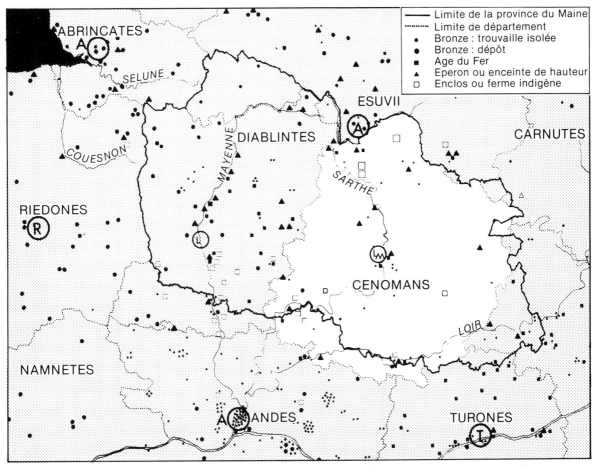

Les sites de l'Age du Bronze et de l'Age du Fer. *(Cartographie Jean Rioufreyt).*

Légende :
- Limite de la province du Maine
- Limite de département
- Bronze : trouvaille isolée
- Bronze : dépôt
- Age du Fer
- Eperon ou enceinte de hauteur
- Enclos ou ferme indigène

ABRINCATES · SELUNE · COUESNON · RIEDONES · MAYENNE · DIABLINTES · ESUVII · CARNUTES · SARTHE · CENOMANS · NAMNETES · LOIR · ANDES · TURONES

Hache à douille du Bronze final (Asnières-sur-Vègre). Hache à talon du Bronze moyen (Auvers-le-Hamon). *(Dessin Jean Rioufreyt).*

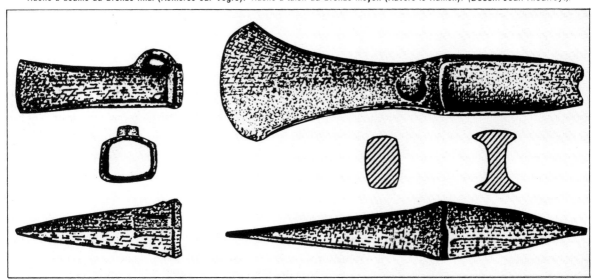

Camp de la butte de Vaux à Aubigné-Racan, vallée du Loir, habitat fortifié. Bronze final-Hallstatt. *(Cliché Claude Lambert).*

dans des endroits isolés, à la lisière des forêts, en bordure des rivières ou des marécages, peut-être en limite de territoire, posent le problème de leur signification. Cachette de thésaurisation ou offrande rituelle, on peut hésiter entre l'interprétation économique et l'interprétation religieuse. Ces haches à douille, caractéristiques de nos régions du nord-ouest, constituent l'ultime manifestation des cultures fondées sur le Bronze.

Un habitat du Bronze final

Un site occupé au Bronze final a pu être repéré ces dernières années grâce à la photographie aérienne. Il s'agit d'un promontoire calcaire dominant la vallée du Loir : le camp du Vaux à Aubigné. Quatre années de fouille ont permis d'étudier un habitat quadrangulaire, établi à la pointe sud de l'éperon, qui a livré des vestiges de structures : murettes de pierres sèches, trous de poteaux, foyers et de nombreux fragments de poteries. La céramique se partage en deux lots, une céramique épaisse à pâte assez grossière, souvent friable lorsqu'elle sort de terre, et une céramique à pâte plus fine, moins épaisse, plus cuite et d'aspect extérieur lustré. Les deux types ont été modelés à la main. On distingue de grands vases à provisions, globulaires, souvent ornés d'un cordon torsadé, à col élevé ; des vases plus petits, parfois biconiques ; des bols hémisphériques à parois épaisses ; des jattes assez larges à rebord incisé et des coupes de petit diamètre. Les décors sont variés : rebords avec impressions digitées ou incisions obliques, cordons tres-

40

sés, cannelures horizontales et dents de loup. Tous les fonds sont plats et assez épais. Le mobilier lithique est abondant — grattoirs, lames, hachettes polies et affûtoirs réservés sans doute à l'affûtage d'objets métalliques. Un talon de javeline en bronze a été également recueilli. La datation radiocarbone des charbons du foyer a donné 630 avant notre ère (± 100), ce qui confirme l'attribution au Bronze final.

Après le Bronze, le Fer

Les débuts de la métallurgie du fer sont laborieux. Son usage a débuté en Asie mineure et s'est répandu à travers l'Europe au début du Ier millénaire. Dans nos régions de l'ouest, le premier Age du Fer ou Hallstattien est une phase de transition, un Bronze final prolongé qui perdurera jusqu'au Ve siècle. Dans le Maine, les sites datés de cette période sont rarissimes. L'éperon du Vaux continue à être occupé, mais voit sa défense renforcée par l'édification d'un rempart à double parement entourant le plateau sommital et venant recouvrir les habitats primaires. Une double palissade en bois devait compléter le système défensif au moins dans la zone sud. Deux autres échantillons radiocarbone permettent de dater la construction du rempart, soit 480 et 360 (± 100) avant notre ère. Ces travaux de fortification, à mettre peut-être en relation avec les premières invasions celtiques, englobaient une superficie de plus de trois hectares. En cas de danger, les troupeaux pouvaient y être gardés, le bétail constituant alors un véritable capital, objet de bien des convoitises. Des habitats correspondant à cette phase secondaire, aucune structure ne nous est parvenue. Seule une petite série de tessons a été recueillie, sans stratigraphie, dans la partie centrale du plateau. Parfois mieux cuits, ils ne se distinguent cependant guère de ceux provenant de l'habitat du Bronze final. Les formes et les décors demeurent pratiquement inchangés. Le plateau a livré également quelques tessons de la Tène finale ainsi que des fragments d'amphores italiques qui montrent la continuité de l'occupation des lieux au deuxième Age du Fer.

Urnes funéraires hallstattiennes, Ve siècle av. J.-C. Nécropole à incinération de Cherré à Aubigné-Racan. Tumulus I et II. *(Dessin Jean Rioufreyt).*

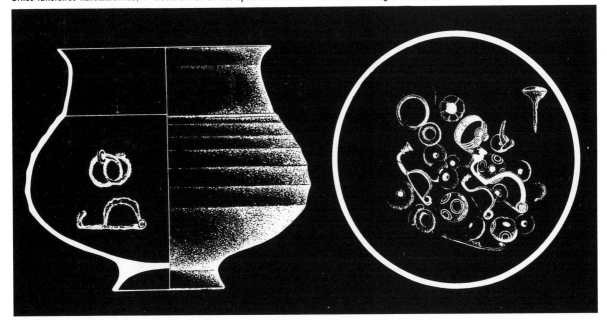

La nécropole de Cherré

Les campagnes de fouille organisées à partir de 1977 sur le complexe gallo-romain de Cherré établi dans la plaine près du camp du Vaux ont révélé la présence d'une nécropole à incinération du Hallstatt final sous les fondations du théâtre. Cinq stèles mégalithiques et six tumulus ont été reconnus. Trois ont été actuellement étudiés. Le premier a été retrouvé intact, littéralement scellé par les constructions romaines. Il s'agit d'un amas de sable cendreux, très homogène, délimité par un fossé circulaire de 7 mètres de diamètre. Une urne cinéraire contenant des os brûlés, une fibule et deux anneaux liés, en fer, une perle en os et un oursin fossile, a été découverte en position légèrement excentrée. Le tumulus n° 2 était bordé par deux fossés concentriques de forme carrée, à angles arrondis, de 10 mètres et 5,25 mètres de côté. Une série continue de trous de poteaux, vestiges d'une palissade ou d'une maison funéraire qui protégeait à l'origine la zone centrale, a été mise en évidence par la fouille. Leur espacement un peu lâche, mais régulier, devait comporter une structure en treillis de branchage. L'urne, retrouvée, brisée et écrêtée par les constructeurs gallo-romains du théâtre, contenait un riche mobilier caractéristique du Hallstatt final : une épingle à tête quadrangulaire bombée, deux anneaux et une grande fibule en fer, deux fibules en bronze, une bague ornée de trois chatons coniques décorés d'anneaux concentriques, un grattoir de bronze, un bracelet en verre et un collier formé d'une quinzaine de perles globuleuses ou annulaires en pâte de verre de couleur jaune ou blanche, trois d'entre elles portant un décor ocellé. Le tumulus n° 3 ne contenait aucun mobilier.

Cinq siècles de civilisation celtique

Deux autres sites seulement peuvent être comparés au camp du Vaux à Aubigné. Le site de Crochemêlier, à Igé, sur les confins de la Sarthe, mais dans l'Orne, à quelques kilomètres au sud de la forêt de Bellême, est un petit camp d'éperon barré par un rempart en terre ; il a livré une céramique identique à celle du Vaux. Son occupation s'est également prolongée jusqu'à la Tène finale ainsi que le montre la découverte de trois monnaies gauloises. Plus près du Vaux, la station de Lavardin, en Loir-et-Cher, a donné aussi des éléments de mobilier céramique tout à fait comparables. L'éperon, là aussi, permettait le contrôle de la vallée du Loir. Un puissant château fort viendra recouvrir les terrassements protohistoriques. L'édification de camps retranchés sur les collines est une des caractéristiques de l'Age du Fer européen. Les marges est de la Sarthe n'y échappent pas. Il faut sans doute y voir le reflet des périodes d'insécurité consécutives à l'arrivée des premiers envahisseurs celtes. Les autres régions du Maine, limitrophes de la Bretagne et de la Basse-Normandie, productrices de bronze, paraissent avoir résisté davantage à l'implantation de la culture hallstattienne, utilisatrice du fer, qui venait bouleverser l'économie locale entièrement fondée sur le bronze.

Une découverte ancienne faite sur les bords de l'Erve, à Thorigné-en-Charnie (Mayenne), non loin des célèbres grottes, montre encore, à la charnière bronze-fer, l'importance des échanges avec le Bassin méditerranéen. Il s'agit de cinq statuettes, trois personnages et deux bovidés, en bronze coulé, provenant du nord de l'Italie et datées du VIe siècle avant J.-C. Les découvertes de figurines identiques, tout au long d'un tracé régulier partant de l'Italie, passant par les cols des Alpes, la Bourgogne et le Val de Loire, pour aboutir en Bretagne, constituent autant de jalons sur la route de l'étain, vers les gisements de l'embouchure de la Loire ou des îles britanniques, les fameuses Cassitérides

Statuettes
italo-étrusques
de Thorigné-en-Charnie
(Mayenne).
Début
du VIᵉ siècle
av. J.-C.
(Cliché
Claude Lambert).

d'Hérodote. Au deuxième Age du Fer, d'autres routes s'ouvriront aux importations gréco-étrusques, principalement la voie méditerranéenne par la vallée du Rhône. La présence, dans le Maine et en Anjou, d'objets d'importation, vases, fibules, statuettes représentant Hercule combattant, atteste que notre région a pu profiter de ces courants commerciaux. Leur influence sur le plan économique et culturel, voire religieux, n'a peut-être pas été négligeable et peut éclairer d'un jour singulier une période parmi les plus obscures de notre histoire.

Autre caractéristique du premier et du deuxième Age du Fer révélée par les récentes prospections aériennes : la présence, dans la plaine, près des rivières, de nombreux enclos circulaires, ovalaires ou quadrangulaires. Ils apparaissent le plus souvent isolés, parfois accompagnés à quelque distance de lignes de fossés, de taches ou d'aires sombres plus ou moins régulières qui trahissent la présence de petits hameaux indigènes. Les enclos circulaires de petite dimension, souvent moins de 20 mètres de diamètre, sont caractérisés par la régularité de leur tracé. Leur usage rituel ou funéraire ne paraît guère faire de doute. Les fossés quadrangulaires et les zones sombres que l'on observe à proximité, à Oisseau-le-Petit (Sarthe) et à Ménil (Mayenne) par exemple, paraissent délimiter les habitats avec leurs fonds de cabanes, leurs fosses dépotoirs ou leurs silos à provisions. On retrouve même, au Ménil, sur les bords de la Mayenne mais en territoire cénoman, la trace d'une grande cabane rectangulaire matérialisée par une suite régulière de trous de poteaux. On s'accorde généralement pour dater les fossés circulaires de l'Age du Bronze ou du premier Age du Fer (première moitié du Iᵉʳ millénaire avant notre ère). Les fossés de type carré, beaucoup plus nombreux, sont datés, eux, de la période de la Tène (second Age du Fer : du IVᵉ au Iᵉʳ siècle avant J.-C.).

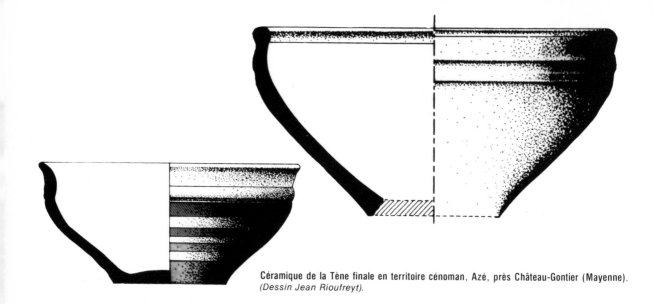

Céramique de la Tène finale en territoire cénoman, Azé, près Château-Gontier (Mayenne).
(Dessin Jean Rioufreyt).

D'autres enclos, de plan carré, rectangulaire ou trapézoïdal, à enceinte simple, double, plus rarement triple, ont été également retrouvés grâce à la prospection aérienne. Ils sont généralement de grandes dimensions (80 à 150 mètres de côté). L'un d'entre eux, de plan trapézoïdal régulier, celui d'Azé, près Château-Gontier (Mayenne), fouillé en 1975, présente une triple série de fossés à section en V. Les trois portes alignées sont orientées sur la position du soleil au solstice d'été. Un mobilier caractéristique, les fragments de trente quatre vases de forme basse, de la Tène finale, des briquetages et des éléments de foyer, une fibule et quelques objets de fer, ont été recueillis dans le remplissage des fossés. L'orientation, le soin particulier apporté à l'élaboration de son tracé, sa situation en zone de marche, en limite des territoires cénoman et andécave et l'existence d'une importante foire agricole (la Saint-Fiacre) attestée au moins depuis le Xe siècle, là-même où se situe notre enceinte, tout cela incite à y voir un sanctuaire celtique assimilable aux « Viereckschanze » des archéologues allemands. Il ne s'agissait pas de temples, mais d'enceintes sacrées de plein air, souvent établies en bordure de cours d'eau ou de terrains marécageux. L'aire cultuelle comprenait essentiellement des foyers en briquetages, des fosses ou des puits destinés aux sacrifices. Une modeste construction de bois abritait parfois la représentation du dieu. Leur étude en est souvent très ingrate, les fouilles ne livrant ni ex-voto, ni objets dénotant une quelconque recherche artistique. On y recueille seulement quelques vestiges osseux et les vases de terre cuite destinés aux offrandes et aux libations. Un autre site, au nord du département de la Sarthe, à Oisseau-le-Petit, présente une série de doubles fossés parallèles délimitant une enceinte sensiblement identique à celle d'Azé. La photographie aérienne a révélé l'existence, au centre de cet ensemble, d'un petit sanctuaire gallo-romain dont la *cella* maçonnée a vraisemblablement succédé à un sanctuaire indigène d'époque pré-romaine. Quelques grandes enceintes à talus de terre conservées en milieu forestier, Saint-Martin-du-Vieux-Bellême (Orne), Neufchâtel-en-Saosnois, Villaines-sous-Lucé, Parcé (Sarthe), Artins (Loir-et-Cher), pourraient bien également avoir eu un rôle rituel.

Site antique d'Oisseau-le-Petit. Double enceinte de la Tène.
(Cliché Claude Lambert).

Parmi les rarissimes vestiges archéologiques de la période gauloise découverts en Sarthe, il faut encore noter les épées ployées ou brisées retrouvées par P. Térouanne sous les terrasses de la galerie ouest du temple de la Tour aux Fées d'Allonnes. Ces épées brisées (l'une d'elles a été repliée dans son fourreau) évoquent la coutume du bris rituel des objets déposés dans les tombes qui se généralise durant les dernières phases de la période de la Tène. Elles étaient accompagnées de lingots métalliques lenticulaires de la grosseur d'une fève. L'analyse a révélé un alliage monétaire composé de 50 % de cuivre et 40 % d'argent mêlés d'un peu d'or et d'étain. Quatre-cent-cinq monnaies gauloises dont cinq en or gisaient à proximité sur une aire sableuse oblitérée par des murettes de gros moellons assemblés pratiquement sans mortier. On aimerait en savoir plus, mais l'état actuel des recherches sur le site ne le permet guère. Tout au plus, peut-on supposer, avec quelque certitude, l'existence d'un sanctuaire cénoman en ces lieux auquel succédera, dès la période augustéenne, un important complexe religieux à vocation régionale.

Paysans et pays cénomans

Tous les spécialistes s'accordent aujourd'hui pour considérer les Aulerques regroupant Cénomans, Diablintes et Eburovices, comme un des plus anciens peuples celtes de la Gaule. « Un empire du nord-ouest pouvait naître sous leur nom », écrit C. Julian. Paul-Marie Duval ajoute qu'ils figurent parmi les premiers arrivés en Gaule, avant les peuples belges qui se brisèrent plus tard contre leurs positions acquises. Il est encore difficile de fixer précisément leur période d'installation dans le Maine. La construction du rempart ceinturant l'éperon du

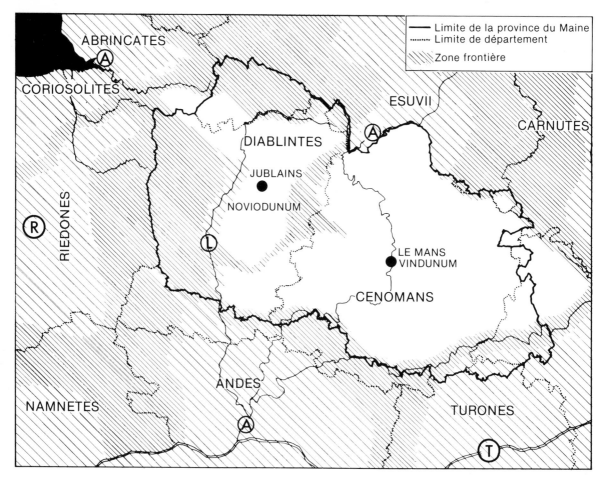

Territoires cénomans et diablintes. *(Cartographie Claude Lambert).*

Vaux, à Aubigné (480-360 avant notre ère), apporte vraisemblablement un élément de réponse. On admet, actuellement, que le peuplement des diverses régions du monde celtique s'est effectué par entrecroisement de groupes successifs arrivés à des dates diverses, dans un sens est-ouest, depuis la fin du VIe siècle, mais principalement au début du IVe siècle avant notre ère, date à laquelle les Cénomans quittèrent leur région d'origine, l'Allemagne méridionale. Une fraction d'entre eux, sous la conduite de leur chef Etitovius, s'installa en Italie du nord, en compagnie des Insubres, tandis qu'un autre groupe, remontant la vallée du Rhin, traversa la Gaule pour venir s'installer définitivement dans le Maine. Si les mobiles de ces migrations massives sont encore obscurs (explosion démographique ? pression des Chauques et des groupes belges ?), si le détail de leurs pérégrinations n'est pas connu, l'origine bavaroise des Cénomans paraît maintenant bien peu discutable.

Les frontières du territoire des Cénomans nous sont connues grâce aux anciennes limites des diocèses. Les frontières ecclésiastiques ont toujours été calquées sur celles des cités gallo-romaines, elles-mêmes reprenant plus ou moins exactement les frontières des territoires gaulois. Cette règle paraît vérifiée pour les Cénomans où les variations territoriales au gré des fluctuations politiques ou des rapports de force avec les peuplades voisines ont été relativement peu importantes. Leur territoire correspond approximativement à la province du Maine dont la partie nord-ouest est occupée, cependant, par les Aulerques-Diablintes, avec des extensions ou des retraits de peu d'importance dans les zones limitrophes du sud-ouest et du sud-est de la Mayenne, du Maine-et-Loire et du Loir-et-Cher. Ils sont limités au nord par les Eburovices et les Esuvii, à l'est par les Carnutes, au sud par les Turones et les Andes, et à l'ouest par les Riédones et les Diablintes. Ces frontières étaient, en fait, assez floues, marquées pour l'essentiel par un cours d'eau dont on cherche à contrôler les deux rives, une ligne de crête, un massif forestier ou une vaste étendue de landes et de marécages. Elles constituaient une sorte de zone tampon, semi-déserte, une marche séparante dont le caractère était sacré sans que l'on éprouve le besoin d'un tracé précis. Outre les limites du diocèse du Mans, la toponymie, les trouvailles monétaires et la présence d'oppida et de sanctuaires en assurent encore le tracé.

Quelques vastes enceintes protégées par un énorme rempart de terre englobant parfois plusieurs dizaines d'hectares, constituaient autant de postes frontières de fait, malgré la situation en retrait de certaines d'entre elles : Narbonne à Saint-Léonard-des-Bois, les Buttes Chaumont à Cuissai-Livaie (Orne), Saint-Evroult à Gesnes-le-Gandelin, le Châtelier à Semur, le camp de César à Sougé (Loir-et-

Ferme indigène de Parné (Mayenne), en territoire cénoman. *(Cliché Claude Lambert).*

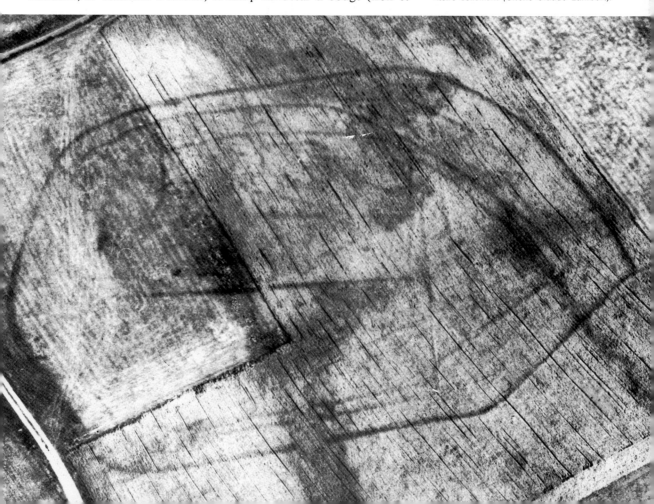

Monnayage d'or diablinte et cénoman, 1er siècle av. J.-C. *(Cliché Claude Lambert).*
1 - Statère d'or cénoman, type BN 6858, variété, droit. Tête laurée à droite, ornement auriculaire composé de perles. *(Collection privée).*
2 - Statère d'or diablinte, type BN 6804, revers. *(Musée des Antiquités nationales).* Cheval androcéphale galopant à droite, dirigé par un aurige tenant les rênes et le vexillum ; sous le cheval, hippocampe.
3 - Statère d'or attribué aux Diablintes, type 6487, variété inédite, poids 6,992 g, revers. *(Collection privée).*

Cher), et le camp de Cré-sur-le-Loir, pour ne citer que les plus importantes. Edifiés à la Tène finale par les Cénomans, ces *oppida* avaient une importance plus économique que stratégique. La fonction commerciale devait primer, leur utilisation comme camp de refuge des populations locales pour les moments de crise ou de danger étant toujours possible. La fouille de deux d'entre eux, en Mayenne, Moulay et Entrammes, a permis de jeter quelques lueurs nouvelles sur les activités artisanales qui s'y pratiquaient à la fin du Ier millénaire : fonte du bronze et fabrication de meules en granit diffusées dans toute la région. Les fragments d'amphores gréco-italiques recueillis sur l'éperon du Vaux attestent de la continuité des échanges commerciaux avec le monde méditerranéen à la Tène finale.

L'habitat s'étend aussi largement dans la plaine, la photographie aérienne révélant une forte densité de grands enclos et de fermes indigènes dans un rayon de plusieurs kilomètres autour des oppida. Ces enclos correspondent sûrement aux *aedificia* décrits par César dans ses *Commentaires,* habitats caractéristiques de l'aristocratie gauloise et points de localisation des richesses agricoles. Les plans de ces fermes indigènes, d'abord irréguliers et à dominante curviligne, ont tendance à devenir de plus en plus réguliers au fur et à mesure que l'on se rapproche du début de notre ère et de la période de la romanisation, pour être nettement géométriques à l'époque romaine. C'est au cœur de ces grandes fermes enserrées dans leurs clôtures de haies vives qu'apparaîtront les premières villas gallo-romaines, premiers bâtiments maçonnés édifiés dans nos régions.

Les commencements de la monnaie

C'est au IIIe siècle avant notre ère que le monnayage grec commence à pénétrer en Gaule. Les premières émissions indigènes imitent le statère d'or de Philippe de Macédoine (382-336), le père d'Alexandre, qui constituait alors un véritable étalon monétaire. Les trouvailles en sont rares au nord de la Loire (trois exemplaires). Un de ces statères pesant 8,32 g, presque autant que l'original macédonien (8,60 g), provient de la région du Grand-Lucé.

Jusqu'au dernier quart du IIe siècle, le numéraire gaulois reste fidèle à son modèle témoignant d'une indiscutable unité, sous le contrôle de l'empire arverne qui domine alors une grande partie de la Gaule. En 121, l'empire arverne s'effondre sous les coups des Romains. Chaque cité se met à battre peu à peu sa propre monnaie et chacune de ces monnaies distinctes évolue séparément, acquérant ainsi sa véritable personnalité. On assiste alors à une véritable métamorphose du modèle. Sur le droit des premiers statères cénomans et diablintes, les traits des visages sont déjà décomposés en éléments symboliques : joues incurvées en croissant lunaire, nez et lèvres bouletés, pendant d'oreille trilobé, auxquels s'ajoute une amplification ordonnée de la chevelure d'où s'échappent des motifs en S. Sur le revers sont figurés des personnages et des animaux fantastiques qui se rattachent à la mythologie gauloise. Un aurige disloqué conduit le char solaire tiré par un cheval androcéphale surmontant un « génie » ailé chez les Cénomans (Bibliothèque nationale, 6823), une chimère ou un « hippocampe » chez les Diablintes (Bibliothèque nationale, 6804). Les formes et les contours éclatent au profit de l'expression du mouvement et du rythme dans une extraordinaire dynamique imprégnée de mystère qui s'oppose totalement au caractère statique de l'art gréco-romain.

1

2

3

4

5

6

7

**Monnayage d'or
cénoman et diablinte
Prototype et évolution**

*(Photo-graphisme Allen Derek F.
et Claude Lambert).*

8

9

10

Les émissions suivantes du type cénoman, toujours en or, présenteront quelques variantes. L'effigie du droit est peu à peu déformée mais conserve, dans tous les cas, le pendant d'oreille trilobé. Au revers, le personnage couché sous l'androcéphale perd ses ailes mais gagne d'autres attributs, un sac ou une bourse tenue dans la main gauche (Bibliothèque nationale, 6852), puis une lance (Bibliothèque nationale, 6858). Parallèlement à cette évolution, on constate, durant le Iᵉʳ siècle avant J.-C., une altération du style et un affaiblissement du titre et du poids des monnaies. L'or utilisé devient de moins en moins pur. L'aloi tombe à quelques carats. De dévaluation en dévaluation, le statère cénoman des débuts (Bibliothèque nationale, 6829 [7,83 g]) descend à 4,50 g (Bibliothèque nationale, 6870).

Parmi les voisins des Cénomans figure un peuple, les Esuvii, cité par César, encore mal localisé, mais que l'on s'accorde généralement à situer dans le sud de l'Orne. Aucun monnayage ne leur est connu. Quelques statères de bon aloi découverts sur les confins de la Sarthe, en nord-Mayenne ainsi que dans l'Orne, attribués provisoirement aux Diablintes, pourraient leur être restitués (variété inédite, Bibliothèque nationale, 6487 [6,992 g]). Le type en est parfaitement identique à celui du statère cénoman avec, cependant, deux « différents ». Le symbole cruciforme qui figure sur la joue du personnage, au droit, dans les exemplaires les plus anciens, est extrêmement rare en Gaule. On ne le retrouve que dans la série des premiers statères parisiaques (7,24 g) et chez les Carnutes. Au revers, le personnage couché sous l'androcéphale porte un vase ansé. Ces emprunts relevant d'une homotypie de contiguïté entre peuples voisins (Parisii, Carnutes, Cénomans et Esuvii) et la répartition des lieux de trouvaille justifieraient le déclassement de ces monnaies peut-être indûment attribuées aux Diablintes qui disposent déjà des statères du type à l'hippocampe. A ce monnayage d'or succédera un monnayage en billon dont le poids ira en s'amenuisant, de 6,65 g à 4,73 g, avant de disparaître définitivement.

Un type également identique aux statères cénomans se retrouve dans l'est de la Gaule et de l'autre côté du Rhin, dans une région limitée à la Sarre, au Luxembourg et jusqu'en Suisse, en pays trévire (Bibliothèque nationale, 6818 [8,33 g]). Le style et le poids de ces monnaies en font les prototypes vraisemblables du monnayage cénoman. Cette homotypie ne peut encore être expliquée de façon satisfaisante. Elle permet, cependant, de soupçonner l'existence de relations économiques et culturelles avec les Germains d'outre-Rhin, au début du Iᵉʳ siècle avant notre ère.

Monnayage d'or cénoman et diablinte, prototype et évolution.
1 - Statère d'or trévire, est de la Gaule, zone rhénane, IIᵉ-Iᵉʳ siècle av. J.-C., type BN 6818, poids des exemplaires : 8,33 à 7,30 g. Prototype vraisemblable du monnayage cénoman. *(Exemplaire British Museum, Londres).*
2 - Statère d'or cénoman, début du 1ᵉʳ siècle av. J.-C., type BN 6823, poids : 7,63 g. *(Exemplaire Bibliothèque nationale, Paris).*
3 - Statère d'or cénoman, type BN 6852, poids : 7,47 g. *(Exemplaire Bibliothèque nationale, Paris).*
4 - Statère d'or cénoman, type BN 6858, poids : 7,44 g. *(Exemplaire Bibliothèque nationale, Paris).*
5 - Statère d'or diablinte, début du 1ᵉʳ siècle av. J.-C., type BN 6804, poids : 7,72 g. *(Exemplaire Leu, 1980, Zurich [Suisse]).*
6 - Statère d'or diablinte, type BN 6804, poids : 7,53 g. *(Exemplaire n° 77885, Musée des Antiquités nationales, Saint-Germain-en-Laye).*
7 - Statère d'or diablinte, type BN 6804. *(Exemplaire Vinchon, 1963, Paris).*
8 - Statère d'or attribué aux Diablintes, type BN 6487, variété inédite, poids : 6,992 g. *(Collection privée).*
9 - Statère d'or attribué aux Diablintes, type BN 6487, poids : 6,69 g. *(Exemplaire British Museum, Londres).*
10 - Statère d'argent attribué aux Diablintes, type BN 6493, poids : 6,65 g. *(Exemplaire Bibliothèque nationale, Paris).*

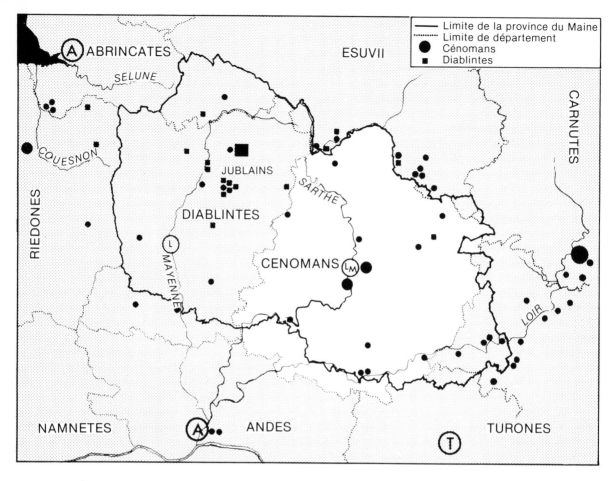

Monnayage d'or cénoman-diablinte.
(Cartographie Claude Lambert).

Le commerce avec Rome et le monde méditerranéen drainant les bonnes monnaies, on en fit de mauvaises. On allia l'argent à l'or, on fourra aussi après avoir allié, une mince pellicule de métal précieux recouvrant une pièce de bronze. Deux monnaies d'or cénomanes découvertes par P. Térouanne dans le dépôt votif du temple d'Allonnes, présentent un coup de burin barrant l'une des faces. Doit-on y voir un signe de démonétisation et de consécration à la divinité, ou bien une entaille d'essai destinée à vérifier que la monnaie n'était pas fourrée ? Pour remédier à l'insuffisance du numéraire, les peuples armoricains abandonnent la frappe de l'or pour émettre des statères d'argent et de billon, alors que les peuples gaulois alliés de Rome délaissent le type du statère lourd pour mettre en circulation des monnaies alignées sur le quinaire ou demi-denier romain et pesant environ 2 g. La conséquence en est que les monnaies circulent de plus en plus difficilement entre les différents peuples. Elles n'eurent bientôt plus cours qu'à l'intérieur des frontières de la cité émettrice. « Cette indépendance, écrit J.-B. Colbert de Beaulieu, fit de chacun des numéraires le reflet exact de l'état économique de chaque cité ». Le monnayage cénoman résiste mieux que ses voisins à cette lente dégradation. On poursuit la frappe de statères d'or plus ou moins alliés jusqu'à la conquête. Cinquante lieux de trouvailles attestés, de Jersey à la Loire et jusqu'à la Seine, en sont la preuve. La Sarthe, elle, n'a livré que vingt-cinq monnaies pour douze points de trouvailles situés principalement en frontières.

Monnayage d'argent des Cénomans, fin du Ier siècle av. J.-C., sanctuaire de la Tour aux Fées (Allonnes). *(Dessin Jean Rioufreyt).*

Un monnayage d'argent ou de billon, d'une typologie nouvelle et de faible poids, souvent moins de 1 g, au droit imité de la tête casquée de Pallas qui figure sur les monnaies d'Alexandre le Grand, commence à circuler dans le Maine, vraisemblablement avant la conquête, mais surtout de 50 à 25 avant J.-C., pendant la période intermédiaire entre l'indépendance et la romanisation. Il comble le hiatus qui existe entre le monnayage de l'indépendance et l'arrivée très lente des monnaies romaines longtemps insuffisantes. Trente-six exemplaires de ces monnaies qui circulaient également dans le nord et l'ouest de la Gaule, et jusqu'en Grande-Bretagne, ont été retrouvés dans le dépôt votif d'Allonnes dont elles constituent, et de beaucoup, le plus gros lot du même type récolté sur le site. Elles ont aussi été trouvées en nombre à La Chapelle-Saint-Rémy et isolément en plusieurs autres lieux de la Mayenne et de la Sarthe. C'est dans le Maine, sans doute en Sarthe, qu'il faut placer le lieu d'émission de la série dont le revers présente un cheval accompagné de deux symboles en forme de K droit ou inversé (vingt-six des trente-six exemplaires d'Allonnes). La pénurie de numéraire obligera à utiliser également des monnaies très frustes, coulées et non plus frappées, en bronze et en potin. La politique d'intégration menée par Auguste et ses successeurs consacrera définitivement l'abandon du système monétaire gaulois et l'hégémonie du denier romain.

BIBLIOGRAPHIE

On trouvera, ici, quelques études récentes auxquelles on voudra bien se référer pour tout renseignement complémentaire.

Préhistoire et protohistoire

COLBERT DE BEAULIEU (J.-B.). — *Traité de numismatique celtique,* Les Belles Lettres, 1973.

GRUET (Michel). — *Histoire des Pays de la Loire,* premier chapitre : « Avant l'histoire », Privat, 1972.

La Préhistoire française, ouvrage collectif, t. I et II, C.N.R.S., Paris, 1976.

L'HELGOUACH (Jean). — « Informations archéologiques », *Gallia Préhistoire,* t. XIV et suivants, C.N.R.S., 1971 à 1982.

RIOUFREYT (Jean). — « Archéologie en Pays de Loire, la recherche préhistorique dans la région de Sablé », *Actualités et perspectives régionales des Pays de la Loire,* n° 1, 1973.

RIOUFREYT (Jean), LAMBERT (Claude). — « Le dolmen d'Amnon à Saint-Germain-d'Arcé (Sarthe) », *la Province du Maine,* t. 79, fasc. 22, 1977.

VERDIER (R.). — *Préhistoire du Haut-Maine,* Le Mans, 1974.

L'histoire de la Gaule romaine est une longue suite de périodes de prospérité et de grandes difficultés. Quand, aux troubles politiques et militaires, s'ajoutent le désordre économique et les invasions barbares, les documents capables de refléter ces siècles obscurs font défaut ; les textes manquent, les vestiges archéologiques deviennent rares et l'étude des monnaies devient primordiale pour l'historien. Les nombreux dépôts monétaires découverts au nord de la Loire apportent ainsi leur précieuse contribution à la connaissance de ces périodes troublées.

Cette monnaie a été émise par l'empereur Postume, usurpateur en Gaule de 260 à 269. Sur l'avers, tête radiée de l'empereur. Sur le revers, Postume debout aidant la Gaule agenouillée à se relever. Légende : RESTITUTOR GALLIARUM (Postume, restaurateur des Gaules). Elle évoque l'ordre rétabli dans les territoires dépendant de son autorité. La prospérité et la sécurité relatives des premières années du règne de Postume cèderont bientôt le pas à la profonde crise de la fin du IIIe siècle, prélude à l'écroulement définitif de la civilisation gallo-romaine. *(Cliché Claude Lambert).*

La période
gallo-romaine

CHRONOLOGIE

La conquête de la Gaule

52 av. J.-C.	Siège d'Alésia. 5.000 Cénomans dans l'armée de secours.
51	Révolte des Aulerques.

Le Haut-Empire

27	Règne de l'empereur Auguste.
	Vindunum, capitale des Cénomans.
21	Révolte dans les Gaules.
12 av. J.-C.	Participation des Cénomans à la dédicace de l'autel des trois Gaules à Lyon.
	Construction du temple de Mars Mullo à Allonnes.
14 apr. J.-C.	Règne de Tibère.
	Construction du sanctuaire de la Tour aux Fées à Sablé.
69 à 96	Les Flaviens.
	Construction des thermes du Mans.
	Construction de la villa de Noyen.
	Construction du théâtre d'Aubigné.
96 à 192	Les Antonins.
161	Règne de Marc Aurèle.
	Crise économique, insécurité, abandon de nombreux établissements ruraux.
193 à 235	Les Sévères.

Anarchie dans l'Empire

235 à 284	Troubles militaires.
260 à 274	Les empereurs gaulois : Postume, Victorin, Tetricus.
	Crise économique, ateliers locaux émettant des imitations du monnayage officiel.
275-276	Invasion des Francs et des Alamans.
280 à 284	Les Bagaudes.

Le Bas-Empire

284 à 305	La Tétrarchie.
	Construction de la muraille du Mans.
287	Installation de Colons barbares.
306	Règne de Constantin.
313	Le christianisme, religion officielle.
375	Règne de Gratien.
	Incendie de la villa d'Avoise.
395	Partage du pouvoir : Empire d'Occident, Empire d'Orient.
406	Début des grandes invasions.
	Evangélisation du Maine.
476	Fin de l'Empire romain d'Occident.
486	Fin du royaume de Syagrius, dernier réduit romain en Gaule.

Le monde rural

Le Haut-Empire

Les sources écrites concernant les premiers siècles de notre ère demeurent rares. Quelques lignes de César dans ses *Commentaires de la Guerre des Gaules,* et dans les ouvrages de Pline l'Ancien et du géographe Ptolémée, de maigres informations dans la Table de Peutinger, copie médiévale d'un itinéraire routier du IIIᵉ siècle, et dans quelques listes et notices diverses : la liste des cent deux peuples et cités de la Gaule, la *Notitia Dignitatum imperii romani,* la *Notitia Provinciarum et Civitatum Galliae,* la liste de *Polemius Silvius.* Seuls renseignements obtenus sur les Cénomans, ou peu s'en faut, leur nom, le nom de leur ville, Vindunum, et quelques chiffres et allusions diverses. Les sources chrétiennes sont plus abondantes, mais bien difficilement utilisables par l'historien. Les *Actus Pontificum Cenomannis in urbe Degentium,* actes des évêques du Mans, fournissent de nombreux renseignements, mais ils ont été composés au IXᵉ siècle et il ne reste aucune pièce originale pour toute la période antérieure. La *Gesta Aldrici* et les *Vitae* de saint Julien, Turibe, Pavace, Victeur, Liboire et Principe, sont surtout des recueils de légendes et de miracles. L'argumentation hagiographique propre à beaucoup de ces écrits demeure peu exploitable. Il faut y ajouter les textes relatifs aux conciles où la présence d'évêques du Mans est mentionnée. *L'Histoire des Francs,* de Grégoire de Tours, écrite au VIᵉ siècle, parle peu du Maine. Les écrits, on le voit, sont forts pauvres.

Pour les temps de la conquête, le *De Bello Gallico* demeure irremplaçable, bien qu'aucun épisode marquant de la guerre ne se soit déroulé dans le Maine. César, dans le livre II (34), mentionne l'expédition de P. Crassus chez les Aulerques et en Armorique, sans citer expressément les Cénomans. Dans le livre III (29), nous apprenons que l'armée romaine hiverne chez les Aulerques en 56-55. Le livre VII (75) indique, dans l'énumération des effectifs demandés à chaque cité, que les Cénomans devront fournir 5.000 hommes contre 3.000 aux Eburovices, pour la libération d'Alésia.

Pour l'épigraphie, parmi la douzaine d'inscriptions découvertes essentiellement au Mans et à Allonnes, une seule mentionne le nom des Cénomans. Il s'agit d'une dédicace officielle à Tibère ou à Néron, gravée sur marbre de Carrare, retrouvée dans l'enceinte du temple de la Tour aux Fées d'Allonnes :

Jalons pour une histoire encore mal connue

trib(unicia) POT (estate) III
CO(n)S(uli) II IMPeratori
AULerci CEnomani

Fragment d'inscription en marbre blanc, en provenance du temple d'Allonnes. Cette inscription lapidaire est la seule connue mentionnant le nom de la cité des Aulerques Cénomans. *(Cliché Claude Lambert).*

S'ils ne sont pas totalement muets, les documents écrits demeurent pourtant impuissants à faire sortir de l'ombre cinq siècles d'histoire. Pour l'étude du monde rural, c'est l'archéologie qui reste la source principale de nos connaissances. Une documentation considérable a été amassée grâce aux observations faites sur le terrain, aux travaux de fouilles et surtout aux photographies aériennes effectuées depuis une dizaine d'années, dans le Maine, à l'initiative des directions des Antiquités. La fouille est, certes, plus que jamais nécessaire, prospection aérienne et travaux de terrain étant complémentaires, mais la photographie aérienne permet une exploitation immédiate et à une toute autre échelle. Sites et habitats, sépultures, sanctuaires, structures agraires, voies de communication antiques, peuvent être retrouvés et localisés précisément. La photographie aérienne autorise, pour la première fois, une vision globale de cet habitat rural gallo-romain qu'un siècle de recherches au sol avait à peine permis de soupçonner. La simple analyse des photos permet d'établir une typologie, d'obtenir souvent plan complet et dimensions, et d'avoir une idée assez exacte de l'ancienne fonction des vestiges détruits. Les moindres reliefs au-dessus de structures enfouies, amplifiés par la lumière rasante du soleil couchant, apparaissent à l'observateur aérien alors qu'ils restent invisibles au sol. Les anomalies de croissance des céréales et les différences de coloration des sols constituent également dans notre région les principaux indices révélateurs. En effet, les céréales poussent plus drues sur un fossé comblé, celui-ci conservant plus longtemps l'humidité que les terrains avoisinants. Ces mêmes plantes sont par contre beaucoup plus chétives et se dessèchent rapidement à l'aplomb de constructions enfouies. L'usage de films infrarouges fausses couleurs accentue les contrastes et améliore encore les résultats.

La toponymie est également un auxiliaire précieux de l'historien et de l'archéologue. Les lieux-dits révélateurs d'établissements romains présentent une relative unité et apparaissent régulièrement sur l'ensemble du territoire de l'ancienne Gaule. Dans le Maine, le semis de sites gallo-romains attestés et celui des microtoponymes caractéristiques (par exemple Mézières, Mortier, Maison-Rouge, Vieux-Ville et leurs dérivés) se superposent quasi exactement. Leur répartition délimite les mêmes zones de concentration d'établissements ruraux et celles vides d'habitants. Le nombre élevé de noms de communes paraissant dériver du suffixe « iacum » (tous les noms en -ay, en -é et en -y), vocable gaulois latinisé signifiant villa, maison de campagne, pouvait laisser penser que la plupart de nos villages avaient pour origine un « fundus », domaine rural gallo-romain. Il n'est plus possible d'être aussi affirmatif, les spécialistes de la toponymie n'acceptant plus qu'avec réserve cette hypothèse.

Villas et sanctuaires gallo-romains. *(Cartographie Claude Lambert).*

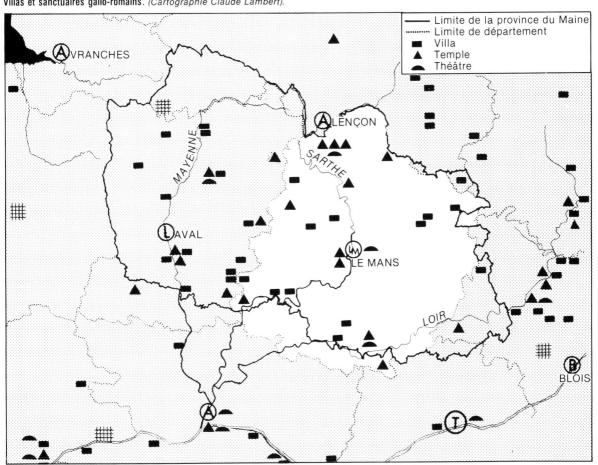

La romanisation et l'essor démographique du IIᵉ siècle

Au lendemain de la conquête, le premier acte des Romains fut d'organiser la Gaule vaincue en cités et d'associer à leur administration les anciens chefs indigènes. Le territoire de la cité des Cénomans conserva ses anciennes frontières gauloises. Six toponymes dérivés de « Fines » (Saint-Jean-Pierre-Fixte, Pierre-Fine, Fains, etc.), ayant une signification de borne ou de limite, et onze sanctuaires gallo-romains jalonnent encore la vieille frontière celtique. Si la capitale de la cité subit de profondes transformations dès le début du Iᵉʳ siècle, la vie dans les campagnes demeura longtemps ce qu'elle était avant la conquête. Il paraît y avoir eu évolution progressive des exploitations de type protohistorique aux *villae* gallo-romaines tout au long du Iᵉʳ siècle. La coexistence des deux types d'habitat est aussi possible. Les fermes indigènes du type rectangulaire à partition en deux cours, telles qu'on a pu les relever à Saint-Germain-sur-Sarthe, représenteraient, alors, la phase ultime de ces habitats indigènes. Sur seize villas étudiées, deux seulement ont livré des traces d'habitats antérieurs, de la Tène finale ou du début du Iᵉʳ siècle. Treize de ces villas ont été établies dans le courant de la deuxième moitié du Iᵉʳ siècle ou au début du second. Par contre, comme en Armorique, les régions pauvres et à relief plus élevé des franges ouest de la Sarthe et du Bas-Maine, semblent être restées plus longtemps réfractaires à la colonisation. Les exploitations indigènes vouées à l'élevage ont dû y perdurer, alors que se multipliaient les villas dans les plaines fertiles de la Sarthe et du Loir. Les méthodes de défrichement et de productivité introduites par l'occupant assurèrent un temps son prestige, mais les opérations cadastrales ouvertes par Auguste, en 27 avant J.-C., avec leur cortège d'expropriations et d'accaparements de terres, engendrèrent un mécontentement quasi-général des populations rurales. Ce n'est qu'en 22 après J.-C. qu'éclatèrent les premières vraies révoltes provoquées par les exactions du fisc. Tacite mentionne les soulèvements auxquels prirent part les Turones et les Andécaves, mâtés par 500 soldats romains — révoltes d'« equites », de nobles, plus que du petit peuple des campagnes. Assez vite, cependant, la « Pax romana » devint une réalité et l'essor économique de la seconde moitié du Iᵉʳ siècle contribua puissamment à résorber tout esprit de rébellion. Cet état d'équilibre va caractériser la Gaule romaine pendant plus d'un siècle encore. Diverses causes en provoquèrent la rupture dans le courant de la seconde moitié du IIᵉ siècle : l'épuisement du sol causé par le développement excessif des cultures céréalières, les mauvaises récoltes qui s'ensuivirent, des pluies et des inondations catastrophiques et la crise de l'esclavagisme. Une épidémie de peste acheva de ruiner une économie jusqu'alors florissante.

Les dépôts monétaires retrouvés à Mont-Saint-Jean (aurei et deniers), Chevillé (vingt-deux bronzes), Sainte-Jamme-sur-Sarthe (huit-cent-quarante bronzes), Saint-Gervais-en-Belin (cinquante bronzes) et Souvigné-sur-Même (aurei), sont tous datés de la fin du IIᵉ siècle. Ils ont dû être enfouis à l'occasion de poussées de violences locales, ultime réflexe de défense des pauvres, prémices des Bagaudes du siècle suivant. Un véritable exode rural s'ensuivit. Beaucoup de nos *villae* abandonnées par leur propriétaire ruiné tombèrent entre les mains des anciens créanciers, favorisant la concentration de la propriété foncière et le développement d'une nouvelle aristocratie terrienne. Les travaux d'agrandissement et d'embellissement des villas d'Avoise et de Noyen datés de la fin du IIᵉ ou du début du IIIᵉ siècle, sont peut-être à mettre en rapport avec cet état de fait.

La Table de Peutinger ne mentionne que trois grandes voies partant de *Subdinnum,* latinisation du vocable gaulois du chef-lieu de la cité : *Vindunum* ou *Vindinum*. La première se rend à *Nudionnum* (Jublains) et *Araegenue* (Vieux, dans le Calvados), la seconde vers *Autricum* (Chartres) et la troisième à *Caesarodunum* (Tours). Il ne s'agit que de voies principales auxquelles il faut ajouter les voies du Mans à Orléans *(Genabum),* Angers *(Juliomagus),* Châteaudun *(Castellodunum),* Evreux *(Mediolanum),* Rennes *(Condate)* et Poitiers *(Limonum)*. Un réseau serré de voies secondaires, d'origine protohistorique, desservait l'ensemble du territoire. La photographie aérienne contribue actuellement à le débroussailler. La loi romaine imposera la conservation de ces chemins indigènes qui seront aménagés et entretenus par l'administration. Il ne faut pas non plus négliger l'importance des transports fluviaux.

Les voies de communication

Le nombre de villas actuellement recensées et pour lesquelles nous disposons d'informations relativement précises ne représente qu'une part minime de ce que fut l'habitat rural durant les premiers siècles de notre ère : une vingtaine de villas assurées sur plus de deux cents possibles. Leur situation topographique est assez variable avec, cependant, une certaine prédilection pour les rebords de plateaux et les versants de

L'occupation du sol : les villas

Voies romaines. *(Cartographie Claude Lambert).*

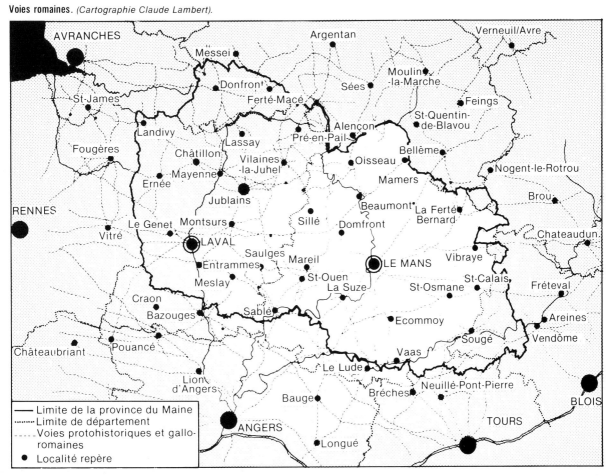

coteaux bien exposés et protégés des vents dominants. Presque toutes sont orientées au soleil levant, selon les critères des agronomes latins. Elles dérivent de plans parfaitement connus dans le reste de la Gaule. Le stéréotype en est la villa à galerie façade reproduit avec quelques variantes. Un bâtiment principal est établi au centre d'une première cour carrée (la *pars urbana*) entourée par un mur et bordée latéralement par deux petites constructions également à galerie façade. Un portail ouvert à l'est en permet l'accès. Des dépendances non jointives (protection contre l'incendie) bordent une deuxième cour (la *pars rustica*), à usage plus proprement agricole. La villa de Parné (Mayenne) en est l'exemple le plus représentatif.

La villa du Grand-Teil, près d'Avoise, est implantée sur une terrasse d'alluvions enserrée dans un large méandre de la rivière, au confluent de la Sarthe et de la Vègre. Le bâtiment principal présente un plan rectangulaire allongé, quatre fois plus long que large (40 mètres × 10 mètres). Il ne s'agissait pas d'un bâtiment entièrement maçonné. Un soubassement de pierres et de mortier d'environ 1 mètre de haut sur 0,70 mètre servait de support à des parois de bois et de torchis, comme dans les maisons médiévales ou les fermes normandes. Les murs de fondation des pièces situées aux deux extrémités du bâtiment sont beaucoup plus épais (1,20 mètre), ce qui suggère l'existence d'un étage à cet endroit. L'une des pièces était pourvue d'un chauffage par le sol

Villa gallo-romaine de Parné (Mayenne), en territoire cénoman. *(Cliché Claude Lambert).*

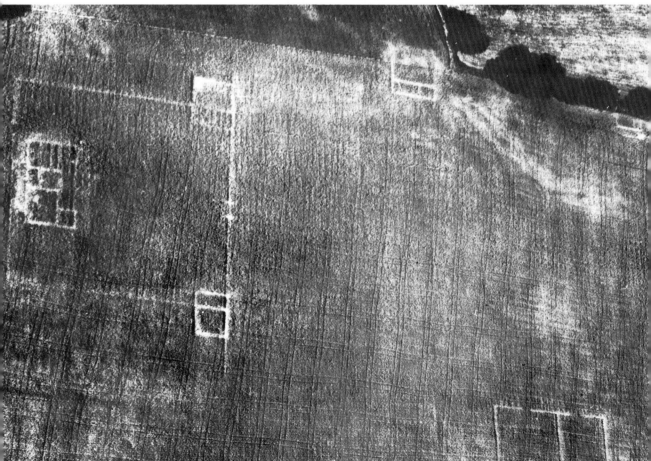

(hypocauste). De grandes dalles de terre cuite supportées par des pilettes de briques étaient surchargées d'un plancher en béton de tuileau, épais d'une quinzaine de centimètres. Un conduit de chaleur aux parois calcinées faisait communiquer ce sous-sol avec le foyer établi dans une autre pièce servant de réserve à bois. Des enduits peints ont été retrouvés à l'intérieur de plusieurs pièces. Ils présentent des éléments de décoration peinte d'inspiration géométrique ou végétale d'une fraîcheur étonnante : bandeaux et filets rouges sur fond blanc-crême, bandeaux bleus et filets verts sur fond blanc, feuilles de roseaux verts et fleurs stylisées à six pétales vertes sur fond rouge. Ces peintures dérivées du style pompéien, en lignes et en trompe l'œil, sont caractéristiques de la fin du IIe siècle (début de la dynastie des Sévères). Une sépulture à incinération (la tombe du fondateur ?), de la deuxième moitié du IIe siècle, a été retrouvée sous le seuil d'une des pièces de la zone nord. Elle a livré une curieuse tête d'aigle en bronze, incrustée d'argent, qui, à l'origine, appartenait au châssis d'un char et proviendrait des ateliers d'Eisenberg, en Bavière. Un bassin vivier, exceptionnel par ses dimensions (17 mètres × 4,50 mètres), entièrement paré menté de dalles d'ardoise et de calcaire, s'étendait au centre de la cour, devant la façade, et ajoutait encore à l'agrément du lieu.

Aigle en bronze à incrustations d'argent, découvert dans la villa du Grand-Teil, à Avoise. *(Cliché Claude Lambert).*

Bassin vivier (17 mètres de long). Cour intérieure de la villa d'Avoise. *(Cliché Claude Lambert).*

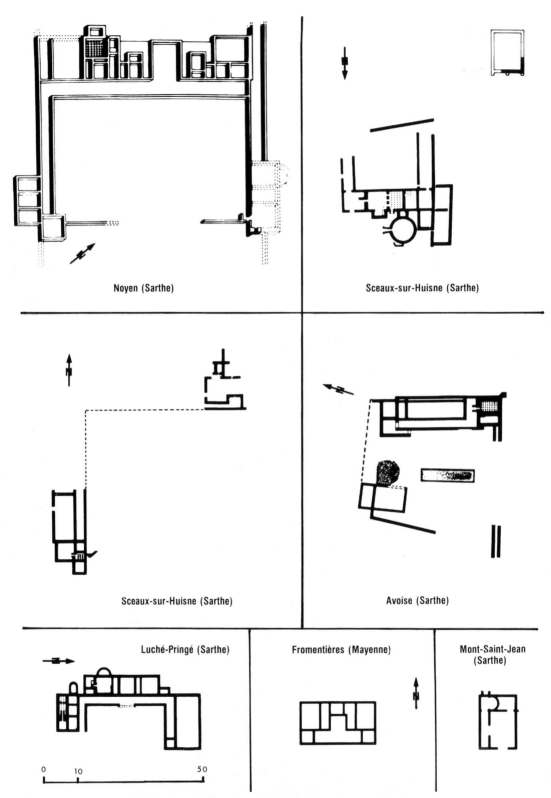

Noyen (Sarthe)

Sceaux-sur-Huisne (Sarthe)

Sceaux-sur-Huisne (Sarthe)

Avoise (Sarthe)

Luché-Pringé (Sarthe)

Fromentières (Mayenne)

Mont-Saint-Jean
(Sarthe)

0   10   50

Villas gallo-romaines en territoire cénoman. *(Dessins Jean Rioufreyt).*

Deux autres villas adoptent un plan tripartite plus élaboré. La villa de La Grifferie, à Luché-Pringé, présente un corps de bâtiment central d'une longueur de 45,80 mètres, se prolongeant en retour d'équerre par deux bâtiments latéraux de dimensions inégales. L'aile sud a livré un petit ensemble thermal, en particulier une piscine de forme absidiale. La villa paraît avoir été édifiée à la fin du Iᵉʳ siècle et présente des traces de réfection datées de la fin du IIIᵉ ou du IVᵉ siècle.

La villa de Noyen était encore plus luxueuse. On retrouve la même large construction complexe comprenant un bâtiment axial à une cour intérieure et galerie façade de 63 mètres de long sur lequel se greffent deux ailes, en fait deux longues galeries en équerre qui réunissent deux autres corps de bâtiment à la construction principale. Le premier, au nord-est, correspond aux thermes de la villa, l'autre, au sud-ouest, servait d'habitation secondaire ou de logement pour le *villicus* (régisseur). Parmi la vingtaine de pièces dégagées, deux sont chauffées par hypo-

Divinité gallo-romaine de la villa de Roullée, à Mont-Saint-Jean. IIᵉ - IIIᵉ siècle. *(Musée des Antiquités nationales de Saint-Germain-en-Laye. Cliché Claude Lambert).*

Mosaïque gallo-romaine de la villa de Mont-Saint-Jean.

causte. L'un d'eux a livré un système de régulation de la température par l'intermédiaire d'une vanne à glissière et de conduits de terre cuite *(tubuli)*. Plusieurs pièces étaient ornées d'enduits peints et de placages de marbre en provenance du monde méditerranéen. La fouille a permis de distinguer trois niveaux d'occupation successifs : un premier habitat de la Tène finale surmonté par le niveau de construction de la villa datable de la fin du Ier siècle ; un troisième niveau correspond à des remaniements du IIIe siècle. L'abandon des lieux s'est effectué dans le courant du IVe siècle.

Des autres villas, nous ne possédons que des renseignements partiels. La villa de Gennes, à Mansigné, n'a livré qu'un petit bâtiment à usage thermal. Celle de Roches, à Sceaux-sur-Huisne, a révélé un petit bâtiment en sous-sol qui présente des niches formées de tuiles à rebord sur trois de ses murs. Le chapiteau et les trois fragments de colonne qu'on y a découverts l'on fait interpréter comme un laraire. D'autres vestiges, dans le bourg de Sceaux, ont été décrits comme thermes publics, mais pourraient aussi bien appartenir à une villa. Les murs de la villa du Vau, à La Chapelle-Saint-Fray, ont encore une élévation de plus de deux mètres au-dessus du sol, mais il ne s'agit que d'un corps de bâtiment latéral établi sur la pente. La hauteur des murs s'explique par un effet d'étagement. Les fouilles de la villa de Roullée, à Mont-Saint-Jean, ont révélé une statue assez fruste représentant un personnage cornu et barbu portant un manteau à capuchon et tenant d'une main un arc et de l'autre une serpette. Le « Dieu chasseur » de Mont-Saint-Jean est aujourd'hui présenté dans une des salles du musée des Antiquités nationales. Un pavement de mosaïques à décor marin (pecten et dauphins), perdu aujourd'hui, provient également de cette belle villa établie en bordure de la forêt de Sillé et qui était, vraisemblablement, la résidence de l'administrateur impérial chargé du contrôle et de l'exploitation des domaines forestiers rattachés au *saltus publicus*. On a relevé également des fragments de mosaïque, des placages et dès dallages de marbre dans la villa de Planchette, à Saint-Jean-des-Echelles.

Le paysage rural était caractérisé par la prépondérance des champs ouverts. Il s'agissait essentiellement de grandes pièces de terre cultivées en céréales ou laissées aux troupeaux pendant la période de jachère et que rien ne séparait à l'intérieur des limites d'un domaine. Les bergers et les bouviers, nombreux, devaient veiller à ce que les troupeaux ne s'écartent pas de leur pacage. Le réseau serré de haies qui caractérise encore notre bocage n'est apparu qu'ultérieurement, l'openfield ayant largement prédominé jusqu'au Haut Moyen Age. Des traces d'arpentage antique ont été signalées anciennement dans la région de Tennie, mais elles sont insuffisamment probantes. Le seul exemple certain pour le Maine a été retrouvé, grâce à la photographie aérienne, sur les confins de la Mayenne et de l'Orne, à Epinay-le-Comte, où des cadastrages existent sur une superficie de 450 hectares, chiffre que l'on peut retenir pour l'évaluation de la taille moyenne d'une exploitation rurale.

La vie matérielle : élevage et agriculture, artisanat et commerce

Les villas ne vivaient pas en autarcie. Bien au contraire, l'équilibre économique reposait sur le balancement ville-campagne et les produits destinés aux échanges étaient nombreux comme étaient variées les ressources agricoles. Partout on élevait ovins et bovins, le Perche était réputé pour ses chevaux. Les déchets de cuisine recueillis à l'occasion des fouilles d'Avoise et de Noyen jettent quelques lueurs sur la part respective des produits de l'élevage, de la chasse et de la pêche. Les porcins sont statistiquement les plus nombreux (porcs et sangliers : 34 %). On trouve, ensuite, à égalité les bovidés (18 %) et les ovicapridés (18 %) ainsi que les animaux de la basse-cour (19 %), le cerf (3 %) et les poissons (2 %). On cultive le blé, le millet, l'orge, le lin et le chanvre. Les jambons, les salaisons, le fromage, la laine et les peaux servent de monnaie d'échange pour acquérir l'outillage, la céramique sigillée en provenance des ateliers de La Graufesenque ou de Lezoux, la verrerie et les objets de toilette ou de luxe. Pour les produits d'importation, il faut encore signaler les huîtres d'estuaire recueillies pratiquement dans toutes nos villas, et parfois les moules. Les nombreux vestiges d'amphores de type italique, de Bétique et de la région rhénane, attestent de la consommation de vin.

Mobilier caractéristique des villas du Maine. Meule, serpette, cruche, vase en céramique commune et sigillée.
(Cliché Claude Lambert).

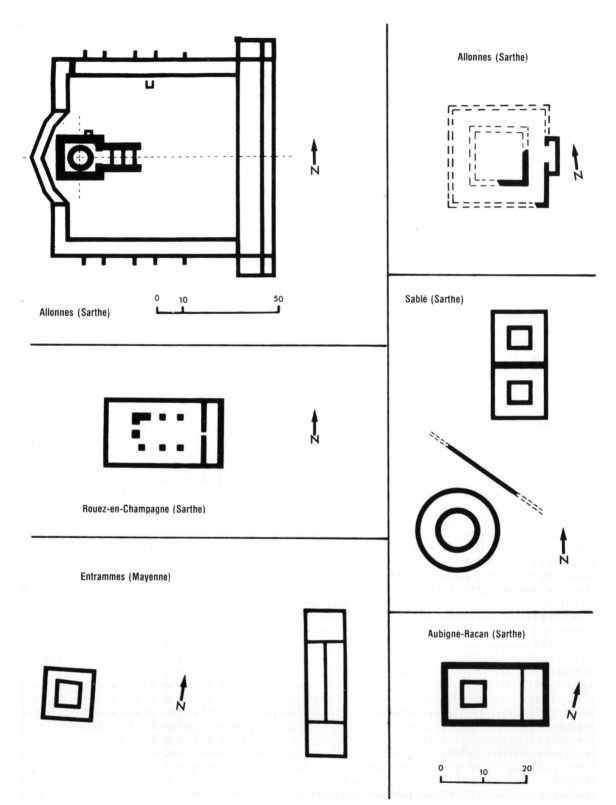

Allonnes (Sarthe)

Allonnes (Sarthe)

0   10   50

Sablé (Sarthe)

Rouez-en-Champagne (Sarthe)

Entrammes (Mayenne)

Aubigné-Racan (Sarthe)

0   10   20

Temples gallo-romains en territoire cénoman. *(Dessins Claude Lambert).*

68

En dehors du chef-lieu de la cité, les activités artisanales et commerciales étaient concentrées dans les *Vici,* bourgades peu importantes, souvent situées sur les axes routiers et qui jouaient le rôle de marché de redistribution. Ces habitats groupés où se retrouvaient potiers, tisserands, forgerons, artisans du bois et du cuir, ont laissé peu de traces en Sarthe et sont encore mal connus. Les sites gallo-romains de Neuvy-en-Champagne, Vaas et Duneau, pourraient bien avoir eu cette fonction.

Le domaine du sacré

De tout l'ensemble de la culture gauloise, c'est la religion qui a le mieux résisté à la romanisation. Sous l'habit latin, les dieux ont conservé leur personnalité celtique. Le pouvoir central essaya d'organiser le culte de l'empereur associé à celui de Rome, mais les divinités, les croyances et les vieux rites persistèrent, en particulier les cultes natura-

Survivance des cultes gaulois

Céramique sigillée, plaque boucle. Villas d'**Avoise** et de **Noyen**. *(Dessin J.-C. Ragaru).*

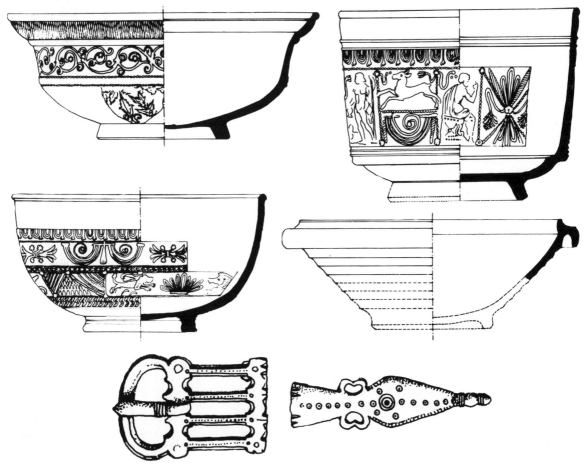

listes des arbres et forêts, des sources et des eaux guérisseuses. Cependant, les nombreuses statuettes de terre cuite découvertes dans nos villas représentant Vénus sous sa forme latine, attestent la vogue de son culte parmi les classes populaires. L'empreinte celtique transparaît également dans l'architecture des temples de plan circulaire ou carré, entourés d'une galerie de circulation périphérique pour les processions. Tous ces « fana » de tradition indigène, dont on a retrouvé une dizaine d'exemples dans le Maine, sont apparemment isolés en pleine campagne. Il s'agit de modestes petits sanctuaires de pèlerinage analogues à nos chapelles actuelles, édifiés près d'un confluent, d'une source, d'un gué ou d'un carrefour routier, souvent en frontière du territoire, pour accueillir les prières et les offrandes des paysans.

Le fanum de la Tour aux Fées, à *cella* et galerie circulaires, dominant le quartier de Montreux, à Sablé, est accompagné par deux autres « fana » accolés, du type carré. Une source coule encore au pied des ruines. Trois autres sanctuaires, l'un près du Mans, les deux autres, sur les confins du territoire, au nord et au sud, sont entourés par plusieurs édifices monumentaux, l'ensemble formant un véritable complexe cultuel.

Les sanctuaires d'Allonnes

Allonnes. Site de la Tour aux Fées. Autel cylindrique en calcaire coquillier portant une dédicace à Marti Mulloni.
(Cliché Pierre Térouanne).

Les travaux poursuivis depuis 1953 par Pierre Térouanne sur le site de la Tour aux Fées, près d'Allonnes, à cinq kilomètres au sud du Mans, ont révélé l'existence d'un *locus consecratus* à la Tène finale auquel succéda, dès l'époque augustéenne, un fanum à *cella* circulaire comparable à celui de la Tour de Vésone, à Périgueux. A la fin du IIe siècle, un édifice plus important sera construit comprenant une esplanade de 100 mètres de côté entourée d'un important portique. Le fanum primitif devint la *cella* du nouveau temple auquel on adjoignit un péristyle à colonnade. La déclivité du terrain nécessita l'apport de remblais de près de 3 mètres de hauteur au niveau des fondations du péribole. Ces remblais ont livré de nombreuses épaves provenant du sanctuaire primitif. Sous le portique de l'ouest, on retrouva trois autels, soigneusement rangés, sous la terrasse cimentée. Le premier, cylindrique, garde la marque d'un scellement de fer à son sommet. Un cartouche rectangulaire faisant saillie à mi-hauteur porte gravée l'inscription suivante :

AUG ET
MARTI MULLONI
CRESCENS SERVOS
PUBLICUS L.M.

Les deux autres, en calcaire dur et en tuffeau, portent également des dédicaces à Mars Mullo. Mars, accompagné de son mystérieux parèdre indigène Mullo, était très honoré dans toute la région armoricaine. On a découvert cinq inscriptions similaires à Craon, à Nantes et à Rennes. Il s'agit de dévotions associées au culte officiel de Rome et d'Auguste.

Le nouveau temple fut enclos dans un grand péribole de plan classique, exceptée la saillie polygonale de la face occidentale. Les chapiteaux et les nombreux fragments architecturaux subsistant en attestent la splendeur. Epars, au pied des colonnades disparues, gisaient de nombreux ex-voto, identiques à ceux déposés dans les lieux de pèlerinage, en particulier les sanctuaires des eaux, en remerciement ou pour obtenir une guérison. Le professeur L. Harmand a souligné l'étrangeté ou la beauté de ces sculptures : figures de femmes et d'enfants, corps

Allonnes. Site de la Tour aux Fées. Chapiteau corinthien provenant du péristyle de la cella du temple. Hauteur 1 m, diamètre de base 0,70 m. *(Cliché Pierre Térouanne).*

difformes exagérant ventre et parties génitales, visages disgracieux affublés d'un nez camard ou d'un strabisme accentué, face mutilée d'homme souffrant d'exophtalmie, masque de vieille femme aveugle d'un réalisme saisissant, mais aussi admirable tête de déesse toute empreinte de mystère, de bienveillance et de majesté. Sur les ornements du nouveau sanctuaire apparaissent les attributs d'un nouveau culte. Un tambour de colonne figure une double scène de flagellation et de révélation. Sous une frise de feuilles de figuier, l'arbre sacré de Déméter, une main dévoile le corps d'une jeune femme nue, au regard rayonnant, comme absorbée dans une extase contemplative. A sa gauche, un enfant joufflu frappe à coups de fouet un homme nu, lui aussi, étendu à ses pieds, les bras liés derrière le dos. On reconnaît là les rites

Allonnes. Site de la Tour aux Fées. Tambour de colonne sculpté. Figure de femme dévoilée. Scène de flagellation (culte de Cybèle ?). *(Cliché Pierre Térouanne).*

des religions à mystères qui se répandirent en Gaule à l'époque sévérienne : culte de Déméter, la terre mère ou de Cybèle, la mère des dieux. Les autels enfouis soigneusement sous la terrasse supposent l'abandon de la vieille divinité indigène pour l'accueil du nouveau culte introduit à Rome par l'impératrice Julia Domna, d'origine syrienne, très attachée aux rites initiatiques de son Orient natal. C'est l'apogée du sanctuaire, au moment où s'amorce le déclin de l'Empire romain.

Un second temple de type celto-romain, entouré d'un péribole, a été découvert récemment et partiellement dégagé de 1977 à 1980. La *cella* de 14 mètres de côté est entourée d'une galerie façade de 4 mètres, s'ouvrant par un perron à l'est. L'esplanade était occupée par d'autres constructions au voisinage desquelles de nombreux objets votifs ont été retrouvés : monnaies, fibules, yeux prophylactiques, des anneaux d'or et d'argent, et des statuettes de Vénus. Une stèle buste portait une dédicace à Minerve et un petit autel était consacré aux *Fatae,* maîtresses du destin. Construit dans le courant du Ier siècle, le monument fut ruiné au IIIe siècle.

Un grand édifice avait été découvert et fouillé sommairement dès 1837. Il a été totalement détruit pour faire place à la nouvelle ville d'Allonnes. Deux séries de sept ou huit salles symétriques séparées par de grands bassins dallés formaient un ensemble de plus de 60 mètres de long sur 50 mètres de large. L'agencement des salles construites sur hypocaustes, dans chacune des deux ailes, la présence d'un aqueduc et de caniveaux d'évacuation, de piscines et de bains froids, ne laissent guère de doute sur la fonction du bâtiment. On a voulu y voir une vaste villa ; il s'agit plus certainement de thermes doubles, édifiés au IIe siècle et venant compléter l'équipement du complexe cultuel.

Le site de Cherré, en Aubigné, sur les limites du Maine, de l'Anjou et de la Touraine, est installé en bordure du Loir, au pied de l'enceinte fortifiée du Vaux. Il s'agit d'un grand sanctuaire rural comportant deux temples, un théâtre, des thermes alimentés par un aqueduc long de plusieurs kilomètres et une vaste construction, actuellement en

Le théâtre, les temples et les thermes d'Aubigné

Plan du théâtre gallo-romain d'Aubigné-Racan. Campagnes de fouilles 1977-1982. *(Relevé Jean Rioufreyt).*

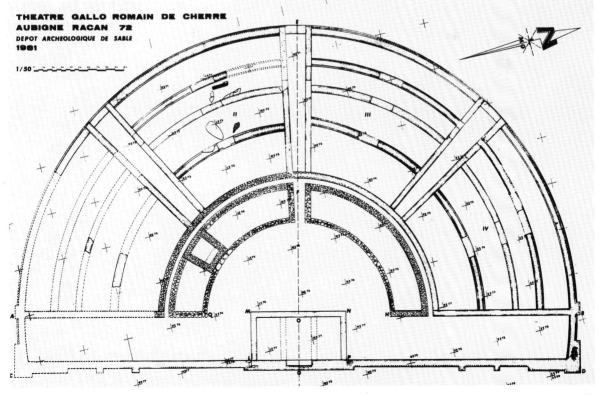

cours de dégagement. Les fouilles entamées depuis 1977 ont montré la présence, sous les murs des monuments gallo-romains et tout autour, dans la plaine, d'une nécropole hallstattienne très étendue. Funéraire et cultuel à l'origine, ce point de rassemblement a dû donner naissance, le schéma est habituel, à un lieu de rencontres et d'échanges frontaliers des populations locales. Beaucoup de nos grandes foires actuelles n'ont pas d'autres origines. L'existence de ces lieux de marché où les populations paysannes avaient coutume de se rassembler, plusieurs fois par an, à l'occasion de fêtes religieuses, près de l'ancienne nécropole ou d'un modeste sanctuaire indigène, détermina de la part des conquérants romains un gros effort d'équipement. Le sanctuaire d'origine fut rebâti suivant les règles de l'architecture classique. Plusieurs édifices y furent adjoints et en constituèrent les éléments fondamentaux : un autre temple, un théâtre qui pouvait accueillir plus de 3.000 spectateurs, des thermes, mais aussi une vaste cour bordée par deux longues galeries couvertes, le forum ou le centre d'activités commerciales qui accompagne normalement les sites de *conciliabulum*. Ces complexes monumentaux étaient parfaitement adaptés aux buts de la politique impériale. Ils permettaient d'éviter toute rupture avec le passé et facilitaient l'assimilation progressive des autochtones qui s'habituaient petit à petit au genre de vie romain, sans pour autant abandonner leurs anciennes coutumes. Ces grands sanctuaires de tradition indigène qui auraient pu justement favoriser l'esprit d'indépendance des populations cénomanes, servaient donc pleinement les visées des conquérants en favorisant, beaucoup mieux que la force militaire, la domestication politique des populations rurales. Le complexe, qu'il ne faut pas assimiler à un *vicus,* édifié au Ier siècle, sera abandonné après la christianisation de notre province, au IVe siècle.

Le *conciliabulum* d'Oisseau

Il y avait similitude de fonction entre les sites de Cherré et d'Oisseau, aux extrémités nord et sud du territoire de la cité. Les fouilles anciennes et la photographie aérienne ont permis, là aussi, de repérer les principaux éléments du complexe : un théâtre, trois temples, des thermes et de nombreuses substructions à fonction encore indéterminée, installés dans la plaine au pied de l'éperon fortifié de Saint-Evroult, dépendant de la commune de Gesnes-le-Gandelin.

Rites et pratiques funéraires

Les rituels funéraires en usage à la Tène finale vont perdurer durant la période gallo-romaine. L'incinération était la règle, associée à des puits ou des fosses à offrandes. Une quarantaine de puits rituels ont été retrouvés près d'Allonnes, accompagnés de dix petits édicules carrés dont la fonction n'est pas connue. Etudiés à partir de 1972, par F. Ribémont, ces puits présentent des aspects constants. A la base, un cuvelage carré en madriers de chêne encochés et ajustés, puis un remplissage où se mêlent, à différents niveaux, ossements animaux, débris divers, statuettes, monnaies, charbon de bois et d'abondantes séries céramiques brisées volontairement (une centaine de kilogrammes dans un seul puits). L'un d'eux, qui contenait deux squelettes humains, évoque certains rites barbares de la religion gauloise. Ce « dépôt » exceptionnel est peut-être à mettre en rapport avec les événements graves de la fin du IIe siècle. D'autres puits rituels retrouvés au Mans, à Chevillé, Saint-Rémy-des-Monts, Auvers-le-Hamon et Dureil, confirment les observations faites à Allonnes.

Le Bas-Empire

La deuxième moitié du IIIe siècle constitue pour notre région, comme pour toute la Gaule, une période de crises politiques, militaires et économiques. Usurpations, invasions et dévaluations monétaires se succèdent sans désemparer. Gallien, empereur légitime, ne parvient plus à dominer la situation. En 260, un officier romain, Postume, se proclame empereur en Gaule. Pendant les premières années de son règne, la paix et la prospérité paraissent rétablies, mais la reprise des invasions et la recrudescence des troubles intérieurs entraînent une nouvelle crise. Postume est assassiné par ses troupes en 268. Peu de temps après, Marius et Victorin, ses successeurs, subissent le même sort. Un ancien gouverneur d'Aquitaine, Tetricus et son fils, arrivent au pouvoir. Ils devront, eux aussi, réprimer de nombreuses séditions militaires et, en 274, ils finiront par se rendre à l'empereur légitime Aurélien. Notre région revient sous l'obédience de Rome. L'empire gaulois n'aura duré qu'une quinzaine d'années, mais il aura eu le mérite de sauver la Gaule de l'anarchie sans pour autant pouvoir juguler la crise économique. Pendant toute cette période, et vraisemblablement jusqu'en 280, le monnayage officiel n'arrive plus au nord de la Loire. On pallie le manque de numéraire par des frappes sauvages aux effigies de Victorin, et principalement de Tetricus père et fils, le Maine constituant, semble-t-il, un centre de production de ces monnaies. Ces ateliers locaux, encore insuffisamment étudiés, ont produit des quantités considérables de monnaies, imitations plus ou moins habiles des émissions officielles. Souvent, les graveurs font preuve d'une inexpérience totale, multipliant les erreurs, mélangeant les types de droit et de revers, altérant jusqu'à les rendre illisibles les légendes ou les supprimant totalement. Le style en devient barbare, présentant parfois de curieuses résurgences de l'art celtique. Les nombreuses observations d'identités de coins qui lient entre elles des monnaies découvertes dans le Maine, comme en Armorique, en Normandie, dans le bassin de la Seine, en Bourgogne et même en Bretagne insulaire, montrent que ces monnaies circulaient largement dans les régions du nord de la Loire. On thésaurise les rares antoniniani qui subsistent encore, alors que se multiplient les émissions locales de « minimi », pièces minuscules, de plus en plus dévalorisées dont la circulation va se limiter aux environs immédiats de l'atelier d'émission. Quand plusieurs trésors provenant d'une même région contiennent une forte proportion de monnaies de style ou de coins identiques, on peut admettre qu'ils ont été enfouis non loin du lieu de fabrication. Trente trésors constitués durant cette période ont été découverts dans le Maine, dont vingt-trois pour le seul département de la Sarthe. La trouvaille la plus importante a été faite à Cogners, en 1832, où treize mille soixante-cinq monnaies ont été retrouvées. On en comptait sept mille cinq cent soixante-trois à Duneau (1830) et huit mille soixante dix-huit à Beaufay (1874). Plusieurs de ces dépôts ont été découverts récemment : en 1961, mille soixante-seize pièces d'argent pesant 4 kilogrammes, dans un vase enfoui à 50 mètres des thermes d'Allonnes. En 1973, quatre mille quatre cent vingt-sept monnaies à Chaufour-Notre-Dame (mille neuf cent vingt-sept pièces officielles et deux mille cinq cents imitations). Près de trois mille pièces à nouveau sur Allonnes, en 1981. La plus récente découverte a été effec-

Invasions du IIIe siècle et enfouissements monétaires

Monnaie à l'effigie de l'empereur Tetricus, usurpateur en Gaule (271-273). Trésor de Chaufour-Notre-Dame.
(Cliché Claude Lambert).

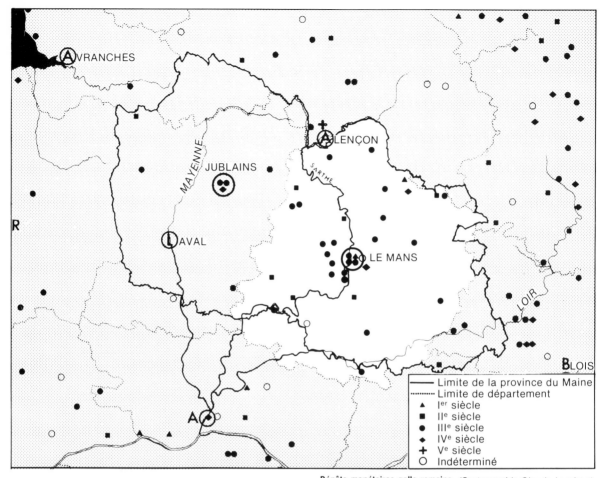

Dépôts monétaires gallo-romains. *(Cartographie Claude Lambert).*

tuée à Changé, en février 1982, où quatre cent dix-huit monnaies couvrant les règnes de Valérien (253-260) jusqu'à Constance Chlore (mort en 306), ont été recueillies.

**Le IVe siècle
et la renaissance
constantinienne**

Au début du IVe siècle, le brigandage avait pris des proportions exceptionnelles. Une part importante de la population rurale en est réduite à piller pour survivre. Des bandes de paysans, d'esclaves fugitifs et de soldats déserteurs, les « Bagaudes », retirés dans les forêts des bords de Loire, sévriront dans notre région et jusqu'en Armorique. La politique habile des empereurs de la première moitié du IVe siècle utilisant conjointement répression et clémence, ramènera la paix intérieure et saura rendre les campagnes à l'activité agricole. On a pu parler d'une véritable renaissance à l'époque constantinienne. De nombreuses villas seront reconstruites et les circuits commerciaux sont rétablis à travers la Gaule, comme en témoigne la céramique sigillée d'Argonne et la verrerie retrouvée dans plusieurs sites sarthois. Des prisonniers barbares, les Lètes, sont installés comme colons ruraux afin de suppléer à la crise de la main-d'œuvre agricole. Malgré le retour sporadique des Bagaudes, le IVe siècle apparaît bien comme le siècle de la reprise en main des régions de l'ouest de la Gaule.

C'est à partir du Ve siècle que le christianisme connaît une forte poussée. Les traces archéologiques en sont ténues : deux lampes à huile marquées du Chrisme ont été découvertes en Sarthe, au Mans et à Allonnes, et peuvent témoigner de la présence d'une petite communauté chrétienne dès la fin du IVe siècle. Les plus anciennes paroisses de la Sarthe se retrouvent groupées dans la vallée du Loir et près de la voie de Tours au Mans, le chemin de Saint-Martin, qui permet la diffusion de la nouvelle religion. Une statuette en or massif, haute de 11,4 centimètres et pesant 505 grammes, représentant un homme revêtu d'une tunique décorée de poinçons en forme de croix de Malte, a été découverte dans les landes de Pontlieue, vers 1930, à la croisée de deux grands chemins menant à Tours. Est-ce le dépôt d'un voleur, d'un voyageur, d'un riche pèlerin se rendant sur la tombe de saint Martin ? Cette statuette ex-voto, assez extraordinaire, fut successivement rapportée à la période gauloise, au Ve puis au VIIe siècle. Présentée dans les collections byzantines de la Dumbarton Oaks Collection à Washington, elle est maintenant attribuée au IVe ou au Ve siècle.

C'est vers le milieu du Ve siècle que la cité des Diablintes fut réunie à celle des Cénomans, formant ainsi le *Pagus Cenomannensis*, notre actuelle province du Maine.

La reprise des invasions provoquera la grande crise de la fin du Ve siècle et l'agonie de l'Empire romain.

Le Ve siècle et le développement du christianisme

Statuette d'or des Landes de Pontlieue (IVe siècle ?). Hauteur 115 mm, poids 505,5 g. ▶
(Cliché Dumbarton Oaks Collection, Harvard University, Washington).

Monnaie de Constantin (306-337). Théâtre d'Aubigné-Racan. *(Cliché Claude Lambert).* ▼

Vindunum chef-lieu des Aulerques Cénomans

Les Aulerques Cénomans dotés d'une capitale

L'avis général des historiens locaux est que, dès l'époque gauloise, le site de *Vindunum* fut le siège d'un *oppidum.* L'archéologie n'en fournit aucune preuve formelle. L'hypothétique enceinte gauloise, fondée sur quelques observations lors des travaux du Tunnel (1873-1876), repose sur la vue d'un amas de pierres reconnu trop rapidement comme un *Murus Gallicus.*

En fait, il faut attendre la conquête romaine et l'organisation de la Gaule chevelue à l'époque augustéenne pour que le site de *Vindunum* soit érigé en une ville capitale d'une cité.

Le choix du site

Vindunum occupe une position centrale au sein de la *civitas,* ce qui est confirmé par l'arrivée de plusieurs routes au confluent proche de la Sarthe et de l'Huisne. Occupant l'extrémité basse du plateau de Sargé, à l'altitude 73 mètres, le site est protégé de façon naturelle sur trois côtés par de profondes dépressions, mais reste d'accès facile au nord, laissant planer un doute sur un véritable site de forteresse. La ville doit plus son implantation à la volonté politique de Rome qu'à une position stratégique. Ponts ou gués y franchissent une rivière navigable qui relie *Vindunum* au Bassin ligérien. C'est donc le pouvoir impérial qui a assuré la création et le développement de la ville comme centre administratif et commercial d'une petite *civitas* sur le site d'une petite bourgade gauloise à retrouver.

Le gouvernement de la cité

Vindunum devient la capitale administrative de la civitas des Aulerques Cénomans et appartient à la province lyonnaise jusqu'à la réforme de Dioclétien.

Cette fonction de capitale entraînait l'existence d'une administration municipale formant un Sénat local dont nous ne connaissons rien. C'est au chef-lieu de la *civitas* que sont concentrés les bâtiments et le personnel nécessaire à la gestion de la *Res Publica* que constitue juridiquement la cité. Cette gestion comporte deux aspects principaux : l'administration du territoire et le fonctionnement des cultes publics. Mais, faute de renseignements épigraphiques, nos connaissances sur ces institutions restent inexistantes.

On ne connaît que six inscriptions antiques trouvées au Mans, et elles sont perdues pour la plupart.

1 - L AMAINIO EQ OB EIUS MERITA
PLEBS URBANA SENONI D
Inscription à la gloire de Lucius Amanius, chevalier, trouvée dans les ruines du château royal de Gué-le-Maulny.

2 - L IULIUS C F LIBO C IUL C F GALLO F
TRIB IULIO LL A NO IULIAE LI..... F .... HELENAE
Inscription funéraire élevée par Lucius Julius Libo, fils de Caius, à la mémoire de son frère, Caius Julius Gallus, tribun, et de ses deux enfants Julius Libonianus et Julia Helena, trouvée en 1617, lors de la démolition du donjon du Mans.

3 - DEO PATI ..... VOT E.C.VET .... EBC III .....
Inscription votive incomplète élevée par la IIIe cohorte, trouvée en 1778, lors de la démolition d'une tour, place des Jacobins.

4 - D.M.P.LV.NOSONIUS FIL.M.F.C.
Inscription funéraire du fils de Nosonius, découverte en 1791, dans les fondations de l'église des Jacobins.

5-6 - VOM III.   VOM VII.
Deux pierres des vomitoires de l'amphithéâtre, trouvées dans les fondations de l'église des Jacobins.

La garnison romaine

Au nord de la cité, sur la partie haute, un retranchement de terre connu sous le nom de « Mont Barbet » assurait la défense de la ville. Il se composait de deux mottes élevées sensiblement dans le prolongement de l'axe de la cité. Une levée de terre formait le retranchement du camp. Dans les fossés de ce camp ont été construites la rue de Paderborn, les maisons de la rue Lionel-Royer, dont la voirie cheminant sur la contre-escarpe fut l'ancienne route de Paris.

Il fut trouvé en 1848, à l'intérieur de ce camp (lycée Montesquieu actuellement), un trésor composé de trois vases renfermant quatorze mille monnaies consulaires ou impériales faisant remonter l'enfouissement sous le règne de Tibère. Un si important trésor en ce lieu fait songer à une trésorerie militaire enfouie lors du soulèvement des Gaules en 21.

La ville

Son développement au cours du Ier siècle

Les observations issues des fouilles récentes montrent une romanisation importante à partir du règne de Tibère et s'accélérant sous Claude et Néron.

Les vestiges bâtis repérés sur la colline ou à l'extérieur de l'enceinte du Bas-Empire montrent un aménagement modifiant la topographie du site. C'est l'œuvre des ingénieurs topographes dont l'art consiste à remplacer des formules architecturales de faible module respectant sans trop de modifications un relief accidenté par des modules énormes réclamant une parfaite horizontalité.

On comble la vallée du ruisseau d'Isaac tapissée d'habitats en bois, on modifie l'aspect des pentes de la colline pour y établir des terrasses de construction. Le grand monument découvert en 1980, rue des Fossés Saint-Pierre, est construit en terrasse. Un peu plus haut, l'habitat situé en contrebas de la rue Saint-Flaceau (1977) est établi sur une terrasse. Un gros mur de plus d'un mètre de large a été dégagé en 1978, rue de la Verrerie.

Le Mans. Plan des découvertes gallo-romaines.
(D'après F. Ribemont, complément J. Guilleux, copie dessin B. Baudoin).

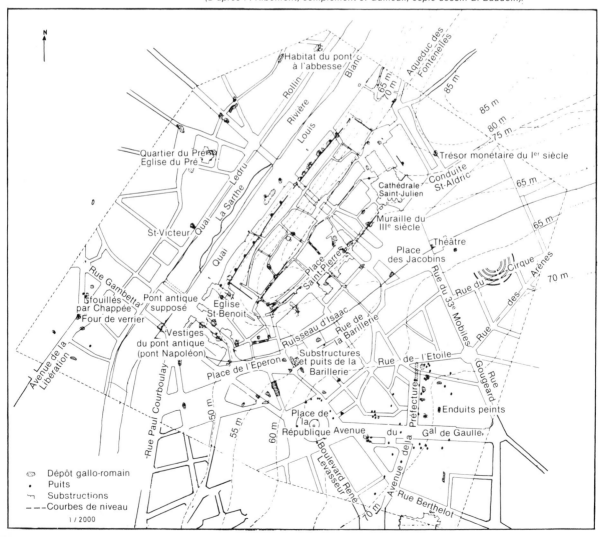

80

Le Mans. Site des Falotiers-Filles-Dieu. *(Cliché B. Vildard).*

Au pied de la colline du Vieux Mans, dans la vallée du ruisseau du Merdereau a été mis au jour, grâce à un sauvetage, un quartier urbain en bois du début du Ier siècle (datation dendrochronologique). La photo illustre une des « cellules d'habitations » dégagées. On peut reconnaître deux palissades de pieux, enfoncés dans la tourbe qui les a conservés. Au pied de l'une d'elles, on aperçoit le caniveau en bois. Au centre du document, des poutres et des planches sont entassées sur trois épaisseurs, sans que l'on sache si cela est volontaire ou non. Enfin, à gauche, on distingue une forme circulaire plus récente qui a recoupé la structure.

L'importance du site est considérable tant par sa nature que par les découvertes mobilières, mais également par le fait que ce site remet en question la notion d'urbanisme monumental à l'époque romaine dans la région.

F. PASQUIER pour le C.A.P.R.A.

Les habitats

Dès le Ier siècle, le noyau central de la ville s'est établi sur la colline du Vieux Mans et sur ses pentes. Il ne semble guère déborder le quadrilatère formé à l'ouest par la Sarthe, au nord par le camp du Mont Barbet, à l'est et au sud par la vallée du ruisseau d'Isaac.

C'est à l'intérieur de ce périmètre qu'a été vu la quasi-totalité des traces d'habitats.

Les habitats les plus anciens repérés par les archéologues, en 1982, se situent au fond de la vallée du ruisseau d'Isaac, entre la rue des Filles Dieu et de la Barillerie. Ils datent du règne de Tibère. Nous avons là une densité importante d'habitations de bois sur pilotis enfoncés dans la tourbe du vallon. C'est la plus forte trace de concentration humaine observée au Mans, témoin d'un précoce essai d'urbanisation. Dans la deuxième partie du Ier siècle, ces structures furent enfouies sous un épais remblai sur lequel s'établirent des structures plus lourdes de pierres correspondant à une volonté d'amélioration de l'urbanisation de la ville. Une de ces structures a pu être fouillée et son abandon date des années 120. De cette même époque datent les substructions vues au bas de la rue de la Comédie en 1963, rue Saint-Flaceau en 1965 et en 1977, place du Hallai en 1977, rue Saint-Pavin-de-la-Cité sous l'ancienne église en 1976, rue de la Verrerie et rue des Poules en 1978, et rue Godard. L'ancienne rue Dorée a montré deux habitats, le débouché de la rue de la Galère, un. Près de l'église Saint-Benoît fut découvert un ensemble très important se prolongeant sous l'église (1975).

Ces habitats entrevus restent cependant mal connus, faute d'une fouille méthodique. Malgré tout, une certaine concentration apparaît sur le bas du versant sud-est, sud-ouest de la colline, depuis la rue des Fossés Saint-Pierre, la rue des Poules, les rues Dorée et de la Galère jusqu'à l'angle de l'enceinte près de l'église Saint-Benoît. Tous ces habitats remarquablement exposés ont livré de la céramique depuis l'époque claudienne. Quatre de ces habitats ont montré des installations d'hypocauste en place et celui de la rue Saint-Flaceau était jonché de matériaux appartenant à un hypocauste.

Les constructions externes

D'autres vestiges existent en dehors de ce quadrilatère. Ils prouvent que, dès le Ier siècle, la ville s'étirait beaucoup plus loin le long des voies partant de la cité. Ces témoignages se situent dans la Percée centrale, près des rues de la Paille, des Ursulines et Sainte-Marie. Sur la rive droite, il en fut observé à proximité de l'église Saint-Gilles.

Ces vestiges sont les témoignages de riches constructions bâties en matériaux durs appartenant à l'élite sociale urbaine. Ce sont les maisons des maîtres. Mais nous ne connaissons rien de l'habitat des classes sociales les moins favorisées dont les constructions faites en matériaux périssables, bois ou pisé, restent difficilement repérables lors des travaux d'urbanisme moderne.

Le développement de la ville aux IIe et IIIe siècles

La ville va continuer de s'étendre aux IIe et IIIe siècles. Les limites sont repoussées au sud à la villa Vivereus (actuelle préfecture) avec toute la Percée centrale, à l'est le quartier des Arènes sur la rive gauche du ruisseau d'Isaac, au nord on atteint le futur site de l'abbaye Saint-Vincent, comme l'atteste la présence de cinq puits rituels, rue des Maillets, sous la résidence Toulouse-Lautrec. A l'ouest, le périmètre urbain sur la rive droite de la Sarthe, part de la villa suburbaine du Port à l'Abbesse, passe par les quartiers du Pré, de Saint-Victeur et se termine avenue de la Libération vers l'église Saint-Gilles.

Les monuments publics de cette époque restent peu connus. Un amphithéâtre fut décrit par un érudit à la fin du XVIIIe siècle, et ses fondations furent en partie retrouvées à l'occasion de travaux à la Révolution et en 1953. Malheureusement, les descriptions qui nous en ont été laissées ne semblent pas très sûres. A. Grenier pensait qu'il s'agissait plutôt d'un théâtre. Cependant, les deux inscriptions se rapportant à des *vomitorium* font penser à un monument à caractère mixte du IIe siècle.

Le forum

Si le *forum* symbolise et matérialise l'essentiel du rôle conféré à la ville, celui des réunions, du gouvernement avec son esplanade et ses bâtiments abritant les organes politiques et judiciaires, nous ne pouvons en situer l'emplacement. La construction de l'enceinte du Bas-Empire a trop modifié la topographie pour nous permettre de le retrouver actuellement.

Les temples

Aucun vestige de temple n'a encore été mis au jour. Malgré tout, le texte des actes des évêques nous fait connaître sur la place du marché une fontaine sacrée, *centonomius,* christianisée plus tard sous le vocable de saint Julien. Cette fontaine, située à l'angle des rues Victor-Bonhommet et de la Barillerie, a livré dans ses alentours immédiats un riche matériel archéologique en 1938, dans les fondations de la maison du Combattant et en 1962, sur le site du Maine-Libre. N'y aurait-il pas eu là un sanctuaire lié au culte des eaux, ce qui n'exclut pas la probabilité d'autres lieux de culte ?

Les fouilles des thermes gallo-romains. Site de l'école Claude Chappe.

Les monuments des eaux

Un ensemble thermal a été découvert en 1980, rue des Fossés Saint-Pierre. Deux piscines et deux salles chaudes sont actuellement dégagées. Le sol d'une de ces salles chaudes était recouvert d'une mosaïque au décor géométrique. Cet établissement fut construit au cours de la seconde moitié du Ier siècle et subit plusieurs modifications avant sa destruction dans le dernier quart du IIIe siècle. Son état d'arasement ne permet pas de reconnaître les arrivées d'eau. Il faut abandonner la légende des thermes à Gourdaine, les fouilles récentes dans ce quartier n'ayant rien fourni de tel.

Reconstitution de la mosaïque trouvée sur le site des thermes.

Les nécropoles

La ou les nécropoles sont à situer sur la rive droite de la Sarthe, de part et d'autre de l'ancien cours du Grenouillet, au nord près de l'église du Pré et de Saint-Victeur, au sud dans le secteur des avenues de la Libération et Gambetta (ancienne fonderie Chappée, bibliothèque, aménagement du square Lafayette). Ces deux nécropoles s'étendaient le long des voies quittant Le Mans, mais restent pratiquement à fouiller.

Les voies romaines

Une dizaine de voies romaines quittaient la ville du Mans pour rejoindre les villes des *civitas* voisines. Ces voies abordent la ville en trois grands axes.

Au nord partait la voie d'Evreux *(Mediolanum)* en longeant le Mont Barbet, la future abbaye Saint-Vincent, en empruntant l'actuelle rue des Maillets.

Au sud, un tronc commun de voies gagnait le gué de Pontlieue d'où partaient les voies de Chartres *(Autricum)*, d'Orléans *(Genabum)*, de Tours et de Poitiers *(Caesarodunum et Limonum)*, d'Angers *(Juliomagus)*.

Le testament de l'évêque Bertrand indique probablement cette voie pavée qui passait entre les arènes et l'enclos de l'abbaye de la Couture, dans les parages de l'actuelle rue du 33e Mobile et de la rue Chanzy. Mais d'autres voies secondaires partaient de la ville dans la même direction en passant par la Percée centrale et la place de la République, et l'actuelle rue Nationale.

A l'ouest, une voie devait contourner la pointe du Vieux Mans, longer le ruisseau d'Isaac et franchir la Sarthe à l'emplacement du pont Perrin. De ce pont ou de ce gué, trois voies se dirigeaient vers Rennes *(Condate)*, Jublains *(Noiodunum)* et Vieux *(Araguena)*.

Le rôle de la ville

L'ensemble des constructions abritant la population de la cité reflète le souci d'une romanisation voulue par le pouvoir impérial. On y concentre les pouvoirs militaires, civils et religieux. Les élites civiles viennent y séjourner sinon en permanence, au moins au moment des rassemblements annuels qui ponctuent la vie publique.

C'est là que se concentrent les affaires de la *civitas*. On a découvert en 1809 les vestiges du port lors de la construction du pont Gambetta. Ses quais étaient constitués par des gros blocs maintenus par des crampons de fer et des pilotis de bois. Les fours d'un potier et d'un verrier ont été reconnus sur la rive droite par J. Chappée, et une fosse à caractère artisanal, renfermant des pesons de métier à tisser, a été fouillée en 1979, rue des Ursulines.

Les aqueducs

Pour faire vivre dans de bonnes conditions la population de *Vindunum,* deux aqueducs furent construits en vue d'amener l'eau dans la ville.

L'aqueduc des Fontenelles, long de 3,5 kilomètres, aboutit sur la crête de la colline du Vieux Mans où il fut retrouvé en deux endroits en 1977. Il constitue l'aqueduc principal comme ses dimensions le montrent : hauteur interne 82 centimètres, largeur interne du radier 63 centimètres pour sa partie située en dehors de la ville. Sur la colline, sa hauteur et sa largeur internes sont de 32 et 35 centimètres. La réduction du radier laisse supposer des prises d'eau en cours de tracé dans la ville.

L'aqueduc d'Isaac, long de 1,5 kilomètre, n'arrivait pas sur la colline, mais devait alimenter le quartier des Jacobins. Ses dimensions internes lui donnent une hauteur de 63 centimètres et une largeur de 30 centimètres.

La voirie

Il serait vain de vouloir reconstituer, en l'état de nos connaissances, le tracé de la voirie antique du Mans. Si la tradition rapporte que la Grande-Rue correspond au *cardo,* les observations récentes montrent qu'il faut corriger cette opinion. La découverte en deux points de l'aqueduc des Fontenelles plaide pour un *cardo* désaxé par rapport à la Grande-Rue. En suivant le niveau et la direction de l'aqueduc, le *cardo* emprunterait les avant-cours des numéros impairs de la rue des Chanoines, les arrières de la Grande-Rue, la franchissant peu avant le carrefour avec la rue Saint-Pavin-la-Cité et passant sur les arrières des maisons n° 105 et n° 109 de la Grande-Rue.

Il apparaît que le réseau actuel du Vieux Mans correspond à la fin du Moyen Age, sans rapport direct avec la voirie antique. En plusieurs endroits, les sous-sols des voiries actuelles sont barrés par des murs d'habitats antiques : rue Saint-Pavin-de-la-Cité, rue de la Verrerie, rue Godard, rue Saint-Flaceau, rue des Remparts.

En dehors de l'enceinte, l'enfilade rectiligne des rues des Falotiers, de la Juiverie, de la Paille et leur parallèle formée par les rues Saint-Martin et de Paris forment très probablement les vestiges d'une voirie antique. Il devait en exister une longeant la rive gauche du ruisseau d'Isaac, sur le tracé de l'actuelle rue de la Barillerie, de façon à contourner le Vieux Mans par le sud pour rejoindre le point de franchissement de la Sarthe. La densité des habitats reconnus sur la rive droite de ce ruisseau rend peu probable l'implantation d'une grande voirie entre ces structures.

Cultures et croyances : les rites indigènes

A l'occasion des travaux de la Percée centrale et de la place de la République, il fut mis au jour plus d'une centaine de puits de mêmes caractéristiques. Ils sont tous creusés à une profondeur ne pouvant atteindre la nappe phréatique. Ils montrent un comblement rapide de

Stèle trouvée dans un puits rituel rue de l'Etoile. *(Cliché Musées départementaux de Loire-Atlantique).*

Empilement de vases rituels formant dépôt dans un des puits de la Percée centrale. (Cliché Musées départementaux de Loire-Atlantique).

même nature : céramique essentiellement des deux premiers siècles, ossements animaux, coquilles d'huîtres et de moules, quelques monnaies. Il n'y a jamais été retrouvés d'ossements humains ou des urnes contenant les restes d'incinération. On ne peut y reconnaître une fonction purement funéraire, mais plutôt une fonction de puits à offrandes dont le rite et les intentions restent à définir.

Ces puits sont peu éloignés des zones habitées et leur situation en étalement montre une juxtaposition en phases chronologiques. Chaque époque a respecté les structures creusées antérieurement. Nous avons là une mosaïque chronologique significative du respect volontaire de ces structures. Toute la zone comprise entre la rue Sainte-Marie et des Ursulines livre des puits du Ier siècle. A côté, de part et d'autre de la rue du Bourg-d'Anguy, on a observé toute une zone occupée par des puits du IIe siècle.

Un puits rituel d'époque claudienne a été trouvé sous les thermes en cours de fouille rue des Fossés Saint-Pierre. La première implantation de la fin du Ier siècle avait respecté ce puits en bâtissant à proximité. Lors des modifications de la fin du IIe siècle, l'extension des thermes recouvrit ce puits en ne le vidant pas pour asseoir le radier du nouvel hypocauste qui s'affaissa en cet endroit. Le respect du rite associé à ce type de structure est donc évident.

La romanisation et ses limites

Si le fait politique est à l'origine du fait urbain, on peut se demander quel fut le degré réel de romanisation sur les mentalités ? L'archéologie livre les vestiges des plus aisés, donc de ceux qui assimilèrent le mieux la nouvelle culture et son genre de vie. Comment s'est comportée la masse ? Nous n'avons aucun renseignement sur les plus humbles.

Les élites adoptèrent rapidement les mœurs et usages nouveaux en construisant des demeures selon les canons italiques avec des salles chaudes sur hypocauste, des décors d'enduits peints, de stucs, et des revêtements de mosaïque.

Vase caliciforme de la période augustéenne. (Cliché Musées départementaux de Loire-Atlantique).

La céramique sigillée : l'utilisation de cette vaisselle peut être un témoin du degré de romanisation de la vie courante. Les formes nouvelles, sa décoration empreintée au panthéon italique surent toucher l'âme gauloise et son succès fut très rapide.

Le tableau des estampilles trouvées au Mans fournit une idée des arrivages tant en chronologie que des principaux centres de production.

Provenance	Nombre	%
Italique	8	2,9
Graufesenque	126	45,0
Montans	11	3,9
Grauf-Montans	10	3,5
Grauf-Banassac	3	1,0
Sud-Gaule	10	3,5
Lezoux	104	37,4
Centre	2	0,7
Est	6	2,1
	280	100,0

Coupe tripode du second siècle.
(Cliché Musées départementaux de Loire-Atlantique).

Les arrivages du Ier siècle atteignent 70 % des estampilles et proviennent essentiellement de la Gaule du sud avec une très forte dominante pour les ateliers de La Graufesenque. Les productions précoces de Lezoux ne sont pas absentes *(Atepomarus, Cobnertus, Flavus, Seniserus).* Dès l'époque tibérienne, ce type de vaisselle se vend en grande quantité pour atteindre des arrivages maxima sous les règnes des empereurs Claude, Néron et Vespasien, la vente est moins importante au cours du IIe siècle. Les potiers les mieux représentés sur le marché de *Vindunum* sont : *Severus* (16), *Atepomarus* (10), *Paternus* (9), *Butrio* (8), *Cinnamus* (7), *Ardacus, Passienus, Secundus, Tertius* (6), *Licinus, Acutus* (5).

Mais, à côté de cette vaisselle de luxe, on retrouve en bien plus grande quantité une vaisselle usuelle grossière, non tournée, de fabrication locale, perpétuant la tradition celtique. Une partie de la population, soit par tradition ou par moindre niveau de vie, ne modifie pas ou peu ses habitudes.

Le peu d'inscriptions retrouvées, l'absence de statuaire laissent supposer une romanisation assez superficielle de la masse.

Les éléments architecturaux, peut-être encore enfouis dans les fondations de l'enceinte, restent très rares. On ne connaît que trois éléments de corniche, l'un trouvé en 1830 dans la démolition du mur d'enceinte de l'église Saint-Pierre-la-Cour, l'autre en 1980 dans la fondation de l'enceinte près de la tour Madeleine, et le troisième dans la fondation de la tour d'Oigny, fin 1982.

Le nom même de la ville montre la limite de la romanisation. *Vindunum* conserva son nom celtique, à la différence des villes voisines comme Angers ou Tours, qui prirent le nom des nouveaux maîtres.

Le Bas-Empire : l'enceinte gallo-romaine

La crise du IIIe siècle

Les invasions qui se produisirent de 235 à 284 ne touchèrent pas directement *Vindunum,* qui reste à l'écart du trajet des incursions barbares. S'il fut trouvé un trésor de quatre cent soixante monnaies d'argent à l'effigie des empereurs Gordien et Gallien sur la rive droite de la Sarthe, face au pont Perrin, rien ne prouve que *Vindunum* fut la proie des Barbares ou des Bagaudes. Cependant, les dix-huit trésors enfouis dans le département durant cette période montrent qu'une certaine insécurité régna dans la région entre les années 260 et 280.

La réaction à cette crise fut la construction de l'enceinte.

L'enceinte gallo-romaine

Comme la plupart des villes importantes de la Gaule de l'ouest, *Vindunum* fut fortifiée après la crise du IIIe siècle.

Elle dessine un quadrilatère irrégulier d'environ 200 mètres de large sur 450 mètres de long, lui donnant un périmètre de 1.280 mètres délimitant une surface de 8 à 9 hectares. Elle subsiste encore sur sa plus grande partie, mais son tracé reste mal connu sur sa face sud. Sa situation n'est pas excellente du point de vue stratégique car elle est, en effet, dominée au nord par le Mont Barbet.

Son mode de construction

Partout où elle a été observée, l'enceinte comporte les trois éléments classiques des remparts gallo-romains du Bas-Empire : fondations, soubassement et superstructures formées d'un double parement enserrant un blocage.

Elle suit les inégalités du terrain en épousant les mouvements naturels et les tours délimitent souvent un changement de dénivellation de la fondation en servant à la fois de contrefort et d'élément de défense. La fondation est formée par un lit de moellons reposant directement sur le sol naturel du fond de la tranchée. Elle assure un niveau horizontal ou oblique corrigeant les irrégularités du terrain et assurant l'assise des gros blocs du soubassement. A l'angle sud-ouest, près de Saint-Benoît, on a observé en 1972 une fondation formée vers l'intérieur par deux rangées de pilotis de bois enfoncés dans un sol gorgé d'eau.

Angle de l'enceinte à Saint-Benoît. Pilotis de
bois en fondation.

Le soubassement est formé de gros blocs empilés soigneusement
les uns sur les autres de façon à former des lits réguliers. Ils forment
souvent un débord simple ou double à la base. Le soubassement n'a
pas partout un nombre de lits identiques. Il y en a quatre à la tour
Madeleine et au départ de l'enceinte sur son côté sud, deux rue des
Fossés Saint-Pierre, un sous les restes de la tour Hueau. Par contre,
près de la tour du Bourreau, rue des Fossés Saint-Pierre, la face interne
du soubassement haut de 77 centimètres est composée par sept rangs
de moellons et non de blocs ; la fondation est formée par deux rangs
de moellons non liés sur une hauteur de 22 centimètres.

Au-dessus du soubassement, le mur s'élève entre un double parement composé sur sa face externe par une alternance régulière de cinq
à sept rangs de moellons séparés par trois rangs de briques. On retrouve
la même disposition sur la face interne avec une plus grande hauteur de
rangs de moellons entre chaque chaînage de briques. Les moellons ont
une hauteur de 9 centimètres et une largeur variant de 10 à 13 centimètres sur une profondeur de 17 à 20 centimètres. Le liant est composé de
chaux, de sable et de brique pilée qui lui donnent sa teinte rosée caractéristique. Les lits de mortier ont une épaisseur de 20 à 30 millimètres
entre les moellons et de 20 à 40 millimètres entre les briques. L'intérieur est formé par un blocage de rocaille, de brique, noyés dans la
chaux blanche qui lui assure une très grande dureté.

Ce mur a une épaisseur de 4 à 5 mètres. Il a pu être mesuré en deux points, rue des Pans-de-Gorron et dans la chaussée du Tunnel (largeur 4,20 mètres).

L'architecte a joué sur la couleur des moellons pour une certaine polychromie dans le décor : moellons de grès brun et moellons calcaires. Chaque bande limitée par les lits de briques comporte une frise de décors géométriques : losanges, triangles, cercles, chevrons. Tous les joints sont tirés au fer.

Les courtines initiales ont disparu du fait des remaniements médiévaux. On ignore donc la hauteur originelle du rempart que l'on peut estimer supérieure à 6 mètres.

Soubassements de moellons de l'enceinte, rue Saint-Flaceau.

Les tours

Neuf tours restent encore visibles, mais il devait y en avoir seize autres. Sur la face ouest, la mieux conservée, les tours ont un intervalle régulier de 30 mètres. Elles semblent plus espacées ailleurs. Elles sont de forme ronde, à l'exception de la tour des Pans-de-Gorron qui est hexagonale. De plan demi-circulaire outre-passé vers le rempart, ces tours n'ont pas de saillie interne. Le diamètre externe est de 7 à 8 mètres. La base de la tour Madeleine a montré l'aménagement suivant : un lit de moellons assurant la fondation, une plate-forme de gros blocs de forme presque rectangulaire sur laquelle avait été tracé un sillon donnant la forme de la tour ; l'élévation de l'édifice était formée par deux lits de gros blocs en soubassement supportant le chaînage de briques et les rangs de moellons. Les blocs de la plate-forme et du soubassement s'inclinent vers l'enceinte. La tour Hueau était, elle aussi, construite sur une plate-forme de blocs.

Ces tours sont pleines, sauf celle de Tucé qui comporte une chambre basse. Leur élévation est toujours supérieure à celle de la courtine et la partie proprement gallo-romaine paraît atteindre les 10 mètres.

Les quatre angles de l'enceinte n'ont pas été conservés dans leur état initial et on ignore leur système défensif.

Les poternes Le flanc ouest compte trois poternes. La grande poterne aux assises en gros blocs est voûtée en plein cintre et a été reprise par un arc brisé médiéval. Haute de 3,75 mètres, large de 2,5 mètres, elle ne montre plus de système de fermeture. Elle est située sur un point haut.

La petite poterne, dite du Petit Saint-Pierre, large de 2,47 mètres, montre un double archivolte en briques.

La poterne du Tunnel, large de 1,80 mètre, haute de 3,50 mètres, avait une voûte en plein cintre. Son soubassement est dallé en grand appareil et les piédroits sont en gros blocs. Les parois du passage sont en briques. Cette poterne montre des traces de fermeture (trous de logement de poutres).

Aucune de ces poternes n'est située au même niveau.

Plate-forme de fondation de la tour Madeleine.

Vestiges de la tour Hueau.

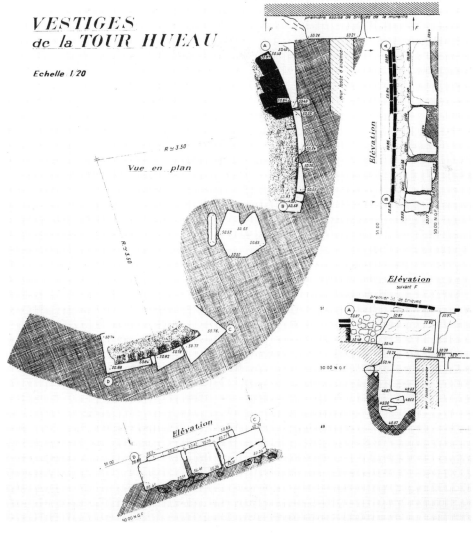

VESTIGES
de la TOUR HUEAU

Echelle 1/20

Vue en plan

Elévation

Elévation
suivant F

Elévation

La poterne du Tunnel.

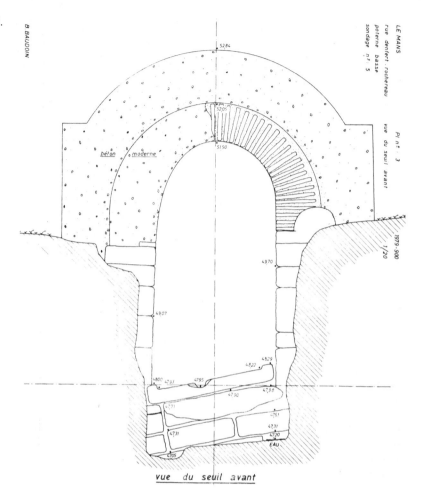

vue du seuil avant

Les portes

Les portes de la cité médiévale (porte du Château et porte de la Cigogne) situées aux extrémités de l'axe nord-sud sont-elles d'origine antique ? On ne peut rien dire quant à la porte du Château, mais des observations récentes prouvent l'impossibilité de la présence d'une porte antique à la Cigogne.

Par contre, la porte principale de la ville se situait dans l'angle formé par la place Saint-Pierre et la rue des Fossés Saint-Pierre. Les niveaux du soubassement de l'enceinte retrouvés en deux endroits dans cette rue, le prouvent. Cette porte construite en grand appareil montre un triple passage dont un se trouve actuellement obstrué. Un placage médiéval la recouvre totalement. Cette porte est bien défendue par le décrochement de la muraille qui crée une situation favorable : « les assiégeants présenteront à ceux qui seront sur la muraille, le côté droit qui n'est point couvert par le bouclier » (*Vitruve,* I, 8).

La muraille du Mans n'a jamais été précédée d'un glacis ou d'un fossé. Les poternes de la face ouest permettaient de desservir la bande de terrain comprise entre l'enceinte et la Sarthe, le port, le pont ou le gué et la nécropole située sur l'autre rive.

De la porte Saint-Pierre sortait une voirie bifurquant dans toutes les directions, rive gauche du ruisseau d'Isaac, Percée centrale au sud, amphithéâtre au nord-est.

Décors sur les blocs de l'enceinte.

Lors de la destruction de l'enceinte place des Jacobins au XVIIIᵉ siècle, on a retrouvé des éléments architecturaux qui n'ont pas été conservés. Seul un élément de corniche trouvé place Saint-Pierre dans le mur de l'ancienne collégiale nous est parvenu.

La fouille des abords de la tour Madeleine a fait apparaître sur deux rangs des blocs décorés de motifs en arc de cercle. Un bloc identique a été dégagé en 1979 dans le soubassement de la tour des Pans-de-Gorron. Une corniche à caisson identique à celle trouvée place Saint-Pierre a été vue en 1980 dans l'angle de l'enceinte, au sud de la tour Madeleine. En octobre 1982, une corniche semblable aux deux autres et un élément de bas-relief représentant deux personnages ont été sortis de la base de la tour d'Oigny. Un fût de colonne s'observe dans un piédroit de la poterne du tunnel.

Ces éléments proviennent tous de monuments qui ont été détruits lors de la construction de l'enceinte.

Datation de l'enceinte

Le tracé de la muraille ne montre pas d'accidents de construction ayant nécessité des réparations ou des changements de tracé pendant son temps de construction. Par sa ressemblance à celles de tout un groupe de villes de l'ouest de la Gaule, elle apparaît comme le résultat d'une décision du pouvoir central romain appliquée après le retour de la paix en Gaule, en 284.

L'habitat de l'angle de Saint-Benoît et les thermes de la rue des Fossés Saint-Pierre, tous deux fouillés, montrent que ces deux sites ont été détruits au même moment pour servir de carrière de pierres lors de l'édification de l'enceinte. Ils ont livré des monnaies dont les plus tardives sont du règne des empereurs gaulois Tetricus père et fils. Comme ces monnaies ont circulé un certain temps sous Dioclétien, on ne peut pas dater le début de la construction de l'enceinte avant les années 280. La qualité de la construction et son importance ne peuvent être attribuées qu'à une période de tranquillité retrouvée. Il faut y voir le travail d'un corps d'ingénieurs militaires de la fin du IIIe siècle travaillant sur tout l'ensemble de la Gaule.

La vie au Mans pendant le Bas-Empire

L'administration

La réforme de Dioclétien place Le Mans dans la seconde Lyonnaise pour un siècle. Après la réforme de 385, la *Notitia Galliarum* indique que Le Mans appartient à la troisième Lyonnaise avec Tours pour métropole.

Nous ne savons rien de l'administration même de la ville. La légende de saint Julien fait apparaître un Défensor donnant sa maison au premier évêque évangélisateur.

Le nom de la ville se trouve remplacé au IVe siècle par celui de la peuplade gauloise et il deviendra la ville des *Cénomanis*.

Le texte de la *Notitia Dignitatum,* de la fin du IVe siècle, indique que la ville fait partie d'un vaste ensemble militaire couvrant les côtes soumises à la piraterie. Elle est un point d'appui à l'intérieur des terres de tout un important système défensif et devient le siège d'une garnison de Lètes avec la résidence d'un *Praefectus Laetorum gentilium Suevorum*.

Ce sera une des places fortes du royaume de Syagrius entre Seine et Loire, au Ve siècle, jusqu'à sa chute sous les coups des Francs.

La renaissance du Bas-Empire

Toute la période du IVe siècle semble correspondre à une période de paix et de renouveau. Les enfouissements monétaires sont rares et les fouilles montrent une reprise des échanges avec des régions éloignées.

La céramique importée se retrouve dans les habitats. Elle provient des ateliers de l'Argonne qui entretiennent des relations commerciales régulières, durant tout le IVe siècle, avec notre région. On retrouve cette céramique, au décor à la molette, tant à l'intérieur de la cité *castrum* (site de Saint-Pavin-de-la-Cité, rue de la Verrerie, place Saint-Michel, place Saint-Pierre) qu'à l'extérieur des murs (rue des Fossés Saint-Pierre, dans la Sarthe, à Saint-Victeur). La ville ne s'est donc pas repliée à l'intérieur des remparts ; il existe des faubourgs peuplés. Un sondage, effectué en 1980, près de la rue de la Barillerie, a mis au jour

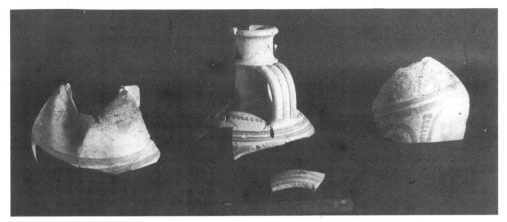

Lagène à décor peint du IVe siècle.

un sol d'occupation du IVe siècle. De même, le site des thermes de la rue des Fossés Saint-Pierre fut partiellement réoccupé aux IVe et Ve siècles.

La céramique du Ve siècle se retrouve aussi et montre que les échanges se sont maintenus avec l'Argonne et les centres bordelais fournisseurs de céramique dérivée de la sigillée, dite paléochrétienne.

La christianisation

La christianisation du Mans semble tardive et ne peut pas remonter avant le début du Ve siècle. L'apostolat de saint Julien ne repose sur aucune preuve historique. Le premier évêque attesté est saint Victeur, qui apparaît lors des conciles d'Angers en 453, de Tours en 461 et de Vannes en 465. Nos plus anciens lieux de culte se situent dans les faubourgs, hors des murs, sur la rive droite de la Sarthe. Il faudra attendre le testament de l'évêque Bertrand, en 616, pour avoir un premier panorama de l'implantation des lieux de culte manceaux sur toute la ville.

Allonnes dans l'antiquité, Faculté des Lettres et Sciences humaines, Le Mans, 1974, publication collective sous la direction de J. BIARNE.

AUBIN (G.). — *Enfouissements monétaires sous l'Empire romain dans l'ouest de la Gaule,* Mémoire de maîtrise, Rennes, 1970.

BIARNE (Jacques). — In *Histoire religieuse du Maine,* premier chapitre « les Débuts du christianisme dans le Maine », Tours, 1978.

BIARNE (Jacques), GUILLEUX (J.). — « Le Mans, ses exceptionnels remparts gallo-romains », in *Archéologia,* n° 145, août 1980.

Gallia Histoire : informations archéologiques, C.N.R.S., tome XXXVIII et suivants, 1980-82.

LAMBERT (C.), RIOUFREYT (J.). — *Jalons pour une frontière des Cénomans et des Diablintes,* actes du colloque, « Frontières en Gaule », et *Habitats indigènes, Villas gallo-romaines et structures agraires antiques dans le Maine,* actes du colloque, « la Villa romaine dans les provinces du nord-ouest », *Bull. de l'Institut d'études latines de l'Université de Tours, Caesarodunum* XVI, 1981, et XVII, 1982 (16 pages de bibliographie).

RIBÉMONT (Francis). — *Contribution à l'étude du Maine antique,* première partie, thèse de 3e cycle, Université de Paris, Sorbonne, 1974.

Le Moyen Age

CHRONOLOGIE MEDIEVALE

490	Mort de l'évêque saint Victeur.
Vers 510	Clovis s'empare du Maine.
511	L'évêque Principe assiste au concile d'Orléans.
572	Fondation de l'abbaye Saint-Vincent du Mans par Domnole.
587	Fondation par l'évêque Bertrand de l'abbaye de la Couture.
633	Accord entre Dagobert Ier et Judicaël, duc des Bretons. Développement des liens du Maine avec la Bretagne.
721	Victoire de Charles Martel sur Ranfroy, conquête du Maine. Roger, comte du Maine.
832	Nomination d'Aldric comme évêque du Mans ; confesseur de Louis le Pieux, apparenté à l'impératrice Judith.
Mai 836	Translation des reliques de saint Liboire à Paderborn.
850	Prise du Mans par les Bretons.
865	Attaque des Normands contre Le Mans.
875	Echec des dernières tentatives normandes contre Le Mans.
Première moitié du Xe siècle	Constitution des premières dynasties féodales mancelles.
1063	Guillaume de Normandie prend Le Mans.
1070	Une des premières communes se constitue au Mans.
1120	Dédicace de la cathédrale romane par Hildebert de Lavardin.
1133	Naissance au Mans de Henri II Plantagenêt.
1151	Geoffroi Plantagenêt est enterré dans la cathédrale.
1189	Prise du Mans par Philippe Auguste.
1229	Fondation de l'abbaye de l'Epau par la reine Bérengère.
1246	Le Maine donné en apanage par Louis IX à son frère Charles.
1254	Consécration du chœur de la cathédrale.
1319	Naissance de Jean le Bon au château du Gué-de-Maulny.
1346	Mort à Crécy de Jean IV d'Harcourt, seigneur du Saosnois, chef de la noblesse du Maine.
1370	Victoire de Du Guesclin à Pontvallain.
5 août 1392	Premier accès de folie de Charles VI en forêt du Mans.
10 août 1425	Le Mans se rend au comte de Salisbury.
1428	Vingt-huit bourgeois du Mans décapités pour avoir voulu rendre la ville aux Français.
15 mars 1448	La place du Mans est livrée aux Français.
1450	La garnison anglaise de Fresnay se rend.
Décembre 1467	Séjour de Louis XI au Mans.
1481	Maine et Anjou définitivement rattachés au domaine royal.
21 février 1481	Lettres patentes accordant les franchises municipales à la ville du Mans.

Après une longue phase de romanisation, dont il est possible de discuter l'influence en profondeur, la cité des Aulerques Cénomans, christianisée, va peu à peu devenir le comté du Maine. Au cours de la mise en place de cette nouvelle entité, les affrontements entre évêques et comtes, les luttes avec les Bretons, les raids dévastateurs des Normands ont caractérisé une période moins mal connue qu'ailleurs grâce à une remarquable documentation d'origine ecclésiastique, cette origine rendant difficile notre approche de l'histoire des laïcs, malgré les apports de l'archéologie médiévale. A partir du Xe siècle se mettent en place les premières dynasties féodales mancelles : Bellême, Château-du-Loir, Sillé, qui firent du pillage des biens d'Eglise la cible privilégiée de leurs exactions, profitant de l'effondrement de toute autorité réelle après la mort de Charles le Chauve en 877.

Au cours des siècles suivants, le Maine, toujours marqué par sa situation géographique au cœur de la zone d'affrontements entre Bretons, Normands et Angevins, sans oublier la monarchie française, eut du mal à affirmer sa propre identité, faute, peut-être, d'une grande dynastie locale. Ducs de Normandie, Plantagenêts, Capétiens ont successivement dominé le comté et les différentes influences qui se rencontrent dans la cathédrale du Mans montrent bien le rôle de carrefour du Mans à cette époque. Il en fut encore ainsi lors de la guerre de Cent Ans et les nombreux voyages royaux, dont celui tragique de Charles VI, en 1392, nous le rappellent suffisamment. De cette guerre, le Maine sortit dévasté et la période de reconstruction fut marquée, entre autres, par le rattachement définitif au domaine royal en 1481 et par l'octroi au Mans, la même année, d'une charte municipale. Une nouvelle période commençait.

Des invasions barbares à la naissance de la féodalité : V^e - Xe siècles

Nous disposons pour l'histoire du Haut-Maine, entre le Ve et le Xe siècle, d'une source particulièrement riche : les Actes des Evêques du Mans *(Actus Pontificum Cenomannis in Urbe degentium),* histoire de l'évêché depuis l'origine, dont la majeure partie fut rédigée en deux étapes entre 832 et 840, et entre 857 et 863, sous les évêques Aldric et Robert, par les chanoines de la cathédrale. Les notices concernant les évêques de la seconde moitié du IXe et du Xe siècles datent, quant à elles, de l'épiscopat de Vulgrin (1055-1065). Il faut ajouter à ce document les Gestes d'Aldric *(Gesta Aldrici a discipulis suis),* histoire de l'épiscopat de ce prélat entre 832 et 841, et un ensemble assez considérable de textes hagiographiques, vies de saints et translations de reliques. Ces documents ont été mis en forme à l'époque carolingienne dans un contexte de lutte politique et religieuse, et abondent en erreurs et falsifications. Une critique méticuleuse reposant sur des critères rigoureux a cependant permis de dégager avec suffisamment de précision les renseignements utilisables par l'historien. Les Cartulaires des grandes abbayes — Saint-Vincent et Saint-Calais — *l'Histoire des Francs,* par Grégoire de Tours pour le VIe siècle, les *Annales de Saint-Bertin* pour le IXe siècle, des vies de saints isolées fournissent aussi des indications précieuses.

Toutes ces sources sont d'origine ecclésiastique et ne nous présentent qu'un aspect de l'histoire du Maine ; le monde des laïcs, en particulier des humbles, nous échappe presque complètement ; les réalités économiques et sociales ne sont vues qu'à travers le regard des clercs. Aussi, l'histoire de la Sarthe durant le Haut Moyen Age, telle que nous pouvons l'entrevoir, est avant tout celle de l'Eglise dans la Sarthe. Notre vision ne peut être que partielle. Mais c'est un problème que rencontrent partout les historiens de cette époque et beaucoup de régions de France n'ont pas la chance d'avoir une documentation aussi abondante pour cette période.

Les difficiles débuts du christianisme dans le Haut-Maine : milieu IVe siècle - début VIe siècle

Le christianisme ne pénètre que tardivement dans la région et l'archéologie souligne la faiblesse de l'implantation chrétienne avant la fin du Ve siècle.

A l'époque carolingienne, les *Actus Pontificum* répandirent la légende de saint Julien :

> *Le premier évêque de la ville du Mans fut saint Julien, de haute naissance romaine et savamment instruit dès l'enfance dans les lettres sacrées. Il fut appelé par les Apôtres à faire partie des soixante dix disciples. Ensuite il fut doctement formé au ministère épiscopal par le pape romain Clément, successeur de Pierre, et ordonné évêque. Il nous fut envoyé comme missionnaire avec le prêtre Turibe et le diacre Pavace qui lui avaient été donnés comme compagnons... Il avait... douze ans quand le Sauveur souffrit sa passion en ce monde...* (*Actus Pontificum*, p. 25 et 28).

Suit une très belle histoire dont l'épisode le plus connu est celui de la fontaine *Centonomius* (actuelle fontaine de l'Eperon), jaillissant sous le bâton du saint.

En fait, la réalité est bien plus modeste et plus obscure. Ce n'est vraisemblablement que vers le milieu du IVe siècle que débute l'évangélisation. Un certain Julien, qui ne fut sans doute pas évêque, semble avoir accompli des tournées missionnaires dans le sud du Haut-Maine, à partir de Tours. Il est significatif que tous les noms de lieux cités dans la légende de Julien soient situés sur la route de Tours au Mans et dans la vallée du Loir. Julien aurait été enterré au Mans, dans le cimetière gallo-romain de la rive droite, et sur sa tombe fut bâtie une petite chapelle funéraire. Non seulement la ville ne fut pas massivement convertie, mais la première communauté chrétienne semble avoir végété de façon obscure pendant une ou deux générations. A la fin du IVe siècle, le temple païen de Mars Mullo, à Allonnes, dans la banlieue sud du Mans, est encore très fréquenté.

Ce n'est qu'à l'extrême fin du IVe siècle, et surtout au début du Ve siècle, que l'évangélisation reprend, cette fois de manière plus vigoureuse, sans doute sous l'impulsion de saint Martin de Tours et de ses disciples. Il est possible que Liboire, que la tradition relie étroitement à Martin, ait été l'un d'entre eux. Il fut peut-être le premier évêque du Mans et serait mort vers 425.

Légendes prestigieuses et humbles réalités

Aussi légendaires et déformées soient-elles, les sources reflètent bien un style martinien de mission. Priorité est accordée à la campagne et à la lutte souvent brutale contre les sanctuaires païens :

> *Saint Julien se rendit en un lieu où se trouvait une idole... que fréquentaient les fous et qu'adoraient ceux que le diable avait illusionnés. Elle se trouvait dans le bourg d'Artins [Loir-et-Cher] où était construit et décoré un temple de Jupiter. Comme saint Julien approchait, il entendit raisonner des chants et toutes sortes de musiques et y vit de grandes réjouissances... Il vit une statue haute de douze coudées et aussitôt que le diable aperçut le visage de l'athlète du Christ, la statue s'effondra et fut réduite en cendres...* (*Actus Pontificum*, p. 20).

En dépit des efforts des missionnaires, le paganisme résiste longtemps non seulement dans les campagnes reculées, mais aussi en pleine ville où, aujourd'hui encore, le menhir inclus dans le mur de la cathédrale du Mans est le symbole des compromis que durent accepter les clercs et la preuve que l'Eglise ne put s'implanter qu'en prenant la place, matériellement comme spirituellement, des traditions païennes antérieures.

Missionnaires contre idoles

La mise en place des premières structures ecclésiastiques

Le premier évêque bien attesté est saint Victeur dont le culte supplanta celui de Julien durant tout le Haut Moyen Age. Les *Actus Pontificum* nous ont conservé son inscription funéraire :

> *Il siégea 41 années, 6 mois et 10 jours et le bienheureux Victeur mourut, rassasié de jours, aux calendes de septembre, l'année où étaient consuls Faustus Junior et Longin pour la seconde fois...* (Actus Pontificum, p. 49).

Les dates correspondent à une ordination le dimanche 15 janvier 450 et à une mort le 1er septembre 490. Il aurait succédé à un certain Victor que la tradition présente comme son père. C'est à partir de lui que l'église du Mans entre véritablement dans l'histoire. Il participe aux conciles d'Angers, en 453, et de Tours, en 461. En dépit des tentatives des *Actus Pontificum* pour faire remonter plus haut l'origine des premiers édifices religieux, il semble bien que ce soit lui qui ait bâti la première cathédrale dédiée à sainte Marie et saint Pierre, et introduit le culte des saints martyrs de Milan, Gervais et Prothais, qui sont, à partir du VIe siècle, les patrons de la ville. C'est aussi lui, ou son père, qui construit dans le cimetière de la rive droite, l'église des Apôtres où est placé le corps de Liboire et qui devient la nécropole des évêques :

> *Victor mourut dans la paix et fut enseveli avec honneur par les siens dans l'église des Apôtres, outre Sarthe, où repose le corps du seigneur Liboire...* (Actus Pontificum, p. 48).

C'est également à Victeur que l'on doit le premier réseau de paroisses, calqué sur celui des *vici*, les bourgs de la campagne gallo-romaine.

Le choc des invasions

Dans une Gaule soumise depuis 406 aux invasions barbares, la région d'entre Seine et Loire reste longtemps un môle de romanité sous l'autorité du patrice Aetius, puis d'Aegidius et de son fils Syagrius. Appuyés sur des contingents bretons débarqués en Armorique, ils réussissent à repousser les Saxons infiltrés en Anjou, en 464, mais ne peuvent empêcher (bataille de Déols) l'arrivée des Wisigoths d'Aquitaine jusqu'à la Loire. Entre 470 et 486, Syagrius et le chef breton Ambrosius tiennent tête aux Francs qu'ils repoussent au-delà de la Somme. Un partage des responsabilités semble alors avoir été effectué. Les Bretons défendant la région entre Seine et Loire, et, donc, le Maine ; Syagrius tient la région au nord de la Seine. Mais, en 486, Syagrius est battu par Clovis. De 491 à 497, une guerre confuse oppose dans le Maine les Britto-Romains et les Francs à l'issue de laquelle les populations locales reconnaissent la souveraineté franque en échange d'un statut proche de l'autonomie. C'est seulement en 510-11, que Clovis s'empare définitivement du Mans où s'était établi un de ses parents, Rigomer.

Période troublée, donc, pour le Maine : le successeur de Victeur, Turibe, est même considéré comme martyr :

> *Il siégea 5 ans, 6 mois et 16 jours. Il finit sa vie martyr, à ce que l'on rapporte, et mourut le 16 des calendes de mai, après le consulat de Viator, illustre consul, et fut enseveli, outre Sarthe, dans l'église des Apôtres...* (Actus Pontificum, p. 42).

Ordonné le 30 septembre 490, il serait donc mort le 16 avril 496, au cours de la guerre contre les Francs. Son nom, d'origine ibérique, peut laisser penser qu'il s'agit d'un clerc espagnol ayant fui les persécutions des Wisigoths ariens.

Au début du VIᵉ siècle, à nouveau, l'arrivée des Francs de Clovis au Mans entraîne troubles et destructions :

> *Principe ne put faire autant de bien qu'il le voulait en raison des révoltes et des persécutions que subirent tant ses familiers que d'autres personnes dans son diocèse et les régions voisines... L'épiscopat resta vacant quelques temps après sa mort en raison des troubles et de la grande révolte qui eut lieue...* (Actus Pontificum, p. 51 et 53).

Le temps des grands fondateurs : 520 - 623

Au VIᵉ siècle, l'importance militaire et politique du Maine s'accroît. A partir du milieu du siècle, la guerre est endémique avec les Bretons mais, surtout, les différents partages entre souverains mérovingiens font de la région du Mans une région clef du royaume franc.

Tombeau de l'évêque Bertrand du Mans à l'abbaye de La Couture. *(Collection particulière).*

L'évêque et le roi   Compte tenu de cette importance stratégique de la province, les rois mérovingiens ont le souci de disposer d'hommes sûrs à la tête de l'évêché :

> *Domnole, évêque du Mans, tomba malade. Du temps du roi Clotaire [Ier], il avait dirigé à Paris le troupeau monastique de la basilique Saint-Laurent. Or, du vivant de Childebert l'Ancien, il était toujours demeuré fidèle au roi Clotaire et cachait fréquemment les messagers que ce dernier envoyait pour espionner. Ce roi guettait un endroit où il pourrait lui obtenir la dignité épiscopale... Innocent, évêque du Mans étant décédé, il le désigna comme évêque pour cette église... Après vingt deux années d'épiscopat, se voyant très gravement malade d'une jaunisse et d'un calcul, il choisit pour le remplacer Théodulfe, abbé [de Saint-Vincent]. A ce choix, le roi [Chilpéric Ier] donna son accord mais, peu de temps après, il changea d'avis et son choix se reporta sur Badégisile, maire du palais royal. Ce dernier fut tonsuré et franchissant les grades par lesquels passent les clercs, il succéda au bout de quarante jours à l'évêque qui venait de décéder...* (Grégoire de Tours, Histoire des Francs, VI, 9, p. 24-25).

C'est surtout le cas de l'évêque Bertrand (586-623) qui fut fidèle à Clotaire II dans toutes ses tribulations :

> *Il n'est permis à personne d'ignorer qu'après la mort du feu roi Gontran, j'ai prêté un serment indissoluble à mon seigneur, le roi Clotaire, parce que, selon la succession légitime, après le décès du seigneur Gontran, la ville du Mans devait revenir à Clotaire en héritage de son père, le feu roi Chilpéric de bonne mémoire ; mais par cupidité cette ville lui fut enlevée et il a supporté beaucoup de pertes pour le reste de son royaume. Pour moi, puisque j'étais strictement lié par serment que je ne devais enfreindre d'aucune manière, je me suis trouvé prêt à abandonner ma demeure, mes biens, la sainte église et ce qui m'appartient plutôt que d'être convaincu de parjure — que cela ne soit !...* (Actus Pontificum, p. 110, trad. Fr. Gadby).

Une inquiétante confusion   Si le procédé est, en règle générale, profitable au roi qui dispose
des fonctions   d'un agent sûr et à l'église du Mans — celle-ci reçoit, par exemple, à la mort de Bertrand le tiers des biens-fonds accordé par Clotaire à ce dernier — la confusion des fonctions est lourde de dangers et très mal ressentie par le clergé et la population locale :

> *Badégisile, personnage d'une grande cruauté pour la population et qui pilla sans aucun droit les biens de diverses personnes. A côté de cet homme au cœur âpre et dur, il y avait son épouse encore plus cruelle qui le poussait par le détestable stimulant de ses conseils dans l'accomplissement des crimes. Il ne se passait pas un jour ni un moment où il ne se déchaînât pour dépouiller les habitants ou fomenter des querelles de toutes sortes. Journellement, il ne cessait de discuter affaires avec les juges, d'exercer des fonctions séculières, de sévir contre les uns, de maltraiter les autres et même de frapper des gens de ses propres mains, d'en ruiner un grand nombre et de dire : ce n'est pas parce que je suis devenu un clerc que je ne me vengerai pas des injures que j'ai subies.* (Grégoire de Tours, Histoire des Francs, VIII, 39, p. 172).

L'évêque, maître de la cité   Agent du pouvoir royal, l'évêque est surtout le chef incontesté de la cité face au plat pays où dominent les grands propriétaires fonciers. Il assume, au niveau local, les tâches de l'état et parvient à maintenir quelques éléments de l'ancienne administration romaine. Une part importante de l'œuvre de Bertrand, comme de ses prédécesseurs, est consacrée à des institutions charitables :

> *J'ai fait achever la maison construite par mes soins à l'intérieur des murs, sur le côté droit de la poterne, où est élevé un petit oratoire en*

l'honneur de saint Michel Archange... La boulangerie de l'église fut construite devant cette maison ; c'est pourquoi, dans ces mêmes lieux, l'église a ses entrepôts et que s'y trouve la matricule (institution pour la nourriture des pauvres) *que j'y ai fait élever ; je prie instamment le seigneur évêque qui me succédera de veiller à l'avenir à ce que l'église qui entretenait auparavant cette matricule, l'approvisionne toujours...* (Actus Pontificum, p. 115-116, trad. cit.).

C'est évidemment sur l'œuvre de construction d'églises et de monastères que nous avons le plus de renseignements :

Saint Innocent agrandit l'église mère de la cité... dans sa partie orientale, depuis l'arc qui apparaît au milieu de la dite église et il exhaussa le reste de la partie occidentale... Il bâtit un autel dans lequel il plaça avec tous les honneurs les reliques des saints Gervais et Prothais ; et, à gauche de l'église et de l'arc, dans un bras de l'église, il remit en état et réédifia l'autel dédié à sainte Marie. Dans la partie à droite de l'arc, dans un bras de l'église qu'il avait construit à neuf, il plaça l'autel de saint Pierre qu'il avait restauré... (Actus Pontificum, p. 54-55).

La fondation de grandes basiliques suburbaines est le fait le plus marquant. Chaque évêque semble avoir eu le souci d'en bâtir au moins une. Les principales sont celles de Saint-Vincent, construite par Domnole, et celle de Saint-Pierre-et-Saint-Paul-de-la-Couture, édifiée par Bertrand.

Puisque, pour le salut du peuple et la protection de la cité, nous avons osé, notre audace aidant, déposer les reliques du seigneur et vénérable martyr saint Vincent et que, avec le secours de Dieu et le vôtre, nous les avons exaltées au sommet de la dignité en ce lieu, nous demandons que celui-ci soit pareillement enrichi par notre donation... (« Donation de Domnole », 6 mars 572, Cartulaire de Saint-Vincent).

Toi, très sainte église du Mans, ainsi que toi, sainte et vénérable basilique des seigneurs les apôtres Pierre et Paul que j'ai fait élever en vue de la cité, par mes propres soins, pour sa protection et pour la santé du peuple, soyez pour moi des héritières... (« Testament de Bertrand », trad. cit., Actus Pontificum, p. 103).

Ces constructions amorcent une mutation essentielle dans la géographie urbaine : à partir des basiliques se constituent des faubourgs. La ville sort progressivement du carcan des remparts dans lequel les invasions du IIIᵉ siècle l'avaient enfermée.

Le Mans, cité sainte

L'œuvre monumentale des évêques du VIᵉ siècle transforme Le Mans en une véritable cité sainte, hérissée de sanctuaires et peuplée d'une foule de clercs. En 613, Bertrand, dans son testament, nomme comme légataires majeurs la cathédrale, la basilique de la Couture et Saint-Martin-de-Pontlieue ; douze autres sanctuaires cités dans leur ordre de préséance reçoivent des legs mineurs :

A toi, archidiacre, je recommande et prescrit de faire don à toutes les basiliques qui se trouvent autour de notre cité : à la basilique de Saint-Victeur, mon patron personnel, tu donneras 20 sous ; à la basilique du seigneur Vincent où repose l'évêque saint Domnole, tu donneras 20 sous en l'honneur de ce martyr comme en l'honneur du seigneur évêque ; à la basilique de sainte Marie et à celle de la sainte Croix, tu donneras 10 sous ; 10 sous également à la basilique de saint Rigomer ; à la basilique de l'évêque saint Julien, tu donneras un cheval ou 5 sous d'or ; tu donneras 5 sous à la basilique de saint Hilaire ; aux oratoires du seigneur Martin, du seigneur Victor et de saint Pierre dans les murs tu donneras 5 sous en or ou en chevaux ; à la basilique de saint Etienne martyr, tu donneras 5 sous en or ou en chevaux... (« Testament de Bertrand », trad. cit., Actus Pontificum, p. 137-138).

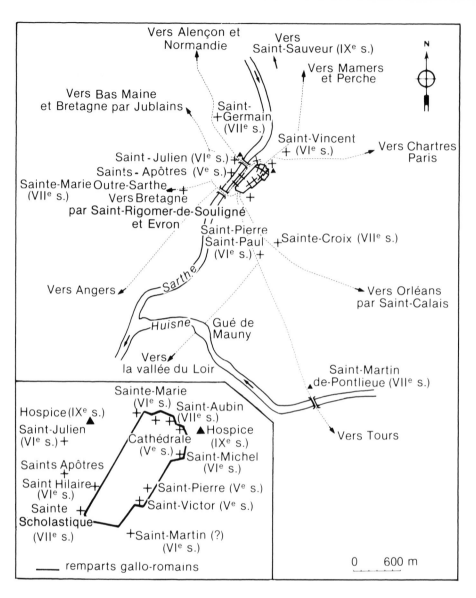

Le Mans au Haut Moyen Age.

Vers Alençon et Normandie

Vers Saint-Sauveur (IXᵉ s.)

Vers Mamers et Perche

N

Vers Bas Maine et Bretagne par Jublains

Saint-Germain (VIIᵉ s.)

Saint-Vincent (VIᵉ s.)

Vers Chartres Paris

Saint-Julien (VIᵉ s.)

Saints-Apôtres (Vᵉ s.)

Sainte-Marie Outre-Sarthe (VIIᵉ s.)

Vers Bretagne par Saint-Rigomer-de-Souligné et Evron

Saint-Pierre Saint-Paul (VIᵉ s.)

Sainte-Croix (VIIᵉ s.)

Vers Angers

Sarthe

Vers Orléans par Saint-Calais

Huisne

Gué de Mauny

Vers la vallée du Loir

Saint-Martin de-Pontlieue (VIIᵉ s.)

Vers Tours

Sainte-Marie (VIᵉ s.)

Saint-Aubin (VIIᵉ s.)

Hospice (IXᵉ s.)

Saint-Julien (VIᵉ s.)

Cathédrale (Vᵉ s.)

Hospice (IXᵉ s.)

Saint-Michel (VIᵉ s.)

Saints Apôtres

Saint Hilaire (VIᵉ s.)

Saint-Pierre (Vᵉ s.)

Saint-Victor (Vᵉ s.)

Sainte Scholastique (VIIᵉ s.)

Saint-Martin (?) (VIᵉ s.)

——— remparts gallo-romains

0   600 m

Une société fortement hiérarchisée

Telle qu'elle nous apparaît à travers les textes manceaux de l'époque, la société est très inégalitaire. Au sommet, une aristocratie issue du mélange de la noblesse gallo-romaine et des chefs barbares ainsi qu'en témoignent les noms : elle tient les postes de responsabilité civils et religieux et dispose d'une fortune foncière considérable qui lui assure à la fois la richesse et le pouvoir sur les hommes. Le domaine de Tresson, que Domnole offre de ses deniers à l'abbaye Saint-Vincent, en mars 572, représente environ 5 à 6.000 hectares. La fortune de Bertrand est impressionnante : à la seule église du Mans, il lègue quinze villas entières, cinq portions de villas, huit petits domaines, deux maisons plus des terres diverses, de l'argent et des chevaux.

A la base, les paysans. Nous ne connaissons que ceux qui sont encadrés dans les structures de la villa, le grand domaine qui apparaît comme la forme dominante de l'économie rurale dans le Haut-Maine. Ce sont des colons, paysans théoriquement libres mais fixés à la terre, ou des esclaves. Nous ne pouvons qu'entr'apercevoir une petite bourgeoisie campagnarde d'hommes libres et de clercs subalternes, détenteurs de petits domaines :

> La villa de la Frênaie que le prêtre Aper... a tenue... avec les dix colons qui y demeurent... Tous ceux qui seront utiles à cette même demeure... avec les esclaves dont les noms suivent : Launovet, Foedul avec sa femme Taligia, Sesulfe, Castin avec sa femme Leudomalle et son fils Leudoghisile, avec sa fille Childegunde, Pupa avec son fils Populonius et ses porcs, Leudomad, Mundofoeda et Leudomanda, avec tous les affranchis du susdit prêtre... (Cartulaire de Saint-Vincent, p. 4, trad. M. Rouche).

La condition des classes inférieures tend à se niveler, à la fois en raison de l'accroissement de la dépendance des libres et de la multiplication des affranchissements, dans un statut plus ou moins uniforme qui annonce le servage des Xe-XIe siècles :

> Que l'on choisisse dans toutes les villae... un couple d'esclaves par villa... afin qu'ils soient entièrement délivrés de l'esclavage, et que leur principal souci... soit de prendre soin de mon petit tombeau... jusqu'au dernier jour de leur vie ; qu'il en soit de même pour leurs descendants... Leur devoir à perpétuité sera d'accomplir ce service... et que leur état d'affranchissement demeure à jamais sous la protection de l'abbé... (« Testament de Bertrand », trad. cit., Actus Pontificum, p. 138).

L'action des athlètes de Dieu

Si l'autorité de l'évêque est presque absolue sur la ville, elle se limite, en ce qui concerne la campagne, à la Champagne mancelle et au sud du département sur la route de Tours. Ailleurs, dans les marges orientales et septentrionales où domine la grande forêt du Perche, c'est le no man's land, la terre des pionniers et des ermites. Dans la plus grande anarchie, sans contrôle de l'évêque, souvent contre le gré des propriétaires — roi ou aristocrates — ils s'installent et défrichent. Venus de la lointaine Auvergne ou du proche Orléanais, peut-être aussi de Normandie, ils ouvrent à la fois à l'Evangile et à la culture des solitudes inhabitées ou vouées à la chasse. Il est difficile de tirer beaucoup de renseignements de récits souvent tardifs et bourrés de lieux communs. Mais la réalité et l'ampleur du mouvement des années 530-60 sont indéniables. Ils ont noms Frambault, Ulphace, Bomer, Almire et surtout Calais qui fonde, sur le territoire d'un ancien domaine royal de chasse, l'abbaye d'Anisole qui devient, sous le nom de son fondateur, le plus puissant établissement monastique du Haut-Maine :

> Calais, homme de vie vénérable, naquit dans la province d'Aquitaine dans le pays d'Auvergne, de parents nobles et chrétiens... Il se donna le bienheureux Avit pour compagnon... Ils gagnèrent un désert solitaire et boisé qui s'appelle le Perche et vécurent cachés dans une celle qui prit le nom saint Avit... Mais Calais... ayant pris goût à la vie solitaire à la manière de Jean [Baptiste]... gagna le Maine. Le Seigneur... le conduisit en un lieu de solitude qui lui plut... sur un ruisseau appelé Anille... (« Vita Karileffi » I, M.G.H. Script. Mero. III, p. 389, 390 et 393).

Avec la pénitence et le défrichement, l'activité principale de ces ermites est la lutte contre le paganisme qui reste vivace dans ces contrées reculées :

> Il y avait en ce temps dans le Maine un rocher élevé couvert d'arbres et de diverses constructions où une foule d'hommes avait coutume de venir chaque semaine célébrer des jours de fête... Le saint homme [Bomer] jeûna et pria et sa prière eut gain de cause auprès de Dieu en sorte que le feu du ciel dévora le sanctuaire et que par les mérites du saint, le diable vaincu dut quitter ce lieu et s'enfuir confus... (« Vita Boamiri », Acta Sanctorum, nov. I, p. 667-668).

Le VIIᵉ siècle manceau (623-720) : âge de fer ou âge d'or ?

Le VIIᵉ siècle, le siècle des « rois fainéants », a mauvaise réputation : âge de fer, temps de déclin et de barbarie. A lire les sources mancelles, il apparaît, au contraire, comme un véritable âge d'or pour le Maine. Certes, nos textes d'origine cléricale et rédigés souvent bien après les événements n'envisagent que l'aspect religieux et ont tendance à caricaturer les faits, opposant à un brillant VIIᵉ siècle un catastrophique VIIIᵉ siècle. Il semble, cependant, qu'effectivement le VIIᵉ siècle ait été, dans cette région, marqué par une prospérité certaine sur les plans économique et religieux.

Des rois lointains et complaisants

Les guerres fratricides entre les souverains mérovingiens à la fin du VIᵉ siècle ont eu pour conséquence l'accroissement des pouvoirs de l'aristocratie. Aussi, la restauration de l'unité sous Clotaire II et son fils Dagobert ne peut-elle empêcher l'indépendance de plus en plus grande des différentes régions du royaume franc par rapport au pouvoir central. Ce phénomène s'accroît avec le déclin progressif de la monarchie après 639. Il est évident dans le Maine. Les évêques, après Bertrand, ne sont plus les hommes du roi comme au siècle précédent, mais de véritables petits souverains en leur diocèse, s'arrogeant des privilèges régaliens parfois exorbitants :

L'homme apostolique, notre père dans le Christ, Herlemond, évêque du Mans, a porté à la connaissance de notre clémence qu'auparavant son prédécesseur, l'évêque Béraire, avait demandé et obtenu par précepte de notre oncle Clotaire et de notre grand-mère, la reine Bathilde, que jamais personne dans le Maine ne puisse entrer en fonction comme duc ou comte sans l'accord dudit prélat et de ses successeurs... (« Précepte de Childebert III pour Herlemond », 3 mars 698-99, *Actus Pontificum*, p. 235).

L'immunité judiciaire et fiscale, accordée largement à la cathédrale et aux grands établissements monastiques, est à la base de ce processus de désintégration des structures étatiques et fait d'eux de véritables petits états dans l'Etat :

C'est pourquoi nous décrétons par le présent précepte... qu'aucun juge public... n'ait le droit de pénétrer dans les villae et domaines de ce prélat et de l'église des saints martyrs Gervais et Prothais, ni pour entendre des procès, ni pour exiger des taxes ou lever aucune des redevances auxquelles notre fisc pourrait prétendre... (« Précepte de Dagobert III pour Herlemond », 2 mars 713, *Actus Pontificum*, p. 229).

L'évêché une affaire de famille

En l'absence d'intervention royale sérieuse, l'évêché est alors géré comme une véritable affaire de famille. L'évêque Aiglibert succède, vers 670-75, à son oncle Béraire Iᵉʳ, et, au début du VIIIᵉ siècle, un second Béraire, descendant du premier, conteste l'évêché au prélat en titre, Herlemond, considérant sans doute la charge comme un bien de famille. Les évêques placent leur nombreuse parenté dans les monastères importants :

Dans cette abbaye, avec l'accord de nos prêtres, nous instituons abbesse notre parente Adrehilde... (« Charte d'Aiglibert pour Sainte-Marie », 674-75, *Actus Pontificum*, p. 201).

Aiglibert restaura et agrandit un petit monastère du nom de Tuffé... Il y nomma abbesse sa sœur du nom d'Adila... (Actus Pontificum, p. 194).

Sous l'impulsion d'évêques dynamiques, la ville du Mans accroît son caractère de ville sainte et se dote de nouveaux édifices religieux enrichis de prestigieuses reliques, sources de fructueux revenus grâce aux donations et pèlerinages. Les évêques n'hésitent pas à recourir au vol — *ad maiorem Dei gloriam* — pour se procurer les restes sacrés. Béraire Ier organise, de concert avec les moines de Fleury, une expédition au Mont Cassin d'où sont rapportées les reliques de saint Benoît et de sainte Scholastique. Ces dernières sont destinées au Mans.

De pieux récits de propagande incitent les riches propriétaires, objets de toutes les sollicitudes, à faire don de leurs biens aux sanctuaires manceaux en échange de la protection de leurs saints patrons. Ainsi, la semi-légende d'Alain, riche aristocrate, qui, ayant perdu son fils unique dans un accident de chasse, se met à visiter tous les sanctuaires de l'Ouest avec l'intention déclarée de léguer sa fortune à l'un d'entre eux :

> *Bien que de nombreux serviteurs de Dieu l'aient prié de léguer ses biens aux sanctuaires qu'ils dirigeaient... ainsi s'étaient efforcés de le faire l'abbé du monastère de Tours où repose le corps de saint Martin et celui du monastère des Deux Jumeaux... cependant son intention ne porta vers aucun de ces lieux parce que, sans doute, Dieu ne le voulait pas... et qu'il cherchait à suivre en cela dévotement la volonté divine... Revenant de Saint-Martin-de-Tours, il s'approcha de la cité du Mans pour rendre visite à la sainte église mère de la cité dédiée à la sainte Marie, mère de Dieu, et aux saints martyrs Gervais et Prothais dans laquelle, par leur intercession et leurs mérites, Dieu accomplissait maints miracles...*

Prévenu à temps, l'évêque Hadoin vient l'accueillir en grande pompe au monastère de Saint-Martin-de-Pontlieue et le traite fastueusement : traitement efficace !

> *Le lendemain, de bon matin, le dit Alain se rendit, pieds nus, très dévotement depuis l'hospice jusqu'à la cathédrale pour y prier. En effet, durant la nuit passée dans l'hospice de Pontlieue, alors qu'il priait profondément, Dieu avait suggéré à son cœur de léguer tous ses biens à l'église mère de la cité, ce qui s'est fait sans nul doute sur ordre de Dieu...* (Actus Pontificum, p. 143-144).

Avis aux amateurs ! telle semble être la leçon de ce texte non dépourvu d'un certain humour discret.

Le prestige religieux du Mans

La poussée vers les marges

Aussi incomplètes et fragmentaires soient-elles, nos sources témoignent d'un important mouvement de fondations monastiques et d'appropriations ecclésiastiques dans les marges du diocèse. L'effort est surtout fait en direction du Bas-Maine — ce qui est hors de notre propos — mais aussi dans la vallée du Loir, le Saosnois, la haute vallée de la Sarthe, le nord et l'ouest du Mans où sont situés les biens de la riche donation d'Alain. L'action isolée d'ermites reste encore essentielle, mais le contrôle de l'évêque se fait de plus en plus grand sur ces anarchistes de la foi en raison d'un pouvoir matériel accru et de la diffusion de la règle de saint Benoît.

> *Le bienheureux Ricmir naquit en Touraine de parents nobles... C'était au temps où Thierry [III] était roi des Francs et où Aiglibert, digne évêque, conduisait vers Dieu l'église du Mans. Oyant la renom-*

mée du dit évêque, il quitta la Touraine... et vint au Mans. Il se présenta à l'évêque Aiglibert... et lui demanda un lieu où il pourrait édifier une celle régie par la sainte Règle... Ayant repéré et défriché ce lieu [actuellement Saint-Rimay, Loir-et-Cher], il y emménagea sur le conseil et avec l'aide de l'évêque. Celui-ci lui fournit des ouvriers et des maîtres artisans qui bâtirent là une église en l'honneur des Apôtres et construisirent un monastère pour les moines... Ceci ayant été accompli, il ne réunit pas moins de quarante moines, avec l'appui de l'évêque, et leur enseigna à vivre selon la Règle... (« Vita Ricmiri », Acta Sanctorum, jan. II, p. 541-542).

« C'était au bon temps du roi Clovis II... »

Ces fondations monastiques qui supposent défrichement et installation de population, paraissent s'inscrire dans une ambiance générale de relative croissance économique. La paix durable signée avec les Bretons en 633, l'extension de la puissance franque en Aquitaine, permettent de développer les échanges avec l'Ouest et le Sud-Ouest. Le Bas-Maine — actuelle Mayenne — abandonné à la friche au Ve siècle, est reconquis matériellement et spirituellement. Le Haut-Maine n'est plus un bout du monde mais devient, pour près d'un siècle, un important carrefour commercial. Les textes de l'époque témoignent de relations suivies avec la région parisienne, la Basse-Normandie, la Bretagne, l'Aquitaine. L'évêché acquiert une série de domaines en Poitou, Saintonge et Bordelais qui jalonnent la route vers l'embouchure de la Gironde où, depuis Bertrand, l'église du Mans possède des villas, des poisseries, des pinèdes et même une maison de commerce :

Nous ordonnons que... les gens envoyés par les vénérables seigneurs de la sainte église du Mans... soient toujours accueillis dans cette maison et puissent y acheter tout ce qui leur conviendra quand ils viendront négocier pour des poissons... (Actus Pontificum, p. 122-123).

De l'existence d'un commerce actif, nous avons maintes preuves. Les exemptions de droits de péages que réclament les abbayes et l'évêché aux souverains concernent des échanges interrégionaux :

Le roi Childebert [III] accorda un privilège [à Saint-Calais] exemptant de tout droit de péage et de taxes cinq barques et autant de chariots... (J. Havet, « Questions mérovingiennes », I, les Chartes de Saint-Calais, 1896, p. 140).

Mais les riches tissus retrouvés dans le Maine et qui servaient à envelopper des reliques proviennent de bien plus loin : le suaire de Calais fut tissé en Syrie, celui de Bertrand en Perse, celui de Siviard à Byzance. Le vol des reliques du Mont Cassin témoigne de liens avec l'Italie du Sud. L'existence de Juifs, sans doute commerçants, est attestée dans le Saosnois à l'époque.

[Longis] étant entré dans un oratoire pour y célébrer l'office de nuit, fut saisi de frayeur. Il s'aperçut alors que ce lieu avait été auparavant une synagogue... (« Vita Lonochili », Analecta Bollandiana, III, 1884, p. 162).

Plus important en volume est le commerce que les fondations monastiques et les dotations des sanctuaires urbains et suburbains nourrissent au niveau local :

Au nom de Dieu, Aiglibert, évêque dans le Christ, aux fils de la sainte église, à ses hommes, agents et envoyés, au sujet des villae de la sainte église : la moitié de la Quinte, Tresson, Launay, Cloies, Longuève, Loudon, Gennes, la moitié de Trans, Villaines et Thorigné. Sachez que nous avons concédé au monastère de Sainte-Marie que dirige Ada, abbesse consacrée à Dieu, toutes les dîmes des susdites

Suaire de saint Siviard :
tissu bysantin de soie damassée
du VIIᵉ siècle.

(Trésor de la cathédrale de Sens).

*villae tant sur les grains que sur les autres produits des champs, le vin,
le foin, tous les troupeaux et les boulangeries et sur tout ce qui doit la
dime ; nous ordonnons de les verser intégralement au monastère...*
(« Lettre du 9 juillet 692 », *Actus Pontificum*, p. 207).

L'éloignement du pouvoir royal ne profite pas seulement aux
clercs, mais aussi à l'aristocratie laïque qui n'hésite pas à contester à
l'évêque son pouvoir sur les monastères. Se tenant pour lésés par les
donations, excessives à leurs yeux, de leurs parents, certains, par force,
obtiennent des abbés des reconnaissances de subordination et transform-
ment les abbayes en propriétés personnelles, en « Eigenkloster » :

L'essor de la puissance aristocratique

*Il est parvenu aux oreilles de notre clémence qu'Ulphad et Ingobert,
illustres aristocrates, ont contraint l'abbesse consacrée à Dieu, Adila,
et sa mère Ingane qui vivent avec plusieurs moniales sous la Règle
dans le monastère de femmes bâti à Tuffé en l'honneur de sainte
Marie, à signer un document selon lequel elles devraient accomplir et
exécuter tous les ordres que les deux hommes donneraient aux ser-
vantes de Dieu... Au contraire, l'homme apostolique, Aiglibert, évêque
du Mans, affirme que le dit monastère relève de son église et qu'il lui a
été légué par testament par Lopa... veuve d'Egignus... (« Jugement de
Thierry III », 6 décembre 675, Actus Pontificum, p. 204).*

A la fin du siècle, au fur et à mesure que les troubles civils s'aggravent, la puissance des aristocrates augmente. L'évêché et ses biens deviennent un enjeu à la fois politique et matériel entre les grandes familles et au nom des différents partis les appétits se déchaînent. La guerre civile s'étend au Maine et l'irrésistible ascension des Pipinides entraîne pour la région une longue phase de désordres et de tourmente.

Le souverain, l'évêque, les aristocrates : le pari carolingien (720-840)

L'importance politique et militaire du Maine, déjà si sensible aux temps mérovingiens, est encore plus manifeste à l'époque carolingienne. Bastion contre une puissance bretonne qui se réveille, lieu de concentration des troupes pour les expéditions vers l'Aquitaine en perpétuelle dissidence, le Maine, et tout particulièrement le Haut-Maine, est le cœur de la Neustrie, une Neustrie qui n'a pas accepté de bon gré la domination des Austrasiens. C'est dans le Maine et l'Anjou qu'entre 720 et 724 eurent lieu les ultimes résistances à l'ascension de Charles Martel. La désignation du Mans comme capitale d'un vaste regroupement militaire, la Marche de Bretagne, dont fut préfet le héros malheureux de Roncevaux, Roland, traduit l'intérêt qu'attachent les premiers Carolingiens au contrôle de cette région. Pour surveiller les Manceaux et leurs voisins, ils jouent deux cartes à la fois, celle de l'aristocratie et celle des évêques.

Malheur aux vaincus ! Les souverains installent à la place des grands Neustriens vaincus des fidèles d'origine austrasienne ou bourguignonne, tel ce Roger et son fils Hervé qui tiennent Le Mans à partir de 721, ou, à la fin du VIIIe siècle, la famille des Gui et des Lambert étroitement apparentée aux Pipinides. Pour s'assurer de leur soutien, Charles Martel les laisse s'emparer des biens d'une Eglise trop compromise avec les vaincus :

A la mort du seigneur Herlemond, l'épiscopat resta vacant quelques années en raison des révoltes et des guerres qu'il y eut en ce temps là dans la région. Un certain comte Roger et son fils Hervé tinrent en leur pouvoir tyrannique l'évêché et les biens, celles et monastères de celui-ci et le peuple fut privé d'évêque... (Actus Pontificum, p. 244-245).

Par la suite, ce pillage est officialisé par la pratique de la précaire sur ordre royal : l'église du Mans est obligée par le roi de céder des biens-fonds à des laïcs, à titre théoriquement précaire, moyennant une redevance le plus souvent fictive ; moyen avantageux pour le pouvoir de récompenser à peu de frais ses partisans :

Au vénérable seigneur Gauziolène, père évêque dans le Christ, recteur de l'église du Mans... puisque nous, Adalbert et Hagane, avant ce jour, vous avons demandé, sur ordre du seigneur roi Pépin de nous donner en bénéfice des biens de saint Gervais assavoir : Ardin et Le Vert en Poitou, Le Seure en Saintonge et Gauriac en Bordelais... vous deviez le faire ; ce que vous avez fait... (Actus Pontificum, p. 254-255).

L'évêché, d'abord laissé vacant, est ensuite attribué à des hommes sûrs qui ne s'opposent pas aux agissements des grands :

> *Le peuple manquait d'un évêque. Voyant qu'il était trompé par eux [Roger et Hervé], il commença à leur réclamer un prélat... L'agitation s'accrut fortement dans le peuple qui se mit à refuser toutes les charges, disant que s'ils ne lui donnaient pas d'évêque, il chasserait les tyrans du diocèse. Ceux-ci envoyèrent alors dans la ville métropole de Rouen... avec beaucoup d'argent, un clerc illettré et ignorant qui était fils de Roger et frère d'Hervé, discrètement, sans demander son avis au peuple ni même de lui faire savoir... et ils demandèrent à l'évêque de Rouen d'ordonner ce clerc du nom de Gauziolène... Le dit évêque, cédant à l'humaine cupidité, osa ordonner ce clerc, évêque, contre l'autorité canonique... (Actus Pontificum, p. 245).*

C'est ainsi que, jusqu'au milieu du IXe siècle, la plupart des évêques sont originaires d'Austrasie ou de Germanie. Derrière les violentes diatribes moralisatrices des *Actus Pontificum,* on discerne une opposition durable du clergé et d'une partie de la population à ces évêques collaborateurs. Se mélangent ici intimement la défense des intérêts de l'Eglise contre les bradeurs du temporel et la résistance locale aux agents étrangers d'un pouvoir central trop autoritaire. Un passage des *Actus Pontificum* confus, mais qui recouvre une réalité historique certaine, semble indiquer qu'à une période difficile à préciser, entre 742 et 760, les Manceaux parvinrent à imposer momentanément un évêque d'origine locale :

> *Les tyrans Roger et Hervé ne se sentant pas capables de résister, accueillirent avec bienveillance l'évêque Herlemond que le peuple préférait à Gauziolène... Mais, un jour, l'évêque Gauziolène invita Herlemond à un festin dans sa maison et, après s'être efforcé de l'enivrer avec les siens... par un piège injuste et par mal engin, il lui fit crever les yeux... Le bienheureux Herlemond, quittant le diocèse... se réfugia au monastère des Deux Jumeaux dans le diocèse de Bayeux... Apprenant cela, le prince Pépin... fit venir à lui Gauziolène et lui fit crever les yeux à Paris... Mais il ne voulut pas lui ôter l'épiscopat... (Actus Pontificum, p. 257-258).*

Si le châtiment de Gauziolène est sans doute une légende, la confiance qui lui garde Pépin est significative. Ainsi, au milieu du VIIIe siècle, la situation de l'église mancelle est tragique : troubles, bâtiments en ruine, biens dispersés et usurpés. Mais l'ordre politique est rétabli et maintenu ; la Marche de Bretagne est solidement constituée. Progressivement, avec l'aide de Charlemagne, les évêques Mérole (vers 774-784), et surtout Francon l'Ancien (793-816), peuvent commencer timidement à reconstituer le patrimoine et à réorganiser la vie religieuse. Compte tenu de nos sources, il n'est malheureusement pas possible de savoir à quel point la population souffrit de ces désordres.

La situation évolue sensiblement durant les années 820, sous Louis le Pieux. Les grandes familles se sont enrichies des dépouilles de l'église du Mans, des cadeaux du souverain, du butin des razzias en terres bretonne ou aquitaine. Le pouvoir des guerriers, indispensables dans cette zone frontière, devient excessif. L'agitation de la noblesse de l'Ouest est pratiquement endémique à partir de 826. La Marche de Bretagne devient incertaine. C'est alors que l'empereur, conformément à ses conceptions religieuses et politiques d'une monarchie sacrale appuyée sur l'Eglise, décide jouer l'évêque seul. La nomination d'Aldric, en novembre 832, correspond à ce plan. De noble famille germanique, proche de l'impératrice Judith, confesseur de l'empereur,

Aldric est un fidèle entre les fidèles. L'œuvre qu'il accomplit au Mans est à la fois, et indissociablement, religieuse et politique.

Avec l'appui total de l'empereur, il entreprend de reconquérir le patrimoine ecclésiastique usurpé — ou prétendument usurpé. Ainsi, l'église du Mans, appui du pouvoir central, se reconstitue et s'enrichit, tandis que les aristocrates séditieux, contraints de rendre les terres, sont affaiblis. Contentons-nous de citer ici une lettre de Louis le Pieux à Aldric, datant de la fin de 834, alors que la révolte de Lothaire vient de se terminer par la défaite de celui-ci près de Saint-Calais et que les partisans de l'évêque reprennent le contrôle du Maine oriental :

> *Ton zèle nous a fait connaître par ton messager que certains de nos vassaux, Germund, Vulfard, Berchad, Bodo et leurs compagnons, détiennent des biens de ton évêché qui furent autrefois aliénés par précaires. En ce qui les concerne, nous voulons que tu les détiennes jusqu'à notre venue et que tu aies toujours grand soin de nous être fidèle ainsi que nous t'avons toujours connu. Tu as prié notre piété... de t'envoyer quelqu'un qui te restitue, à toi et à ton église, ces biens et t'en fasse légitime investiture. Pour cela nous ordonnons à notre envoyé Helisachar qu'il te restitue les dits bénéfices quand il viendra dans la région. Nous voulons que tu nous adresses le plus vite possible un messager sûr qui nous fasse un rapport précis sur tes actions et celles de nos fidèles et sur ce que vous avez fait concernant les sujets sur lesquels je vous avais demandé d'agir...* (Gesta Aldrici, p. 186).

Les monastères dans le Haut-Maine (VIe - IXe siècles).

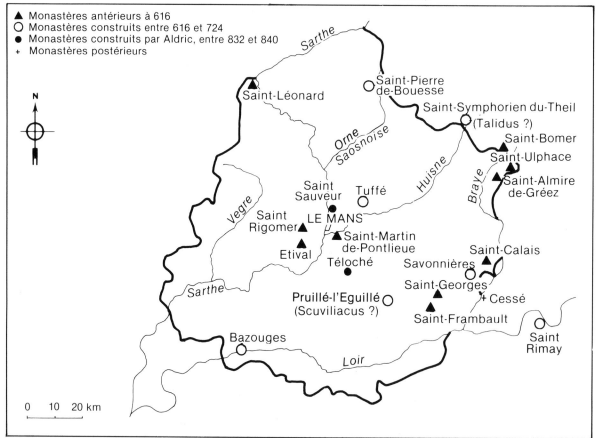

Germund et ses amis sont des partisans de Lothaire : on voit bien comment se confondent ici le règlement de compte politique et la reconstitution du temporel ecclésiastique, ainsi que le rôle d'agent d'exécution et de surveillance dévolu à l'évêque par l'empereur. Les monastères constituaient souvent d'importants points d'appui pour les nobles dont les fils ou les frères étaient souvent abbés. Leur richesse foncière et le contrôle spirituel et matériel qu'ils exerçaient sur la population locale leur étaient précieux. Aldric, utilisant parfois des dossiers truqués, s'attache méthodiquement à faire passer les plus importants d'entre eux dans le domaine de la cathédrale : ceux des environs du Mans ou des marges orientales du diocèse, Saint-Almire, Saint-Ulphace, Saint-Bomer, Saint-Pierre-de-Bouesse, Saint-Rimay. Le plus gros morceau est constitué par la conquête de Saint-Calais. C'est la plus riche abbaye du Haut-Maine, située à un carrefour stratégique sur les routes de Chartres à Tours et du Mans à Orléans, au cœur d'une région d'élevage de chevaux. C'est un foyer de sédition dont les abbés apparentés aux grands révoltés ont soutenu Lothaire. Une mise en scène juridique organisée par l'empereur et l'évêque permet de faire condamner l'abbé, de donner l'abbaye à Aldric et de faire interner les moines dans le monastère disciplinaire de Saint-Pierre-de-Téloché (avril-septembre 838). Nettoyage par le vide en quelque sorte ! Ceci sous couvert d'un procès en restitution appuyé sur des faux fabriqués par l'évêché et qui constituent aujourd'hui une large partie des *Actus Pontificum* et des *Gesta Aldrici.*

La restauration religieuse

Par ailleurs, Aldric accomplit une œuvre importante de réforme et de restauration religieuse dans la ligne des réformateurs de l'église de Metz où il avait été éduqué, et conformément aux directives impériales. La base en est la réforme canoniale :

> *Cette année-là, il fit construire un cloître pour que les chanoines puissent vivre selon la règle, alors qu'auparavant, ainsi qu'on le rapporte, ils n'avaient... aucun cloître mais se promenaient çà et là dans la ville, dormant et circulant de jour et de nuit dans les différents domiciles où ils avaient coutume de résider, et, pour maints motifs, il leur arrivait souvent de ne pas être présents aux divers offices ainsi qu'il aurait convenu... (Gesta Aldrici, p. 11).*

Les saints Gervais et Protais protégeant la cathédrale du Mans (sans doute l'édifice bâti par Aldric). Intaille en onyx du IXe siècle, disparue ; reproduite par J. Gruter, *Inscriptionum Romanorum Corpus*, 1916, p. 1158. (Dessin M.-Cl. Le Maître).

117

Inlassable bâtisseur et restaurateur, il construit ou reconstruit églises et monastères, redonnant au Mans ce caractère de ville sainte qu'elle avait à l'époque mérovingienne. La tâche la plus considérable est la remise à neuf et l'agrandissement de la vieille cathédrale d'Innocent. Il refait l'abside et la dote d'un massif occidental, porche narthex, comme dans les églises de sa Germanie natale. Mais l'œuvre à laquelle il attache le plus d'importance, son enfant chéri, est le monastère du Saint-Sauveur, au nord du Mans, qu'il ne cesse de doter et d'honorer :

> *Il fit bâtir en un lieu qu'autrefois fréquentaient les chiens, les prostituées et les larrons, sur la Sarthe, à un mille et demi de la ville, un monastère en l'honneur du saint Sauveur... et là où auparavant retentissaient les aboiements des chiens et les plaintes des pauvres gens dévalisés par les brigands, il fit chanter et résonner nuit et jour les hymnes angéliques et prophétiques et les louanges des divines Ecritures...* (Gesta Aldrici, p. 57-58).

Reliques et miracles

Selon la spiritualité de l'époque, Aldric développe le culte des reliques. La cathédrale, avec ses quatorze autels et les reliques de soixante sept saints, constitue un puissant pôle de forces sacrées. Aldric n'hésite pas à puiser dans ce trésor pour enrichir ses nouvelles fondations ou aider les églises des régions missionnaires :

> *Ceci se passa... sur l'ordre du très glorieux empereur Louis, à la prière de Badurad, très noble évêque du siège de Paderborn dans le pays de Saxe, qu'inspirait un instinct divin, car le Seigneur venait de daigner lui révéler qu'il devait envoyer dans la ville du Mans, auprès d'Aldric... de nobles délégués... pour en rapporter, avec la protection de la grâce divine et après un choix fait par ledit évêque Aldric, quelques corps de saints...* (Translation de saint Liboire du diacre Erconrad, p. 56-58).

Ces translations de reliques sont l'occasion de grands rassemblements populaires où dans la fièvre et l'exaltation s'accomplissent de spectaculaires miracles :

> *Or, un autre miracle se produisit visiblement et très manifestement le même jour, alors que le corps de saint Liboire était disposé et magnifiquement décoré par l'évêque Aldric et par ses prêtres dans le cercueil dans lequel on devait l'emporter en Saxe. Il y avait, en effet, une femme aveugle depuis bien des jours et des années qui était incapable de rien voir et c'est là au moment où ces cérémonies s'accomplissaient qu'au nom de saint Liboire devant toute l'assemblée elle fut illuminée par l'action de Dieu et obtint de recouvrer la vue qu'elle avait jadis.*
>
> *Une si forte émotion s'empara alors des prêtres et de la foule, que personne dans sa joie et son recueillement religieux ne pouvait s'abstenir de verser des larmes. Mais ledit évêque Aldric, voyant qu'aussi bien les clercs que les laïcs persistaient longtemps dans ces pleurs et que les gens ne pouvaient contenir leurs larmes, craignit l'éventualité de quelque piège dû aux embûches du malin ennemi et se mit à chanter à haute voix des hymnes divins en chœur avec le clergé ; puis avec lui il commanda le silence et obligea les gens à cesser de verser des larmes...* (Translation de saint Liboire du diacre Erconrad, p. 62-64).

Une renaissance économique

Outre son œuvre proprement religieuse, Aldric, comme tous les évêques de son temps, assume dans le Maine les tâches qui sont aujourd'hui celles des pouvoirs publics :

> *La première année de son épiscopat, l'évêque fit amener par un aqueduc, dans la ville du Mans, de l'eau que personne n'avait jamais*

vu couler auparavant, grâce à son travail et à son ingéniosité ; tous ceux qui auparavant manquaient d'eau ou ne pouvaient en obtenir qu'au prix d'un grand labeur, purent en avoir... en suffisance. Personne, autrefois, ne pouvait obtenir de l'eau si ce n'est en l'achetant au prix d'un denier pour un ou deux muids à ceux qui l'apportaient de la Sarthe, en contrebas de la ville, ou d'une fontaine, car il n'y avait aucun puit... (Gesta Aldrici, p. 11).

L'évêque Aldric... fit bâtir deux hospices dans la ville du Mans. Il en fit construire un près de la ville, outre Sarthe, au débouché du pont Sainte-Marie en raison de l'abondance d'eau et de pâturages en cet endroit, pour la réception des évêques, comtes, abbés et de tous les visiteurs... Il construisit l'autre hôpital près de la cathédrale, au pied de la ville, pour la réception des pauvres, infirmes, aveugles et boiteux... dans lequel il ordonna que douze pauvres soient admis et suffisamment fournis en nourriture et literie... Il dota richement lesdits hospices de biens de son évêché et de dîmes de villae... (Gesta Aldrici, p. 123).

Tous ces travaux nécessitent de l'argent. La fortune personnelle d'Aldric et les cadeaux de la famille impériale n'y suffisent pas. Le plus gros est prélevé sur les domaines de l'évêché. On comprend mieux ainsi l'acharnement de l'évêque à récupérer les terres usurpées et à faire payer les redevances. C'est l'intérêt de la collectivité tout entière qu'il a en charge que l'évêque cherche à faire prévaloir sur les appétits individuels. Pour faire produire plus au temporel de l'évêché, Aldric entreprend un effort tout particulier de mise en valeur agricole :

Je n'ai pas trouvé, à mon arrivée dans le diocèse, vingt juments. A présent, grâce à Dieu, j'en laisse sept troupeaux avec leurs étalons. Je n'ai pas trouvé dans tout l'évêché qui m'a été confié autant de petit et de gros bétail que j'en laisse à présent dans une seule des villae que j'ai achetées de mon argent et acquises par mon labeur... (Gesta Aldrici, p. 102).

Nous avons la chance d'avoir conservé une « Liste des mesnils et terres nouvellement mises en culture » qui permet de témoigner de la réalité d'un effort de défrichement : cent cinquante deux manses sont créés en quatre vingt onze lieux différents entre 832 et 840, soit environ 1.500 hectares de terre défrichée. Les régions les plus concernées sont le sud-est et l'est du Haut-Maine : vallée du Loir, petite Beauce, vallée de la Braye, région de Saint-Calais — environ la moitié des mentions — et la région du Mans — entre le cinquième et le quart. Il est impossible de savoir si ce mouvement de défrichement s'inscrit dans un phénomène plus large d'extension de la surface cultivée, mais c'est vraisemblable, bien qu'il ne faille pas lui attribuer le caractère massif et systématique des défrichements des XI-XIIe siècles.

De l'ordre carolingien à la crise de croissance féodale : milieu IXe siècle - début XIe siècle

L'effort de redressement militaire et politique dans le Maine accompli par Charlemagne et Louis le Pieux avec le soutien des évêques, est balayé après 840 par les soulèvements des aristocrates qui tirent partie de la guerre civile entre les héritiers de Louis le Pieux :

La ruée vers l'Est

> *A la mort du seigneur Louis, second empereur des Francs... parmi d'autres maux apparut une tyrannie dépravée entre Seine et Loire, et tout particulièrement dans le Maine où Aldric rayonnait depuis huit ans dans la dignité épiscopale... Le dit empereur avait divisé son royaume entre ses trois fils... Sur son ordre l'évêque s'était commendé à son jeune fils, Charles. Pour être resté fidèle à la parole donnée, l'évêque Aldric fut chassé cette année là de son siège et de son évêché par les infidèles à la Sainte Eglise... L'évêché fut alors dévasté et réduit pour ainsi dire à néant... (Gesta Aldrici, p. 163-164).*

Profitant de l'anarchie et des luttes entre grandes familles, les Bretons ravagent le Maine pendant plus de vingt-cinq ans. En dépit de vigoureuses contre-attaques de Charles le Chauve, tout le dispositif militaire de la Marche de Bretagne s'effondre. Le 22 novembre 845, l'armée de Charles est écrasée à Ballon, près de Redon, et le Bas-Maine envahi ; en 850, Le Mans est pillée par Nominoë, duc des Bretons, et son allié Lambert, le comte félon de Nantes. La présentation systématiquement tendancieuse des *Chroniques franques* ne peut cacher l'ampleur des désastres :

> *Cependant Charles pour la troisième fois (en 850) dompta la Bretagne par le fer et par le feu. Et, comme il s'était replié en Aquitaine, le duc Nominoë s'empara des cités de Rennes et de Nantes, en détruisit les murs et les portes et regagna la Bretagne. L'année suivante, Nominoë, frappé par un ange, mourut (le 7 mars 851). Et Charles, pénétrant en Bretagne pour la quatrième fois, engagea le combat avec Erispoë, fils de Nominoë, le 11 des calendes de septembre, et remporta la victoire ; mais il y perdit la plus grande partie de son armée avec le duc Vivien (bataille de Juvardel, 22 août 851). L'année suivante, après le départ de l'empereur, Lambert, comte de Nantes est tué au combat par Gaubert, comte du Maine, le jour des calendes de mai. La même année au mois de septembre, Charles dévasta pour la cinquième fois la Bretagne... et soumit le pays à son autorité... Gaubert, comte du Maine, tomba dans une embuscade et fut tué... (Adémar de Chabannes, Chronique, éd. J. Lair, « Etudes critiques sur quelques textes des Xe et XIe siècles, Paris, 1899, trad. E. Pognon, l'An mille, Paris, 1947, p. 156).*

Charles le Chauve ne peut limiter les dégâts qu'en concluant avec les Bretons des alliances qui ressemblent fort à des capitulations :

> *Année 863. Le duc des Bretons, Salomon, avec la plus grande partie de son peuple, se présenta à Charles et se fit son vassal en lui jurant fidélité. Il ordonna à tous les nobles de Bretagne de prêter aussi serment et il s'acquitta du cens pour sa terre selon l'antique coutume. En remerciement de sa fidélité, Charles lui donna en bénéfice la partie du pays qui est appelé* entre deux rivières [entre Mayenne et Sarthe]. *(Annales de Saint-Bertin, éd. F. Grat, J. Vielliard, S. Clémencet, Paris, 1963, p. 96).*

On mesure l'ampleur du retrait franc ! Mais cela n'empêche pas de nouveaux pillages du Mans en 865 et 866.

Le danger venu de la mer

Mais, depuis 850, un nouveau péril était apparu dans la région : les Normands. En 853, la grande abbaye de Saint-Lomer-de-Corbion, dans le Perche, est ravagée. Les moines demandent l'hospitalité à l'évêque Robert :

> *Au nom de la Sainte et Indivisible Trinité, Robert, évêque, bien qu'indigne, de la ville du Mans, tient à faire savoir... que le vénérable abbé de Corbion... Frandennus, s'est présenté à lui, le suppliant de lui accorder dans son diocèse, dans la villa de Scelej, dans le Maine, sur la rivière Braye, une celle en l'honneur de Marie, la Glorieuse Mère de Dieu, et de saint Michel Archange et de saint Lomer, confesseur, comme refuge pour ses moines et ses moniales fuyant l'infecte persécution des païens... (L. Froger, Fondation du prieuré de Cellé, Mamers, 1876, p. 8, charte datée de 857-60).*

Plus ou moins alliés à des bandes bretonnes, les Normands participent aux sacs du Mans de 865 et 866. Battus cette même année par Robert le Fort à Brissarthe, ils restent cependant actifs dans le Haut-Maine jusque vers 875, provoquant la fuite des moines et des reliques vers l'intérieur de la France. A partir des environs de 850, l'autorité spirituelle de l'évêque, l'autorité militaire du comte ne s'exercent plus que sur le Haut-Maine. Après 863, ce n'est plus que sur la partie orientale de celui-ci qu'ils conservent quelque pouvoir. Jusqu'à la fin du siècle, Le Mans est une ville frontière.

Ne disposant plus que d'un pouvoir faible, menacés par les guerres fratricides et ayant besoin de l'appui des guerriers contre les envahisseurs, les rois sont progressivement contraints de confier des responsabilités de plus en plus importantes aux grands aristocrates et de leur accorder en échange honneurs, biens et garanties. Ceci est particulièrement vrai dans le Maine, zone stratégique, et il est hautement significatif que ce soit à Coulaines, au nord du Mans, que le roi Charles le Chauve, en novembre 843, accepte de souscrire au premier texte réduisant l'autorité royale :

> *Voici les dispositions arrêtées en commun par le roi, les évêques et les grands...*
>
> *3 - Les paroles du Seigneur nous ont appris que notre devoir est d'honorer ceux à qui nous sommes redevables de notre propre honneur. Aussi voulons-nous que tous nos fidèles tiennent pour bien certain que, dorénavant, nous ne priverons personne, quelle que soit sa condition ou sa dignité de l'honneur qu'il mérite, par caprice ou sous une influence perfide ou par une injuste cupidité, mais que nous userons des voies de justice et nous conformerons à la raison et à l'équité. Je promets, avec l'aide de Dieu, de conserver à chacun, quel que soit son ordre et sa dignité, sa loi propre, telle que l'ont eue ses ancêtres au temps de mes prédécesseurs...* (M.G.H. Cap. Reg. Franc. II, éd. A. Borétius et V. Krause, p. 253, trad. P. Riché et G. Tate, « Textes et documents d'histoire du Moyen Age, Ve-Xe siècles », t. II, Paris, 1974, p. 438-439).

Ces dispositions solennelles n'empêchent pas les aristocrates de pratiquer un jeu de bascule en s'alliant périodiquement aux adversaires de leur souverain, puis en négociant leur soumission contre de fructueux avantages en nature. L'aristocratie mancelle se révolte en 856 contre la nomination de Louis le Bègue comme duc du Maine et l'alliance avec les Bretons. Elle se soulève en 858, lors de l'invasion du royaume de Charles par son frère Louis le Germanique, poignardant littéralement dans le dos son roi. Elle reprend les armes en 862, cette fois aux côtés de Louis le Bègue révolté contre son père. A chaque étape, ce sont de nouvelles positions du pouvoir central qui tombent aux mains de la noblesse. Le roi est obligé d'abandonner aux appétits laïcs les biens d'Eglise et de lâcher son appui traditionnel dans le Maine, l'évêque. C'est ainsi que Saint-Calais, foyer de rébellion depuis Louis le Pieux, est définitivement soustrait au contrôle de l'évêque Robert, en 863, en dépit de l'impressionnant dossier de faux que celui-ci avait constitué pour la conserver :

> *Et, afin qu'il ne subsiste pas matière à recommencer plus tard un procès, le seigneur roi ordonna que les instruments de l'église du Mans dont l'inutilité et la fausseté avaient été démontrées lui soient présentés sous quatorze jours et détruits...* (J. Havet, Questions mérovingiennes, n° 21, p. 190).

L'effondrement de toute autorité réelle, après la mort de Charles le Chauve en 877, fait des comtes et vicomtes les véritables détenteurs du pouvoir dans le Maine. Encore doivent-ils tenir compte, au niveau

Le temps des chefs de bande

Folio V du manuscrit 224 du Mans ; copie du XIIe siècle des *Actus Pontificum. Incipit de la Vita Iuliani.* (Reproduit avec l'aimable autorisation de la bibliothèque municipale du Mans).

local, d'une foule de petits seigneurs, chefs de bande victorieux ou fonctionnaires subalternes qui se sont émancipés, et à qui ils doivent accorder des fiefs en échange de leur fidélité. Progressivement s'établit le régime féodal et se constituent les dynasties dont les luttes tissent la trame de l'histoire mancelle entre le Xe et le XIIe siècles : maisons de Bellème, Sablé, Chateau-du-Loir, Saint-Calais... Cible privilégiée de leurs exactions, les biens d'Eglise ! Voici, à la fin du IXe siècle, les plaintes, très littéraires, de l'évêque Gontier :

> *Ecoutez, amoureux du Christ et de la justice, écoutez, rois et princes de la terre, écoutez les crimes et les maux inouïs que moi, Gontier, indigne évêque de l'église du Mans, et toute l'église qui m'est confiée, avons maintes fois souffert de la part de Roger, individu néfaste, et de ses hommes, crimes qui ont dépassé ceux des païens dans mon diocèse... Ils avaient pour loi le vol, l'adultère, le sacrilège, l'homicide, l'ivrognerie et l'orgie et ils transgressaient sans cesse toutes les autres lois divines. D'abord, Roger pénétra dans notre diocèse et s'empara d'une villa de l'église du nom de Baillou... et tout ce qu'il y trouva, il le dévasta et le détruisit. Les forfaits atroces et innommables qui y furent commis, sont bien connus. Les femmes, brutalement arrachées à leurs maris, furent violées et les maris de ces femmes soumis à la torture jusqu'à paiement d'une rançon...* (Actus Pontificum, p. 341-342).

Indignité des clercs et vitalité de l'Eglise

Ce document ne doit pas nous faire illusion : les clercs ne sont pas en reste et rivalisent avec les laïcs. L'évêché devient un enjeu entre les grandes familles et l'évêque se conduit en seigneur féodal tout comme ses parents. Entre 951 et 1055, l'épiscopat est aux mains de la puissante famille de Bellême qui mène une lutte acharnée contre celle des comtes héréditaires du Maine, issus de ce fameux Roger :

> *L'évêque Mainard étant mort, le seigneur Segenfried, homme de vie misérable et en tout haïssable, reçut l'épiscopat vacant. Bien que né de parents nobles, il accomplit le mal dans sa charge... Avant même son ordination, il commença à être le destructeur de son église. En effet, il donna à Foulques, comte d'Anjou, le bien de Colonges possédé par ses prédécesseurs, riche en hommes et valant plus de mille livres, et la villa de Dissay au delà du Loir, pour que celui-ci l'aide à obtenir l'épiscopat du roi de France. A peine était-il évêque et occupait-il son siège que s'éleva une querelle entre lui et le comte Hugues du Mans... L'évêque en colère quitta sans conseil la cité et se rendit auprès de Bouchard, comte de Vendômois... Il lui donna soixante quatre redevances, droits d'assemblées et de visites sur de grands établissements de l'église. Il les lui accorda si fermement qu'aucun des évêques ne puisse les reprendre en son pouvoir mais que ce comte et ses héritiers les tiennent de l'évêque à condition qu'il s'engage dans la guerre à côté de lui contre Hugues, comte du Maine... Pour mettre le comble à sa damnation, dans sa vieillesse, il prit une femme du nom d'Hildegarde qui conçut de lui et engendra des fils et des filles. L'un d'eux survécut aux autres, qui avait nom Albéric, et que son père dota de biens d'église lorsqu'il devint adulte... (Actus Pontificum, p. 352-354).*

Les chroniqueurs moralisateurs de l'histoire de l'évêché ont tendance à noircir le tableau. En dépit de l'indignité de certains de ses chefs et des dommages dus aux invasions et aux vendettas féodales, l'église mancelle est, au Xe siècle, en pleine croissance matérielle. Les féodaux paillards et pillards comblent de biens leurs fondations monastiques, tel le comte Herbert Eveille-Chien qui dote richement Saint-Pierre-de-la-Cour. L'évêque Mainard, au milieu du Xe siècle, agrandit de façon somptueuse la mense canoniale, et, peu après l'an mille, en pleine lutte contre le comte Herbert Eveille-Chien, l'évêque Avesgaud peut entreprendre une œuvre considérable de bâtisseur, signe d'une prospérité matérielle certaine :

> *Il rebâtit de pierre les bâtiments de l'évêché auparavant en bois et il reconstruisit en pierre l'hospice des pauvres autrefois de bois. (Actus Pontificum, p. 356).*

Bilan d'une époque

A en juger seulement par les sources les plus importantes, essentiellement cléricales, le bilan du Haut Moyen Age dans la Sarthe peut paraître surtout négatif. Il se clôt sur une crise religieuse et sur l'anarchie politique. Mais cela risque de nous masquer l'évolution accomplie en profondeur.

Création d'un réseau de villages et de villes, extension matérielle des bourgades autour d'abbayes comme Saint-Calais, ou des faubourgs du Mans autour de Saint-Vincent ou de la Couture dont les habitants furent à la tête de la Commune de 1070 ; œuvre des défricheurs des VIIe et IXe siècles, reprise de façon plus ample au Xe siècle ; transfert des richesses de la guerre et des pillages vers l'agriculture par l'intermédiaire des aristocrates et de l'établissement de seigneuries héréditaires ; christianisation en profondeur des campagnes, réforme culturelle et religieuse du début du IXe siècle qui prépare l'épanouissement du XIe siècle. La crise finale est plus crise de croissance que décadence.

Les ateliers monétaires du Mans du VIᵉ au XVᵉ siècle

Monnaie mérovingienne du Mans (VIIᵉ siècle)

A l'avers, deux personnages accostant un relief ovalaire surmonté d'une croix avec la légende CENOMANNIS. Au revers, croix pattée avec en exergue EBRICHARIUS. Ce type figure la dédicace de l'église du Mans à saint Gervais et saint Protais. Le monument figuré à l'avers pourrait représenter le menhir de la cathédrale avec les marques de sa christianisation.

(Cliché Bibliothèque nationale).

Monnaie carolingienne de l'atelier du Mans

A l'avers, monogramme de Charles le Chauve : KAROLUS - GRATIA D-I REX. Au revers, CINO-MANIS CIVITAS. Type ordonné par l'édit de Pitre (864). Vingt-cinq trésors carolingiens, dont quatre pour la Sarthe, enfouis entre 874 et 977, et découverts dans toute la moitié nord de la France et en Ecosse, contiennent des monnaies frappées au Mans (deux mille cent treize deniers et vingt-deux oboles connus).

Monnaie féodale au type erbertois

C'est vers 1030 qu'il faut placer l'émission des premiers deniers proprement féodaux au monogramme de Erbert, premier comte du Maine. A l'avers, monogramme de Erbert avec la légende + COMES CENOMANNIS. Au revers, + SIGNUM DEI VIVI. Ce type donnera naissance à de nombreuses familles au monogramme et aux légendes plus ou moins dégénérées dont l'émission se poursuivra jusqu'au XIIIe siècle.

Monnaie d'or franco-anglaise de Henri VI frappée au Mans, en 1425

A l'avers, la salutation angélique (d'où le nom de Salut), au centre le mot AVE. Légende : HENRICUS:DEI:GRA: FRANCORV:Z:AGLIE: REX:. On frappa ces saluts d'or au Mans, de 1422 à 1453.

Pour l'historien du Maine, ces monnaies constituent une source historique de tout premier ordre, soulignant les crises, trahissant les desseins du monétaire, révélant par leur aloi les périodes d'abondance ou de récession. Vie politique, événements militaires, activités économiques, conceptions religieuses et artistiques, aucun domaine ne leur est étranger. Elles racontent l'histoire quand les textes sont défaillants.

C. LAMBERT et J. RIOUFREYT.

Cliché Claude Lambert).

Trois siècles de féodalité

Le Maine féodal ne correspond pas à l'actuel département de la Sarthe ; le premier problème qui se pose est donc géographique car la région est plus une zone de contact qu'un ensemble cohérent, un carrefour d'influences, principalement normandes et angevines, mais aussi bretonnes et françaises (c'est-à-dire d'Ile-de-France).

Il semble que l'on ait beaucoup considéré le Maine du côté normand ou angevin, sorte d'ensemble amorphe que l'on s'arrache à tour de rôle. Il ne faut pas oublier ce qu'écrit, au XIIe siècle, le moine de l'abbaye du Bec, Orderic Vital, farouche pro-normand et « mauvaise langue » s'il en fut : les Manceaux ont mauvais caractère. Bons ou mauvais, ils ont leur spécificité, malgré l'influence normande et angevine. Le Maine est un enchevêtrement complexe mais non confus d'obédiences, dues aux bonnes fortunes ou aux revers de la guerre.

Deux fiefs et leurs réseaux de vassalité.

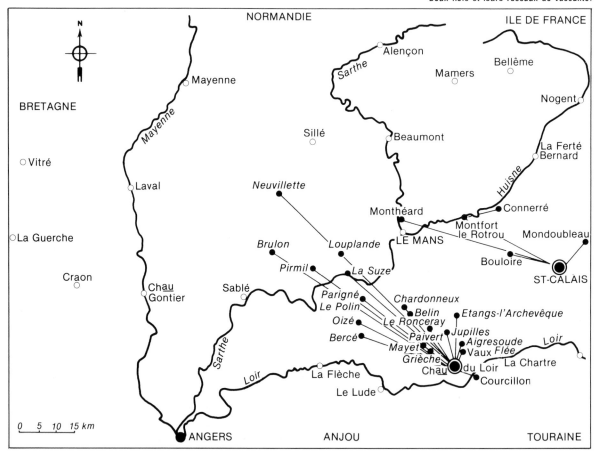

Les sources

La période à laquelle nous nous sommes attachés (appelons-la sommairement période féodale) est essentiellement la période des chartes, textes qui rapportent un accord entre clercs et laïcs. Elles sont imprimées en cartulaires originaux (par exemple, celui de l'abbaye de Saint-Vincent) ou artificiels (celui de Château-du-Loir par exemple). Certaines chartes sont réunies en cartulaires manuscrits, ou dispersées dans des dépôts d'Archives. Pour le Maine, nous avons la chance d'avoir un grand nombre de cartulaires imprimés, avec un apparat plus ou moins important, dont la plupart, édités avant la guerre de 1914-1918, s'adressent à un public très cultivé, capable de lire un index entièrement rédigé en latin.

La vanité des recherches est flagrante et nous ne pouvons donner qu'une idée fragmentaire de la vérité. La Révolution a détruit un grand nombre de ces documents. L'abondance de ce qui reste est une preuve de l'importance du problème ou du phénomène.

Trois sources narratives sont importantes : les *Actus Pontificum in Urbe degentium* (les Actes des Evêques du Mans), déjà cités pour notre connaissance du Haut Moyen Age, le *Recueil d'Annales angevi-*

Vie de saint Maur. *(Bibliothèque de Troyes, manuscrit 12, n° 2273. Cliché F. Garnier).*

Charte de l'abbaye de La Couture.
(Arch. dép. de la Sarthe).

nes et vendômoises (publié par Louis Halphen), qui donne des renseignements sur l'Anjou et le Maine sous domination angevine, enfin les *Historiae Ecclesiasticae,* du moine Orderic Vital, qui traitent, entre autres, du Maine sous domination normande.

La coutume constitue également une source précieuse. Il s'agit des lois qui régissent la vie dans le Maine. Jusqu'à la fin du XIVe siècle, nous trouvons trois rédactions de la Coutume.

Limites chronologiques et historiques

Les limites chronologiques choisies correspondent pour la première (vers l'an mille) à l'émergence de la noblesse, selon Marc Bloch, pour la seconde (début du XIVe siècle) aux prémices de la guerre de Cent Ans. On pourrait nous reprocher de ne pas avoir poussé l'étude jusqu'en 1348-1350, mais la Grande Peste a peu, sinon pas du tout, touché le Maine et, donc, la date n'offre pas un intérêt primordial. L'histoire du Maine, pendant trois siècles, a été, en définitive celle de l'Anjou, de la Normandie, de la Bretagne et de la « France ». Nous allons donc plutôt tracer la trame des épisodes les moins connus.

**Du comté « indépendant »
à la suprématie normande**

Au XIe siècle, le Maine est encore un comté, héritier des comtés mis en place par Charlemagne et rendus indépendants avec la dislocation de l'empire carolingien. Les comtes du Maine, batailleurs impénitents, sauvegardent cette indépendance en luttant contre les évêques pro-normands (trois évêques de la famille de Bellême se succèdent sur le siège épiscopal du Mans) et le comte d'Anjou.

Finalement, pour lutter contre l'avance angevine, le comte du Maine fait du duc de Normandie, Guillaume le Bâtard, son héritier. Les Manceaux se révoltent et, en 1063, Guillaume prend Le Mans. Cependant, en 1066, à Hastings, Guillaume devient Guillaume le Conquérant, roi d'Angleterre. Entre 1069 et 1073, profitant de l'absence de Guillaume, Le Mans connaît la première révolte communale de l'Histoire de France. L'influence angevine renaît mais, en 1073, Guillaume le Conquérant réoccupe Le Mans.

Hélie de La Flèche

En 1090, Hélie de La Flèche achète le comté du Maine. Comme par sa mère, Paule, il est le petit-fils du comte du Maine, Herbert Eveille-Chien, les Manceaux acceptent de lui remettre le pouvoir. Le comté du Maine, en cette fin du XIe siècle, est convoité à la fois par les Normands, c'est-à-dire par l'Angleterre depuis la conquête de 1066, et par l'Anjou.

En 1096, pendant le voyage que le pape Urbain II fait dans le Maine pour prêcher la Croisade, le comte Hélie décide de partir pour Jérusalem. Mais, craignant une intervention du roi d'Angleterre pendant son absence, il va le voir à Rouen. Orderic Vital raconte la scène :

> Le comte Hélie vint à la cour du roi à Rouen et dit : sur l'avis du Pape, j'ai reçu la croix de Dieu pour son service et j'ai fait vœu d'aller à Jérusalem avec de nombreux pèlerins... Le roi lui répondait : va où tu veux mais donne-moi la ville du Mans et tout le comté, parce que je veux avoir tout ce qu'a eu mon père [1096]. (Orderic Vital, Historiae ecclesiasticae, Paris, 1838, 5 vol.).

Devant la mauvaise volonté du roi, Hélie renonce à son vœu. Une guerre s'ensuit. D'abord vainqueur, Hélie est capturé dans une embuscade et emmené à Rouen. Pour sa libération, il doit livrer le comté du Maine et se retirer à Château-du-Loir. En 1099, il recommence la guerre et cherche à s'emparer du Mans que lui livrent les habitants :

> En effet, les habitants avaient choisi Hélie parce qu'ils préféraient sa domination à celle des Normands. Cependant, les gardes qui défendaient les remparts du roi [la citadelle] avaient tout ce qu'il leur fallait en grande quantité et combattaient par fidélité envers leur seigneur. Et Hélie fut soutenu dans la ville par les habitants... mais il leur causa immédiatement un grave dommage. En effet, Gautier... défenseur de la citadelle, ordonna de jeter des brandons enflammés sur les toits des maisons avec des arbalètes... Ainsi, un feu immense fut allumé lequel se développant trop brûla toute la ville... (Orderic Vital, Historiae ecclesiasticae, Paris, 1838, 5 vol.).

Hélie doit donc renoncer à ses projets mais, en 1100, à la mort du roi Guillaume (Guillaume le Roux, fils de Guillaume le Conquérant), il reprend le siège et les défenseurs de la citadelle se rendent :

> Hélie... vint avec la multitude de ses soldats et, aidé par l'amitié des habitants... il prit la ville pacifiquement... Les défenseurs demandèrent qu'Hélie... vienne... Appelés par Hélie d'honnêtes hommes et des héros, ils firent la paix avec lui et, sortant de la tour très fortifiée... ils se rendirent. La paix faite, les troupes avec leurs armes et tous leurs biens partirent non comme des ennemis défaits mais comme de fidèles amis protégés par le comte. Le comte Hélie, avec deux cents soldats, les conduisit à travers la ville afin que les habitants dont les maisons avaient été brûlées l'année précédente, ne les blessent pas, il les protégea avec soin. (Orderic Vital, Historiae ecclesiasticae, Paris, 1838, 5 vol.).

On sent qu'il s'agit d'une lutte chevaleresque. Hélie protège les Normands contre la population du Mans, car il y a plus d'affinités entre chevaliers qu'entre le comte et les habitants prêts à « lyncher » les vaincus. En 1110, Hélie meurt, laissant son fief à son gendre, Foulque V d'Anjou.

Le Maine angevin

En 1129, le comte Foulque d'Anjou part à Jérusalem dont il devient roi en 1131 en épousant Mélisende. Le fils aîné de Foulque, malgré son jeune âge, gouverne l'Anjou. A la Pentecôte (22 mars) 1128, au Mans, Geoffroi est marié à Mathilde, fille du roi d'Angleterre Henri I (Henri Beauclerc, troisième fils de Guillaume le Conquérant), antérieurement épouse de l'empereur d'Allemagne :

Leur fils Henri naquit le 5 mars, un dimanche... au Mans où il fut baptisé. L'année suivante naquit un fils de la même impératrice, nommé Geoffroi et la troisième année, un troisième fils nommé Guillaume.

Geoffroi le Bel meurt le 7 septembre 1150, à Château-du-Loir, à l'âge de trente-sept ans.

Le Maine dans le domaine des rois Plantagenêts

Henri II, fils aîné de Geoffroi et de Mathilde, est sacré roi d'Angleterre le 19 décembre 1154, à Westminster :

MCLIV : Henri, duc de Normandie et d'Aquitaine, et comte d'Anjou, est couronné roi d'Angleterre, ayant atteint Londres le dimanche avant la Nativité du Seigneur et sa femme Aliénor (qui a divorcé du roi de France Louis VII pour épouser Henri) *est couronnée avec lui.*

Le Maine fait donc partie intégrante de l'empire Plantagenêt auquel s'oppose le roi de France Philippe Auguste qui soutient la révolte des fils de Henri II contre leur père et prend notamment Le Mans en 1189.

Après la mort de Henri II, son fils Richard Cœur de Lion lui succède. Il est tué par traîtrise devant le château de Chalus, le 7 avril 1199 et son frère Jean devient roi. Il s'ensuit une guerre entre Jean et son neveu Arthur, fils de Geoffroi, un autre frère de Richard. En se croisant, Richard avait nommé pour héritier Arthur mais, ensuite, il teste en faveur de Jean. En 1199, Arthur se présente en Touraine, en Anjou et dans le Maine qui se donnent à lui. Philippe Auguste, qui le soutient, lui donne l'investiture de ces provinces, y place des garnisons et l'emmène avec lui à Paris. Jean sans Terre prend Le Mans. En 1200, un traité intervient entre les deux rois. Arthur est réduit à la seule possession de la Bretagne. Mais, en 1201, Philippe donne sa fille Marie à Arthur sans consulter Jean, son suzerain.

En 1202, les hostilités reprennent. Arthur assiège sa grand-mère Aliénor à Mirebeau, en Poitou :

Jean sans Terre, roi d'Angleterre, vainquit Arthur, comte de Bretagne, et le prit avec toute son armée à Mirebeau... Le même Arthur assiégeait la mère du roi dans le château déjà nommé.

Jean le fait conduire à Falaise puis à Rouen :

On ne doute pas généralement qu'Arthur ait été assassiné par Jean, son oncle.

Après ce crime, Jean, qui refuse de comparaître aux nombreuses citations de la Cour des pairs du roi de France, est dépossédé de l'Aquitaine et de toutes ses terres en France, y compris le douaire de sa femme, Isabelle, avec, entre autres, La Flèche et Château-du-Loir.

L'émail plantagenêt. Plaque funéraire de Geoffroi le Bel, enterré dans la cathédrale du Mans. C'est la plus grande plaque de cuivre champlevée jamais produite par des émailleurs médiévaux. *(Cliché Musées du Mans).*

Le Maine français

Philippe Auguste est donc le maître du Maine. Il donne la province en douaire à la fille du roi de Navarre et veuve de Richard Cœur de Lion, Bérengère, qui meurt en 1230, après avoir fait entamer les travaux de l'abbaye de l'Epau. Le Maine retourne, définitivement cette fois-ci, au roi de France qui le donne en apanage.

Après avoir esquissé cette rapide histoire du Maine, il nous faut nous intéresser à la classe sociale la plus importante à cette époque, la noblesse. Il apparaît dans les sources que seule la noblesse compte politiquement, qu'elle seule détermine l'impulsion prise par la province.

L'abbaye de l'Epau, fondée par la reine Bérengère.

La noblesse du Maine

Qui est noble ?   Comment déterminer qu'un individu ou une famille sont nobles ? Cela pourrait sembler simple *a priori*. Il pourrait s'agir d'utiliser simplement le nom du personnage : un nom nanti d'une particule, de ou du, serait noble. Cela pourrait être vrai pour la période contemporaine, voire moderne, mais rien n'est plus faux pour la période féodale. Un « de » tel endroit peut être un serf, alors qu'un Morin ou un Le Maire sont nobles. Différentes théories s'affrontent sur les origines de la noblesse féodale. Il s'agit de savoir, pour résumer grossièrement les faits, si elle prolonge la noblesse des temps carolingiens, ou s'il y a une rupture réelle avec apparition, à la fin du Xe siècle et dans la première moitié du XIe siècle, d'une « nouvelle » noblesse issue d'on ne sait où. Les signes les plus évidents de la noblesse sont les inféodations et les châteaux.

Les châteaux   *Qu'il soit noté par les hommes tant présents qu'avenir que Guillaume se présenta au comte du Maine Herbert, surnommé Eveille-Chien, lui demandant de faire avec son consentement un château à*

Saint-Calais. Le comte lui répondit qu'il ne lui permettrait pas de faire une forteresse sur sa terre, à moins de recevoir de lui un grand don. Guillaume, après l'avoir donné, alla à l'abbé Herbert qui régissait alors l'abbaye de Saint-Calais, demandant qu'il lui donne cent sous et un manteau très précieux d'une valeur de trente livres avec de l'or... pour le salut de son âme, il donnerait à Dieu et à Saint-Calais les maisons qu'il a... et les cours et le verger et toutes ses coutumes sur cette partie de l'eau, appelée l'Anille... car il craignait ses péchés d'impureté... De plus, pour cela, donna aux moines la terre de Montjoye avec le moulin et les prés lui appartenant. (F. Roger, « Cartulaire de l'abbaye de Saint-Calais », Soc. hist. et archéol. du Maine, Le Mans, 1888, 1 vol., 97 p.).

Cette charte de l'abbaye de Saint-Calais, de 1015-1026, met bien en relief le processus d'installation d'un château. Trois personnages sont les acteurs de cette petite scène : Guillaume de Saint-Calais, le comte du Maine Herbert Eveille-Chien et l'abbé de Saint-Calais appelé aussi Herbert. Première confrontation : celle de Guillaume et du comte. Qui est Guillaume ? Un fait est significatif : il cède aux moines les coutumes qu'il détenait sur l'Anille. Nous sommes en présence d'un droit typiquement seigneurial qui soumettait à la volonté du seigneur toutes les utilisations de l'eau. Guillaume serait donc le « seigneur » de Saint-Calais, mais un seigneur sans château, même s'il possède des maisons (fortes au besoin) et, peut-être, un vassal du comte du Maine, à qui il va demander la permission de construire. L'intervention du comte est la raison *sine qua non* de l'érection du château. Le comte en demandant un don semble montrer qu'il est le maître ; il s'agit d'une somme recognitive de sa puissance sur Guillaume. Ce dernier demande et ne reçoit pas en cadeau, signe qu'il n'est peut-être pas un personnage de l'entourage du comte. Le problème de l'autorisation réglé, reste celui du terrain. Guillaume a besoin d'une motte pour construire et l'abbé de Saint-Calais possède le terrain adéquat. Avoir un château à côté de soi est une protection intéressante et Guillaume demande des compensations : cent sous (un cheval peut valoir deux livres, soit quarante sous) et un manteau de trente livres (somme exorbitante). Ce manteau, richement orné d'or, est évidemment un moyen de prestige ; Guillaume est ou veut paraître important. Mais il donne d'importantes compensations : le moulin, à lui seul, vaut certainement plus qu'un manteau, au moins à long terme par ses revenus. Les moines ne font donc pas une mauvaise affaire, recevant biens et protection.

Saint-Calais n'est qu'un exemple, mais le Maine est une région couverte de châteaux dont les traces sont encore visibles. On peut, à partir des documents, établir une chronologie de la construction des châteaux dans la Sarthe :

Sablé (1010)	Beaumont (1080-1095)	Montmirail (vers 1090)
Saint-Calais (1015-1036)	La Milesse (1080-1100)	Pirmil (vers 1098)
Château-du-Loir (1056-1059)	Tennie (1080-1100)	Malicorne (1109)
Lucé (1066-1097)	La Suze (1080-1102)	Brûlon (1152)
Ballon (1068-1078)	La Flèche (1081)	Juillé (1186)
La Ferté-Bernard (1076)	La Chartre (1082-1120)	Bonnétable (1209)
Noyen (1080-1081)	Le Lude (vers 1090)	Manoir d'Etival (1302)

Ces châteaux sont inféodés par un suzerain, tenus par son vassal, les buts et les moyens du jeu politique.

La guerre   La noblesse n'existe que pour la guerre, et les XIᵉ et XIIᵉ siècles retentissent du bruit des querelles féodales. Au XIIIᵉ siècle, l'ordre est à peu près établi par le roi de France. Chaque famille suit une « ligne politique » déterminée, s'attachant soit à l'Anjou, soit aux Normands, par exemple. Les nobles manceaux sont de tous les combats, ce qui est leur rôle dans la société, mais ils savent tirer profit de leur participation. Celui qui profite le plus de ces changements d'alliances et de son adroit « jeu de bascule » est sans conteste Guillaume des Roches. Trois actes résument bien son évolution. En 1199, Philippe Auguste confirme le don qu'Arthur de Bretagne lui avait fait de la sénéchaussée d'Anjou et du Maine, de Mayet et de la forêt de Berçay. Des lettres de Jean sans Terre, du 24 juin 1200, lui confèrent la sénéchaussée d'Anjou, du Maine et de Touraine, la forêt de Berçay et Mayet. En septembre 1204, Philippe Auguste donne Château-du-Loir à Guillaume des Roches. Ce dernier a su habilement jouer entre Philippe Auguste et Jean sans Terre, monnayant ses retournements et choisissant le service du roi de France au bon moment. Grâce à son opportunisme, il est sénéchal du Maine et de l'Anjou, charge héréditaire dans sa famille pendant plus d'un siècle.

La famille noble

Le mariage noble   Il ne faudrait pas comparer la famille noble à la famille nucléaire actuelle, composée des seuls parents et enfants. Un seul adulte mâle ne suffisait pas à la défense d'un fief. Il s'agissait donc d'élargir la famille au point d'en faire l'équivalent de la *familia* latine. Dans un château où vivent pêle-mêle beaucoup de gens, il ne devait pas exister une grande intimité entre le seigneur et sa famille au sens étroit du terme. Le seigneur ne se déplace jamais seul, ne vit pas seul, face à une nature mal maîtrisée. Celui qui suscite le plus d'admiration pour son courage dans cette société est, plus que le chevalier, l'ermite qui, lui, recherche la solitude. La base de la famille est le mariage, mais comment est-il constitué ?

L'article 115 des Coutumes du Maine répond à la question :

S'il arrive qu'un gentilhomme marie sa fille, le père vient à la porte du moustier, ou sa mère si elle n'a pas de père ou son frère ou quiconque a le pouvoir de la marier... et dit : Sire, je vous donne cette damoiselle, et tant de ma terre, à vous et aux héritiers issus de vous...

Tout le processus est rapporté ici : qui marie, le lieu du mariage (le porche de l'église) ; nous avons même un embryon de phrase sacramentelle, qui comporte une mention de dot.

Un cas extrême est celui du mariage d'un noble évêque dont parlent les *Actus* :

Bien qu'il soit de noble lignage, cependant, il fit le mal pendant son épiscopat... L'évêque, malgré sa charge, pour ajouter à sa damnation, prit dans sa vieillesse une femme du nom d'Hildeberge... et elle conçut et engendra des fils et des filles... Un seul du nom d'Aubry survécut...

Un jour, alors que [l'évêque] était malade, il lui parut bon de se faire enlever du sang, et la nuit suivante... il coucha avec sa femme, la plaie s'envenima et le mal alla jusqu'au cœur. L'évêque, voyant qu'il touchait à sa fin déjà, demanda à devenir moine de la Couture, et moine, il mourut aussitôt.

La crudité avec laquelle le clerc des *Actus* expose les raisons de la mort de l'évêque Sigefroi a sans doute un but d'édification ; l'évêque est puni par son péché même. Cependant, pour que la morale soit sauve, Sigefroi se repent *in extremis* et meurt sous l'habit des moines de La Couture. Il faut noter que le mariage des prêtres est encore fréquent au XIIe siècle. Cependant, dès la fin du XIe siècle, Grégoire VII excommunie les prêtres mariés et les laïcs qui se confesseraient à eux et entendraient leur messe.

Dans la deuxième partie de sa lettre à Mathilde, comtesse, l'abbé Adam de Perseigne développe les théories sur le mariage du XIIIe siècle, et ses propos sont d'autant plus intéressants qu'il s'adresse à une femme :

> *... Lorsque votre époux de chair s'unit à vous, mettez, vous, votre joie à rester fixée, spirituellement, en votre époux céleste... Le mariage, concédé par l'indulgence divine à la faiblesse humaine, est institué à titre de remède, mais de remède inefficace s'il n'est préservé par trois biens. Le premier est la fidélité, le second l'espoir d'une descendance, le troisième s'appelle le sacrement... Les époux s'unissent dans l'ardent désir d'instruire les mystères de la foi, et de former selon la connaissance de Dieu les enfants qu'ils engendrent.* (Chanoine Bouvet, « Correspondance d'Adam, abbé de Perseigne » [1188-1221], Le Mans, 1951, 1 vol., 603 p., *Archives historiques du Maine*).

Si l'on suit Adam de Perseigne, le but du mariage, noble ou pas, est la procréation. Cependant, de façon générale, les enfants comptent peu au Moyen Age. L'individu noble porte généralement le même prénom que ses ancêtres et représente la continuité de la famille plus qu'une individualité. Mais l'individu existe dans la mesure où il peut faire au bas des actes un signe qui n'appartient qu'à lui. Le *signum* est la marque que l'on fait au bas des chartes, généralement une croix. Puis, à la fin du XIIe siècle, les seigneurs et certaines dames commencent à avoir leur sceau personnel. Le *signum* est en général composé de deux branches malhabiles, trop appuyées ou trop légères et tremblantes, entre lesquelles un clerc écrivait d'une main sûre le nom du signataire.

Sceau. *(Arch. dép. de la Sarthe).*

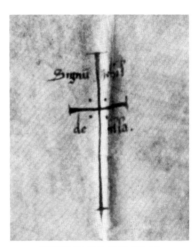

Signum de Jean de La Flèche.
(Arch. dép. de la Sarthe).

Orderic Vital décrit le comte Hélie de La Flèche :

> *Il était en effet bon et honorable et digne d'être aimé pour ses nombreuses qualités. Il était remarquable par son corps, fort et grand, avec une silhouette élégante et élancée, brun et hirsute, les cheveux coupés comme un prêtre. Sa parole était agréable et facile, bienveillante pour les gens tranquilles et dure pour les rebelles : il avait un culte inflexible de la justice...* (Orderic Vital, *Historiae ecclesiasticae*, Paris, 1838, 5 vol.).

Orderic Vital trace le portrait du comte idéal... un siècle après l'événement. Un trait amusant : Hélie a les cheveux courts ; l'Eglise fulmine contre les cheveux longs. Mode de vie et sentiment religieux sont étroitement liés ; la vie médiévale, noble ou non, ne va pas sans Dieu. Elle est centrée sur les activités violentes, guerres, chasse... Les

Le noble : physique et moral

Actus racontent la passion de l'évêque Avesgaud, passion qui lui vaut d'être défiguré :

> *Après qu'il ait été ordonné évêque, il eut une grave blessure au nez. Un jour que, contrairement à sa dignité, il poursuivait du gibier, les chiens commencèrent à se lancer sur le cerf. L'évêque, alors qu'il suivait leurs aboiements, tomba de cheval et se frappa avec force le nez, et cette blessure il ne put jamais la guérir durant toute sa vie.*

Au-delà de la réprobation morale du clerc, ce texte illustre parfaitement l'idée que les Grands, qu'ils soient d'Eglise ou laïcs, ont le même mode de vie. Dans l'anecdote du prélat châtié, on retrouve la soif de mouvements des seigneurs châtelains et des princes de l'Eglise.

Mais, peu à peu, les nobles se raffinent, se polissent et leur niveau d'instruction s'améliore. Par exemple, Hugues, seigneur de La Ferté-Bernard, est un trouvère qui marque son opposition à Blanche de Castille en écrivant des poèmes politiques. Cependant, le code de conduite reste double : il existe une morale pour les hommes et une pour les femmes. Une fille peut être exclue de la succession paternelle pour inconduite :

> *Coutumes glosées, article 6 : de gentille femme qui se fait dépuceler avant d'être mariée. On en fait la preuve quand elle a enfant. Et si elle n'a enfant, comment en fera-t-on la preuve ? Par évidence de fait ou par renommée des voisins, et qu'elle a été souvent vue avec homme seul à seul, nu à nu, en lieu suspect, ou autres présomptions.*

Pour montrer que les stipulations ne sont pas théoriques, nous avons un exemple précis en 1216. Le 23 août, la reine Bérengère assiste à un duel judiciaire entre Raoul de Fleuré, champion de Huet de Courléon, et Josset Le Febvre, champion d'Hodeburge, sœur de Huet, que ce dernier voulait faire deshériter pour inconduite. Josset vaincu, son bouclier et son bâton sont donnés au sacristain de Saint-Pierre. Par contre, la morale est beaucoup plus large vis-à-vis des hommes et les bâtards nobles sont très nombreux. Le mode de vie noble est cependant critiqué par Adam de Perseigne, qui s'attaque par exemple aux tournois :

> *Et si quelqu'un occit un autre en tournoi, il doit être puni comme homicide, car c'est un jeu nuisible... Et celui qui est occis en tournoi ne doit pas être mis en terre bénite...* (Chanoine Bouvet, « Correspondance d'Adam, abbé de Perseigne » [1188-1221], Le Mans, 1951, 1 vol., 603 p., *Archives historiques du Maine*).

La lettre qu'il adresse à une grande dame, Mathilde, comtesse du Perche, propose à une femme noble un idéal de vie. La première partie de cette missive de 1191-1202 est essentiellement une critique de la vie quotidienne des nobles :

> *Point de place pour lui aux jeux de dés ; l'oiseuse subtilité des échecs ne l'intéresse nullement. La pureté ne s'accorde pas avec les grivoiseries des histrions.*

Mais un des griefs principaux d'Adam de Perseigne est la mode féminine :

> *La divine pureté n'a point non plus la passion des longues traînes, qui ne servent qu'à soulever la poussière et à retarder les pas des gens pressés. Ô vanité superflue ! ô inutile étalage ! Ne pas s'estimer satisfait des grosses dépenses consacrées à l'ornementation du corps, cette pourriture, si, derrière lui, une traîne bien longue ne soulève encore un sillage de poussière ! La veulerie des cœurs a élaboré ce chef-d'œuvre au grand dam des yeux et des narines : chacun en effet ferme les yeux, se bouche le nez, et détourne le visage de ces poussiè-*

res qu'on s'ingénie si bien à soulever ! Malheureuse invention, totalement inconnue dans les générations précédentes, qui entrave la marche et blesse la vue ! Entrave la marche, dis-je, parce que l'étalage d'une vanité superflue détourne le cœur de suivre la vérité ; blesse la vue car, en exposant à la vue une mode inventée par la mollesse, elle introduit la tentation dans le cœur de ceux qui la contemplent... Dépourvues de fierté, les femmes de notre temps n'ont pas honte de ressembler à des renards. Comme ces vils animaux sont dotés de queues remarquablement longues, ainsi ces pécores mettent leur gloire dans la longue traîne de leur robe ondoyante. (Chanoine Bouvet, « Correspondance d'Adam, abbé de Perseigne » [1188-1221], Le Mans, 1951, 1 vol., 603 p., *Archives historiques du Maine*).

Mais ce qu'il trouve pire que tout est le gâchis représenté par ces vêtements :

> *Ô mode sans entraille, qui emploie ce qui aurait dû servir à couvrir la nudité des pauvres, à couvrir et à traîner la poussière des places. Que de fois — circonstances aggravantes — les habits de cette façon s'acquièrent en rançonnant les pauvres, en dépouillant les veuves, en volant les orphelins ! Voici l'origine, dans les garde-robes, des vêtements de rechange, l'origine des dépenses en somptueux édifices, du gavage des ventres dans les banquets raffinés. La noblesse du siècle se procure des mets recherchés et tout ce qu'il y a de plus précieux, au détriment de ceux dont la vie s'écoule dans une extrême pauvreté.* (Chanoine Bouvet, « Correspondance d'Adam, abbé de Perseigne » [1188-1221], Le Mans, 1951, 1 vol., 603 p., *Archives historiques du Maine*).

Le sentiment religieux

Les rapports entre les nobles et l'Eglise n'ont rien d'harmonieux. Les nobles ont une emprise très forte sur l'Eglise qui se défend, dans les cas très graves, par des excommunications. La nature de nos sources implique une apparente multiplication des problèmes car on n'écrit une charte qu'en cas de litige et les nobles font de nombreuses fondations (par exemple, les seigneurs de Sablé fondent l'abbaye de Solesmes, en 1010).

De nombreux nobles entrent en religion. Gauzbert et Enoch, frères aînés d'Hélie de La Flèche, deviennent moines à La Couture après avoir été chevaliers. C'est le troisième fils, Hélie, qui hérite. Les cadets peuvent, par la renonciation volontaire de leurs aînés, espérer devenir chef de famille. En consultant la liste des Grands d'Eglise, on s'aperçoit que beaucoup sont issus de familles nobles. Par exemple, la famille de Bellême, prolongée par celle de Château-du-Loir, tient trois fois de suite le siège épiscopal du Mans, avec Sigefroi et Avesgaud de Bellême et Gervais de Château-du-Loir. Mais la foi des laïcs est très forte. Orderic Vital décrit celle d'Hélie de La Flèche :

> *Il était d'une telle piété dans ses prières et ses dévotions que ses joues ruisselaient souvent de larmes. Il était défenseur des églises, charitable envers les pauvres et parfaitement sobre. Tous les vendredis, en mémoire de la Passion du Christ, il s'abstenait complètement de nourriture et de boisson.* (Orderic Vital, *Historiae ecclesiasticae*, Paris, 1838, 5 vol.).

La piété a besoin de signes extérieurs pour s'exprimer. Les larmes, au Moyen Age, sont considérées comme une bénédiction particulière.

Beaucoup de nobles partent en croisade. Robert III de Sablé, après la mort de sa femme en 1189, part en Terre sainte. Les Templiers, demeurés sans maître depuis la mort de Gérard de Ridefort, élisent Robert, vassal de Richard Cœur de Lion. Il prend part aux combats du roi contre Saladin jusqu'à sa mort en 1196. A Sablé, Guillaume de Roches se croise contre les Albigeois entre 1218 et 1219. Mais tous les déplacements des nobles poussés par la foi et le souci du salut de leur âme ne prennent pas la forme violente des croisades ; les pèlerinages sont aussi fréquents.

La mort

Paradoxalement, la mort est un moment fondamental dans la vie du noble parce qu'il ne meurt pas seul mais, comme il a vécu, entouré des siens, parce qu'il peut prendre l'habit religieux, que son enterrement est un événement, que l'anniversaire de sa mort est commémoré et aussi parce qu'il a des biens à partager. La famille intervient pour essayer de retarder le décès. Certains nobles prennent l'habit religieux au moment de leur mort (on note, cependant, qu'en cas de survie, le malade peut revenir à l'état de laïc). La plupart du temps, la solidarité familiale joue mais, quelquefois, les vivants organisent eux-mêmes les messes à dire après leur mort pour eux et leur famille, ou leur inscription au nécrologe d'une église ou d'une abbaye.

L'appauvrissement de la noblesse du Maine à la fin du XIIIe siècle est-il une idée reçue ?

On ne saurait considérer la noblesse comme un tout, mais bien comme un agrégat. De haut en bas, du baron au plus modeste vavasseur, les familles génétiquement les plus faibles ou les moins heureuses s'éteignent, peut-être même se fondent dans la masse. Mais on ne peut en aucun cas parler d'appauvrissement global. On a beaucoup écrit que l'appauvrissement vient des dons à l'Eglise, faits inconsidérément jusqu'à la ruine totale. Les dons sont nombreux, certes, mais, dans le Maine, ils sont limités par la Coutume :

Il est usage que homme ne puisse donner en aumône à religion que le tiers de son fief [article 78]. Il est usage que gentilhomme ne puit aumôner de sa terre la tierce partie... [article 43].

Nous avons trouvé à plusieurs reprises des preuves que la Coutume est respectée et que la pauvreté de certains nobles a existé de tous temps. A cet égard, un acte du Cartulaire de Saint-Vincent est intéressant. A la fin du XIe siècle, Gui Ecorche-Vilain donne un fief qu'il possède à l'abbaye, à une condition : si jamais il tombe dans la misère, qu'il reçoive chaque jour de l'abbaye une livre de pain et du vin, c'est-à-dire un repas. Nous voyons ici la précarité de la situation de la frange inférieure de la noblesse au XIe siècle.

Nous venons donc d'étudier la période féodale en faisant une grande place à la noblesse, seule classe ayant à la fois une place primordiale dans le jeu politique, mais aussi les moyens de réaliser ses ambitions. Pour nous résumer, nous pouvons dire qu'il existe une impression très nette de sélection : les plus faibles, au début du XIVe siècle, ont disparu, mais la noblesse est prête à la guerre. C'est cette guerre qui l'épuise et le déclin se situe non pas à la fin du XIIIe siècle, mais au milieu du XVe.

A la fin du XVe siècle, le Maine, à l'issue de la guerre de Cent Ans, se couvre de manoirs ; une certaine noblesse s'est relevée. Mais s'agit-il bien de la même noblesse ?

Ombres et lumières du Bas Moyen Age

L'appellation « Bas Moyen Age » recouvre les deux derniers siècles, XIVᵉ et XVᵉ, des mille ans d'histoire de France qui, de la fin de l'Empire romain à la Renaissance, constituent le Moyen Age. Cette période commence et se termine par deux grands règnes, ceux de Philippe le Bel et de Louis XI. Elle est un temps de mutations. Les transformations affectent la vie politique, la vie économique, la vie sociale et la vie religieuse. Les arts, échos fidèles des phénomènes humains qu'ils traduisent, évoluent à un rythme accéléré. Mais l'enfantement des Temps modernes se fait souvent dans la douleur. Les réussites et les créations alternent avec les échecs, les destructions.

La guerre de Cent Ans

La Sarthe, comme la province du Maine dans son ensemble, subit plus que d'autres régions les calamités de la guerre de Cent Ans. Celles-ci ne doivent pas être comptées en nombre de revers militaires, de soldats morts, de villes détruites et d'années d'occupation par la puissance anglaise. Les faits de guerre ouvrent la voie à un cortège d'épreuves qui, s'ajoutant les unes aux autres, déterminent des reculs sur tous les fronts de la civilisation. Elles ont pour nom dépeuplement, abandon des cultures, brigandage, révolte. Elles augmentent le retentissement de catastrophes naturelles, comme les mauvaises conditions atmosphériques et les épidémies qui n'ont pas manqué à cette époque. L'invocation contre les trois grands fléaux exprime bien les angoisses du temps : « de la peste, de la faim et de la guerre, délivre-nous Seigneur ! »

La bataille de Crécy (1346) sonne le premier glas de la chevalerie française. Dans sa peinture du désastre, Froissart évoque en quelques lignes une mort qui concerne la région sarthoise :

Les désastres : Crécy, Poitiers et l'invasion

> *On doit bien croire et supposer que là où il y avait tant de vaillants hommes et une si grande multitude de gens, là où un si grand nombre de Français demeurèrent sur place, furent accomplis quantité de grands exploits d'armes, qui ne sont pas parvenus à notre connaissance. Il est bien certain que messire Godefrois d'Harcourt, qui était à côté du Prince et en sa bataille, eût volontiers mis toute sa peine et son ardeur à sauver le comte Jean d'Harcourt. Il apprit par des anglais qu'on avait vu sa bannière et qu'il était venu avec ses gens combattre*

Bataille de Crécy. *Chroniques* de Froissart, fin du XIVᵉ siècle. *(Bibliothèque de Besançon, manuscrit 864, fol. 198. Cliché F. Garnier).*

les Anglais. Mais le dit messire Godefrois ne put arriver à temps, et le comte mourut en ce lieu, ainsi que le comte d'Aumale son neveu.

Ce comte Jean IV d'Harcourt, frère de Godefrois, était seigneur de Saosnois, Bonnétable, Montfort et Vibraye. Son fils, le duc d'Aumale, ne fut que grièvement blessé. D'autres nobles périrent également à Crécy, comme Jean de Courtavel, seigneur de Mont-Saint-Jean, et Renault de Vaiges, seigneur de Noyen.

Dans un manuscrit des *Chroniques* de Froissart, de la fin du XIVe siècle, l'illustration de la bataille de Crécy traduit l'intensité de ce combat sanglant de façon tout à fait symbolique. Le nombre et la densité des soldats affrontés exprime l'importance des forces en présence et leur acharnement dans la lutte. Quelques corps affalés, au premier plan, signifient qu'il fut très meurtrier. Trois d'entre eux sont allongés dans le même sens et montrent l'importance des pertes du côté français. Celui qui porte une couronne est le roi Jean de Bohème.

Dix ans plus tard, Jean II le Bon est vaincu à Poitiers par le Prince Noir. Tandis que le désarroi et l'anarchie s'emparent du royaume privé de son chef captif à Londres, les chevauchées anglaises dévastent les provinces. Les faubourgs du Mans sont ravagés, les églises et les abbayes détruites ou pillées. La ville, dont Jean II avait fait réparer et augmenter les défenses, résiste mieux. Certaines forteresses tombent, comme Sablé, Sillé-le-Guillaume, La Flèche et Fresnay. D'autres, Château-du-Loir et La Ferté-Bernard par exemple, tiennent devant l'ennemi.

La bataille de Pontvallain

Bertrand Du Guesclin mit provisoirement fin aux randonnées dévastatrices en battant les Anglais près de Pontvallain. La *Chronique de Charles V* place cet événement peu après l'élévation de Du Guesclin à la dignité et responsabilité de Connétable (2 octobre 1370), mais le combat fut livré au début de décembre. Elle dit :

> *... Et assez tôt après il alla en Anjou où étaient les susdits Knolles et Granson, qui avaient pris de force Vaas, Ruillé-sur-le-Loir et autres lieux, et il en combattit et déconfit une troupe d'environ six cents ; et y fut pris le dit Messire Thomas de Granson. Et après alla le dit Messire Bertrand à Vaas et le prit par assaut, et y furent morts et pris environ trois cents Anglais ; et aussitôt alla à Ruillé. Mais ceux qui le tenaient en étaient partis dès qu'ils avaient su la prise de Vaas...*

La folie de Charles VI

Un événement devait entraîner le royaume dans l'aventure et la guerre civile. Il se produisit le 5 août 1392. La *Chronique des quatre premiers Valois* raconte à sa façon comment se produisit l'accident, lorsque le roi fut entré dans la forêt du Mans :

> *... devant lui vint un messager au visage défiguré, qui lui dit : Roi, si tu entres dans la forêt pour aller au Mans, il t'arrivera malheur ! Ensuite se présenta un fou au visage défiguré qui prit le cheval par le frein et dit : Si tu vas plus avant, tu es mort ! Le roi voulut se délivrer de ce fou et s'approcha de son page pour avoir son épée. Le page eut peur et s'enfuit. Le roi lui courut après. Il prit l'épée. Il devint fou de colère et de courroux. Fit-il une crise de désespoir ? Fut-il empoisonné ? « Entaraudé ? »... Dès qu'il eut l'épée, il courut sus à ceux qui l'entouraient et en tua beaucoup. Nul ne sut jamais ce que devinrent le messager ni le fou. On s'empara du roi à très grand peine. Malgré tout il fut pris par un chevalier Cauchois, sire de Bliesmare. A la suite de cette étonnante aventure, le roi resta souffrant et tomba dans une grande maladie. Il fut emmené en l'église Saint-Julien du Mans.*

Il nous est parvenu d'autres versions de ce drame. Quels qu'en aient été les détails, les conséquences en furent lourdes pour l'avenir politique de la France. Oncles, frères et cousins du malheureux roi profitèrent de sa fragilité pour avancer leurs affaires personnelles. Leurs rivalités divisèrent le royaume. Dans la Sarthe comme ailleurs, partisans des Armagnacs et des Bourguignons s'affrontèrent, à Saint-Rémy-du-Plain en 1412, par exemple.

Une seconde invasion anglaise, amorcée au début du siècle, fortifiée par la victoire d'Azincourt en 1415, aboutit à la conquête de la région, jamais totale et définitive, mais toujours lourde de destructions, de rançons et autres sévices. Les forteresses tombèrent l'une après l'autre, Beaumont, Sillé, Château-du-Loir, La Ferté-Bernard... Il ne sera mis fin à la domination anglaise qu'en 1450.

Prise du Mans par Philippe Auguste. *Grandes Chroniques de France, dites de Saint-Denis, vers 1275. (Bibliothèque Sainte-Geneviève, manuscrit 782, fol. 295. Cliché F. Garnier).*

Les figurations de la guerre

Les combats qui se sont livrés dans la Sarthe ont peu inspiré les imagiers du Moyen Age. Un seul événement fait exception, la prise du Mans par Philippe Auguste en 1189. On doit la fréquence des représen-

Prise du Mans par Philippe Auguste. *Grandes Chroniques de France, vers 1420.*
(Bibliothèque de Toulouse, manuscrit 512, fol. 237. Cliché F. Garnier).

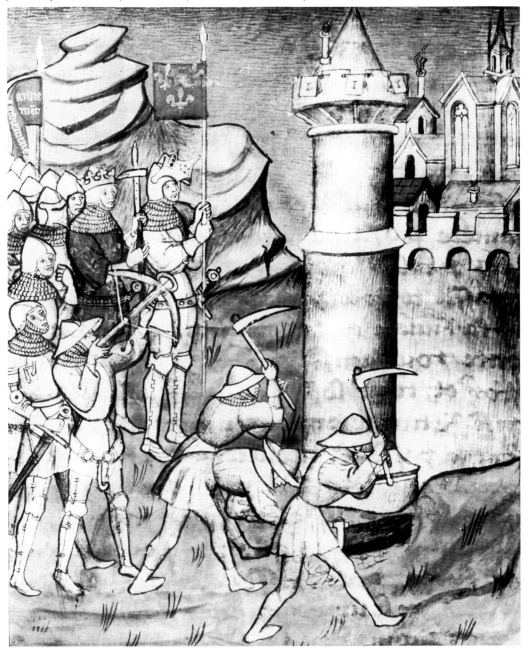

tations de ce sujet à la composition d'un livre souvent copié et décoré, les *Grandes Chroniques de France.* Dans ce texte célèbre, le premier chapitre du Livre II des *Gestes* du roi Philippe Auguste est intitulé « Comment les cités du Mans et de Tours furent prises et puis de la mort du roi Henri d'Angleterre ». Comme l'illustrateur choisit souvent la matière de sa représentation dans les premières lignes du texte qu'elle précède, il n'est pas rare de trouver des « prise du Mans par Philippe Auguste » dans des manuscrits des *Grandes Chroniques de France.*

Deux enluminures exécutées à un siècle et demi d'intervalle, vers 1275 et vers 1420, permettront de constater une importante évolution iconographique. Les images médiévales ne disent pas la même chose de la même façon aux différentes époques. S'il y a des continuités dans le fond et la forme, on observe, néanmoins, des modifications profondes. Les deux représentations ont en commun quelques caractères. L'imagier n'a pas le souci de reproduire fidèlement l'événement dans tous ses détails et, en particulier, il ne respecte pas les données chronologiques. Les guerriers qu'il met en scène utilisent les armes défensives et offensives qu'il voit dans le milieu où il vit, et non celles de la fin du XIIᵉ siècle. Au XIIIᵉ siècle, les hommes sont vêtus de cottes de mailles qui enveloppent le corps et coiffent la tête. Dans l'autre enluminure, ils portent des armures de plates, formées de plusieurs pièces de fer battu qui protègent la poitrine, les genoux, les jambes... Le guerrier qui tient la bannière de France, au début du XVᵉ siècle, a sur la tête un magnifique casque appelé bacinet à bec de passereau dont la partie antérieure, le « mézail en pointe », est relevé. Ces types d'armure et de casque se sont répandus progressivement à la fin du XIVᵉ et au XVᵉ siècle.

L'illustrateur du premier manuscrit des *Grandes Chroniques de France,* dites de Saint-Denis, résume le fait sans tenir compte du cadre et du déroulement de l'action. Aucun détail ne correspond au récit. Philippe Auguste s'engouffre au galop dans la porte d'une ville de convention pendant que le roi d'Angleterre s'enfuit par la porte opposée. Au XVᵉ siècle, les personnages ont encore des dimensions qui les mettent en valeur. Mais les guerriers sont diversifiés et spécialisés, tant par leur équipement que par leur activité. Un tireur pointe son arbalète vers le sommet de la tour. Il protège trois mineurs qui creusent une sape, au premier plan. Il ne s'agit pas de détails fortuits. L'imagier suit le texte, ce que n'avait pas fait le premier illustrateur. Les *Chroniques* disent, en effet, qu'après avoir poursuivi Henri II Plantagenêt en fuite, Philippe Auguste...

> *retourna en la cité du Mans et fit miner la tour qui était très forte et bien défendue. Quand elle fut si bien minée qu'il n'y avait plus qu'à mettre le feu au bois de soutien amassé au-dessous pour que tout s'écroule, les occupants se rendirent.*

Il semble bien que l'imagier n'ait pas respecté seulement le récit de l'événement, mais aussi la disposition des lieux. Certes, l'élévation de terrain a des formes conventionnelles. Mais la peinture du site évoque le Mont Barbet face à la grosse tour et à la muraille. L'emplacement de la cathédrale correspondrait à sa situation réelle. Comme dans plusieurs autres illustrations de ce manuscrit on note les mêmes conformités topographiques avec le cadre de l'événement, on est en droit de penser que l'imagier a voulu évoquer la cité mancelle.

Philippe VI, Jeanne de Bourgogne et les chanoines du Gué-de-Maulny. Juratoire et Livre des Fondations de la chapelle royale du Gué-de-Maulny, début du XVᵉ siècle. *(Bibliothèque du Mans, manuscrit 691, fol. 9. Cliché F. Garnier).*

Les grandes heures du Gué-de-Maulny

Le manoir royal du Gué-de-Maulny s'élevait, au XIVᵉ siècle, sur les bords de l'Huisne, à moins d'un kilomètre de son confluent avec la Sarthe, à moins de deux kilomètres au sud-est de l'enceinte du Mans. Philippe VI de Valois, comte du Maine, se plaisait dans ce logis, situé à la lisière d'une forêt qui s'étendait loin au sud en direction de La Flèche. C'est là que naquit en 1319 son fils et successeur Jean II le Bon, baptisé dans la cathédrale Saint-Julien du Mans. Philippe VI fonda, en 1329, la chapelle royale du Gué-de-Maulny. Le manoir fut complètement détruit pendant la première invasion anglaise. Le chapitre royal chercha refuge dans la ville où Louis d'Anjou, comte du Maine, lui offrit asile dans son palais, avant qu'il ne s'établisse définitivement à l'intérieur des murailles, à Saint-Pierre-de-la-Cour.

Un manuscrit enluminé provenant de la chapelle royale du Gué-de-Maulny a été acquis il y a quelques années par la ville du Mans. Il contient des formules des serments prononcés par les membres de l'institution royale, une liste des anniversaires des princes de la maison d'Anjou et diverses fondations. C'est pourquoi on l'a appelé Juratoire et Livre des Fondations. Cinq des neuf enluminures qui le décorent représentent Philippe VI, Louis Iᵉʳ d'Anjou, comte du Maine, sa femme Marie de Bretagne, son fils Louis II et Yolande d'Aragon accompagnée de deux de ses enfants.

Philippe VI et les chanoines du Gué-de-Maulny

La première enluminure figurant des personnages du XIVᵉ siècle évoque une scène liée à la fondation de la chapelle royale. Selon le langage iconographique médiéval, les dimensions et les situations relatives des personnages, ainsi que leurs positions et leurs gestes, ne reflètent pas un aspect d'une action, fixé comme une vue instantanée. L'image résume l'événement. Elle exprime des idées qui traduisent la nature et les conséquences des faits.

Les dimensions relatives des surfaces occupées par les différents personnages sont très expressives. Formulées en langage mathématique, elles donnent approximativement, le roi étant pris pour unité de référence : roi 1, reine 0,35, personnage à la droite de la reine 0,60, un chanoine 0,20. Ces proportions correspondent à des rangs hiérarchiques et aux rôles joués par les acteurs de la scène. L'observation des situations des personnages dans l'image et de leurs positions complète la lecture. Le roi, revêtu du long manteau bleu à fleurs de lis, est assis sur un grand siège à dais rouge. La reine est debout. Sa tête et sa couronne sont à la même hauteur que celles du roi, mais elle se tient en retrait, et donc intervient peu dans la scène. Le personnage situé à sa droite, debout derrière elle et légèrement plus bas, est un agent royal. Les clercs, beaucoup plus petits, agenouillés en bas de la représentation, lèvent la tête et tendent les bras pour recevoir la charge que leur remet le roi. La lecture iconographique confirme l'interprétation de Chappée, inspirée par un rapprochement avec la charte de fondation. Philippe VI donne aux chanoines « la garde des sceaux du Mans et du Bourg-Nouvel et des poys et halage du Mans ». Il remet de sa main droite un grand sceau où les figures, couronnes royales, fleur de lis et étoile, se voient à peine parce que l'argent a noirci. Dans sa main gauche, il tient une balance symbolique.

L'enluminure, une vignette rectangulaire, est placée au-dessus du texte qui introduit l'anniversaire :

> *Nous les trésoriers, chapellains et clercs de la chapelle royale du Gué-de-Mauny, près le Mans, suymes tenuz dire et célébrer, en ladicte chapelle, pour le salut de l'âme de bonne mémoire et très excellent et*

Louis Ier, duc d'Anjou, comte du Maine (1339-1384)

Louis I duc d'Anjou, comte du Maine. *(Bibliothèque du Mans, manuscrit 691, fol. 14. Cliché F. Garnier).*

L'imagier a figuré le roi agenouillé en prière, dans une chapelle ou une église. Deux croix se dressent aux extrémités du toit. Une cloche est logée dans un des pignons. L'artiste a pris soin de dessiner la corde qui, après avoir passé derrière un pan de mur, descend jusqu'au sol. Ces détails réalistes qui permettent l'identification du lieu contrastent

Marie de Bretagne et son fils Charles Ier, comte du Maine. *(Bibliothèque du Mans, manuscrit 691, fol. 15. Cliché F. Garnier).*

148

avec l'architecture grande ouverte, où tout est artifice et convention. On remarquera dans les autres vignettes que les représentations de la Vierge et de Jésus, auxquelles s'adressent les princes, sont différentes. Les attitudes de Marie, mais surtout les positions et les gestes de Jésus varient. Il ne s'agit pas de statues immobiles devant lesquelles les chrétiens feraient leur prière. Si les orants sont quelque peu figés, la mère et l'enfant sont bien animés. Ici, Jésus, assis les jambes croisées sur un genou de Marie, regarde sa mère et lui désigne, la main tendue, Louis Ier

Louis II d'Anjou, comte du Maine. *(Bibliothèque du Mans, manuscrit 691, fol. 16. Cliché F. Garnier).*

d'Anjou. La tête auréolée de la Vierge sort de l'édifice, alors que son corps est à l'intérieur, derrière une colonne. La figuration de ce mouvement physique traduit la sollicitude bienveillante.

Marie de Bretagne, femme de Louis Iᵉʳ d'Anjou, et son fils Charles Iᵉʳ, comte du Maine

Rien n'indique dans cette enluminure que les personnages soient situés dans une église ou dans une chapelle. Les deux priants sont agenouillés sous des dais, de part et d'autre d'une sorte de tribune sans profondeur, mais d'où, néanmoins, la mère et l'enfant semblent surgir vers l'avant. La tête de la Vierge est, en effet, figurée, comme dans l'image précédente, devant l'arcade et l'entablement qu'elle soutient. La Vierge regarde vers sa droite Marie de Bretagne. L'enfant Jésus les bras ouverts, de face, tourne la tête de l'autre côté et s'intéresse à Charles Iᵉʳ, comte du Maine. Au premier plan, un pupitre recouvert d'une étoffe d'or qui retombe en longs plis serrés. Un livre ouvert est posé dessus. On lit les mots : *Domine labia mea aperies*. Cette formule de prière est souvent répétée dans les livres d'Heures, en particulier dans les *Heures de Notre-Dame*.

Louis II d'Anjou, comte du Maine

Messe du Saint Esperit pour très excellent et puissant prince Loys, roy de Jerusalem et de Sicille, duc d'Anjou et conte du Maine, filz ainsné de Loys et de Marie, jadis roy et royne desdiz royaumes, et, après son décès, anniversaire solennel des trespassez, fondée sur les moulins du Gué de Mauny que ledit filz ainsné nous a donné. Requiescat in pace. Amen.

La composition de cette enluminure est assez originale et parlante. Les scènes, car en vérité il y a deux scènes dans cette représentation, se passent devant des formes architecturales. On n'ose pas dire à l'extérieur, parce que rien n'invite à situer les personnages dans un espace réel. Les quatre maisons que l'on aperçoit au sommet d'une bâtisse faite de fines colonnes en pierres appareillées surmontées d'arcatures et portant une longue corniche évoqueraient plutôt une cité. L'enfant Jésus ne prête ici attention qu'à sa mère dont il tète le sein. En histoire de l'art, on appellerait ce groupe Vierge nourrice ou Vierge au lait. Mais, une fois de plus, il ne s'agit pas d'une peinture typique inspirée par les récits évangéliques et les textes liturgiques. L'utilisation du motif est particulière. La Vierge se penche légèrement vers Louis II d'Anjou, qu'elle regarde autant que son fils. Son mouvement est bien perçu grâce à la ligne verticale de la colonne sur laquelle le vêtement se détache. L'imagier a représenté la Vierge dans son rôle pour mieux montrer au roi en prière, tout près d'elle, la générosité de son amour maternel qui s'étend à tous les chrétiens.

Yolande d'Aragon, femme de Louis II d'Anjou, et deux enfants

Les personnages sont situés dans un édifice dont il est difficile d'indiquer la nature et la destination. Yolande d'Aragon, fille de Jean Iᵉʳ roi d'Aragon, femme de Louis II d'Anjou, est agenouillée sous un dais. Le corps de face, elle tourne la tête pour regarder la Vierge. Marie est également figurée de face, comme dans les trois scènes précédentes. Cette position de face marque la qualité et la place hiérarchique des personnes. Le mouvement de la tête pour regarder sur le côté souligne une intention, renforce la signification générale du comportement. La reine est animée par la prière, la Vierge par la bienveillance.

Les deux enfants, un garçon et une fille, ne se distinguent pas seulement par leur taille. Plus petits, situés derrière, le corps de profil, les mains jointes, ils lèvent la tête vers le ciel plus qu'ils ne regardent Marie.

Yolande d'Aragon. *(Bibliothèque du Mans, manuscrit 691, fol. 17. Cliché F. Garnier).*

Religion et société

La vie médiévale se comprend dans l'éclairage du fait religieux. L'histoire ne se réduit pas à une série d'épisodes politiques, avènements et disparitions des princes, conflits, victoires et traités. Un ensemble de valeurs, de croyances et de pratiques forment la trame continue avec laquelle le jeu des forces politiques et économiques dessine le devenir de la société. La vie de l'Eglise sarthoise médiévale est racontée dans des textes comme les *Actus,* les *Cartulaires* et différentes sources narratives. Elle se manifeste encore de nos jours de façon plus concrète dans les nombreux édifices conservés et les images qui les décorent.

La vie des clercs

Deux pouvoirs face à face : l'évêque et le comte

Les évêques du Mans ont joué un rôle important dans l'évolution historique de la région. Leur insertion permanente dans la vie du comté les place au centre des rivalités qui opposent les grands de la province. Dans la suite des personnages qui se sont succédés à la tête de l'église mancelle, certaines figures émergent par le caractère, l'efficacité, voire la sainteté. D'autres sont plus effacées. Certaines ont laissé le souvenir de la compromission et même du vice.

Le plus célèbre et peut-être le plus grand des évêques manceaux du Moyen Age est saint Aldric. Il dirigea le diocèse de 832 à 856. Son activité s'exerça dans tous les domaines. Bâtisseur, il fit reconstruire la cathédrale et multiplia les créations d'édifices, religieux ou profanes. Pasteur, il réforma le clergé et développa la pratique religieuse. Il serait à l'origine de célébrations dont l'éclat et la permanence sont bien connus des Manceaux, comme la fête de saint Julien et la dévotion au crucifix, avec la procession des rameaux. Saint Aldric a connu l'exil pendant un an, entre la mort de Louis le Pieux et la victoire de Charles le Chauve à Fontenay-en-Puisaye.

Ses successeurs des Xe et XIe siècles, d'abord liés au pouvoir, comme Henriot, propre frère du comte, éprouvèrent les vicissitudes de la vie politique. Ils vécurent dans un état quasi permanent de conflit avec les comtes du Maine. L'évêque Avesgaud (997-1036) lutta contre Herbert Eveille-Chien, et le belliqueux évêque Gervais contre les comtes Herbert Bacon et Geoffroi Martel. A partir du milieu du XIe siècle, les qualités intellectuelles et morales devinrent les forces principales des évêques, qui n'étaient plus en mesure de combattre par les armes.

Une figure émerge à la fin du XIe siècle, celle de Hildebert de Lavardin, élu contre la volonté de Guillaume le Roux, à la mort d'Hoël qui avait lui-même été persécuté par Hélie de La Flèche et par Hugues. L'austérité de Hildebert, faisant sans doute suite à des mœurs plus légères, son zèle et ses capacités dans les affaires de tous ordres, lui valurent l'estime des plus grands de ses contemporains, comme saint Anselme et saint Bernard. Sa renommée éclipse aujourd'hui celle de ses successeurs, Guy d'Etampes, Hugues de Saint-Calais et Guillaume de Passavant, qui administrèrent, cependant, le diocèse avec intelligence, piété et dévouement.

Les conflits entre l'évêque et le comte ne sont qu'un aspect de l'opposition très générale entre ceux qui se présentent comme les défenseurs du pouvoir spirituel et les tenants des pouvoirs temporels. Les clercs ont abondamment disserté sur la primauté des valeurs spirituelles, de la paix et de la justice en particulier. Ils se sont appuyés pour cela sur les écrits des Pères de l'Eglise. Les peintres et les sculpteurs ont mis à profit la puissance de l'image pour porter le procès de la violence sous les yeux de tous. Le développement de certains sujets bibliques dans les programmes iconographiques s'explique par leur correspondance avec des problèmes d'actualité.

Une image qui condamne la violence : le Massacre des Innocents

On est surpris de trouver dans les voussures du porche méridional de la cathédrale du Mans cinq représentations juxtaposées de soldats massacrant des enfants. L'importance donnée au Massacre des Innocents, dans un cycle de la vie de Jésus qui commence à l'Annonciation et s'achève avec les Noces de Cana, ne correspond pas à la place que tient cet épisode dans le texte évangélique. Elle s'explique probablement par le contexte historique. Ce Massacre des Innocents ne serait-il pas une expression concrète, placée sous les yeux de tous les fidèles, de la violence et du mauvais usage des armes contre lesquels l'Eglise s'élève alors avec force ? Cette représentation n'est pas unique. Le Massacre des Innocents figure en bonne place sur les murs des églises de Poncé-sur-le-Loir, Saint-Jacques-des-Guérets et Sargé-sur-Braye. La fréquence du sujet manifeste une volonté d'instruire et de persuader.

L'inscription qui entoure le très célèbre émail représentant Geoffroi Plantagenêt loue, au contraire, les bienfaits de l'épée mise au service de la justice et du bien :

Par ton épée, ô prince, la foule des pillards est mise en fuite, et, la paix régnant, la tranquilité est donnée aux églises.

L'évêque au milieu de son clergé

Pendant les XIIIe, XIVe et XVe siècles, les évêques manceaux continuèrent à administrer leur diocèse de façon plus ou moins indépendante, plus ou moins vigoureuse, sans que leurs relations avec le pouvoir aient une incidence comparable à celle de la période précédente sur les événements politiques. Le Moyen Age s'est achevé avec l'épiscopat le plus long, celui de Philippe de Luxembourg. Il commence en 1477 et s'achève en 1519, avec une courte interruption de trois ans. Le souvenir de ce prélat et de son clergé est conservé dans un précieux manuscrit qui porte son nom, *le Missel de Philippe de Luxembourg*.

L'office de la dédicace d'une église commence par les mots :

Redoutable est ce lieu ; c'est la maison de Dieu et la porte du ciel.

Le massacre des Saints Innocents (détail). Voussure du portail méridional de la nef, cathédrale du Mans, vers 1150. *(Cliché F. Garnier).*

Procession
devant
la cathédrale
du Mans.
Missel de
Philippe de Luxembourg,
fin du XVᵉ siècle.
*(Bibliothèque
du Mans,
manuscrit 254, fol. 28.
Cliché F. Garnier).*

L'illustrateur a placé une composition historique dans l'initiale T de cet introït. Le clergé marche en procession devant la cathédrale du Mans. Le chapitre a pris rang en fin de cortège, devant le prélat. Les chanoines tournent la tête et on les voit de trois quarts. Quant à Philippe de Luxembourg, précédé de la crosse, coiffé de la mitre, bien droit, de face, nettement plus grand que les autres membres du cortège, il semble immobile et figé dans sa dignité. La statue de saint Julien, premier évêque du Mans, placée à sa gauche au-dessus de la fontaine, complète ce tableau à l'honneur de l'église du Mans et de son chef.

Le samedi des quatre-temps de l'Avent est l'un des jours où l'évêque conférait l'ordination aux nouveaux prêtres. Les ordinands sont agenouillés sur le sol de l'église, la partie arrière de la chasuble repliée sur les épaules. L'illustrateur a respecté le détail des prescriptions liturgiques. L'archidiacre se tient aux côtés de l'évêque pendant la cérémonie.

Les ordres religieux

Au Moyen Age, la cité du Mans était entourée d'abbayes. Saint Domnole et saint Bertrand avaient fondé les deux grands monastères bénédictins, Saint-Vincent et La Couture, à vingt ans d'intervalle, dans la deuxième moitié du VIᵉ siècle. Il y avait alors, à l'extérieur ou à l'intérieur de la ville, plusieurs autres maisons religieuses d'hommes et de femmes : Saint-Aubin, Sainte-Croix, Saint-Georges, Saint-Germain, Saint-Martin, Saint-Ouen, Saint-Pavin-des-Champs, Saint-Victeur. Au XIᵉ siècle, Saint-Julien-du-Pré devint abbaye de bénédictines et les augustins fondèrent l'abbaye de Beaulieu.

Au XIIᵉ siècle, les abbayes se multiplient dans la Sarthe où il en existait déjà quelques-unes, à Saint-Calais par exemple. Les augustins s'établissent à Vaas, les prémontrés au Perray-Neuf en 1189, les bénédictins de Tiron au Gué-de-Launay vers 1132, les bénédictines à Etival-

L'évêque du Mans ordonnant des prêtres. *(Bibliothèque du Mans, manuscrit 254, fol. 87v. Cliché F. Garnier).*

en-Charnie en 1109. Mais l'expansion la plus spectaculaire est celle de Cîteaux, avec quatre abbayes de cisterciens, Perseigne (1145), Tyronneau (1149), Champagne (1188), l'Epau (1229), et une abbaye de cisterciennes, Bonlieu (1229). Les chartreux fondent Le Parc-en-Charnie en 1225. A cette prolifération des grandes abbayes, il faut ajouter les prieurés qui en dépendaient. Le réseau serré des possessions et des influences de toutes ces maisons religieuses était une occasion permanente de conflits d'intérêts, souvent plus temporels que spirituels.

Au début du XIIIe siècle, appelés par l'évêque Maurice, les dominicains et les franciscains vinrent s'établir au Mans. C'était le début de l'expansion des ordres mendiants, dont les fondateurs vivaient encore. Inspirés par l'esprit de pauvreté de l'évangile, ces moines réagissaient contre le goût de la richesse et l'installation dans le confort.

La Vie de saint Maur composée par un certain Faustus est depuis longtemps tenue pour une œuvre apocryphe. Son contenu doit donc être reçu avec les plus grandes réserves. Lorsqu'elle raconte comment saint Bertrand envoya des légats auprès de saint Benoît pour qu'il lui envoie des religieux afin qu'ils fondent une abbaye dans son diocèse, on se trouve en présence d'un récit dont beaucoup de circonstances sont tout à fait invraisemblables. Mais, à défaut de la vérité des faits, le texte et l'image d'un manuscrit de la fin du XIe siècle reflètent la vie du temps où il fut enluminé.

La fondation d'une abbaye

En ce même temps, arrivèrent au monastère des envoyés du bienheureux Bertrand, évêque de la cité du Mans. En effet ce saint pontife ayant eu connaissance de la renommée de sainteté de notre éminent père, dépêcha vers lui l'archidiacre Flodegarius et son vidame Harderardus, des hommes actifs et bien considérés, avec de somptueux cadeaux. L'évêque du Mans le priait très instamment de choisir des frères parmi les meilleurs et de les lui envoyer avec mission d'établir un monastère selon sa règle sur le territoire de l'église qu'il dirigeait. Notre très bon père... sous l'inspiration du Saint-Esprit désigna et confia aux envoyés de l'évêque le bienheureux Maur ainsi que les quatre frères dont il a été parlé. Il nous demanda de bien obéir en toutes choses au bienheureux Maur qu'il nous donnait pour maître, comme si c'était à lui-même. Qui pourrait dire quelle peine, quel immense chagrin soudain saisirent notre sainte congrégation... Après nous avoir ainsi parlé il [saint Benoît] nous embrasse et nous suit, avec toute la congrégation, à la porte du monastère. Il nous embrasse à nouveau, nous donne sa bénédiction et remet à son saint disciple Maur le livre de la Règle qu'il avait lui-même écrit de sa main. Il ordonne que l'on apporte une livre de pain et un vase de bronze de la capacité d'une hémine plein de vin. Il nous permet alors de partir, après avoir donné ses instructions aux envoyés de l'église du Mans. Il désirait que ce

Les religieux chargés de fonder un monastère au Mans quittent leur abbaye, emmenés par les messagers de saint Bertrand. *Vie de saint Maur*, **fin du XIe siècle**. *(Bibliothèque de Troyes, manuscrit 2273. Cliché F. Garnier).*

pontife nous reçoive à son tour avec une affection paternelle et qu'il nous donne, selon sa promesse, un terrain découvert pour la construction du monastère.

La bibliothèque de Troyes conserve un manuscrit où *la Vie de saint Maur* est abondamment illustrée. L'imagier a choisi pour ce chapitre la scène de séparation. A la porte de son abbaye, suivi de la communauté, saint Benoît remet aux frères fondateurs un vase de vin. Ce geste matériel est chargé de valeurs spirituelles. Il traduit symboliquement des liens de charité, une communion d'idées et de prières. Alors que la troupe conduite par les envoyés de l'évêque du Mans est nécessairement arrêtée au moment de l'offrande du vin, les chevaux semblent déjà en marche. Cette attitude concourt à l'expression de la séparation et de l'éloignement.

Les religieux condamnent la violence

Si l'on feuillette les manuscrits copiés et enluminés par les moines de La Couture à la fin du XIe et au début du XIIe siècle, on y découvre des miniatures fortement imprégnées d'actualité. Et, cependant, elles se rapportent à des textes religieux nettement antérieurs, à des écrits de saint Augustin par exemple. L'illustrateur de *Commentaires sur les Psaumes* traite cinq fois de l'insensé, de l'imprudent, de l'injuste. Les miniatures représentent des hommes en armes dans des attitudes agressives, les violents qui tentent d'obtenir par la force des biens matériels. L'image du guerrier qui charge la lance en avant est une satire et une condamnation de la violence. L'oreille du cheval est une flamme. La coiffure du guerrier ressemble à une aile de plumes plus qu'à un casque. Ces formes caractérisent les méchants et les pervers qui accomplissent des tâches sataniques. Dans un manuscrit de la vie des saints du XIIIe siècle, presque tous les bourreaux qui tourmentent les martyrs portent cet attribut.

Si on lève les yeux vers les chapiteaux du chœur de l'église de La Couture, on aperçoit sur l'un d'eux une scène dont on peut se deman-

Mauvais chevalier.
Commentaires sur les Psaumes
de saint Augustin,
fin du XIe siècle.
*(Bibliothèque du Mans,
manuscrit 228, fol. 136v.
Cliché F. Garnier).*

der ce qu'elle fait à cette place. Deux hommes maniant des boucliers et des bâtons s'affrontent. C'est une autre façon de montrer la violence pour la proscrire. De telles figures se rencontrent souvent dans les églises de France du XIIe siècle, situées au même endroit, dans le chœur, au nord.

Deux hommes se battant.
Chapiteau du XIIe siècle. Chœur de l'église de La Couture, Le Mans.
(Cliché F. Garnier).

Des témoignages parlants : les églises et leur décor

Avec la croissance démographique, la création de nouveaux villages et la prospérité, les lieux de culte se multiplient à la fin du XIe siècle. Pendant le XIIe siècle, la floraison d'églises se généralise et la Sarthe tout entière se couvre d'édifices, dont beaucoup sont encore debout. L'expérience rend les architectes de plus en plus habiles et hardis. A partir du milieu du XIIe siècle se développent et s'allègent les voûtes bombées sur croisée d'ogive, dites de style Plantagenêt.

Si les églises de la Sarthe n'ont conservé que peu de sculptures, alors que les œuvres de pierre ont la meilleure garantie de durée, leurs murs portent encore des restes importants de peintures murales. On peut supposer que la fragilité des enduits et des couleurs ainsi que les remaniements en ont fait disparaître un grand nombre. Certaines sont sans doute encore cachées sous des revêtements. On peut supposer que la majeure partie des églises de la Sarthe, celles qui étaient construites en petit appareil en tout cas, étaient couvertes de peintures murales. Des ensembles comme celui de Poncé-sur-le-Loir, malheureusement trop restauré au XIXe siècle, Vezot, Verniette et surtout Asnières-sur-Vègre, permettent d'apprécier la nature et la destination de ces figures

Eclosion des églises aux XIe et XIIe siècles

▲ La construction des églises aux XIe et XIIe siècles.

Les peintures murales dans la Sarthe. ▼

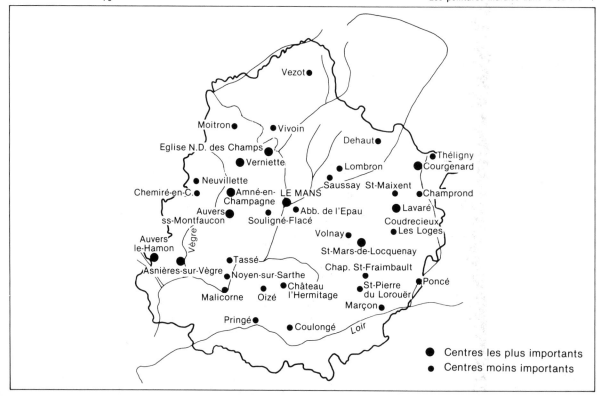

● Centres les plus importants

● Centres moins importants

qui étaient beaucoup plus qu'un décor. La vie religieuse trouvait dans ces représentations matière à entretenir sa foi et sa prière. Instructives et édifiantes, faites pour le peuple et quelquefois par le peuple, elles traduisent des besoins et des mentalités qui évoluent. Les programmes iconographiques manifestent bien ces transformations profondément liées à celles de la société tout entière.

L'enseignement de la musique fait partie des arts libéraux. Cet art est considéré, au Moyen Age, comme bon et capable d'élever l'homme jusqu'à la vertu. Mais les théologiens et les pasteurs ont dénoncé les abus qui corrompent le bon usage de la musique, lorsque l'harmonie et la modération se changent soit en mollesse efféminée, soit en virtuosités bruyantes et discordantes, les rythmes devenant, comme on dit, endiablés. Les religieux surtout redoutaient l'entrée de n'importe quelle musique dans l'église. Ils voyaient là une cause de distraction et une sollicitation à la luxure. Les images sculptées et peintes montrant de tels dérèglements ne manquent pas en France et en Espagne.

A Poncé-sur-le-Loir, une fresque de la fin du XIIe siècle représente la cause et l'effet. Un musicien debout joue d'un instrument à archet. Une femme se renverse complètement en arrière. Son corps décrit un ovale que prolongent ses bras tendus vers le sol. Cette position provocante et inconvenante rappelle celle dans laquelle les imagiers placent Salomé dansant devant Hérode. La représentation énonce de la façon la plus simple cette proposition : une certaine musique conduit à la luxure.

Les dangers de la musique profane

Musicien et danseuse. Peinture murale du XIIe siècle. Poncé-sur-Loir. *(Cliché F. Garnier)*.

Effets néfastes de la musique profane. Chapiteau du XIIe siècle, église de Pirmil.
(Cliché F. Garnier).

Un chapiteau de l'église de Pirmil développe le même thème dans une composition beaucoup plus riche et complexe. Au centre, une chèvre joue de la musique et un âne danse la tête en bas, ou plutôt fait la culbute. Il s'agit d'animaux lubriques, qui exécutent leurs fantaisies au-dessus d'un monstre hybride d'allure démoniaque. Sur un côté du chapiteau, le corps renversé d'une femme dont la tête a été malheureusement martelée est devenu la possession d'un diable. Elle dansait, entraînée par la musique que joue un homme assis, le vêtement ouvert et relevé, laissant voir ses cuisses de façon indécente. Sur la face opposée, un homme également assis, mais dans une attitude pudique et réservée, ne cède pas aux sollicitations de deux diables qui s'accrochent à une colonne comme s'ils luttaient contre une force qui les repousse. Le thème est donc développé sous trois formes qui se complètent : le charivari animal énonce de façon générale la relation entre une certaine musique et le dévergondage — la femme victime du vice montre la conséquence funeste de cette musique — une résistance vigilante à la tentation est le seul moyen d'éviter ce danger.

L'appel à la conversion

Parmi d'autres thèmes de réflexion et d'action pastorale, l'appel à la conversion s'exprime de façon symbolique dans les textes et dans l'imagerie. Ce sujet complète la condamnation de la violence et de la recherche excessive des biens matériels. Religieux et fidèles sont invités à abandonner leur vie de péché, l'attachement aux biens de ce monde, et à conquérir les valeurs spirituelles. Une métaphore employée par saint Paul a fait recette dans les écrits des théologiens et dans l'art médiéval. L'apôtre dit :

Il vous faut renoncer à votre vie passée, dépouiller le viel homme... et revêtir l'homme nouveau qui a été créé selon Dieu dans la justice et la sainteté de la vérité. (Epître aux Ephésiens, 4, 22-24).

On rapprochera ici deux images destinées l'une aux clercs, véritables initiés qui méditent dans leur abbaye, l'autre à l'ensemble des fidèles, qui comprennent les représentations figurées s'ils ne savent pas lire.

Dans un manuscrit du *Commentaire sur le Cantique des Cantiques* de Thomas de Perseigne, moine cistercien dont le nom évoque la célèbre abbaye sarthoise, un petit personnage nu tient devant lui une tunique. Cette présentation du vêtement a un sens très clair pour l'homme médiéval habitué à ce genre de figuration symbolique : le changement de vêtement signifie le changement de vie. Le commentaire de Thomas de Perseigne confirme à la lettre cette interprétation.

Le baptême de Jésus par Jean-Baptiste fait partie de l'ensemble des chapiteaux sculptés réalisés à la fin de l'épiscopat d'Hoël, vers 1093. Il s'agit d'une synthèse théologique et pastorale, qui explicite et applique le contenu du mystère, et non d'un tableau historique. L'un des personnages présente un vêtement pour signifier la conversion dont le baptême est le signe efficace. Les deux autres sont figés dans des attitudes typiques. Jean-Baptiste verse l'eau. Le Christ, de face et comme en majesté, est figuré en état, émergeant d'une eau toute conventionnelle qui n'a rien à voir avec la rivière du Jourdain.

Le changement de vêtement, symbole de la conversion. Initiale du *Commentaire sur le Cantique des Cantiques* **de Thomas de Perseigne, XIIᵉ siècle.**
(Bibliothèque du Mans, manuscrit 1, fol. 60v. Cliché F. Garnier).

Le baptême du Christ. Chapiteau de la fin du XIᵉ siècle. Cathédrale du Mans. *(Cliché F. Garnier).*

**L'enfer : une leçon
de justice et d'égalité**

La peinture des vices et de leurs conséquences désastreuses est le meilleur moyen d'enseigner la vertu. C'est du moins la pratique pédagogique médiévale que propose l'iconographie. Le choix de la crainte comme motivation de la bonne conduite s'explique par plusieurs raisons. L'image du vice offre des sujets beaucoup plus suggestifs et faciles à traiter très concrètement que celle de la vertu, dont la qualité spirituelle se prête peu aux figurations attrayantes. D'autre part, la crainte est le commencement de la sagesse. Il faut avoir déjà beaucoup acquis d'exigences spirituelles pour diriger sa vie selon des aspirations élevées.

A Asnières-sur-Vègre, comme à Poncé-sur-le-Loir, et, à la lisière de la Sarthe, dans l'église de Boursay, le mur ouest de la nef est tout entier couvert par une vaste peinture murale. Le paradis occupe une place mineure, sous la forme d'une série d'arcades superposées où apparaissent comme des portraits bien en ligne les têtes des élus, et l'enfer la plus grande partie. On y voit, développé avec complaisance, le châtiment réservé aux différents vices. L'avarice et la luxure font toujours l'objet d'un traitement spécial, comme dans la sculpture de la même époque. Des diables attisent le feu, sous un grand chaudron, pendant que d'autres l'alimentent en victimes. Deux têtes émergent, coiffées

164

L'enfer (détail). Peinture murale du XIIIᵉ siècle. Asnières-sur-Vègre. *(Cliché F. Garnier).*

l'une du touret que porte la femme de bonne condition, l'autre de la mitre épiscopale. On a cru qu'il s'agissait d'un évêque du Mans peu recommandable, Brédégésil ou Sifroi, et de sa complice. La signification de la scène dépasse de beaucoup cette hypothétique allusion. Dans les représentations peintes ou sculptées de l'enfer, les imagiers placent habituellement des figures de laïcs et de clercs, de rois, de reines, de papes et d'évêques. Ils énoncent ainsi avec toute la puissance que l'image donne à l'idée, l'égalité de tous devant la justice divine.

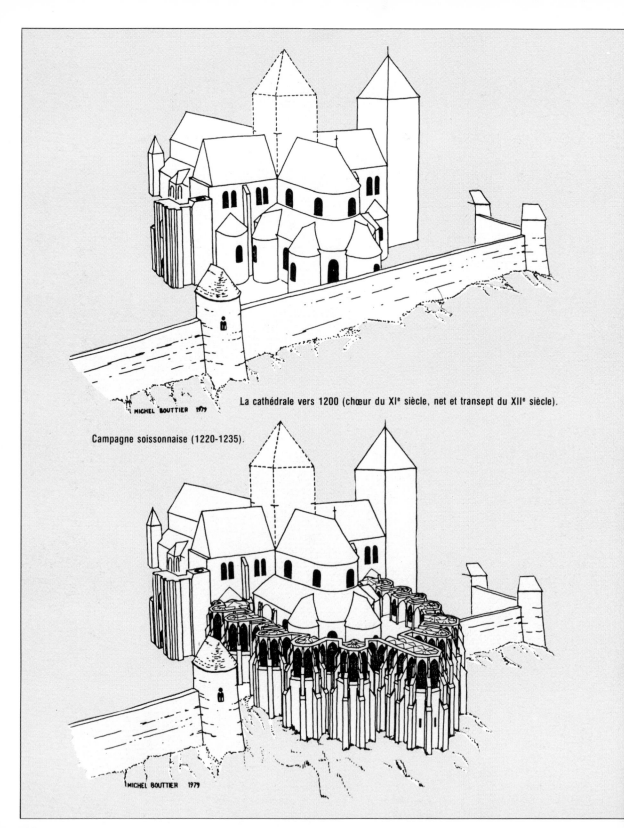

La cathédrale vers 1200 (chœur du XIᵉ siècle, net et transept du XIIᵉ siècle).

Campagne soissonnaise (1220-1235).

MICHEL BOUTTIER 1979

MICHEL BOUTTIER 1979

Vers 1060 commence la reconstruction de l'édifice et, en 1120, il est dédicacé. En 1134, un incendie dévore la ville ; il faut alors reprendre les travaux pour redonner vie aux ruines et c'est le nouveau souffle du gothique qui rénove la cathédrale ; elle est dédicacée une nouvelle fois en 1158. Ce souffle neuf soulève l'Europe entière et l'architecture grandit, les piliers s'élancent, les voûtes planent, les fenêtres se dilatent. Le bouillonnement intense transforme les régions du Soissonnais et du Laonnois, puis s'étale rapidement durant le XIIe siècle ; vers l'ouest, la nouvelle cathédrale de Chartres en est la manifestation par excellence. Au Mans, les chanoines de Saint-Julien entreprennent alors la reconstruction du chœur de leur cathédrale.

Le chantier commence vers 1220 avec des constructeurs soissonnais qui dessinent un plan exceptionnel par son originalité : on veut faire une synthèse des perfections romanes anglaises du XIe siècle et des perfections du nouveau « gothique ». On construit les chapelles, mais l'intelligence de la mise en œuvre n'est pas à la hauteur de l'intelligence du projet et de graves erreurs sont commises : on oublie l'étude du futur système de contre-butement qui, à cause du plan, devra être complexe. La poursuite des travaux s'avère impossible et on fait appel à un autre maître d'œuvre ; nous sommes aux environs de 1235.

Celui-ci est normand et construit à ce moment le chœur et le transept de la cathédrale de Coutances ; c'est le même plan, la même structure qu'il choisit alors pour poursuivre le chœur manceau. Cependant, le travail est donné au « maître de Bayeux », qui doit à tout prix réparer l'oubli des prédécesseurs ; il insère donc des culées d'arc-boutant entre les chapelles et bouche ainsi plusieurs fenêtres. Une fois la structure assurée, il peut élever les déambulatoires avec les grandes arcades du chœur et du sanctuaire. Malgré cette splendide réussite, le chantier est à nouveau arrêté. Que s'est-il passé ? Une hypothèse est très vraisemblable : la façon expéditive avec laquelle le maître de Bayeux a construit les culées du contre-butement a certainement déçu les chanoines, car le grand dessein initial était de retrouver la perfection lumineuse des absides romanes, c'est-à-dire l'éclairage direct du déambulatoire ; or, on venait de boucher un certain nombre de fenêtres prévues à cet effet. La solution exécutée est inacceptable et le chapitre se met en quête, avec sans doute l'aide de l'évêque Geoffroy de Loudun, d'un maître capable de surmonter l'obstacle. Nous sommes aux environs de 1245.

A cette époque, un nouveau bouillonnement perfectionne l'architecture du milieu parisien : c'est le gothique « rayonnant » dont les chefs de file sont l'abbatiale de Saint-Denis et Notre-Dame de Paris avec l'architecte Jean de Chelles.

Les chanoines manceaux se tournent résolument vers le renouveau et l'étude archéologique montre clairement que c'est à Jean de Chelles que l'achèvement du chœur est confié. Grâce à sa connaissance des édifices parisiens, celui-ci trouve la

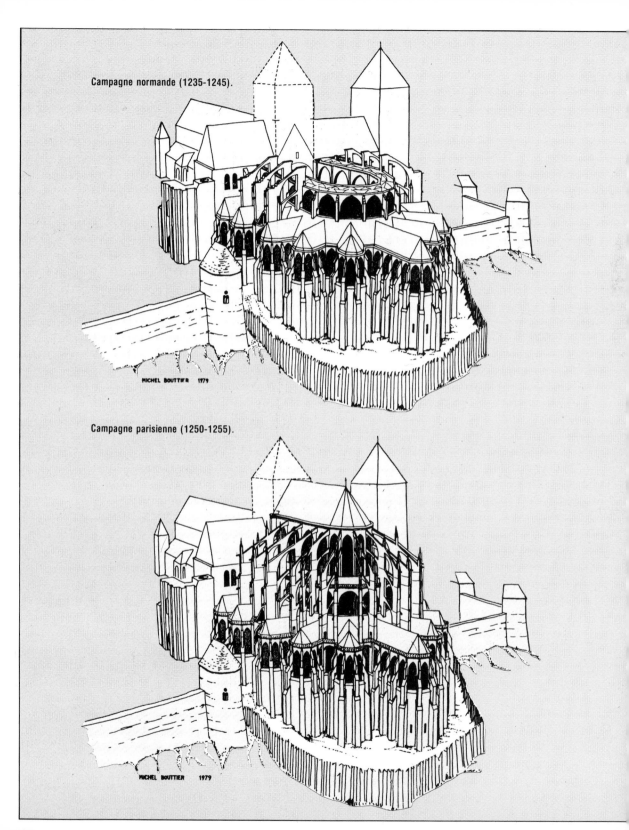

Campagne normande (1235-1245).

Campagne parisienne (1250-1255).

MICHEL BOUTTIER 1979

MICHEL BOUTTIER 1979

168

solution tant désirée pour concilier les exigences de la structure et l'éclairage du déambulatoire : il divise en deux les culées prévues par son prédécesseur et rejoint chaque point à contre-buter par deux arcs-boutants qui s'assemblent comme une lettre V ; ce procédé permet le dégagement du mur du déambulatoire entre les chapelles, avec ses fenêtres. Les parties hautes du chœur avec la grande voûte sont alors rapidement terminées et le 20 avril 1254, une grande fête inaugure la fin et la réussite de cette longue entreprise.

Ce succès incontestable devient surprenant lorsque l'on connaît les vicissitudes et les difficultés qui ont jalonné le chantier et l'ont marqué au point de modifier sérieusement le projet initial. Celui-ci a été, dès le début, compromis ; toutefois, le génie du dernier architecte qui a recueilli les erreurs, mais aussi la grandeur et la noblesse des maîtres normands, est parvenu à sortir l'édifice de l'impasse et à le redresser vers le ciel. Il s'agit presque d'un chef-d'œuvre collectif dont la cohérence interne est factice mais, néanmoins, réelle lorsqu'il est appréhendé avec une vision globale. Ce caractère particulier est dû à un langage unique parlé par tous les architectes durant plusieurs siècles, mais dont l'expression restait libre ; pensons à plusieurs écrivains : leurs œuvres diffèrent les unes des autres par la forme, la couleur, le sentiment, cependant ils utilisent une même morphologie et une même syntaxe.

Ainsi, le chœur de la cathédrale du Mans est un singulier carrefour où se superposent et s'accordent trois grands visages du gothique français à son apogée : le soissonnais, le normand et le parisien. Ce carrefour est animé par l'apport des provinces étrangères, car le Maine du XIIIe siècle n'a aucune vitalité artistique propre. Cependant, la province jouit de la présence « d'un corps constitué », qui groupe des esprits éclairés aux ambitions larges et courageuses, nous voulons dire le chapitre Saint-Julien ; il faut également faire une place aux évêques Maurice et Geoffroy de Loudun, qui ont encouragé l'entreprise, sans toutefois avoir la force et la longévité nécessaires pour la mener seuls à bonne fin.

Lorsque l'on veut grouper des terroirs pour constituer de grandes régions géographiques comme la Normandie, l'Ile-de-France ou les Pays de la Loire, le Maine se révèle toujours comme une région à part, inclassable dans les catégories économiques et administratives. Le chœur de la cathédrale mancelle, lui aussi, occupe une place à part dans la production gothique et reste inclassable. La preuve est qu'il est resté sans postérité comme une réalisation unique ; ce fut le terrain d'une grande expérience.

La cathédrale porte en elle-même la marque de la terre d'où elle a surgi : une terre de passage, une « marche » bloquée entre de forts voisins qui l'ont piétinée périodiquement. Le Maine a su, à une époque de son histoire, emprunter sa richesse aux grandes provinces et en faire sa gloire...

La cathédrale du Mans ne parle pas uniquement d'esthétisme ; avec elle, l'art a été mis au service de l'esprit chrétien. Elle cesse alors d'être un phénomène isolé, car la cause profonde de son existence est le souffle vivifiant du Divin qui a pu, pour un temps, unifier la société européenne. On ne peut pas « gommer » l'histoire et cette réalisation, tout en restant unique, témoigne aussi d'une force universelle plus haute que la fin propre de l'art.

Michel BOUTTIER

La société sarthoise au travail

A la recherche de la vie quotidienne

Trois voies principales conduisent à la découverte de la vie médiévale. L'une explore les vestiges concrets, restes de constructions et objets de toute nature, c'est l'archéologie. Elle plante le décor, met en place les accessoires. Toute une civilisation matérielle ainsi que le savoir et les modes de vie qu'elle implique se révèlent au contact des choses qui témoignent. Mais quelque riches qu'elles soient, ces données ne prennent la consistance propre aux réalités humaines que par l'information des textes et la vision directe que donne l'image. La vie d'une population est faite de croyances et d'usages, de relations économiques, sociales et religieuses, dont on ne saisit la nature que dans l'expression écrite et figurée qu'elle a elle-même fixée.

La précision de l'écrit

La vie économique et sociale de la Sarthe se découvre à la lecture des chartes, conservées en assez grand nombre. A la fin du Xe siècle, lit-on dans un acte, les moines du Mont-Saint-Michel devront payer un cens de trois sous au comte Hugues III pour les trois moulins qu'il leur a vendus. En 1244, une charte de Geoffroy de Loudun parle d'un accord intervenu entre un chanoine de Tours, seigneur de La Chesnaye, et l'abbaye du Gué-de-Launay. Il porte sur un moulin, le moulin des Prés, sur la pêche des anguilles de ce moulin, sur l'écluse, sur le serment du meunier. Il concerne également des prés et des vignes sur lesquelles Geoffroy de Souday voulait prendre verjus et raisins. Non seulement de tels écrits mettent en évidence l'existence et l'importance des moulins et de leur exploitation, mais ils permettent d'imaginer la vie des hommes à travers leurs problèmes. A l'occasion de leurs transactions, ventes, échanges, donations, revendications et procès, ils racontent leur histoire.

La puissance de l'image

Il manquerait à ces témoignages la puissance et l'attrait de la visualisation, si des sculptures et des peintures n'avaient conservé l'image des personnes et de leurs activités. On a rencontré Louis Ier du Maine et Yolande d'Aragon dans les illustrations du Juratoire du Gué-de-Maulny. Les verrières des XIIIe et XVe siècles de la cathédrale du Mans sont habitées par des dignitaires de l'Eglise, comme Geoffroy de Loudun et le cardinal Fillâtre, par des rois et des comtes, par des seigneurs comme Rotrou V de Montfort, des donateurs religieux et laïcs, hommes et femmes, comme Hamelin, abbé de La Couture, et Jean de

Fresnay. A côté des personnages identifiés, les artisans et paysans anonymes sont groupés par corporation, dans la partie inférieure du vitrail qu'ils ont offert. Il y a là des fourreurs, des drapiers, des boulangers, des vignerons, représentés dans la pratique de leur métier.

Les calendriers des mois historiés au Moyen Age illustrent en partie seulement les rythmes de la vie réelle des communautés rurales. Ils ne prennent pas en compte les particularités dues aux circonstances exceptionnelles, comme la construction d'une église, dont la durée n'excède pas une ou deux dizaines d'années, et à laquelle participe la population locale. Les variantes retenues dans les occupations des mois traduisent des réalités durables, la nature des activités agricoles régionales ou les conditions climatiques. Ici, la tonte des moutons remplace au mois de juin la fauchaison. Dans le nord, certains travaux sont plus tardifs. La fauchaison et la moisson sont représentées aux mois de juillet et d'août, et non de juin et juillet. De même, les vendanges se font soit en septembre, soit en octobre.

La Sarthe a conservé peu de représentations des occupations des mois. Toutefois, leur abondance relative à la périphérie du département permet de croire qu'elles avaient fréquemment leur place dans les programmes iconographiques des peintures murales. Les calendriers des mois étaient habituellement situés sur la face interne de l'arc qui sépare la nef du chœur ou de l'abside en cul-de-four. Ces œuvres, fragiles par nature, ont été détériorées par le temps et surtout détruites au cours des transformations des édifices. Elles ont souffert des agrandissements autant que des restaurations.

Polyvalence et spécialisation

Plus une civilisation évolue, plus les activités se différencient. Les disciplines se séparent, les structures se compliquent, se définissent et se figent dans des institutions. Après s'être distinguées les unes des autres, il arrive qu'elles s'opposent les unes aux autres. Sur le plan du travail, les rivalités dues aux intérêts économiques et sociaux deviennent des hostilités qui vont quelquefois jusqu'à l'affrontement. La société sarthoise n'échappe pas à cette transformation.

Dans le cadre de l'économie domaniale, la spécialisation n'intervenait probablement que pour quelques techniques du fer, de la pierre et du bois. Une polyvalence élémentaire réglait les activités des hommes de la classe laborieuse, qui s'affairaient au rythme des saisons. Ils mettaient tour à tour leurs bras au service de la culture, de la construction et de l'entretien. L'extraordinaire floraison des églises romanes ne s'explique pas par un nombre très élevé de spécialistes de la taille de la pierre, de la maçonnerie et de la charpenterie. Il faut ajouter à la compétence des maîtres la participation d'une population à la construction de son église. Les gens de métier dirigeaient les travaux.

Le seigneur assure l'équipement lourd, la construction des moulins, des fours, des pressoirs et des forges. Ses hommes s'occupent du fonctionnement et de l'entretien. La population profite d'abord de ces services, qui constituent pour elle un progrès. Ce monopole ne lui a guère pesé jusqu'à ce que, les conditions démographiques, économiques et sociales évoluant, il soit ressenti comme une contrainte insupportable à la fin du XIIIe siècle.

Les forgerons de Saint-Georges-de-la-Couée

Un chapiteau de Saint-Georges-de-la-Couée représente deux forgerons. L'un tient avec une longue pince la pièce de fer en travail et lève son marteau. Il porte une sorte de bonnet serré comme coiffure. Il s'agit du maître. Son compagnon manie seulement une masse. Comme c'est le cas le plus souvent au XIIe siècle, on ne distingue pas la nature de l'objet qu'ils sont en train de forger. Chaque fois qu'il montre l'opération que produit un homme dans l'exercice de son métier, l'imagier médiéval le fige dans une attitude typique qui exprime ce qu'il y a d'essentiel dans son activité. Aux XIVe et XVe siècles, il ajoutera les objets finis, en variété et en nombre de plus en plus importants.

La présence de ces deux forgerons dans une petite église de campagne n'est pas fortuite. On peut lui trouver deux explications, qui ne s'excluent d'ailleurs pas. Dans certains manuscrits bibliques, une scène de forge illustre les textes relatifs à la construction du sanctuaire. Moïse parle de ceux qui ont « habileté, intelligence et savoir pour tout travail, pour concevoir les œuvres d'art, pour travailler l'or, l'argent et le bronze » (*Exode* 35, 31). Il est possible que la sculpture ait quelque

Forgerons. Chapiteau du XIIe siècle. Saint-Georges-de-la-Couée. *(Cliché F. Garnier).*

rapport avec le sujet biblique. Il se peut, d'autre part, que des circonstances locales aient favorisé et déterminé le choix de cette scène, comme le développement du travail du fer dans la région ou la forte personnalité de quelques forgerons. Elle mettrait en valeur un métier et honorerait ceux qui les pratiquent, comme les « signatures » des grandes verrières.

La même représentation de deux hommes frappant sur l'enclume figure à côté d'un *Daniel dans la fosse aux lions,* dans l'église de Troo comme dans celle de Saint-Georges-de-la-Couée dont elle est distante de vingt kilomètres. Cette sculpture, d'un style moins naïf, est probablement postérieure d'un demi-siècle. Mais ne témoigne-t-elle pas, elle aussi, de la place qu'occupaient les forgerons dans l'économie de cette partie ouest du Maine ?

Les travaux des champs

La culture des céréales

Les calendriers des mois consacrent habituellement deux représentations à la culture des céréales, quelquefois trois. Dans l'ordre décroissant de fréquence, ce sont la moisson, le battage au fléau, les semailles. Certaines préparations de terrain, en particulier des labours à la charrue au printemps ou en octobre, sont probablement destinées aux ensemencements de céréales.

Le semeur porte le grain dans une grande toile passée autour du cou comme un tablier, serrée et relevée à l'autre extrémité pour former une poche. Dans le livre d'Heures du XVe siècle de la bibliothèque du Mans, on ne voit ni sillon, ni champ, mais le geste typique de la main dont s'échappent les semences qui retombent en pluie.

La moisson s'est faite à la faucille jusqu'au XVe siècle. Le paysan saisissait une poignée de tiges et la coupait assez haut. Il empilait un nombre suffisant de poignées pour faire une gerbe qu'il nouait avec un lien de pailles tordues ensemble. Les chaumes restaient donc très longs, beaucoup plus longs que ne les laissent la faux et les machines modernes. Cette méthode présentait plusieurs avantages. Lorsque le champ était infesté de plantes adventices, le moissonneur ne récoltait que le bon grain. Au moment des labours d'automne, on restituait à la terre des matières organiques fertilisantes. Les chaumes servaient également de nourriture pour les bêtes. Mais ce procédé était long.

La scène de moisson, représentée dans le livre d'Heures de Saint-Calais, est très différente de la figure des calendriers précédents. Le paysan fait une pause. Il se désaltère pendant qu'une femme aiguise la lame de sa faux avec une pierre. Le champ et la gerbe coupée sont figurés de façon conventionnelle, selon la tradition iconographique, mais par leurs positions et leurs gestes, les personnages prennent des attitudes anecdotiques qui s'écartent des stéréotypes antérieurs. Les premières scènes de récolte de céréales à la faux apparaissent dans le nord de la France où, dès 1430, on voit le moissonneur utiliser une petite faux, la sape, et un crochet pour maintenir les épis pendant la coupe.

Octembre a xxri ios
La lune·xxx·
Samct remus

St fransois conf.

St denis mr

St calixte pape v mr

Les semailles. Calendrier d'un livre d'Heures du XVᵉ siècle.
(Bibliothèque du Mans, manuscrit 159, fol. 10.
Cliché F. Garnier).

Julet a·xxi·iours
La lune·xxx·
Samct thiebault coñf
La visitacio nře dame

Les vii freres mr

La moisson à la faucille. Calendrier d'un livre d'Heures du XVᵉ siècle.
(Bibliothèque du Mans, manuscrit 159,
fol. 7. Cliché F. Garnier).

La moisson à la faux.
Calendrier
d'un livre d'Heures
du XVᵉ siècle.
(Bibliothèque
de Saint-Calais,
manuscrit 1, fol. 8.
Cliché F. Garnier).

La cuisson du pain. Calendrier d'un livre d'Heures du XVe siècle.
(Bibliothèque de Saint-Calais, manuscrit 1, fol. 10. Cliché F. Garnier).

Il est difficile de connaître de façon précise les proportions des différentes céréales dans l'alimentation. La culture du froment est attestée par de nombreuses chartes. En 1259, en présence du doyen de Beaumont :

> *Hubert Le Bigot a reconnu qu'il a lui même reçu du monastère de Vivoin, et qu'il détient en possession perpétuelle ainsi que ses héritiers, une terre située sur la paroisse de Maresché, pour dix boisseaux de froment qu'il s'engage à donner chaque année à la saint Remi, et cela à perpétuité. (Cartulaire de Vivoin).*

Mais les céréales inférieures, comme l'orge et le seigle, occupaient une place plus importante dans l'alimentation commune. Le pain blanc a longtemps été considéré comme une nourriture d'exception, réservée aux grandes circonstances et aux privilégiés.

Le calendrier du livre d'Heures de Saint-Calais représente la cuisson de pains ronds ou de galettes. Le boulanger a placé trois boules de pâte sur sa pelle. Leur petite dimension n'est pas surprenante, car les pains que l'on voit dans les autres documents iconographiques de cette époque, également ronds, ne sont guère plus grands. Cette enluminure, comme celle du même manuscrit déjà examinée, fait intervenir une femme. La présence de la femme dans les travaux des mois commence à la fin du XIVe siècle et se généralise au XVe. Elle correspond à un goût croissant pour le réalisme et la présence de personnages plus nombreux dans les scènes.

**Les céréales
dans l'alimentation**

La culture de la vigne

Le foulage du raisin. Calendrier d'un livre d'Heures du XVe siècle.
(Bibliothèque du Mans, manuscrit 159, fol. 9. Cliché F. Garnier).

Il suffit de parcourir les cartulaires pour mesurer l'importance de la culture de la vigne dans la Sarthe au Moyen Age. Sur les deux cent onze chartes du cartulaire du prieuré Saint-Hippolyte de Vivoin, vingt-six, rédigées entre 1219 et 1265, traitent de la vigne et du vin comme objet principal. Par achat, donation et échange, les religieux accroissent et regroupent leurs parcelles de vigne. Il arrive que l'accord porte sur le vin lui-même. Dans une charte de 1265, les religieux de Vivoin s'engagent à donner aux hospitaliers, comme dîme sur quatre arpents de vigne, « trois sommes de vin bon, pur et légitime, c'est à dire du vin de mère-goutte et non du vin de pressoir ».

La localisation des vignes indiquée dans les actes est définie par des voisinages accidentels et non par des données topographiques constantes. Il est difficile d'établir une carte précise de la culture de la vigne à partir d'expressions comme « jouxte le pressoir de défunt Thomas Guerre », ou « près du Champ Guichard ». Les archives montrent, néanmoins, qu'il y avait de la vigne partout dans la Sarthe, de Sablé à La Ferté-Bernard, des lisières de la forêt de Perseigne à Château-du-Loir, et particulièrement dans la périphérie du Mans.

En mars, on taille la vigne. Cette occupation se lit encore sur ce qu'il reste du calendrier des mois de la petite église de Saussay, près de Montfort-le-Rotrou. D'une main le paysan tient un sarment, de l'autre il le coupe avec une serpe aujourd'hui effacée. Les peintures murales de Saussay, du XIIe siècle, sont un bon exemple de mutilations dues à des modifications architecturales et à l'usure du temps. On distingue encore sur les piliers qui soutiennent l'arc triomphal, aujourd'hui muré, une vague silhouette d'homme, peut-être attablé. Comme tous

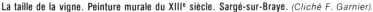

La taille de la vigne. Peinture murale du XIIIe siècle. **Sargé-sur-Braye.** *(Cliché F. Garnier).*

les calendriers de la région, il contenait aussi une scène de vendange ou de foulage de raisin. La taille de la vigne est une figuration typique. On la retrouve au XIIIe siècle, mieux conservée, dans des villages du Maine comme Sargé-sur-Braye et Pritz. Dans la verrière du chœur de la cathédrale du Mans offerte par les vignerons à la même époque, deux médaillons représentent la taille de mars et la surtaille, ou ébourgeonnage, de la fin de printemps.

Pour le mois des vendanges, les imagiers représentent la cueillette des grappes à l'aide d'une serpette, le transport des raisins par le hotteur qui les verse dans une cuve, ou le foulage. Le personnage qui écrase les grains avec ses pieds a les vêtements retroussés jusqu'à la ceinture. Il maintient son équilibre en s'appuyant sur les bords de la cuve.

Le calendrier des mois termine l'année par deux scènes qui se complètent, la glandée en novembre et l'abattage du porc en décembre. En novembre, on conduit les porcs dans les bois où ils se nourrissent de glands. D'après les sculptures et les enluminures, celui qui conduit les bêtes utilise un bâton avec lequel il frappe les branches des chênes pour faire tomber les glands.

L'élevage du porc

La glandée.
(Bibliothèque du Mans, manuscrit 159, fol. 11. Cliché F. Garnier).

L'abattage du porc.
(Bibliothèque du Mans, manuscrit 159, fol. 12. Cliché F. Garnier).

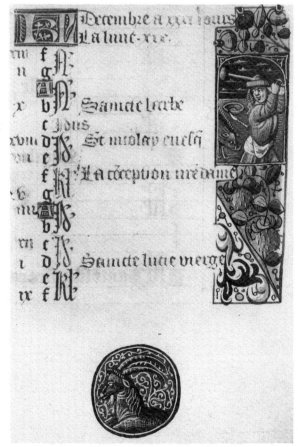

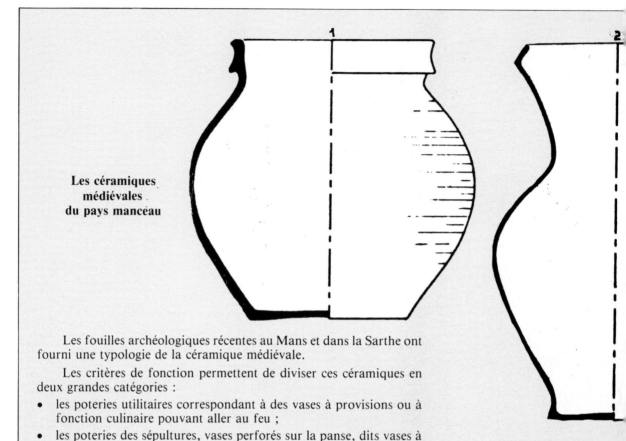

Les céramiques médiévales du pays manceau

Les fouilles archéologiques récentes au Mans et dans la Sarthe ont fourni une typologie de la céramique médiévale.

Les critères de fonction permettent de diviser ces céramiques en deux grandes catégories :

- les poteries utilitaires correspondant à des vases à provisions ou à fonction culinaire pouvant aller au feu ;
- les poteries des sépultures, vases perforés sur la panse, dits vases à encens ou récipients domestiques (pichets) transformés pour cet usage.

Les céramiques datent le plus souvent du Bas Moyen Age.

1 Les oules, ou vases à la lèvre en bandeau, sont datables du XIIe au XIVe siècle. Les tailles sont très variables.
2 Les cruches du type de l'atelier de La Chausse-Paillère, à Saint-Jean-de-la-Motte, sont produites du XIIIe siècle jusqu'au début de la guerre de Cent Ans.
3 Les coquemars sont des productions des XVe et XVIe siècles se substituant aux oules. On les rencontre dans les sépultures.
4 Vase à bec ponté ou tubulaire et à anse produit jusqu'au début de la guerre de Cent Ans. Les mêmes vases existent sans le bec ponté et l'anse.
5 Cuvier au décor dit à œil de perdrix dont la production semble cesser avec la guerre de Cent Ans. Ce sont des vases servant à la fabrication des bouillies et pâtes alimentaires.

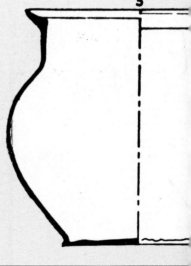

Tous ces vases sont tournés et montrent une bonne cuisson. Les pâtes varient de finesse, certaines sont très micacées et les teintes vont du blanc beige au marron en passant par le gris et le rosé. Les décors sont inexistants : rare trace de glaçure ou de peinture, quelques molettes, bandes d'applique et décor antropomorphes.

J. GUILLEUX

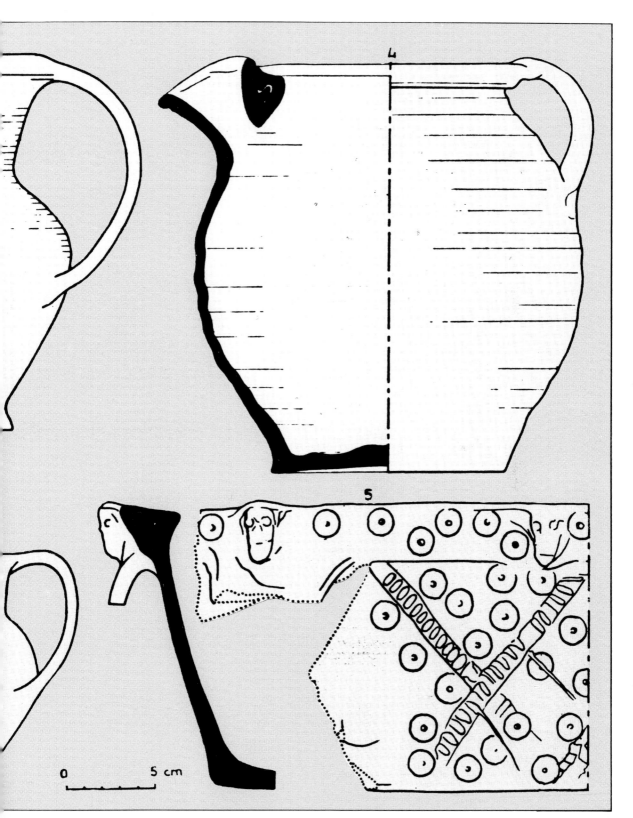

4

5

0   5 cm

On appelait panage le droit de nourrir les porcs dans une forêt, droit utile sinon indispensable pour l'élevage de ces animaux. Dans une charte de 1144, Geoffroi Plantagenêt donne aux religieux de Château-l'Hermitage le droit de pâture et de pacage dans ses forêts du Maine et d'Anjou. En 1219, Baudoin des Roches donne aux moines de La Boissière la métairie et le moulin de La Perrière, et des droits d'usage en forêt de Bercé :

> *Moi, Baudoin des Roches... j'ai donné à Dieu, à sa glorieuse mère et aux moines de la Boissière, pour le bien de l'âme de mon père, de la mienne et de celle de mes amis, la métairie et le moulin de la Perrière... ainsi que dans la forêt de Bercé le panage pour leurs porcs, l'herbage pour les animaux, le bois mort pour faire du feu et le bois de charpente de cette même forêt pour réparer la métairie et le moulin aussi souvent qu'il sera nécessaire.*

Dans les représentations médiévales, les porcs sont armés de longues dents saillantes. Ils étaient plus près de la souche, le sanglier, que les races actuelles.

Le temps de repos et des loisirs

Plusieurs scènes des calendriers des mois ne concernent pas le travail, mais le repos et les loisirs. C'est pourquoi il est préférable de parler des « occupations des mois » et non des « travaux des mois ». En janvier, un homme est assis devant une table bien garnie. L'imagier ne le représente pas en train de manger, mais de boire. Pour figurer la fin d'une année, l'instant présent et le commencement d'un nouveau cycle, il donne à ce personnage imaginaire et symbolique trois visages en une seule tête. Un profil regarde sur la gauche, en arrière, et signifie le passé. Le dessin de face marque le présent. L'autre profil est tourné vers l'avenir. L'unité du dessin qui forme une seule tête exprime la continuité du déroulement temporel.

Au mois de février, un personnage se chauffe devant une cheminée, aux XIIe et XIIIe siècles un paysan, au XVe siècle un bourgeois ou même un seigneur.

Avril est le mois du renouveau. « Voici le printemps ! » lit-on sur les pages de livres d'Heures ou de Psautiers. Pour célébrer l'éclosion de la vie après un long temps de sommeil, un jeune homme présente des rameaux fleuris. Au XVe siècle, il les offre à une femme, à moins qu'elle n'effectue elle-même la cueillette et ne tresse des couronnes.

En mai, le jeune homme, figuré à cheval, s'adonne à la chasse au faucon ou part en promenade, le plus souvent avec sa bien-aimée.

Ainsi alternent dans les calendriers des mois le temps du labeur, le temps du repos et le temps du plaisir. Les occupations s'accordent aux nécessités de la nature et aux besoins des hommes.

BIBLIOGRAPHIE MÉDIÉVALE

Sources :

« Actus pontificum cenomannis in urbe de gentium », *Archives historiques du Maine*, éd. Busson et Ledru, Le Mans, 1902.

BOUVET (Ch.-J.). — « Correspondance d'Adam, abbé de Perseigne » (1188-1221), *Archives historiques du Maine,* Le Mans, 1951-1962, 2 vol.

Cartulaire de l'abbaye de Saint-Calais (éd. J. Havet), œuvre I, « Questions mérovingiennes : les chartes de Saint-Calais », Paris, 1887.

CHEDEVILLE (A.). — *Liber controversiarum Sancti Vincenti Cenomannensis,* ou *Second cartulaire de l'abbaye Saint-Vincent du Mans,* Paris, 1968.

Gesta Domni Aldrici a discipulis suis, éd. R. Charles et L. Froger, Mamers, 1899.

HALPHEN (L.). — *Recueil d'annales angevines et vendômoises,* Paris, 1903.

ORDERIC VITAL. — *Historiae Ecclesiasticae Libri Tredecim,* Paris, 1838, 5 vol.

Ouvrages :

Ne figurent ici que des ouvrages ou articles fondamentaux ou récents. On trouvera dans les revues d'histoire locale de nombreux articles fort utiles pour la bonne connaissance de cette période : en particulier ceux de Ledru, Charles, Triger, et A. Bouton.

BEAUTEMPS-BEAUPRE (J.). — *Coutumes et institutions de l'Anjou et du Maine antérieures au XVIe siècle,* Paris, 1877 à 1897.

BEN-KEMOUN (J.). — *La noblesse du Maine,* 3e cycle, Le Mans, 1978.

CHEDEVILLE (A.). — « Etude de la mise en valeur et du peuplement du Maine au XVe siècle d'après les documents de l'abbaye de Saint-Vincent du Mans », in *Annales de Bretagne,* 1960.

DIEULEVEULT (A. de). — *La Couture, une abbaye mancelle au Moyen Age (990-1518),* Le Mans, 1963.

GOFFART (W.). — *The Le Mans Forgeries, a chapter from the history of Church Property in the Ninth Century,* Cambridge, Massachusets, 1966.

LATOUCHE (R.). — *Etudes d'histoire médiévale,* Paris, 1966.

LATOUCHE (R.). — *Histoire du comté du Maine pendant le Xe et le XIe siècles,* Paris, 1910, reprint, 1977.

LECLERCQ (H). — « Le Mans », in *Dictionnaire d'archéologie chrétienne et de liturgie,* t. X, 2e partie, Paris, 1932.

LEDRU (A.). — *Les premiers temps de l'Eglise du Mans,* Le Mans, 1913.

LE MAITRE (Ph.). — « Evêques et moines dans le Maine : IVe-VIIIe siècles », in *Revue d'Histoire de l'Eglise de France,* LXII, 1976.

LE MAITRE (Ph.). — « L'œuvre d'Aldric du Mans et sa signification (832-857) », in *Francia,* VIII, Munich, 1980.

MUSSAT (A.). — *Le style gothique dans l'Ouest de la France (XIIe et XIIIe siècles),* Paris, 1963.

Retable de Rouez-en-Champagne, église Saint-Martin, maître-autel, 1641. *(Cliché Michèle Ménard).*

Permanences et évolutions
(du XVIe siècle au milieu du XIXe siècle)

CHRONOLOGIE

1546	Introduction de l'imprimerie au Mans.
1560	Au Mans, émeute contre les protestants.
2 avril 1562	Les protestants s'emparent du Mans, qu'ils évacuent le 11 juillet.
1589	Les ligueurs prennent Le Mans le 11 février ; la ville est reconquise par Henri IV le 2 décembre.
1599	Création du collège-séminaire du Mans.
1603	Fondation du collège de La Flèche.
1604	Arrivée des Manceaux au Canada. Ils y fondent Ville-Marie en 1642, sous l'impulsion de Jérôme Le Royer de la Dauversière.
1614, 1620, 1626	Louis XIII au Mans.
1648-1652	Episodes de la Fronde.
1650 (environ)	Débuts de la fabrication des étamines camelotées « inventées » par Jean Véron.
1661-1662	Famine de l'Avènement.
1709 (janv.-fév.)	Le « grand hiver ».
1710	Création d'une justice consulaire au Mans.
1761	Fondation de la Société royale d'agriculture de Tours et première réunion de son bureau manceau le 14 avril.
1764	Le collège de La Flèche est transformé en école militaire.
1787	Institution des Assemblées provinciales du Maine et de l'Anjou, et réforme des municipalités.
1789 (juillet)	Grande Peur.
1790 (février)	Formation du département.
1792	Déportation des prêtres réfractaires de la Sarthe.
1792 (novembre)	« Randonnée » des taxateurs.
1793 (12 déc.)	Déroute des Vendéens au Mans.
1793 (nov.) 1794 (juin)	Mission de Garnier de Saintes dans la Sarthe.
1799 (octobre)	Prise du Mans par les royalistes de Bourmont.
1800 (mai)	Le baron Auvray est installé premier préfet du Mans.
1815	Occupation de la Sarthe par les Prussiens.
1818	Election de Benjamin Constant et de La Fayette dans la Sarthe.
1835	Election de Garnier-Pagès comme député du Mans.
1839	Trouvé-Chauvel devient maire républicain du Mans.
1841	Ledru-Rollin remplace Garnier-Pagès, décédé, comme député du Mans.

Des derniers échos de la guerre de Cent Ans à la Révolution de 1789, les Temps modernes s'étendent sur une longue période de plus de trois siècles. Mais faut-il, une fois encore, ici, isoler le « beau » XVIe siècle de la Renaissance et de la Réforme, le « Grand Siècle » de Louis XIV, le XVIIIe siècle des Lumières, ou les regrouper sous l'étiquette commode d'Ancien Régime ? Est-il nécessaire de faire une grande place à la Révolution, voire à l'Empire, avant d'aborder le XIXe siècle ?

Certes, 1789 marque, dans le Haut-Maine — grossièrement l'actuel département de la Sarthe — l'émergence de la Nation. Les députés manceaux, manifestement suivis par leurs électeurs, renversent avec leurs collègues des autres régions, en quelques mois, un Ancien Régime qu'ils définissent eux-mêmes plus par ses caractères sociaux, juridiques et psychologiques, que par ses composantes politiques et religieuses. Mais Paul Bois a montré les limites de cette césure. Pour lui, les oppositions fondamentales entre ruraux et citadins, entre l'est et l'ouest du département, cristallisées par la chouannerie, sont antérieures au printemps 1789.

Dès lors, l'histoire essentielle n'est-elle pas, en quelque sorte, une histoire au quotidien, une histoire des permanences, mais aussi des évolutions qui marquent la vie quotidienne des contemporains ?

Permanence des structures administratives ou très lente évolution ? La recherche de la simplification et de l'unification administrative conduisent les rois à créer les intendants, préfiguration des préfets du Consulat qui la symbolisent. Permanence ou lente évolution des structures démographiques ? Le lent recul de la mort et la chute, plus rapide, de la fécondité n'apparaissent guère avant la fin du XVIIIe siècle et les grandes endémies, atténuées il est vrai, frappent encore au milieu du siècle suivant. Permanence ou lente évolution de la piété ? Une certaine indifférence religieuse, apparue à l'est et au nord du département vers la fin du XVIIIe siècle, évolue lentement vers l'hostilité sous l'influence de la chouannerie. Permanence ou très lente évolution des structures agraires ? Les progrès agricoles percent timidement dans les régions les plus riches dès le XVIIIe siècle. La « révolution agricole » s'installe progressivement au début du XIXe, mais son éclosion généralisée sera plus tardive. Permanence ou très lente évolution des structures industrielles ? Apparue au milieu du XVIIe siècle, l'étamine du Mans amorce un déclin rapide un siècle plus tard. Les étoffes de chanvre se maintiennent jusqu'au milieu du XIXe siècle, mais le coton ne prend pas le relais dans l'industrie textile. Les forges, longtemps florissantes, résistent difficilement à la concurrence anglaise et aux techniques nouvelles... Ainsi, amorcée dès avant 1789, l'histoire du premier XIXe siècle sarthois apparaît-elle, sauf pour le cuir, comme celle d'une désindustrialisation.

Face à cette évolution, Le Mans, qui a perdu ses horizons maritimes mais se trouve au centre d'un carrefour bien organisé de communications, se tourne vers Paris et développe ses fonctions commerciales. Sa bourgeoisie n'investit pas dans les cheminées d'usines, mais achète des terres et développe les constructions urbaines.

Le 3 août 1815, gardes nationaux et chouans accueillent, au Mans, les troupes prussiennes d'occupation, preuve d'une belle confusion dans les esprits. La vie politique locale s'éteint avec le Consulat et l'Empire. La Sarthe, qui avait fourni Levasseur et Philippeaux à la Convention, donnera Trouvé-Chauvel à la Seconde République.

Les institutions et les hommes

L'actuel département de la Sarthe est le fruit du découpage administratif entrepris par l'Assemblée constituante et par le décret du 4 février 1790. Il s'étend sur des portions de trois anciennes provinces : pour l'essentiel, la partie orientale du Maine appelée le Haut-Maine, une partie de l'Anjou autour de La Flèche et du Lude, quelques terroirs du Perche.

Les anciens pouvoirs

Depuis longtemps rattachées au domaine royal — le Maine le fut en 1481 — ces provinces ont été prises, durant les trois derniers siècles de la monarchie, dans des institutions de plus en plus centralisatrices. Les cadres antérieurs, vidés de l'essentiel de leur contenu, demeurent cependant : le fils aîné de Louis XIV et de Madame de Montespan, légitimé, est doté du titre honorifique de duc du Maine ; Louis-Stanislas-Xavier, devenu « Monsieur », frère de Louis XVI en 1774, le futur Louis XVIII, tenait, depuis 1771, le comté du Maine et le duché d'Anjou dans son apanage. Si le régime féodal avec ses liens d'homme à homme a perdu, depuis Louis XIV, l'essentiel de son importance, le régime seigneurial proprement dit conserve toute sa vigueur : seigneurs laïcs (nobles ou bourgeois) ou ecclésiastiques n'abandonnent pas leurs droits : redevances, banalités, juridictions.

L'Eglise

Le diocèse du Mans, un des plus grands de France, couvrait l'ensemble de la province du Maine, le Passais normand, des portions du Perche et du Vendômois. A sa tête l'évêque, nommé par le roi puis investi par le pape, est à la fois pasteur et administrateur : assistance publique, enseignement, mais aussi partiellement justice et ordre public relèvent de sa compétence :

> *L'officialité connaît en première instance des affaires personnelles entre des clercs, des procès intentés contre les ecclésiastiques, des matières spirituelles, de la validité ou invalidité des mariages... (Bibl. mun. de Château-Gontier, f° 142, ms. 11).*

Dans sa paroisse, le curé administre tout en assurant le culte et en conférant les sacrements. Il tient les registres de baptêmes, mariages et sépultures ; il transmet aux paroissiens, au prône, les circulaires de l'intendant ou du subdélégué, voire les avis de vente ; il assiste aux assemblées des habitants et quelquefois les préside. La dîme, souvent la treizième gerbe, le rémunère théoriquement et permet l'entretien de l'église et le soulagement des pauvres mais, souvent détournée de sa destination, elle est devenue aussi impopulaire que les droits seigneuriaux :

> *Nous serions désireux qu'on établisse un Bureau de Charité dans la paroisse de Courgains pour exempter les pauvres de mendier. Pour y parvenir, on pourroit obliger MM les Religieux de Saint-Vincent du Mans qui jouissent de beaucoup de grosses métairies et de la moitié de la dixme sans donner aucun secours aux Pauvres à soutenir pour partie ce Bureau. Ils étoient autrefois tenus et payoient soixante boisseaux de seigle aux pauvres de Courgains ; on ignore les motifs qui ont engagé les dits Religieux à frustrer les pauvres dudit Courgains de ce don. (Arch. dép. de la Sarthe, C 89bis).*

La ville du Mans

En 1481, Louis XI avait donné aux habitants du Mans le droit d'élire un maire pour trois ans avec six pairs et six conseillers perpétuels à vie pour...

> *Avoir toujours été en frontière de guerre, et, par l'espace de vingt trois ans, occupés et violemment retenus et usurpés par les anglois ; reconnaissant qu'en sa dite ville et cité du Mans y ayant bon et loyal nombre de notables bourgeois, marchands et autres personnes, qui ont toujours bien et honorablement conduit, mené et entretenu les affaires de ladite ville...* (J.-R. Pesche, *Dictionnaire... de la Sarthe,* t. 3, p. 487-488).

L'exécution de ces lettres patentes fut retardée par des difficultés locales. En septembre 1488, Charles VIII les modifia. Dès lors, le sénéchal du Maine, en personne ou par son lieutenant général, remplit la fonction de maire. En 1692, l'office du maire perpétuel fut créé en titre et acheté par Jacques Le Vayer, lieutenant général du sénéchal. Le pouvoir royal, pour des motifs tant politiques que financiers, modifia à plusieurs reprises le mode de nomination aux charges municipales devenues des offices vénaux. En fait, l'intendant contrôle la gestion et les finances des villes.

Justice et gouvernement militaire

L'administration judiciaire et financière est aux mains d'officiers propriétaires de charges vénales et héréditaires, donc indépendants d'une monarchie qui, pour des besoins financiers, multiplie les créations et les ventes d'offices nouveaux, engendrant elle-même ses adversaires.

Le Maine possède, depuis 1568, un gouverneur militaire, grand personnage sans pouvoir réel. Les titulaires de la charge, membres de la haute noblesse comme les Beaumanoir de Lavardin du début du XVIIᵉ siècle, ne viennent que rarement au Mans. Ils y sont représentés par un lieutenant général, charge qui reste, de 1632 à la Révolution, dans la famille de Beaumanoir puis dans celle de Tessé après le mariage de Madeleine de Beaumanoir avec René de Froullay, comte de Tessé.

L'intendant

L'histoire administrative et politique de la France au XVIIᵉ siècle est dominée par la mise en place, tâtonnante, des intendants, successeurs des commissaires départis du XVIᵉ siècle. L'essentiel du territoire de l'actuel département relève de l'intendance de « justice, police et finances » de Tours. Celui-ci possède non seulement des attributions précises de justice administrative, mais il contrôle également les justi-

Portrait du maréchal de Tessé par Laumosnier, artiste local, vers 1660.
(Cliché Musées du Mans).

ces ordinaires avec pouvoir de réviser les procédures, de renvoyer une affaire d'une cour à l'autre, de demander l'évocation d'une cause devant le Conseil du roi. Son intervention tend donc à réduire les inconvénients d'une justice dont la lenteur, le coût et l'enchevêtrement ne sont plus à démontrer. Sans évoquer la multiplicité des justices seigneuriales, il faut mentionner les six tribunaux de bailliage ou de sénéchaussée (les deux termes, ici, sont synonymes), les présidiaux du Mans (1551) et de La Flèche (1595), intermédiaires entre les bailliages et le Parlement de Paris. Dans ces diverses cours, la justice est rendue selon la coutume du Maine. Mais, et cette confusion porte la marque de l'Ancien Régime, chaque administration a ses propres tribunaux : élections et greniers à sel sont non seulement les circonscriptions de prélèvement de la taille et de la vente du sel, mais aussi des tribunaux relevant de la Cour des Aides de Paris et jugeant, en première instance, les infractions les concernant.

Responsable de la police, c'est-à-dire de « tout ce qui regarde la sûreté et la commodité des habitants », l'intendant assure le maintien de l'ordre public (responsabilité écrasante lors des émotions populaires : grèves de tisserands ou émeutes frumentaires), la lutte contre la mendicité et le vagabondage, le tirage au sort de la milice qu'il préside, la police des grains et l'approvisionnement des marchés :

> *Ne pourriez vous savoir ce qu'il faut dans chaque marché de chaque espèce de grains suivant les saisons pour qu'ils soient suffisamment garnis, c'est une chose que les gens du pays savent ordinairement et qui me mettroit en état non seulement de connoitre leurs ressources mais encore de leur fournir des secours dans le besoin.* (« Charles Pierre de Savalette, intendant de Tours, à Vérité, subdélégué de Château-du-Loir, 15 juin 1747 », *Arch. dép. d'Indre-et-Loire,* C 337).

Cette tâche d'approvisionnement est difficile avec l'application des édits de 1763 et 1764 sur la liberté du commerce des grains. Enfin, l'intendant exerce la surveillance de la santé publique en organisant, avec une vigilance de plus en plus grande, les secours lors des épidémies.

En matière financière, seule l'administration des impôts directs (taille, capitation, vingtièmes) figure parmi ses attributions. Le Conseil du roi fixe chaque année le brevet de la taille, somme à la charge de chaque généralité ; l'intendant en opère le « département » en fixant la part de chaque élection de sa généralité, puis, selon les indications fournies par les officiers que sont les « élus », la part de chaque paroisse. Dans le cadre paroissial, la taille est alors répartie et perçue par des collecteurs élus par les habitants, mais cet impôt personnel est réparti le plus souvent de façon arbitraire. Toutefois, dans le courant du XVIIIᵉ siècle, la taille devient « tarifiée » dans l'élection de Château-du-Loir et dans quelques paroisses de celle du Mans comme Champaissant, sous l'influence de François Véron de Forbonnais, ou Mamers. L'appréciation arbitraire des collecteurs est alors remplacée par une analyse exacte des « facultés » de chacun : terres et maisons possédées ou louées, bestiaux, exercice d'un métier, et leur taxation selon un « tarif » fixé d'avance. (*Arch. dép. de la Sarthe,* C 11 à 18, 20, 24).

En revanche, la perception des impôts indirects : aides (taxes sur les boissons, importantes dans cette région où le commerce des vins, cidres et eaux-de-vie est actif) et surtout gabelle, est affermée par le roi à des particuliers. Le Maine appartient aux pays de grande gabelle, c'est-à-dire que les habitants doivent consommer obligatoirement une quantité minimum de sel qu'ils paient au taux maximum (56 à 58 livres le minot contre 2 à 3 livres en Bretagne, province franche). Cette vente se fait dans le cadre des greniers à sel. Greniers de vente volontaire le plus souvent où les habitants payant au moins 30 sols de taille achètent, au fur et à mesure de leurs besoins, au minimum un minot de sel (72 litres réputés peser 100 livres) pour quatorze personnes au-dessus de 8 ans, et cela pour pot et salière seulement, le sel pour salaison étant tout différent et devant être acheté en sus ; les autres, les pauvres, peuvent ne prendre que la quantité qui leur est nécessaire. Greniers d'impôt aussi (c'est partiellement le cas de celui de Sablé) où la gabelle, devenue un véritable impôt direct, consiste dans l'obligation d'acheter une quantité de sel fixée arbitrairement et répartie, comme la taille, entre les paroisses relevant du grenier, et, dans chaque paroisse, par des collecteurs élus. Quel que soit le régime, la gabelle apparaît comme particulièrement impopulaire. L'unanimité des cahiers de doléances en témoigne ; bien des habitants se plaignent comme ceux de Quincampoix :

> *Les habitants racontent qu'ils sont accablés d'une multitude d'impôts directs et indirects.* (Paul Bois, *Cahiers de doléances du tiers état de la sénéchaussée de Château-du-Loir,* 1960, p. 43).

En 1784, Necker soulignait que l'imposition moyenne était de 22 livres dans la généralité de Tours. P. Bois calcule qu'elle est de 30 livres à Quincampoix !

Saint-Cosme-en-Vairais. Ballet de l'église de Champaissant. C'est là que se rassemblait « le général des habitants », à l'issue de la grand-messe ou des vêpres, pour discuter des affaires communes. C'est là, avec Véron de Forbonnais, que fut discuté le projet de taille tarifée. *(Cliché R. Plessix).*

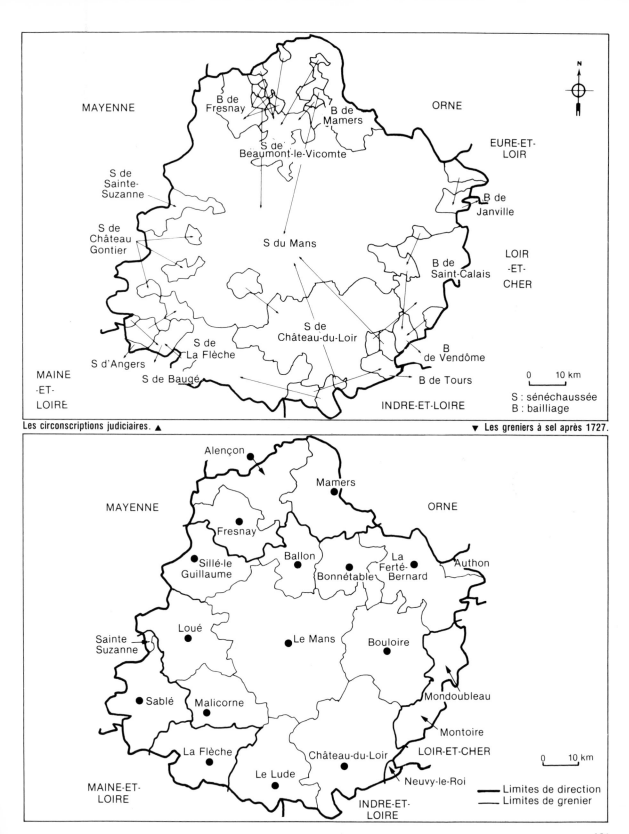

Les circonscriptions judiciaires. ▲

▼ Les greniers à sel après 1727.

191

Mamers. Ecusson du grenier à sel.
(Cliché R. Plessix).

Ainsi, si l'imposition indirecte échappe ou presque à son contrôle, l'intendant « couvre » tous les autres domaines de l'administration et de la vie économique ; productions du sol et état des récoltes l'intéressent comme la situation des manufactures, l'entretien ou la construction des routes. En un mot, tout passe par lui, les décisions et les demandes d'information des « ministères » comme les requêtes des particuliers. Pour faire face à cette tâche imposante, il est aidé par des subdélégués :

> *Il réside dans chaque chef-lieu d'élection un subdélégué qui entretient une correspondance habituelle avec les bureaux de l'Intendance et, comme il y a plusieurs subdélégations très étendues, on a pris le parti d'établir dans quelques endroits principaux de la Généralité d'autres subdélégués auxquels on adresse de Tours directement les affaires, elles sont par ce moyen bien plus promptement expédiées. Ces subdélégués hors des chefs-lieux sont à La Ferté Bernard, à Beaumont-le-Vicomte, à Sillé-le-Guillaume, à Mamers... (Bibl. mun. de Château-Gontier, f° 234, ms. 11).*

Il n'y a pas lieu d'établir ici un jugement de valeur sur l'action des intendants. Mentionnons simplement que leurs efforts pour établir une répartition plus équitable de l'impôt, une justice plus efficace, une économie plus prospère se heurtent aux intérêts des officiers, du clergé, de la noblesse, à l'inertie des structures sociales et économiques. Ces résistances se renforcent et l'intendant cristallise sur sa personne l'opposition à la centralisation monarchique. Certains cahiers de doléances demandent sa disparition et le transfert de ses pouvoirs aux Assemblées provinciales :

> *Ces intendants sont dans leur province des tyrans qui vexent impunément les sujets de votre majesté...* (« Cahiers de Saint-Longis et Thoigné », *Arch. dép. de la Sarthe*, C 89bis).

D'autres sont plus nuancés :

> *Tout le monde convient que les intendants départis dans les provinces y soient utiles mais ne pourroit-on retrancher sur leurs honoraires...* (« Cahier de Grandchamp », *Arch. dép. de la Sarthe*, C 89bis).

Les nouveaux pouvoirs

Le préfet

Par le découpage départemental, l'Assemblée constituante simplifie la géographie administrative de la France et tente de créer, avec le conseil du département, une administration originale. Poussés par les événements, la Convention puis le Directoire s'orientent vers une recentralisation. Le Consulat renoue, en quelque sorte, avec l'inspiration administrative de l'Ancien Régime. Avec ses subordonnés, les sous-préfets placés à la tête de chacun des arrondissements, le préfet, créé par la loi du 28 pluviôse an VIII (17 février 1800), symbolise l'omniprésence et l'uniformité de l'autorité centrale, jalouse de ses prérogatives. Ses attributions « embrassent tout ce qui tient à la fortune publique, à la prospérité nationale, au repos de (ses) administrés », selon la formule de Lucien Bonaparte. En liaison épistolaire constante avec le ministère de l'Intérieur dont il dépend, aucune

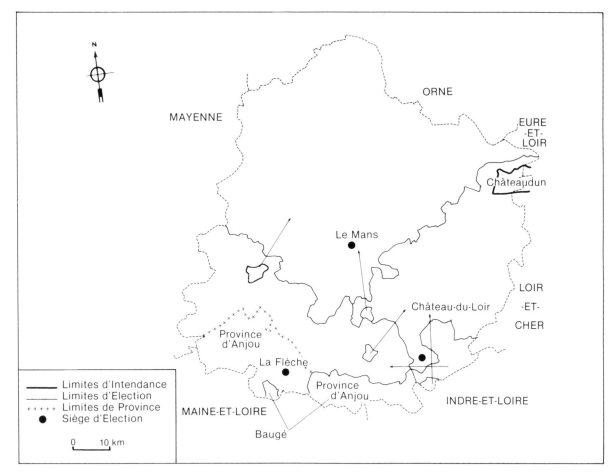

domaine ne lui est étranger. Il préside au recrutement de l'armée, veille au maintien de l'ordre, stimule les activités économiques et les travaux publics, et nomme à de nombreux postes. Avec son collaborateur, le secrétaire général de la préfecture, il répond aux questions extrêmement variées et étendues que lui pose son ministre de tutelle à une époque où la statistique démographique et économique se met en place. Le conseil général et le conseil de préfecture, tout comme le conseil d'arrondissement, n'ont aucun pouvoir réel.

La Justice et les Finances

Dans son œuvre de réorganisation administrative, la Constituante simplifie considérablement l'organisation de la Justice. Le Consulat se borne à y apporter quelques touches complémentaires. A l'exception des juges de paix qui n'ont qu'un rôle d'arbitre et des juges des tribunaux de commerce élus, les magistrats sont nommés à vie, ce qui assure, au moins théoriquement, leur indépendance. Au niveau de l'arrondissement (il y en a quatre dans ce département : La Flèche, Mamers, Le Mans, Saint-Calais), les tribunaux de justice civile et de justice criminelle forment le tribunal de première instance. Au chef-lieu réside le tribunal criminel qui prendra, plus tard, le nom de « cour » d'assises. L'instance d'appel est établie à Angers.

Par contre, Bonaparte réorganise totalement l'administration des Finances. La Direction générale des contributions directes possède

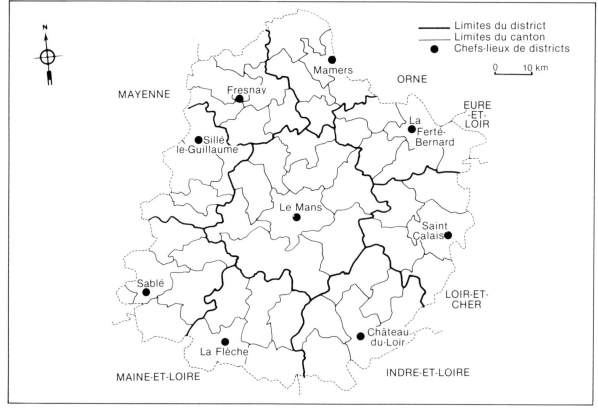

Districts et cantons en 1790.

deux représentants au Mans : un directeur et un inspecteur, un dans chaque arrondissement, le contrôleur, leurs services établissent les rôles. La perception dépend d'un receveur général au Mans, d'un receveur par arrondissement et d'un percepteur dans chaque canton. La rédaction du cadastre, achevée sous la Restauration, permet de rétablir plus justement la contribution foncière.

Les municipalités

Leur organisation a souvent varié. La loi du 14 décembre 1789 fixe les limites des communes, le plus souvent celles des anciennes paroisses, et leur donne une administration. Chaque municipalité comporte une assemblée délibérante, le conseil général, élue pour deux ans par les citoyens actifs, d'où est tiré le « corps municipal » : maire, officiers municipaux, procureur de la commune, le nombre des membres dépend de la population communale.

La Constitution de l'an III ne laisse subsister que trois municipalités urbaines dans les villes de plus de 5.000 habitants : Le Mans et La Flèche qui se dotent de municipalités réactionnaires, Mamers. Partout ailleurs, les municipalités communales s'effacent devant des municipalités cantonales dont la mise en place est difficile :

C'est le cahos (sic) : *sur cinquante trois cantons, à peine une vingtaine (de municipalités) sont organisées, installées et en activité ; quelques autres ont fait leurs nominations, qui n'ont obtenu que peu*

Mamers. Bâtiments du couvent de la Visitation (XVIIIe siècle). Les nouvelles administrations (sous-préfecture, mairie, justice) s'installent dans les anciens bâtiments conventuels. *(Cliché R. Plessix).*

d'acceptants, ou pas du tout ; le reste ne reconnaît en ce moment aucun magistrat ni aucune organisation. (Arch. dép. de la Sarthe, L 157, f° 12 et f° 61).

En 1800, Bonaparte rétablit une municipalité par commune, mais réserve aux pouvoirs publics la nomination des maires, système maintenu jusqu'en 1848. Les conseils municipaux, dont les membres sont choisis parmi les plus riches, ne sont en fait que des bureaux administratifs jusqu'à la loi de 1837 qui confère à la commune la personnalité civile.

Les hommes

Chercher à connaître la population du « département » du règne de Louis XI à la fin de celui de Louis-Philippe est une préoccupation légitime, mais une tâche impossible tant les données disponibles sont rares. L'obscurité, totale pour les XVIe et XVIIe siècles, n'est percée qu'en 1688. A partir de là, il est possible, certaines années et bien que

Leur nombre

les données n'aient pas été collectées dans les mêmes cadres administratifs, de retenir les renseignements suivants pour la fin de l'Ancien Régime et la première moitié du XIXe siècle :

Nombre de feux				
Arrondissements	1688	1713	1725	1764
La Flèche	16.189	15.698	16.162	24.004
Mamers	18.481	17.735	18.456	19.993
Le Mans.....................	35.434	32.572	32.895	36.466
Total	70.104	66.005	67.513	80.463

Nombre d'habitants					
Arrondissements	1725	1764	1806	1836	1846
La Flèche	52.276	73.173	83.604	93.310	101.348
Mamers	75.037	88.120	117.464	133.444	131.366
Le Mans	128.649	162.652	199.166	236.134	242.162
Total	255.962	323.945	400.234	466.888	474.876

Enfant emmailloté. Détail du maître-autel de Duneau, 1780 (J. Lebrun).
(Cliché Musées du Mans).

Jusqu'en 1806, il ne faut pas attribuer à ces données plus d'exactitude qu'elles ne peuvent avoir. Toutefois, les chiffres de feux, aussi imprécise que soit cette notion, manifestent une diminution de population à l'époque de Louis XIV et une reprise à partir du règne de Louis XV. Les chiffres de population confirment cette observation avec une augmentation de 26 %, soit un taux de croissance annuel de 6 $^0/_{00}$ de 1725 à 1764, puis de 5 $^0/_{00}$ de 1764 à 1806. Cette évolution ne provient pas d'une modification fondamentale des structures démographiques : natalité et mortalité demeurent élevées durant toute cette période, la mortalité infantile est catastrophique (sur cent nouveaux-nés, vingt-cinq, rarement moins, parfois plus, ne vivent pas un an). Certes, chaque année les naissances l'emportent le plus souvent sur les décès, mais épidémies et famines, associées ou séparées, frappent à un rythme régulier et ralentissent ou arrêtent les timides velléités de croissance. Fort graves au XVIIe siècle, ces crises s'atténuent au cours des siècles suivants. Elles n'en demeurent pas moins un des traits majeurs de cette démographie de type ancien.

Au vrai, du règne de Henri IV à la Révolution, naissances, mariages et décès, grossièrement, se déroulent dans les mêmes conditions. Par la suite, les premières manifestations d'un contrôle volontaire des naissances réduisent un peu la natalité. Le taux de fécondité légitime passe de 516 $^0/_{00}$ en 1831 à 429 $^0/_{00}$ en 1841 et 395 $^0/_{00}$ en 1846. Une meilleure formation des médecins, les timides progrès de l'hygiène et de la nourriture, les premiers effets de la vaccine, que le préfet Auvray s'efforce de diffuser dès 1804, repoussent lentement la mort :

C'est à vous qu'il appartient de seconder et de favoriser [les officiers de santé] dans leurs travaux, par tous les moyens d'influence et d'action que votre place et votre humanité pourront vous procurer. Vous devez vous entendre, à cet égard, avec MM les Curés ou Desservans de votre paroisse pour éclairer les pères de famille, détruire leurs craintes ou leurs prétentions sur cette nouvelle méthode, indiquer aux officiers de santé les maisons où ils peuvent porter leurs services et publier les résultats de leurs opérations. (Circulaire aux maires, 29 juin 1804).

Mais, en 1856, dans leur rapport, les médecins des pauvres soulignent encore :

> Nous trouvons en première ligne [des causes d'insalubrité] la malpropreté des habitations et les fumiers qui croupissent dans presque toutes les cours de fermes... et le rouissage des chanvres qui répand des émanations infectes. Une alimentation insuffisante et de mauvaise qualité est encore une des causes d'épidémie pour les habitants des campagnes. (Arch. dép. de la Sarthe, M 118bis/1).

Ces mauvaises conditions d'alimentation et d'hygiène trouvent une autre illustration dans les archives militaires de la conscription. Celles-ci fournissent, à partir de 1820, la taille des jeunes garçons à Mamers. De 1820 à 1830, ils ne sont pas plus grands que sous l'Ancien Régime (taille moyenne 1,62 mètre), mais leur taille minimale a progressé (1,40 contre 1,29 mètre en 1788) ; 21,9 % des conscrits sont réformés pour infirmités diverses, dont 34,2 % pour défaut de taille et 19,7 % pour « vice de conformation ».

Taille des conscrits (1820-1830)		
	Nombre	%
Moins de 1,57 m	91	17,87
1,57 - 1,62 m	1.244	24,36
1,63 - 1,67 m	90	17,68
1,68 - 1,73 m	98	19,25
1,74 et plus	21	4,12
Tailles inconnues	85	16,69

(Arch. com. de Mamers, 79 et 206)

> L'élection du Mans... contient 344 paroisses dont cependant une meilleure partie ne doit être regardée que comme des hameaux puisque de cette quantité de paroisses : 49 sont au dessous de 50 feux, 98 sont de 50 à 100, 73 de 100 à 150, 61 de 150 à 200, 63 seulement sont de plus de 200. (Arch. dép. de la Sarthe, arch. com. du Mans, 19).

La répartition spatiale

Il y a un contraste important entre les environs de Vibraye, les moins densément peuplés (29,7 habitants/km² en 1764), ceux de Montmirail, Bouloire et Saint-Calais, de la forêt de Perseigne, du Lude, de Malicorne et de La Suze (30-40 habitants/km²), et le nord du département où les densités atteignent, voire dépassent, autour de Beaumont, Ballon, Mamers et Bonnétable, 60-70 habitants/km². En effet :

> Le triangle Le Mans, Alençon, La Ferté-Bernard est le plus riche en pâturages ; c'est celui dans lequel il se fait le plus d'élèves en chevaux, bœufs, vaches et moutons... On voit là que l'arrondissement le plus abondant en grains et pâturages est celui de Mamers. (L.-M. Auvray, Statistique du département de la Sarthe, Paris, an X, p. 150).

La population urbaine représente 14,6 % de l'ensemble en 1764, 14,8 % en 1846. Le Mans, 16.245 habitants en 1764, 27.461 en 1846, domine déjà l'ensemble. Viennent ensuite la couronne des petites villes rejetées à la périphérie : La Ferté-Bernard, Mamers, Fresnay, Sillé-le-Guillaume, Sablé, La Flèche, Le Lude, Château-du-Loir ainsi que Beaumont, Ballon et Bonnétable. Ainsi, les Sarthois sont-ils massivement des ruraux à l'horizon borné et fragmenté d'un pays qui est, alors, un pays de bocage.

La stabilité et la mobilité démographiques

Dans l'ensemble, ruraux comme citadins ne quittent guère la paroisse où ils naissent et grandissent, travaillent, se marient et meurent. En 1807, 69,7 % des Mamertins sont nés dans la ville et 24,7 % viennent de moins de 25 kilomètres. A Neufchâtel-en-Saosnois et à Saint-Paterne, environ 67 % des nouveaux mariés, au XVIIIᵉ siècle, sont natifs de la paroisse, 19 % des paroisses distantes de moins de 10 kilomètres. Les données mamertines n'ont guère changé en 1825 puisque 91,2 % de la population sont natifs de la ville ou d'une zone de 25 kilomètres autour de celle-ci. De tels chiffres illustrent cette stabilité et ses limites. Il existe, tant en ville qu'en campagne, une micro-mobilité.

Travail, piété et misère suscitent des migrations. Ainsi, les travailleurs saisonniers partent travailler en Beauce. D'autres sont attirés à Mamers par la tisseranderie.

De toutes les parties du département et des départements voisins, les malheureux qui se trouvent disgrâciés de la fortune viennent s'y livrer à la tissanderie, seul moyen qu'il leur reste d'éloigner d'eux l'affreuse misère... (Arch. dép. de la Sarthe, arch. com. de Mamers).

Les rouliers du Bélinois font « des charrois de Château-du-Loir au Mans ou de Malicorne au Mans », ou des environs de Bonnétable « sur l'ancienne et nouvelle route du Mans » ; les bateliers fréquentent la Sarthe à partir de Malicorne. Des pèlerins, comme ce *Johannes Perdrix, natione Gallus peregrinus* » qui meurt à La Suze le 23 septembre 1669, se rendent à Saint-Jacques-de-Compostelle. Les mendiants et les vagabonds, dont chaque crise grossit le nombre (ils sont, par exemple, 178 à Saint-Vincent-des-Prés en 1788), se déplacent fréquemment. Les colporteurs proposent de village en village menus objets, images et almanachs du Mans.

Certaines migrations sont plus lointaines et souvent définitives. Jérôme Le Royer de la Dauversière est, sans quitter La Flèche, le véritable fondateur de Montréal. Julien Fortin, de Saint-Cosme, et un certain nombre de ses compatriotes émigrent, au milieu du XVIIᵉ siècle, vers les rives du Saint-Laurent. François Le Vasseur, de Cogners (mort en 1652), est capitaine flibustier et roi de l'île de la Tortue. Enfin, si certaines familles du Maine ont joué à la fin du XVIIᵉ et au début du XVIIIᵉ siècles un grand rôle dans la mise en valeur de Saint-Domingue, l'étude des contrats d'engagement passés devant les notaires nantais montre la part des Manceaux dans les départs vers les « îles à sucre ». Avec la vente des étamines et des toiles de chanvre, ces départs manifestent l'ouverture des horizons « sarthois ».

Les travaux et les jours

Une étude de la vie économique couvrant les trois derniers siècles de l'Ancien Régime et le début du XIXe siècle jusqu'à la manifestation de la « révolution industrielle » est pratiquement impossible faute de documents précis et globaux avant les grandes enquêtes des intendants. Or, la première est l'*Estat de la généralité de Touraine* dressé en 1688-1689 par Béchameil de Nointel. Avant comme après, une agriculture routinière permet, par sa diversité, la subsistance de ceux qui la pratiquent. Les structures économiques, ainsi que les structures sociales qui en résultent, restent dans l'ensemble celles des siècles précédents. La Révolution, le Consulat et l'Empire développent le désir de statistiques du pouvoir central, les questions multiples et les réponses des autorités demeurent un pactole pour l'historien.

Les travaux

L'agriculture

Cette région, lieu de rencontre entre les formations anciennes du Massif armoricain (qui couvrent la bordure occidentale et affleurent au nord dans le massif forestier de Perseigne) et celles, plus récentes, du Bassin parisien, est très diversifiée. D'est en ouest, terrains primaires, secondaires et tertiaires se succèdent en bandes parallèles grossièrement allongées suivant un axe nord-est sud-ouest. L'intendant Miromesnil souligne partiellement cette diversité dans son *Mémoire* de 1698 :

> Le haut Maine est celui qui approche le plus d'Anjou, de Touraine et de Vendômois, le Pays notamment celuy qui est aux environs du Loir qu'on nomme Vau du Loir est fort agréable par sa variété, il y a des plaines, des coteaux, des valons, des prés, des terres, des vignobles et des bois. Il est fertile en bleds et en vin, on y trouve toutes sortes d'arbres fruitiers et on y recueille abondamment des pommes, des poires, des noix et des châtaignes dont on fait un grand trafic dans les marchés de Château-du-Loir.
>
> L'élection du Mans est aussi très fertile, on y receuille toutes sortes de bons bleds, des vins, des chanvres, des noix et plusieurs autres denrées dont ils ayderoient leurs voisins si les rivières étoient navigables. (Bibl. mun. du Mans, ms. 275bis).

Le paysage est dominé par quelques grands massifs forestiers. « La forêt de Perseigne, qui s'étend sur 10.400 arpents, et la forêt de Bersay (10.100 arpents) » font partie du domaine royal. Les forêts de Sillé-le-Guillaume, Charnie, Bonnétable, Vibraye, La Pierre sont seigneuriales. Le plus souvent, la forêt est exploitée en taillis pour approvision-

Yvré-l'Evêque (XVIIIe siècle). Gravure de Thomas Desfriches. *(Cliché Musées du Mans).*

ner forges et verrerie. Les landes couvrent une superficie importante, notamment celles du Bourray, entre Le Mans et La Flèche (plus de 2.000 hectares) :

> *... [elles] servent de pâturages dont on fait les fumiers pour engraisser les terres, on y fait quantité de nourritures de bestiaux... (Bibl. mun. du Mans, ms. 275bis).*

Une partie des terres demeure périodiquement en jachère :

> *Le fond de la plus grande partie de cette élection [Le Mans] est propre à toutes sortes de grains, mais les terres y sont froides, en sorte qu'elles ne portent en sept ans qu'une fois du blé, une fois du seigle et une autre fois de l'avoine, et on est obligé ensuite de les laisser reposer pendant quatre années. Elles ne sont pas inutiles pour cela, car il y croît de grandes brières où l'on met quantité de bestiaux, ce qui fait la plus grande richesse de ce pays là, joint au travail des peuples qui y sont fort laborieux et qui font trafic de tout. (Bibl. Mazarine, ms. 3412).*

Les défrichements officiels après 1764 n'apportent pas de modifications sensibles. Si l'on retient l'exemple du Saosnois, 780,6 arpents (515 hectares), soit environ 1 % de la surperficie, sont en vingt ans mis en culture.

Des rendements céréaliers médiocres

Malgré la présence de régions plus riches, pratiquant l'assolement triennal avec une année de jachère seulement, les rendements restent faibles. En 1758, dans l'élection du Mans, la récolte de céréales atteint 20 boisseaux (de 32 livres) par journal, soit 7 quintaux/hectare ; en 1760-1764, elle est, en moyenne, de 14 boisseaux de blé et de 13 boisseaux de seigle par journal (5 quintaux/hectare environ). Ces indications tardives, mais valables pour les époques antérieures relevant d'un

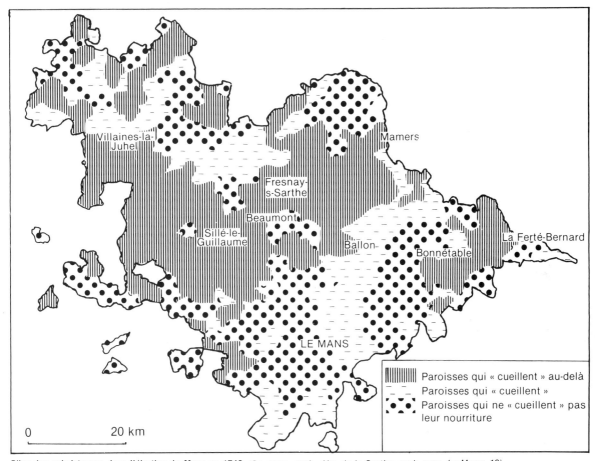

Villaines-la-Juhel

Mamers

Fresnay-s-Sarthe

Beaumont

Sillé-le-Guillaume

Ballon

Bonnétable

La Ferté-Bernard

LE MANS

|||||| Paroisses qui « cueillent » au-delà

Paroisses qui « cueillent »

•••• Paroisses qui ne « cueillent » pas
leur nourriture

0   20 km

Bilan des subsistances dans l'élection du Mans en 1748. *(Sources : arch. dép. de la Sarthe, arch. com. Le Mans, 19).*

régime économique comparable, posent la question de la nourriture journalière. En effet, François Véron de Forbonnais estime que chaque habitant consomme annuellement « deux septiers tant seigle que froment » ; Caillard d'Aillières et François Nibelle évaluent à 4 livres de céréales, par jour, la consommation d'un ménage sans enfant et à 6 à 7 livres, au minimum, celle d'une famille de deux enfants, c'est-à-dire au moins 1.250 kilogrammes par an. En fait, et la carte le montre, l'équilibre production-consommation atteint en année normale est précaire. Le moindre accident météorologique provoque des difficultés entraînant des crises de subsistance.

Parmi les quatre productions, il faut mentionner les céréales que l'on pourrait qualifier de « secondaires », l'orge qui entre parfois dans la fabrication du pain, l'avoine, le sarrasin produit de substitution le plus souvent, sauf sur les moins bonnes terres, et le maïs, le « bled de Turquie » des textes, apparu au milieu du XVIIIe siècle et cultivé dans la région de Bonnétable notamment.

> [Dans le canton de Conlie] la ressource des habitants est de vendre leur froment et leur seigle lorsque les orges suffisent pour leur nourriture ; quelques uns d'entre eux les voiturent dans les marchés où les grains ont le plus de faveur. (Arch. dép. de la Sarthe, arch. com. du Mans, 19).

En 1848, on consomme encore du pain d'orge à Conlie !

**Un revenu d'appoint :
les plantes textiles**

La culture des plantes textiles, chanvre et lin, progresse depuis le XVe siècle. Elles nécessitent de bons travaux de préparation (trois labours successifs pour le chanvre) et un dur labeur pour la récolte (rouissage, teillage et filage), mais apportent un complément appréciable de ressources au cultivateur, ce que souligne le préfet en 1811 :

L'abondance du chanvre peut en partie contribuer à consoler le cultivateur des pertes que lui occasionne la mauvaise récolte des grains. (Arch. dép. de la Sarthe, M 156/3).

P. Bois a chiffré cet apport : le bordage, d'une superficie moyenne de 6 hectares, a les trois quarts de ses terres labourées, avec jachère une année sur trois, quelques hommées de pré, un potager (dont il ne faut pas oublier l'importance pour la nourriture quotidienne) et un journal de chanvre, si le sol le permet. La récolte des céréales, une vingtaine de quintaux en année normale, suffit (dîmes, semences et menues redevances seigneuriales retirées) à la nourriture d'une famille de quatre à cinq personnes, reste à payer le fermage et les impôts. C'est là qu'intervient le journal de chanvre qui donne environ 220 kilogrammes de brins, sans compter la graine, soit 200 kilogrammes après le prélèvement de la dîme qui deviendront 160 kilogrammes de fil, soit à 1 livre 12 sols le kilogramme une rentrée de 256 livres pour le foyer.

Travail du chanvre. XVIIe siècle. Bois gravé, Monnoyer. Illustration d'un calendrier. *(Cliché Musées du Mans).*

La faiblesse fréquente des pâturages limite l'élevage qui n'est pas ici, comme dans tout l'Ouest, une activité secondaire : chevaux, notamment dans le Saosnois, bovins rares et médiocres élevés en général autant pour leur force de travail que pour leur viande et leur lait, moutons nombreux qui fournissent leur toison à l'industrie textile et leur chair à la boucherie, porcs en petit nombre qui procurent aux gens aisés, sous la forme du cochon sacrifié à l'entrée de l'hiver, l'essentiel de leur consommation de viande, ainsi dans la région de Saint-Paterne :

Un élevage aussi important que les cultures

> Les plus aisés y joignent le cochon salé, quelques volailles et un peu de viande de boucherie. (Arch. dép. de la Sarthe, M 141/7).

Comparée aux données actuelles, la densité du bétail est faible ; l'enquête de l'an XII, aussi imparfaite qu'elle soit, le prouve. Dans les cantons de La Fresnaye-sur-Chédouet, Mamers, Marolles-les-Braults et Saint-Paterne, au nord du département, on trouve 1 cheval pour 11 hectares, 1 bovin pour 6,6 hectares, 1 ovin pour 3,4 hectares, 2.374 porcs et 1.199 chèvres. Toutefois, grâce à la culture du trèfle, cette production et sa vente pour l'approvisionnement du marché parisien notamment, apportaient une ressource appréciable. La volaille est partout présente :

> On nourrit dans le haut Maine quantité de chapons et de poulardes, notamment ceux de Mezere que ceux du pays ont le secret de faire engraisser, dont ils font un grand commerce. (Bibl. mun. du Mans, ms. 275bis).

L'essentiel de cette production gagne le marché parisien.

Au total, malgré des rendements faibles et aléatoires, les terres du Haut-Maine permettent d'assurer la subsistance de la population. Les légumes des jardins, les arbres fruitiers et, notamment, les pommiers à cidre et les vins de la vallée du Loir ou des environs de La Flèche, représentent un appoint non négligeable. Néanmoins, le passif est lourd : importance des terres incultes, faiblesse des rendements céréaliers, médiocrité de l'élevage.

Vers le milieu du XVIIIᵉ siècle, des critiques apparaissent. Certains propriétaires, comme François Véron de Forbonnais sur ses terres de Champaissant, tentent des améliorations. Le 24 février 1761, un arrêt du Conseil crée la Société d'Agriculture de Tours, avec ses trois bureaux de Tours, Angers, Le Mans. Ce dernier, dirigé par son secrétaire perpétuel Louis Véron du Verger, se met au travail dès le 14 avril 1761, lance des enquêtes, suscite des rapports et publie dans les *Affiches* des « recettes » de culture. Dressant le bilan le 30 mai 1775, l'abbé Rottier de Moncé dénombre 476 séances et près de 2.000 rapports ! Il se préoccupe surtout des labours et des semences, des prairies, des défrichements, de l'élevage favorisé par l'arrivée des deux premiers vétérinaires :

Une ébauche de progrès

> Messieurs de la Société d'Agriculture au Bureau du Mans s'empressent d'annoncer au Public le retour des sieurs Augis et Le Boucher de la Poterie, ses premiers élèves à l'Ecole Vétérinaire : tous deux sont brevetés du Roi. Le sieur Augis doit fixer sa résidence dans cette ville, pour y exercer la médecine vétérinaire et y établir une forge de maréchal. La ville de Mamers est le lieu destiné à l'établissement du sieur Le Boucher. Ces deux élèves, dit le Ministre, dans sa lettre du 19 mars dernier, adressée à la Société, rendront de grands services à l'Agriculture, par leur zèle, leur application et leur talent ; ils sont l'un et l'autre d'excellents sujets. (Affiches..., 27 mai 1771).

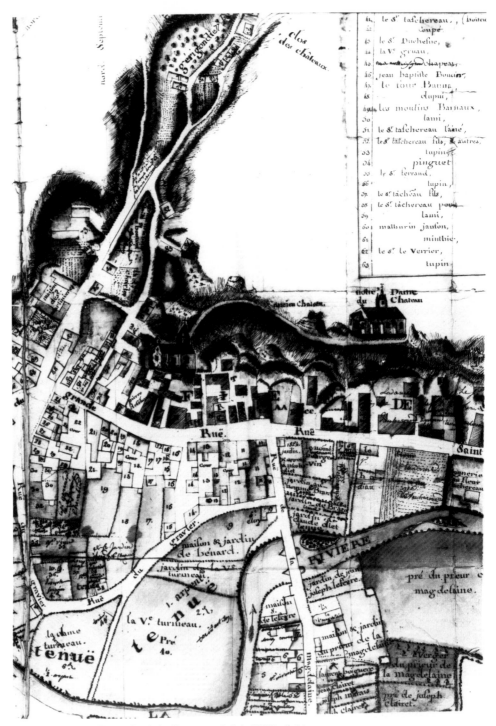

Plan terrier de La Chartre-sur-le-Loir (XVIIIe siècle). *(Arch. dép. de la Sarthe).*

En dépit de toutes ces bonnes volontés, les structures agricoles traditionnelles résistent. La « révolution agricole » n'est ici qu'un mythe, malgré quelques progrès réalisés à la fin du XVIIIe siècle. Il faut attendre le XIXe siècle pour qu'une réelle évolution apparaisse.

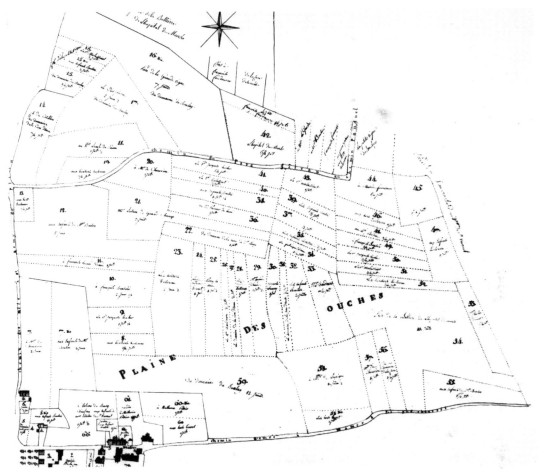

Plan terrier des Mées (XVIIIᵉ siècle). Champs ouverts et laniérés, habitat de fermes groupées dans les « bourgs ». *(Arch. dép. de la Sarthe).*

Le premier XIXᵉ siècle

Lors de l'achèvement du premier cadastre, en 1838, la surface exploitée se répartit ainsi : labours 72 %, herbe 12 %, bois 13 %. Les défrichements continuent, les plantations de pins avancent sur les terroirs médiocres, mais ne couvrent encore que 4.000 hectares en l'an XII. Les landes et les bruyères occupent encore 54.000 hectares en 1835, mais régressent jusqu'à 21.000 hectares en 1852. Les paysans pour exorciser le spectre de la famine ou de la disette, aidés par un léger réchauffement du climat, exigent du sol davantage de céréales nobles (évolution amorcée dès le XVIIIᵉ siècle sur les terres les plus riches). Les surfaces réservées au blé progressent de 15 à 20 % au détriment du méteil qui recule de 15 %, du seigle (moins 31 %) et du sarrasin (moins 71 %). Chaulage et marnage autorisent une progression des rendements de l'ordre de 13 %. La pomme de terre se répand dans les jardins avant d'émigrer, timidement d'abord, vers les champs où le trèfle gagne plus rapidement, couvrant près de 9.000 hectares en 1814, notamment dans l'ouest et le nord. L'élevage, malgré l'échec de la tentative d'amélioration de l'espèce ovine par introduction de mérinos, se développe également doucement. N'est-ce pas le moyen d'avoir le fumier nécessaire au progrès des rendements. Mais, dans l'arrondissement de

La moisson, le blé est « scié » à la faucille, XVIIe siècle. Bois gravé, Monnoyer. Illustration d'un calendrier. *(Cliché Musées du Mans).*

Mamers, le plus riche si l'on en croit le préfet Auvray, on ne compte encore, en 1839, que 0,24 à 0,5 ovin par hectare de jachère et de surface cultivée en céréales, 0,5 à 0,9 porc par vache. En 1840, le rapport existant entre le revenu de l'élevage bovin et celui des céréales est de 17 % pour l'ensemble du département.

Progrès objectifs donc, mais progrès obtenus par une plus grande utilisation du travail humain. La faucille et le fléau sont partout utilisés ; la faux est réservée aux foins, le labour en billon en interdisant l'usage ailleurs. La charrue est présente dans les métairies (exploitations de 15 à 20 hectares le plus souvent), mais le travail à la main, à la bêche ou au croc à deux dents, est le lot commun des bordagers qui ne travaillent, au mieux, que 5 à 6 hectares. Parfois, néanmoins, ils possèdent en commun une charrue ou utilisent l'attelage et la charrue d'un métayer voisin remboursé en journées de travail. Malheureusement, le type de charrue demeure mal connu.

Au total, et Jeanne Dufour l'a souligné, de 1750 à 1850, l'arbre progresse dans le paysage (pommier de plein champ, pin ou arbre des haies), la polyculture est de plus en plus spéculative, l'élevage croît, le paysan vit mieux.

Ce travail agricole, aussi important soit-il, ne couvre pas toute l'activité des campagnes. En effet, l'artisanat rural, partout présent, complète l'activité manufacturière des villes qui le contrôlent. Ceci est vrai surtout de l'industrie textile, de loin la plus importante.

On tisse dans ce « département » deux sortes d'étoffes : les toiles de chanvre et la laine (les fameuses étamines du Mans) dont la fabrication commence vers 1650, comme le rappelle, en 1761, François Véron du Verger, petit-fils de Jean Véron, leur inventeur, pour le Bureau d'Agriculture :

> *Un fabricant imagina de faire des étamines de laine teinte, brisée au peigne, en couleur de gorge de pigeon, dont le grain réussit. Ensuite il fabriqua de ces mêmes étamines qu'on nomme aujourd'hui étamines camelotées, ou à menu grain, toute de laine, qu'il passa au blanc à fleur de soufre pour l'usage de quelques communautés religieuses ; il en fit ensuite teindre de diverses couleurs, la seule couleur noire prévalut toujours pour ce genre d'étoffe sèche de nature ; successivement il fabriqua des étamines à double chaîne, autrement dites à gros grain, qui réussirent également bien. (Arch. Sciences et Arts).*

La draperie produit deux variétés de tissus : les serges et droguets fabriqués avec les moins bonnes laines et les étamines. Faute de documents chiffrés et globaux, on ne sait pas grand-chose sur la croissance de leur fabrication qui utilise les laines des moutons locaux et de ceux du Bas-Maine, et connaît un grand succès comme en témoigne la progression du nombre des métiers dans les localités où les données existent :

Nombre de métiers			
	1692	1708	Moyenne 1759-1769	1780
Le Mans	132	—	383	338
Beaumont	32	50	120	83
Bonnétable	56	60	147	170
Château-du-Loir	11	7	26	24
La Ferté-Bernard	31	—	37	38

La production de ces centres, mais aussi de Ballon, Mamers, Saint-Calais, Mayet, La Flèche, La Suze, Parcé, Sillé-le-Guillaume, Le Lude et des villages voisins de ces petites villes, fait battre, globalement, en 1762, environ 1.350 métiers fournissant du travail à 9.450 personnes à raison de 7 dont 5 fileuses par métier. Or, à cette époque, l'activité décline déjà depuis une vingtaine d'années, frappée par la concurrence anglaise et les guerres du milieu du siècle.

Une fois tissée, la pièce, longue de 42 aunes (environ 50 mètres) et large d'une demie (59 centimètres), ce qui demande de cinq semaines à trois mois de travail selon le nombre de portées à la chaîne, gagne le magasin de l'un des négociants manceaux (ils sont une douzaine) qui la fait teindre et apprêter avant de la lancer sur les marchés. Le tiers de la production est commercialisé à l'intérieur du royaume. Le reste gagne l'Italie où une ville comme Naples absorbe, à elle seule, 4.000 pièces en 1740-1741, l'Espagne et, par l'intermédiaire de Cadix, l'Amérique latine espagnole, le Portugal et le Brésil par Lisbonne, les Antilles et les colonies françaises.

La décadence, pour cette étoffe surtout utilisée par les ecclésiastiques et les gens de robe, s'aggrave avec la disparition de la soutane, la

Une importante production de textiles

Le Mans. Maison dite de la Sirène, construite par Véron du Verger, en 1726. Ce médaillon évoque le grand commerce maritime et les larges horizons des négociants manceaux. *(Cliché R. Plessix).*

dispersion du clergé, la fermeture des abbayes et des couvents au début de la Révolution. La mise sur le métier d'une fabrication nouvelle, l'étamine à pavillon, ne permet pas de refaire le terrain perdu. Les guerres de la Révolution et de l'Empire ferment les routes atlantiques, donc les débouchés traditionnels, et portent un coup fatal à cette activité. Le désir de relance des autorités et des habitants, en 1814, échoue et l'on ne compte plus, dans le département, que vingt à trente fabricants utilisant une centaine de métiers. La draperie commune et bon marché, pour une clientèle populaire, se réfugie autour de Mayet et de Saint-Calais.

Le chanvre des campagnes alimente une puissante industrie toilière au Mans mais aussi, et surtout, autour de La Ferté-Bernard, de Mamers, de Sillé-le-Guillaume et de Château-du-Loir. La date d'apparition de cette manufacture est inconnue mais, en 1665, Michel Berard crée au Mans une importante blanchisserie de toiles et, en 1668, 22 % des mariés mamertins de profession connue sont tisserands.

Suivre la progression de cette fabrication, étudiée comme celle de l'étamine par François Dornic, est aussi fort difficile. Les renseignements conservés (des données statistiques adressées chaque semestre à l'intendant et au contrôle général par les inspecteurs des manufactures) sont fragmentaires et fournissent un nombre de pièces marquées, c'est-à-dire ayant reçu, contre le paiement d'une taxe, un plomb, garantie de qualité. Or, malgré les poursuites judiciaires, la fraude est considérable, tant de la part des marchands que des particuliers. Les inspecteurs des manufactures, désabusés, le soulignent comme Huet de Vaudour à la fin de l'Ancien Régime :

> Il est généralement connu qu'il se fabrique communément chaque année dans l'arrondissement de chacun des bureaux plus du triple de pièces que le nombre porté par les états cy-contre, soit que les fabricans ne les fassent pas marquer, ou les vendent au détail sans marque, ou que les gardes-jurés et préposés ne soyent pas fidèles pour les enregistrements et la perception des droits de marque. (Arch. dép. d'Indre-et-Loire, C 134).

Enfin, les comparaisons sont difficiles entre les bureaux de marque puisque la longueur des pièces est variable : 21 aunes au Mans selon un état de 1760, 22 à Bessé-Courtanvaux et Saint-Calais, 46 à Château-du-Loir et Bouloire, 90 à Mamers, comme leur qualité et que les fabricants de Fresnay portent leurs « toiles fines de brin » à la halle d'Alençon. Le 17 avril 1780, l'inspecteur dénombre 2.065 métiers à chanvre dans ce « département » et ajoute :

> Il est impossible de dire la quantité et le prix des matières premières qu'on emploie dans la fabrique des toiles puisque l'un et l'autre dépendent de la qualité et de la longueur des dites toiles, comme aussi de la quantité de monde qu'elle fait vivre. L'état que l'inspecteur donne des ouvriers qu'on y emploie est sans y comprendre les filatures ayant reconnu par expérience qu'un métier de toiles occupe communément trois ouvriers. (Arch. dép. d'Indre-et-Loire, C 114).

La fabrication se maintient autour de 45.000 pièces durant toute la seconde moitié du XVIIIe siècle, sans tenir compte des produits de Fresnay :

> La plupart de ces toiles sont fabriquées par des gens de campagne dont le travail est souvent interrompu... Toutes ces toiles ont différentes destinations suivant leurs qualités : les plus communes sont envoyées en Amérique, celles de Mamers sont consommées dans la province et dans l'intérieur du royaume à l'exception d'un sixième qu'on exporte à l'usage des voiles de vaisseaux... (Bibl. mun. de Château-Gontier, f° 431 et f° 432, ms. 11).

Vers 1815, 2.626 métiers à toiles battent dans le département, le plus gros centre de fabrication demeurant Mamers avec 654 métiers. En 1833, le négociant et blanchisseur manceau Charles Thoré en compte 5.270 dont 1.400 à 1.500 pour les deux centres, pratiquement égaux, de Fresnay et Mamers. Enfin, la *Statistique industrielle de la France* de

1847, en dénombre 8.449. Ces quelques chiffres illustrent la progression de cette activité durant la première moitié du XIXᵉ siècle. La fabrication se fait, là comme ailleurs dans l'Ouest, dans une multitude d'ateliers familiaux, quelques fabricants seulement faisant battre plusieurs métiers dans leur cave et prenant ainsi figure de petits entrepreneurs. Aussi peut-on parler, notamment dans l'arrondissement de Mamers, d'une « nébuleuse textile ».

Vers 1750, à Bessé-sur-Braye, Elie Savatier implante la fabrication des « siamoises », faites de fils de lin et de chanvre, ou de coton et de chanvre, introduisant timidement une nouvelle fibre, pleine d'avenir, dans les textiles du Maine.

La métallurgie du fer   Très loin derrière le textile vient la métallurgie, activité très ancienne puisque les grosses forges du XVIIIᵉ siècle remplacent de nombreux bas fourneaux antérieurs. Le *dénombrement des fourneaux et forges de la province du Maine* de 1758 en dénombre cinq dans les limites de l'actuel département :

Antoigné : fourneau et forges se joignant, à une lieue de Ballon... de la paroisse de Sainte-Jamme, sur la rivière de Sarthe. Les mines se

Saint Eloi, patron des forgerons. Eglise de Vernie. *(Cliché Michèle Ménard).*

tirent dans le voisinage, elles sont abondantes mais pauvres. Outre les fontes en gueuses et autres à l'usage de la forge [on moule des] contrecœurs de cheminée nus ou figurés, chaudières, fourneaux, marmittes, noix de moulin à fruits, pots, poisonneries, poêles quarrés et ronds, tuyaux...

Cordé : fourneau de la paroisse de Mont-Saint-Jean situé sur un petit mais bon cours d'eau... Les mines qui s'y consomment n'en sont éloignées que d'environ une lieue. Il ne se coule en ce fourneau que des gueuses et autres fontes destinées pour la forge de Laune qui en dépend, en est à un quart de lieue au dessous...

Chemiré-en-Charnie : fourneau et forge de la paroisse du même nom... Il ne se coule dans ce fourneau que de la fonte en gueuses et autres à l'usage de la forge. Le fer est très cassant propre à clous...

La Gaudinière : fourneau et forge se joignant à une lieue et demie de Fresnay... de la paroisse de Sougé-le-Ganelon. Les mines en sont éloignées d'une lieue et demie. Il ne s'y coule que des gueuses et autres fontes pour la forge. Le fer est doux et d'une qualité recherchée, les Normands commercent de la plus grande partie, le reste se débite dans le pays, particulièrement à Saint-Léonard-des-Bois où il est employé en clous...

Laicivet : ... de la paroisse de l'Abbaye d'Etival, les mines sont les mêmes que celles de Chemiré... (Arch. Sciences et Arts).

Il faudrait y ajouter la forge de Cormorin, dans la paroisse de Champrond, à mi-chemin des forêts de Vibraye et de Montmirail, et celle de :

Vibraye [qui donne] du fer cuivreux, cassant à chaud et dur à froid, propre à faire des essieux, des bandes et clous de voitures et socs de charrue... (Bibl. mun. de Château-Gontier, f° 618, ms. 11).

La forge d'Etival s'éteint durant la Révolution. Les cinq autres survivent, comme les autres forges françaises utilisant le charbon de bois et l'énergie hydraulique, à l'abri d'un protectionnisme douanier qui éloigne les produits britanniques au coke et meilleur marché. L'essentiel de la production assure les besoins locaux ; une partie gagne Angers, Domfront ou Caen.

Les industries secondaires

Quelques industries traitent, par ailleurs, les matières premières locales. Tanneries, mégisseries et corroyeries utilisent les peaux et alimentent la foire du Raillon au Lude. Les poteries sont partout présentes, celles de Ligron et de Malicorne fournissent les plus beaux objets.

La verrerie dite de la Pierre est établie dans la paroisse de Coudrecieux [elle] est très considérable [et] n'éteint jamais. On y fait toutes sortes d'ouvrages. (Bibl. mun. de Château-Gontier, f° 620, ms. 11).

Daphné du Maurier évoque les travaux et la vie de ces ouvriers dans les *Souffleurs de verre*. Les sabotiers animent les bourgs proches des forêts. Les cires et bougies assurent la réputation du Mans.

Le sieur Hallaye établit au Mans la première blanchisserie vers l'an 1570 ; il communiqua les connoissances que l'expérience lui avoit acquise au sieur Hossard, son gendre ; ce dernier s'attacha d'une manière particulière au blanchissage des cires. Ses descendants l'ont perfectionné au point que la ville du Mans jouit depuis longtemps d'une très grande réputation en ce genre. (Bibl. mun. de Château-Gontier, f° 434, ms. 11).

Les bougies mancelles se vendent, avant la Révolution, pour l'éclairage de Versailles et des théâtres parisiens, des châteaux et des maisons religieuses, mais aussi pour les cours étrangères, l'Espagne et l'Amérique du Sud.

Les voies de communication

En plus de la production des denrées agricoles et des produits industriels, l'économie d'une région comporte leur échange. La nature, la facilité, la fréquence et le coût des communications lui impriment un caractère dominant. Or, ici, le tableau est loin d'être brillant.

La voie d'eau est presque inexistante. Les projets concernant la Sarthe sont nombreux mais, durant tout l'Ancien Régime, les bateaux ne circulent que de Malicorne à Angers. Lors de la famine de 1751, il fallut l'intrépidité de Véron du Verger, le dévouement et la dextérité des bateliers de Malicorne pour, profitant d'une crue, acheminer jusqu'au Mans des blés achetés à Nantes qui attendaient à Malicorne. Certes, en 1822, un bateau à voile remonte d'Arnage au Mans où commencent, en 1827, les travaux de construction du port. Mais, ce n'est que le 13 novembre 1832, que le *Courrier de la Sarthe* annonce l'arrivée d'un bateau au Mans, encore la navigation ne s'effectue-t-elle qu'à mi-charge depuis Malicorne. En 1835, le canal des Planches, aujourd'hui enserré entre des bâtiments, est achevé et, sur la rive gauche, débute la construction d'une première tranche de quai à proximité du pont Napoléon (pont Gambetta), Auvray en avait posé la première pierre en 1809. Le 28 juillet 1839, préfet et maire du Mans posent la première pierre du port, à une époque où l'on ne songe pas encore, ici, au chemin de fer.

Le Loir porte des bateaux jusqu'à La Flèche, ils doivent s'alléger pour gagner Le Lude ou La Chartre. Les nombreuses écluses ralentissent le trafic ; il faut dix jours à la montée pour rallier Le Lude à Angers, six et demi à la descente.

Les voies de terre sont donc les seules utilisables pour communiquer entre les paroisses ou les communes et avec les régions voisines. Des sentiers ou chemins forment une trame touffue et l'on demeure étonné de leur fréquence à la lecture des actes notariaux par exemple. Beaucoup d'entre eux ont disparu sous l'action des machines modernes, l'amateur de lieux-dits, l'amoureux des sentiers piétonniers peuvent toujours, avec plus ou moins d'aisance, essayer de suivre leur tracé. Mendiants, colporteurs et peut-être marchands, bœufs et chevaux des cultivateurs et des charroyeurs les empruntent. Toutefois, ce ne sont pas eux, mais les routes qui peuvent assurer les débouchés commerciaux. De plus, souvent ils sont quasiment impraticables. A titre d'exemple, on peut retenir le témoignage de Pélisson de Gennes, bailli du Saosnois, s'adressant à l'inspecteur des manufactures Nioche de Tournay :

> *Les chemins de communication par où se fait le débouché de toutes les denrées sont depuis le mois de novembre jusqu'en mars presque impraticables, par la négligence des riverains et à cause des arbres qui les bordent et empêchent le soleil de les sècher. (Arch. dép. de la Sarthe, M 174/1).*

Tableau sombre mais non noirci. L'abbé Launay, vicaire à Loué, François-Yves Besnard, curé de Nouans, et l'enquête de la Commission Intermédiaire en 1788, soulignent cette situation. Les cahiers de doléances fournissent des témoignages sur les difficultés déjà rencontrées aux environs de Bourg-le-Roi par les comédiens du *Roman Comique*. Etudiant, en 1861, les moyens d'améliorer l'agriculture dans la Sarthe, A. de Villiers de l'Isle Adam écrit :

> *Qu'on se figure une voie de 3 ou 4 mètres de largeur, dominée par deux talus élevés, surmontés eux-mêmes d'une haie qui intercepte l'air et le soleil. La surface toute entière est une boue pâteuse, coupée par deux ornières profondes. On y rencontre de distance en distance*

Auberges à Arnage avec leurs enseignes. *(Arch. dép. de la Sarthe, H 37, plan terrier des biens de l'abbaye de La Couture, XVIIIe siècle).*

des flaques d'eau stagnantes qui sèchent à peine par les grandes chaleurs de l'été. Tel est le chemin, impraticable pour les piétons, un cheval a bien du mal à y traîner une charette vide. (Bull. Sciences et Arts, t. XVI).

Les pouvoirs publics, et tout particulièrement Trudaine, directeur des services des Ponts et Chaussées depuis 1743, s'efforcent, dans la seconde moitié du XVIIIe siècle, d'améliorer cette situation, mais ces efforts ne portent que sur les grandes routes. C'est ainsi que la vieille route de Paris à Nantes par Bellême, Saint-Cosme, Bonnétable, axe des départs vers le Canada, améliorée en 1734, est doublée par une nouvelle route ouverte en 1771 par La Ferté-Bernard, Le Mans et La Flèche. La route de Tours à la Normandie est construite entre 1752 et 1780. Arthur Young l'emprunte :

Vers Alençon [...] une belle route, faite avec une pierre de couleur sombre, apparemment ferrugineuse qui se tasse bien. (Voyages en France..., p. 256-257).

Celle d'Orléans à Rennes par Saint-Calais, Le Mans et Laval, entreprise en 1766, est achevée en 1777. La route d'Angers à Mamers par Sablé, Sillé-le-Guillaume existe à peine et celle d'Alençon à Nogent-le-Rotrou par Mamers, ouverte en 1760, est inachevée :

La route d'Alençon [...] est encore impraticable surtout dans la partie de la forêt de Perseigne, les charettes et autres voitures y restent à chaque instant, les conducteurs sont quelquefois obligés de les abandonner pendant la nuit avec les marchandises dont elles sont chargées... (Arch. dép. de la Sarthe, C 95/24).

Celle du Mans à La Chartre, entreprise en 1788, ne sera terminée qu'après la Révolution.

Au total, ces grands axes, réalisés grâce à la corvée honnie des paysans, sont insuffisants mais les autorités, faute de moyens, ne peuvent faire mieux. Malgré tout, morues vertes et sèches, sucres et cassonades, drogueries, épiceries et huiles fines viennent à dos de cheval d'Angers au Mans ; étamines, bougrans et cuirs font le chemin inverse, d'où un surcoût de 10.920 livres par rapport à la voie d'eau si l'on en croit un rapport de Véron de Verger, de 1740 ; 5.000 pièces de toiles de chanvre partent vers La Rochelle pour les colonies françaises ainsi que des bougies du Mans supportant 21.480 livres de frais de transport, contre 2.058 livres 10 sols si la Sarthe était navigable : lourd handicap pour l'économie locale.

Au XIXe siècle, les routes ne posent plus de problèmes. Le Mans est dès lors au centre d'un carrefour bien conçu. Les relations entre les villages ne s'amélioreront qu'après 1830. Et, dès 1842, les Manceaux entrevoient l'arrivée du chemin de fer.

Guerre, peste et famine : trois maux toujours redoutés

De la fin de la guerre de Cent Ans à l'avènement de Louis XIV, les contrecoups des troubles politiques affectent encore la vie des « Sarthois ».

Les guerres de religion

La lecture du *Registre du Consistoire* prouve, s'il en était besoin, que les protestants n'hésitent pas à s'affirmer dès 1561. Or, l'intolérance règne dans les deux camps. Aussi, le premier incident entre les deux communautés éclate-t-il rapidement :

> *La sédition qui arriva ès forsbourg Sainct-Jehan de ceste ville, soubs prétexte de la religion, le jour et feste de l'Annonciation faicte à la Vierge, qui fut le vingt-cinquiesme jour du dict moys de mars, où fut tué par les papistes ung fidelle nommé Jacques Bouju sieur des Marais ; lequel fut meurdry de telle sorte et luy fut tant donné de coups après sa mort qu'il n'avoit plus aucune forme d'homme. Aussi y fut tant blécé et excédé ung aultre fidelle nommé Jehan Richard par les dits papistes qu'il fut par eulx laissé pour mort, et à grand peine fut reconneu par ceulx qui le levèrent de terre.* (Anjubault et Henri Chardon, *Recueil de pièces inédites pour servir à l'histoire de la Réforme et de la Ligue dans le Maine,* Le Mans, 1867, p. 14).

L'édit de 1562 accorde la liberté de culte hors des villes closes et dans les maisons privées dans un souci de tolérance, mais le massacre de Vassy est le signal de la lutte ouverte. Le 3 avril, le lendemain de la prise de Tours, Jean de Vignolles, lieutenant particulier, à la tête d'un groupe de réformés, aidé de fidèles venus de Mamers et de Bellême, s'empare, soi-disant au nom du roi, du château et des portes du Mans. Le pillage se déchaîne. Prieur et ses Mamertins mettent à sac et incendient l'église des cordeliers et le couvent, celui des jacobins, est pillé. Jean de Vignolles négocie vainement avec les chanoines de la cathédrale

Jean de Vignolles, écuyer.
Portrait peint à Anvers par Robelot, en 1563.
Palais de justice du Mans.
(Cliché René Plessix).

pour éviter la destruction du trésor. Les objets les plus précieux sont enlevés sous prétexte d'inventaire, puis c'est la destruction systématique. Au total, les dégâts atteignent 256.000 livres. Certes, détruire les images c'est anéantir les supports de la superstition, mais cette violence s'accompagne de l'incinération de manuscrits précieux et des titres de fondation. Ne faut-il pas, dès lors, y voir une volonté de renverser le monde faute de pouvoir le modifier profondément dans la longue durée ?

D'autant que la situation n'est pas sûre. Craignant l'avance des catholiques dans la région, probablement sur une fausse nouvelle, le 12 juillet, la garnison protestante évacue la ville et se replie sur Beaumont-le-Vicomte où elle tue huit habitants, incendie l'église, les halles et plusieurs maisons ; Fresnay où elle pille l'église et Alençon. Dans leur précipitation, les huguenots abandonnent le registre du consistoire qui devient pièce à conviction, avec quelques documents trouvés chez Du Breil, receveur des domaines, le 5 août, au cours d'une perquisition.

> *Trois rolles en pappier es quels estoient les noms et surnoms des cappitaines et souldats qui ont tenu ceste ville et chastel forçablement, appostillez en teste de la solde et paiement qu'ils avoient...* (Anjubault et Henri Chardon, *Recueil de pièces inédites pour servir à l'histoire de la Réforme et de la Ligue dans le Maine*, Le Mans, 1869, p. XXIV).

Dès cette date, l'instruction commence contre les réformés et conduit à 124 condamnations, dont beaucoup par contumace. Les représailles catholiques se multiplient. Ainsi, Préaux et Boisjourdan, le 3 novembre, arrivent à Mamers accompagnés d'une centaine de soldats, massacrent quelques protestants et se livrent au pillage durant trois jours.

L'édit d'Amboise restreint la tolérance aux gentilshommes, mais ne met pas un terme à l'insécurité permanente. Jean de Champagne, seigneur de Pescheul à Parcé, pourchasse les protestants qu'il fait jeter dans la Sarthe, se vantant de les faire « boire à son grand godet ». Le 8 octobre 1567, des huguenots pénètrent à Sablé, pillent l'église et poussent un raid jusqu'à Solesmes. En mars 1568, les baptêmes sont célébrés dans le château de Lucé « pour les troubles lors regnans » ; fin mars-début avril, c'est un raid de Fertois contre les religionnaires de Bonnétable, puis :

> *L'an mil cinq cens soixante et xvij le xxiiij d'apvril à l'heure de sept heures du soir, six compaingnies du régiment de mons de Bussy* (Louis de Clermont, sieur de Bussy d'Amboise, gouverneur d'Anjou) *furent repulsés de devant la ville de Mamers, et le lendemain, les compaignies du cappitaigne de Clerefontaine furent defettes par les soudars dudit Mamers, Mortaigne, Bellesme, Longne, La Perrière et le plat pays.* (Registre paroissial, *arch. com.* de Mamers).

En juillet 1568, les députés des trois ordres se réunissent au Mans à l'instigation de Pierre de Thouars, au couvent des jacobins, pour maintenir le catholicisme et le service du roi contre les réformés. Pendant ce temps, Charles d'Angennes, évêque du Mans, part comme ambassadeur à Rome, d'où il ne reviendra qu'en 1574 pour quelques mois. Il décédera en Italie en 1587.

La formation de la Ligue complique encore la situation. Au Mans, Philippe d'Angennes, lieutenant général, et l'évêque Claude d'Angennes, monté sur le trône épiscopal le 2 avril 1588, sont favorables au roi. La majorité du Présidial penche pour la Ligue, le clergé et la noblesse semblent indécis. Le clergé rural soutient le parti des Guises. Petites villes et villages se mettent en état de défense, les habitants fortifient de nombreuses églises.

Après les assassinats de Henri le Balafré et du cardinal de Lorraine, l'évêque recommande à ses fidèles l'obéissance au roi. Mais Urbain de Laval, seigneur de Bois-Dauphin, capitaine ligueur, contrôle la ville et sa région. Il s'empare du château le 11 février 1589, fait emprisonner des « royaux » qualifiés d'huguenots. Les geôliers, chanoines ou artisans comme Les Veau (apothicaire-cirier et marchand de soie) massacrent certains de leurs prisonniers. Parallèlement, il impose à la ville (et notamment aux royaux) de lourdes contributions pour assurer sa défense. La Ferté-Bernard passe également à la Ligue. Guy de Saint-Gelais, sieur de Lanzac, assiège le château épiscopal de Touvoie, à Savigné-l'Evêque, le 9 juillet et s'en empare le 21, puis échoue à Souligné-sous-Ballon devant le château des Epichelières et à La Flèche. En août, Claude de Brie, seigneur de La Motte-Serrant, s'attaque au château de Vau, près de Saint-Calais, où sont réfugiés des ennemis de la Ligue.

Le 1er août 1589, Henri III est assassiné. Henri de Navarre reconnu roi de France échoue devant Paris et se replie sur Tours. La Chartre se soumet, Lanzac abandonne Château-du-Loir où Henri de Navarre rejoint son armée et fait mouvement vers Le Mans qui, abandonné par Bois-Dauphin, se rend en décembre.

> *Les gens de pied reprochaient aux gentilshommes qu'ils avoient capitulé malgré eux et fut trouvé estrange d'avoir fait dépenser à un peuple plus de cinquante mille écus pour fortifier la ville et les fors-bourgs, avoir bruslé plus de cent mille écus de maisons, ruisné le païs de dix fois davantage pour attendre trois volées de canon et puis se rendre si facilement. (Palma Cayet, « Campagne de Henri IV dans le Vendosmois et le Maine, 1595, Annales fléchoises, 1908, p. 28).*

Bois-Dauphin cherche à s'établir à Sablé qui se rallie au Béarnais comme Beaumont-le-Vicomte. Seule La Ferté-Bernard résiste encore.

1590 marque la fin des troubles avec la fin du siège de La Ferté-Bernard. Un dernier incident sérieux éclate à Mamers, le dernier jour de mars.

> *En ce mesme temps de caresme, quelques troupes du seigneur de Lanzac feirent un gros pour reprendre Bellesme ou le surprendre. Le seigneur de Hertré, gouverneur d'Alençon se met aux champs, donna l'avis au seigneur de La Raynière, qui avoit garnison entretenue en la ville de Bellesme, afin de se joindre pour les charger, ce qu'ils feirent, et les deffirent à Mamers, où ils furent surpris, s'estant mis en deffences ; une grande partie de la ville fut bruslée par les ligueurs. (René Courtin, Histoire du Perche, publiée par Vte de Romanet et M.-H. Tournouer, Mortagne, 1834, p. 437).*

De l'avènement de Henri IV à la Fronde

L'avènement de Henri IV permet la pacification du royaume et la consolidation de la monarchie ; son assassinat par Ravaillac, en 1610, interrompt une œuvre tout juste esquissée. Le cortège transportant le cœur royal au collège des jésuites de La Flèche, s'arrête à l'abbaye de l'Epau, le 3 juin. Les notables manceaux lui rendent hommage. (Celui de Marie de Médicis y reposera en 1643, tous les deux seront brûlés en 1793). Dès lors, avec la minorité de Louis XIII commence une nouvelle période de troubles.

Au cours d'un « voyage en province », le jeune roi — il n'a que 13 ans — et Marie de Médicis séjournent à Malicorne puis au Mans où ils arrivent le 5 septembre 1614. Mais, durant l'hiver 1616, le prince de Condé essaie de soulever la noblesse locale. Le Mans rétablit sa garde bourgeoise. En février 1617, les troupes royales, sous les ordres de Charles de Valois, comte d'Auvergne, arrivent au Mans puis gagnent Alençon, tandis que commence la destruction du donjon. Deux ans plus tard, en rébellion contre son fils, Marie de Médicis sort d'Angers, gagne La Flèche, prend le château de Malicorne et pousse vainement ses avant-gardes jusqu'à Pontlieue. Venant de Normandie, par Laval, le roi entre au Mans le 30 juillet 1620. Le 3 août, il part pour La Suze et La Flèche, puis disperse les troupes rebelles aux Ponts-de-Cé.

Pour les populations qui ne les comprennent guère, ces événements se traduisent essentiellement par les méfaits des gens de guerre. Il en est de même durant la Fronde.

Sur ces populations affaiblies par la maladie et décimées, le poids de l'impôt, lié à la guerre étrangère, s'alourdit. Aussi, le mécontentement est-il général quand Richelieu (décembre 1642) et Louis XIII (mai 1643) disparaissent. Les *doléances du sel* des habitants de Villaines-sous-Lucé, en 1643, en témoignent.

Touvois.

Baronnie.

Le château épiscopal
de Touvoie.
Plan d'Oudry,
environ de 1747.
Les fortifications
avaient été démolies,
vers 1700,
par Mgr de la Vergne
de Montenard de Tressan.
*(Arch. dép. de la Sarthe,
S 65/4).*

Ladicte paroisse ne consiste la plus grande partie qu'en Landes, brières et buissons ; outre la plus grande partie des habitans de lad. paroisse ont quitté et sont allé en aultre paroisse... et aussi quantité qu'ils ne paient ne sel, ne taille d'aultant qu'ils n'ont aulcuns moyens ; oultre plus, comme à l'estimation du tiers des taxes de lad. paroisse de femmes veufves ; mesme la plus part des habitans quil cherchent leurs vies et plusieurs aultres qui sont en délibération de quitter le pays, d'aultant qu'ils ne peuvent plus résister à l'encontre des subsides, pour voir dix ou douze collecteurs tous à la foy, qu'il demande de l'argent. On le voy le dimanche et feste, le pauvre peuple n'osent aller à l'église, la plus part, à cause des collecteurs. (La Province du Maine, 1906, p. 387).

Une nouvelle période de troubles, plus profonds que les précédents, commence alors que le roi est encore mineur. Dès 1645, la contestation se développe au Mans, mais la Fronde connaît ici deux accès successifs. En 1649, malgré le passage du marquis de Lavardin, lieutenant du roi pour la province, les habitants du Mans se rallient au marquis de La Boulaye, neveu de Henri de La Trémouille, comte de Laval, un des frondeurs, sénéchal du Maine. Entré au Mans le 12 mars 1649, alors que l'évêque Philibert de Beaumanoir de Lavardin s'est réfugié dans son manoir d'Antoigné, il fait vendre le sel 20 livres le minot pour se concilier les bonnes grâces de la population. Le 16 avril, après un échec devant Angers, il se soumet au marquis de Jarzé, petit-fils du maréchal de Lavardin, qui reprend la ville au nom du roi. Ses troupes, nombreuses, se livrent à toutes sortes d'excès.

> *M. le marquis de Jarzé est arrivé en ceste ville avecq 4 régimens, scavoir les regimens de la Reine, de Piémont, Navarre et Picardie. Il y avoit plus de 2 000 hes de pied, effectifs qui ont logé es forbourg : de St-Nicolas, La Coulture et St-Vincent... où ils ont causé 20 000 livres de perte aiant rompu et vollé ce qu'ils trouvoient desquelles violences les habitans ont rendu plaincte et ont esté dressez procès-verbaux... Dieu préserve la ville et la province de tels fléaux.* (Julien Bodreau, « Mémoires », *Annuaire de la Sarthe*, 1906, p. 124-125).

En février 1652, François de Vendôme, duc de Beaufort, fait mouvement pour secourir Angers soulevée et menacée par Mazarin rentré d'exil avec des troupes recrutées en Allemagne pour renforcer l'armée royale.

> *Tous mes avis sont que les troupes de M. de Beaufort sont de quatre mille hommes, quil a quatre pièces de canon. Il avance fort peu dans sa marche et doit coucher aujourdhuy aux environs de Vibraits. Son intention est de venir droit au Mans, où ie suis, et où ie l'attend de pié ferme. Iay fait rompre tous les ponts, tous les quays et tous les passages, et couper des arbres dans tous les chemins où il doit passer. Ils doivent venir coucher demain à Lavaré qui n'est quà sept lieux dicy.* (« Comte de Tresme à Mazarin, 21 février 1652 », *Provinces de France*, vol. 238, *arch. du ministère des Affaires étrangères*).

Beaufort menace vainement La Ferté-Bernard, piétine devant Le Mans défendue par René Pottier, comte de Tresme, gouverneur de la province, âgé de 73 ans.

> *Je vous ai deia mandé comme les troupes de Monsr de Beaufort sont aux environs de cette ville, et qu'il a pris tous ses quartiers à une lieue aux environs dicy et harcelle tous les iours les habitans, ce qui les oblige à estre iour et nuit sous les armes...* (« Comte de Tresme à Mazarin », *Provinces de France*, vol. 238, *arch. du ministère des Affaires étrangères*).

Après la capitulation de Rohan à Angers et la prise des Ponts-de-Cé par l'armée royale, Beaufort se replie vers Orléans, tandis que ses troupes se livrent aux pires exactions de Montfort à Ballon et jusqu'au Perche.

> *J'ay la meilleure infanterie du monde, mais les plus grands voleurs, n'y pouvant apporter remèdde, quoyque jy fasce tous mes efforts.* (« François de Vendôme, duc de Beaufort, à Léon Bouthillier, comte de Chavigny, secrétaire d'Etat, 2 mars 1652 », *Provinces de France*, vol. 238, *archives du ministère des Affaires étrangères*).

Dès lors, Louis XIV et Colbert ont place nette pour mettre en œuvre leur programme d'ordre et la région ne connaît point de mouvement populaire, si ce n'est l'émotion qui agite Le Mans à la fin d'avril 1675 contre le projet de remplacement de la taille par un octroi.

Entre ces périodes de troubles, une autre histoire s'écrit, anonyme et millénaire, celle des hommes aux prises avec les réalités quotidiennes, et, tout d'abord, la maladie.

Peste et épidémies

Depuis le XIVᵉ siècle, sous la forme bubonique plus que sous la forme pulmonaire, la peste afflige villes et campagnes, riches et pauvres, à intervalles plus ou moins réguliers. Après les épidémies de 1509 et 1515, — année où les moines de La Couture fuient leur abbaye pour trouver refuge, d'août à décembre, dans leurs manoirs ruraux — de 1524-1526 et 1544 (notamment à Beaumont-le-Vicomte), le mal semble s'assoupir. Il réapparaît au Mans et à La Flèche en 1581, un peu partout en 1583-1584, puis en 1598-1599, notamment au Mans, et en 1601. Commence alors une nouvelle rémission qui s'interrompt brutalement en 1625. La « contagion » ravage, dès lors, de nombreuses paroisses jusqu'à sa disparition définitive en 1640. Le dépouillement des registres paroissiaux, quand ils existent, ne fournit guère de données chiffrées, mais permet tout de même, au travers de quelques témoignages, de comprendre l'effroi des contemporains. Ainsi, l'épidémie accable Trangé en 1583-1584.

> [Le 9 juin 1584] a esté enterré le corps de Pierre Repussart au cymetière de Trangé, lequel Repussart sa femme la toute seulle enséputuré et amené au dit cymetière et puis après la descendu de la brouette et puys trainé et mis en la fosse, sans auchun oyde, qui estoit grande pitié, parce que on doubtoist quie estoit mort de la peste. Requiescat in pace. (Registre paroissial, *arch. com. de Trangé*).

Elle y règne de nouveau en 1626. La situation est tragique à Gastines, en 1639.

> Pierre Bourgalay, métayer de la Havardière, étoit frappé de la contagion ; il avoit un charbon au défaut de l'épaule et la contagion sous l'essaile, il fut enterré au cimetière [7 novembre] par sa pauvre femme et par son frère, la nuit, sur les dix heures du soir. Ses quatre enfants meurent dans les jours suivants et sont enterrés dans le jardin. Le 1ᵉʳ décembre mourut Jeanne Godebert [sa femme] de la contagion. Elle étoit grosse de cinq mois et demi, elle accoucha un quart d'heure avant sa mort, l'enfant fut baptisé par les corbeaux qui y étoient. La fosse fut faite au dit Gastine mais la sépulture fut opposée par quelques personnes contre la volonté du sieur curé. (Registre paroissial, *arch. com. de Gastines*).

Point n'est besoin de multiplier de tels témoignages pour peindre la tragédie. En quelques mois, l'épidémie fauche au moins un dixième de la population. Le curé de Crosmières, paroisse de 700 à 800 habitants, dénombre 70 morts de la « contagion » en 1626 ; celui de Champfleur en compte 90, en 1638, sur une population de 300 âmes au plus. Face au fléau, ceux qui le peuvent fuient vers une résidence rurale. Chacun attend, terrifié et résigné, la fin de l'épidémie que l'on ne sait combattre que par l'isolement ou l'intercession des saints. Pour survivre, des ruses sont parfois nécessaires, ainsi pour les religieuses de la Visitation de Mamers.

> Notre très honorée Mère Jeanne Agnès Provenchères eut la foy pendant ces six ans [1633-1639] de conserver sa petite communauté.. les maladies contagieuses affligèrent le pays et même la peste y causa une grande désolation et il falloit que la sœur tourière allast fort loin pour faire les provisions nécessaires et même pour n'être pas reconnue elle étoit obligée de conduire quelques moutons afin de passer pour bergère de la campagne. (« Journal de la fondation du monastère de Mamers », *bibl. du monastère de la Visitation du Grand-Fougeray*, f° 193, ms. A 59).

Un saint « antipesteux », saint Sébastien. Eglise d'Athenay. *(Cliché Michèle Ménard)*.

L'absence fréquente de sépulture décente durant ces calamités fut à l'origine de confréries de charité.

Certes, « la mort est au centre de la vie comme le cimetière au centre du village ». Cette mort s'attaque aux jeunes enfants (le fait est si fréquent que l'on comprend mal, aujourd'hui, les nombreuses absences de parents à la sépulture de ces petits êtres), ou, et c'est encore plus tragique, à l'un ou à l'autre des parents. Mais, aussi, après la disparition de la peste, la mort s'attaque encore aux communautés tout entières. Variole, typhoïde, pneumonie, dysenterie règnent à l'état endémique et, parfois, véritables fléaux, s'abattent sur une paroisse, ainsi à Beaumont, en 1773.

La petite vérole qui a reigné au commencement de cette année a été la cause de ce que les morts surpassent de 22 les baptèmes contre l'ordinaire, cette maladie seule ayant emporté 50 enfans, peu de grandes personnes ont été attaquées, deux seules en sont mortes. (Registre paroissial, arch. com. de Beaumont-sur-Sarthe).

Parfois, elles dévastent des cantons entiers comme la dysenterie qui touche Mamers et ses environs, Moncé-en-Belin, Marigné et les paroisses voisines en 1767. Celle de 1779 rayonne autour de La Ferté-Bernard et du Grand-Lucé, mais ravage tout le nord-ouest du royaume. Ces épidémies fauchent des centaines de personnes. A Mamers, ville de 4.224 habitants en 1764, le docteur Vétillard du Ribert, qui prodigue ses soins aux malades, affirme :

Il en est mort quatre cent cinquante quatre sur environ trois mille malades.

Au Grand-Lucé, en 1779, on dénombre 135 décès en quatre mois pour une population de 1.203 habitants ; à Pruillé-l'Eguillé, la même année, 103 décès pour 917 habitants, en trois mois. Au-delà de ces données brutales restent à apprécier les conséquences démographiques de telles hécatombes.

Répartition proportionnelle des décès				
Décès	Mamers (1750-1770) moyenne annuelle (1767 exclue)	Mamers (1767)	Ecommoy, Moncé-en-Belin, Marigné (1762-1772) (1767 exclue)	Marigné (1767)
0 - 1 mois	16,44	5,79	16,6	6,5
1 - 12 mois	14,05	12,57	9,6	9,1
1 - 4 ans	19,53	27,54	17,9	20,1
5 - 9 ans	5,40	16,17	4,2	12,4
10 - 19 ans	5,10	6,79	3,2	11,7
20 - 29 ans	4,47	2,00	5,6	3,3
30 - 39 ans	5,00	2,20	7,7	9,7
40 - 49 ans	4,96	4,39	9,3	3,9
50 - 59 ans	5,79	5,39	9,9	9,1
60 ans et plus	19,26	17,16	16,0	14,2

A peu de choses près, la distribution est la même sur les deux sites. Les enfants de moins d'un an sont relativement épargnés ; ceux de moins d'un mois ne souffrent pas du tout. Ceux de 1 à 4 ans et de 5 à 9 ans surtout, de même que les adolescents de 10 à 19 ans, paient le plus lourd tribut à l'épidémie dont ils sont les grandes victimes. Les adultes souffrent beaucoup moins, pratiquement pas jusqu'à 39 ans, un peu plus au-delà de 40 ans puisqu'en nombres absolus, on observe,

La dysenterie de 1779 dans le Haut-Maine.

aussi bien à Mamers qu'à Marigné, un doublement des décès par rapport aux moyennes (135 décès au-delà de 40 ans à Mamers en 1767, contre 54,74 en moyenne de 1750 à 1770 ; 42 à Marigné contre 21,5 en moyenne de 1762 à 1772). Les conséquences d'une telle répartition sont évidemment dramatiques pour l'avenir. En l'absence de tout recensement, il est impossible de reporter ces résultats sur une pyramide des âges, mais il est facile d'imaginer la forme que prendrait un tel graphique sans tenir compte des accidents antérieurs. Le « double coup de hache » à la base entraînera par la suite un phénomène de « classes creuses ». Cette épidémie qui s'acharne sur les enfants de 1 à 19 ans crée donc une discrimination redoutable hypothéquant lourdement l'avenir. Dans l'immédiat règne le désarroi psychologique, sans oublier les foyers dispersés, les exploitations agricoles ou les ateliers décapités ou abandonnés.

Les dernières années de l'Ancien Régime sont marquées, un peu partout, par des maladies digestives et pulmonaires.

Face à ces terribles réalités, les autorités font ce qu'elles peuvent. Informé le plus souvent par les curés, l'intendant, aidé des subdélégués, organise les secours. Jusqu'au milieu du XVIIIe siècle, il distribue, sans effet, les « boîtes de remèdes » que lui envoie le Contrôle général. A partir des années 1760, et surtout après la création de la Société royale de médecine, en 1776, disposant de moyens financiers et humains, son action est plus efficace. Il dépêche sur place des médecins. Certes, leurs moyens de guérison sont impuissants face aux malades les plus atteints, mais ils assistent les convalescents, imposent de rigoureuses pratiques d'hygiène, conseillant de se laver les mains, de faire bouillir de l'eau... et font distribuer aux plus pauvres bouillons et aliments, car ces « maladies populaires », selon l'expression des contemporains, sont filles de la misère.

Exploitations agricoles. Bâtiments au XVIIIe siècle. *(Arch. dép. de la Sarthe, H 37, plan terrier des biens de l'abbaye de La Couture à Arnage).*
Rapport au Comité consultatif du service de la médecine cantonale des pauvres, 6 décembre 1856. « Causes d'insalubrité : nous trouvons en première ligne la malpropreté des habitations et les fumiers qui croupissent dans presque toutes les cours de fermes... »
(Arch. dép. de la Sarthe, M 118 bis/1).

Un bon repas, l'exceptionnel pour la grande majorité des hommes. XVIIe siècle. Bois gravé, Monnoyer. Illustration de calendrier.
(Cliché Musées du Mans).

La famine   Le paysan est également totalement démuni face aux caprices de la météorologie. Or, c'est du ciel que dépendent les moissons ou les vendanges. En quelques instants, une gelée tardive, un violent orage ou une nuée de grêle peuvent compromettre ou anéantir une récolte, et ce, dans une ou plusieurs paroisses :

> *La récolte des grains de toutes sortes a été très petite et le 28 mai [1769] il est venu une grêle si affreuse dans un très grand nombre de paroisses, qu'elle a coupé le blé au point de n'en pas laisser un épi dans quelques champs comme à Blandouet, Vallon, Neuvilette et ailleurs. Cette grêle étoit d'une grosseur extraordinaire...* (« Remarques de Me Launay, vicaire », registre paroissial, *arch. com. de Loué*).

Il en est de même, certaines années, de la crue brutale de la Sarthe ou de ses affluents (comme en 1607, 1651, 1711, 1740, 1751, 1762, 1768, 1772), qui inonde les terres et arrête les moulins et les forges.

> *Dans la présente année [1740] il y a eu une disette très grande causée par le débordement des eaux qui ont monté à une superficie extraordinaire, qui ont ravagé les ensemencés dans toutes les campagnes et qui ont emporté sur les rivières plusieurs moulins, surtout le moulin*

aux Moines, proche la Chapelle-Saint-Aubin et deux moulins à tan...
Cette année est remarquable par la rigueur de son hiver. (Registre paroissial, *arch. com. de Poché*).

En effet, les « grands hivers », si la neige ne recouvre pas le sol et ne joue pas son rôle protecteur, gèlent les semences en terre comme en 1608, 1709 et 1740. Mais c'est le « dérèglement des saisons », le printemps et l'été pourris, qui compromet le plus les récoltes. Un tel accident, après une bonne récolte, n'est pas irrémédiable ; les restes de l'année précédente limitent la disette. Mais, après une ou deux récoltes médiocres ou désastreuses, c'est la famine. Il en fut ainsi en 1661-1662.

> *L'hyver de ceste année 1660 a esté très rude et fascheux. Il a commencé le 30 novembre 1659 et la gelée a continué jusques au 3 mars 1660 en suivant. Il y a eu des neiges continues depuis le 22 décembre jusques au 28 février...* (Julien Bodreau, « Mémoires », *Annuaire de la Sarthe*, 1907, p. 157).

La récolte de 1660 est médiocre et ne laisse point d'excédent. Celle de 1661 est catastrophique à la suite des pluies continuelles de l'été ; les prix montent.

> *Au mois de décembre 1661, le blé est tellement enchéri qu'il valoit 28 livres la charge et au mois de janvier ensuivant en l'an 1662 j'ay esté nécessité d'en achepter pour la provision de ma maison, attendu que j'en avois recueilly sur mes lieux de l'Espine en la paroisse du petit Saint-Georges et celui de la Chaterie en Souligné insuffisamment. Chaque boisseau m'a cousté 60 sols et est encore enchéry en febvrier jusques à 65 sols le boisseau de seigle, mesure du Mans et si la disette continue nous sommes en danger d'une grande famine. Les religieux de Saint-Vincent et de La Coulture font des aumosnes et données par sepmaine, ainsy qu'ils y sont obligés par une antienne coustume, scavoir deux jours par sepmaine à La Coulture et un jour à Saint-Vincent. Il se trouve à chaque donnée plus de 10 000 pauvres, ce qui témoigne de la grande disette et famine.* (Julien Bodreau, « Mémoires », *Annuaire de la Sarthe*, 1907, p. 161-162).

La situation est partout la même, dans la région de Mamers comme à Château-du-Loir où le Père Oudin, chanoine régulier de Sainte-Geneviève, prieur de Vanves, près de Paris, missionnaire réputé, arrive en juillet 1663. Il organise aussitôt les secours et donne à la duchesse d'Aiguillon d'affreux détails.

> *... Les potages que j'ay moi-mêsme distribuez à douze cens pauvres qui sont dans cette ville et qui ressemblent mieux à des squelettes qu'à des hommes vivans ; ils crient jour et nuit, miséricorde, miséricorde, nous mourrons de faim ; ils tombent de foiblesse et plusieurs sont morts dans les rues, soubs les halles et sur les fumiers. On m'a dit que depuis quinze jours un enfans s'estoit mangé la main en cette ville, que depuis quatre jours on a trouvé un homme et deux enfans morts de faim sur un fumier, que depuis trois jours on a trouvé un autre mort dans un chemin après avoir vomi de l'herbe qu'il avoit dans son estommach. Aujourd'huy un autre pauvre homme est tombé de foiblesse dans une fontaine de cette ville et s'est noié...* (Bibl. Sainte-Geneviève, juillet 1663, f° 4, ms. 2567).

Ainsi, est enclenché le terrible mécanisme de la famine : mauvaise récolte due à des conditions météorologiques défavorables, ensemencements réduits pour l'année suivante par manque de grains ou de bras, les ressources ne cessent de diminuer. Enrayer le phénomène est quasiment impossible faute de transports massifs, ce qu'écrit l'intendant de Tours à Colbert, le 12 avril 1662 :

> *... En la ville du Mans et aux environs le bled y est beaucoup plus cher, cette différence provient Monsieur de ce que ce pays estant esloigné des rivières il n'en peut avoir que par les charrois...* (« Mélanges Colbert 108 », f° 123, *Bibl. nat.*).

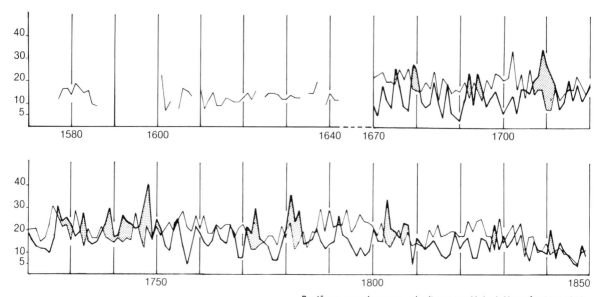

Baptêmes ou naissances, sépultures ou décès à Meurcé (1577-1849).

L'exploitation des données chiffrées fournies par les registres paroissiaux confirme le tragique de ce tableau. La mortalité est partout sensible dès l'été 1661 du fait de « maladies », pas encore de la disette. Elle est importante jusqu'à la fin de 1662 ou au début de 1663, le maximum se situant, selon les paroisses, soit dans le dernier trimestre de 1661, soit dans le premier ou le second de l'année suivante. Le nombre des décès est deux à dix fois plus important qu'en « année normale » ; 15 à 20 % de la population d'une paroisse disparaissent. La misère physiologique et matérielle explique la baisse corrélative des conceptions et des mariages.

Trente années plus tard, famine et épidémie conjuguent une nouvelle fois leurs effets. A Mamers, cette nouvelle crise, plus longue que celle de l'Avènement, peut-être plus tragique aussi, emporte 993 habitants d'octobre 1691 à décembre 1694, soit un déficit naturel de l'ordre de 17 % de la population. Dans l'ensemble du « département », en revanche, elle est sans doute moins meurtrière que la précédente.

Les calamités se poursuivent au siècle suivant. Le grand hiver de 1709 a laissé un souvenir général, les nombreuses mentions portées par les curés dans les registres paroissiaux en témoignent.

> L'an 1709, le jour des Rois, 6 janvier, il s'éleva un vent si froid vers le midi, qu'il coupait le visage. Ensuite il neigea le lendemain et deux ou trois jours suivants tellement que la neige fut assez haute sur la terre... Il fit ensuite des gelées fort apres, qui durèrent environ six semaines. Il fit si grand froid pendant tout ce temps que le vin et autres boire gelèrent dans les meilleures caves. Le verre avec quoi l'on buvoit prenoit même aux lèvres. Le pain geloit sous les couettes des lits où l'on couchoit. Si l'on se chauffoit par devant l'on geloit par derrière. Au bout des susdites six semaines, il vint un dégel qui fit fondre toutes les neiges restées sur la terre, après quoy la gelée commença tout de nouveau, ce qui fit beaucoup plus de tort que les autres gelées, en sorte que les blés gelèrent presque tous aussi bien que la vigne et la plus grande partie des arbres... (Registre paroissial, arch. com. de Mulsanne).

Les autorités essayent d'organiser les secours, réglementent la mendicité et, en application de la déclaration royale du 27 avril 1709, font entreprendre l'inventaire des réserves de blé détenues par les particuliers « tant pour les ecclésiastiques que pour les laïcs », comme le souligne le curé de Courcebœufs. C'est sans doute plus la crainte de la famine que la famine elle-même qui est à l'origine de quelques émeutes frumentaires comme celle de Thorigné-sur-Dué. Il en est de même des autres grandes crises de subsistance, surtout en 1724-1726, 1738-1740, et entre 1768 et 1774, à la suite d'une série de récoltes déficitaires. Chaque fois, l'intendant aidé des subdélégués, les ecclésiastiques, certaines municipalités, font venir du blé que l'on vend au-dessous du cours, distribuent du riz dans les paroisses, débloquent des crédits pour l'ouverture d'ateliers de charité où le salaire est payé en pain. Des bandes de pauvres n'en parcourent pas moins les campagnes et le mécontentement populaire explose parfois comme à Bonnétable, en mai 1738, à La Flèche, La Ferté-Bernard, Mamers, Villaines-la-Juhel, Bonnétable… en 1768-1770. Au total, cependant, l'action des autorités et de notables comme Véron du Verger réussit toujours à restreindre la misère en organisant, au mieux, la pénurie. Les conséquences démographiques n'en sont pas moins réelles. Si les famines sont légères, elles affaiblissent, toutefois, les hommes et créent un terrain propice aux épidémies.

Incendies et insécurité

Certaines « catastrophes » sont très localisées, ainsi les incendies qui en quelques heures endommagent bourgs ou petites villes comme Ballon en 1705 ou Le Grand-Lucé en 1781.

> *Le 29 août 1705 est arrivé un incendie en la ville de Ballon qui a réduit en cendres cinquante maisons du milieu de la ville, plus de soixante familles sont ruinées. La perte se monte à trois cent mille francs, suivant l'estimation d'experts. Trois personnes ont péri dans l'incendie.* (Registre paroissial, arch. com. de Mézières-sous-Ballon).

Les loups sortent parfois des forêts, seuls ou en bandes, affamés, souvent enragés. Ils se déplacent rapidement et s'attaquent non seulement aux troupeaux mais aux individus, et ravagent parfois toute une région.

> *Le 24 janvier 1603 fut enterré ung enfan agé de 13 à 14 ans qui demeuroit à Villepainte, appellé Soreau, qui fut estranglé par ung loup qui ledict jour et premièrement en avoit estranglé ung autre à Saint-Victeur et l'autre à Assé et l'appeloit-on la beste qui mange les gens.* (Registre paroissial, arch. com. de Fresnay).

En 1750, des loups enragés sévissent à Connéré et dans les paroisses voisines. Le subdélégué de Château-du-Loir en informe l'intendant le 3 octobre.

> *Les curés de Dollon, Saint-Michel, Thorigné, Les Loges, Boulouère et Ecorpain ont écrit pour informer qu'il s'est répandu dans ces paroisses des loups enragés depuis le 14 jusqu'au 17 qui ont mordu 15 personnes et plusieurs bestiaux. Le Bailly de Boulouère a fourni quelques renseignements : les loups enragés ont fait un grand désordre dans les paroisses du Luard, Connéré, Le Breil, Saint-Michel, Dollon, Saint-Rémy et autres. Battues et chasses dans les bois de Pèschère, de Boulouère, des Loges et d'Ecorpain.* (Arch. dép. d'Indre-et-Loire, C 411).

Paysans courageux et équipages de louveterie les chassent. 130 loups et 200 louveteaux sont ainsi abattus de 1750 à 1757, mais le danger demeure jusqu'à une date avancée du XIXe siècle puisque deux loups noirs sont encore capturés à Ancinnes, en 1865, et que le dernier loup sarthois ne sera abattu en forêt de Perseigne qu'en 1896.

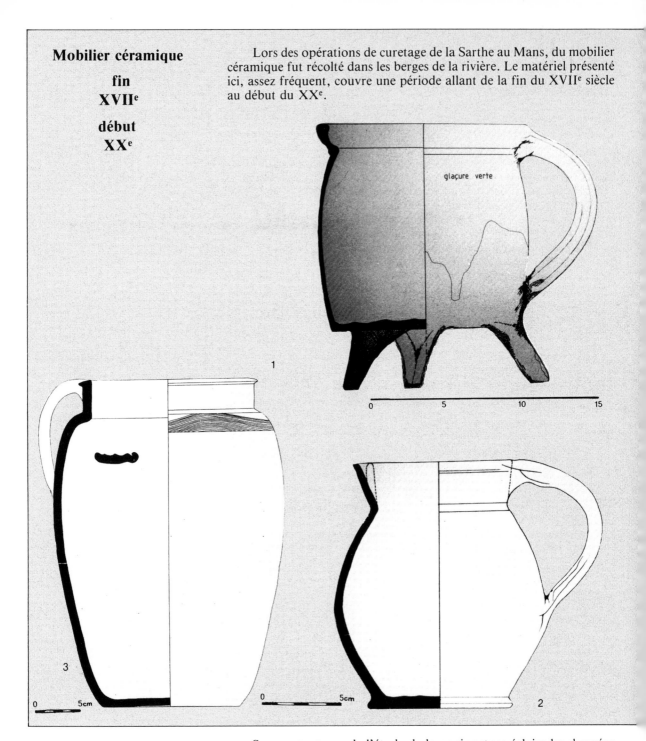

Mobilier céramique

fin
XVIIᵉ

début
XXᵉ

Lors des opérations de curetage de la Sarthe au Mans, du mobilier céramique fut récolté dans les berges de la rivière. Le matériel présenté ici, assez fréquent, couvre une période allant de la fin du XVIIᵉ siècle au début du XXᵉ.

glaçure verte

1

0   5   10   15

3

0   5cm

2

0   5cm

Somme toute, seule l'étude de la conjoncture éclaire les données fragmentaires disponibles sur l'évolution de la population. Sa croissance, de 1724 à 1764, n'est fort probablement qu'une phase de rattrapage due à une conjoncture meilleure après les dramatiques épreuves du siècle de Louis XIV. Par contre, les données disponibles ne permettent que difficilement d'apprécier globalement les conséquences des

1 - Tripode ansé à glaçure verte servant à la cuisson des aliments dans les cendres de la cheminée, utilisé aux XVIIᵉ et XVIIIᵉ siècles.

2 - Pichet à glaçure verte de même usage et même période.

3 - Très grand vase ansé en grès brun-gris, de type normand, pouvant contenir 15 litres, du XVIIIᵉ siècle. Il existe des variantes plus petites et plus fines. Sur l'épaulement de la panse se trouve un décor ondé au peigne.

4 - Bassinoire qui, garnie de braises, était promenée entre les draps afin de tiédir le lit avant de s'y coucher. De la fin du XIXᵉ siècle au début du XXᵉ.

5 - Tasse de même glaçure et de même provenance. D'autres tasses, cylindriques, possèdent une glaçure identique ou bleu-clair externe.

6 - Assiette à glaçure brune externe et blanche interne, avec décor floral sur le fond intérieur, fabriquée à Malicorne au XIXᵉ siècle.

R.-M. FOURMY

surmortalités épidémiques des années 1779-1785. Révolution économique comme révolution démographique ne se produiront que beaucoup plus tard puisque les années 1816, 1817 et 1829 seront encore marquées par des crises alimentaires et que la dysenterie se maintiendra, de manière endémique, jusqu'à une date avancée du XIXᵉ siècle.

La vie de l'esprit

« J'ai vu de mes yeux… le Maine, le Perche… déserts, en friche, dépeuplés, couverts de ronces et de buissons », écrit Thomas Basin, évêque de Lisieux, dans sa chronique du règne de Charles VII. Un demi-siècle plus tard, les halles du Mans sont reconstruites, la reprise économique se manifeste par le développement de l'artisanat et du commerce engendrant une riche bourgeoisie. La proximité du Val de Loire, la présence de quelques mécènes et d'artistes de valeur introduisent ce pays dans le grand mouvement de la Renaissance.

La Renaissance et la Réforme

La Renaissance littéraire

La culture médiévale n'a jamais été coupée des sources de la pensée antique mais, par la connaissance des langues anciennes, les humanistes veulent appréhender directement les cultures hébraïque, grecque et latine. Certes, Le Mans n'a pas d'université mais deux foyers intellectuels actifs avec les abbayes La Couture et Saint-Vincent. Les incunables de Poitiers et de Rouen (en 1982, la bibliothèque municipale du Mans a acquis un « Missel à l'usage de l'église du Mans », imprimé à Poitiers vers 1483 et attribué à l'imprimeur Jean Bouyer) y arrivent, mais ce n'est qu'en 1546 que l'imprimerie — introduite à Paris en 1469, à Angers dès 1477 — y pénètre avec Denis Gaignot qui imprime d'abord un missel.

En effet, c'est, ici, l'Eglise qui conserve la maîtrise du livre. Or, avec le cardinal Philippe de Luxembourg qui a séjourné en Italie et René du Bellay, le frère du cardinal Jean du Bellay, Le Mans bénéficie d'évêques éclairés, influents, amis des arts, des lettres et des sciences, et mécènes avertis. C'est le cardinal de Luxembourg qui finance la construction des orgues de sa cathédrale dont le buffet, réalisé après sa mort, est un des plus beaux de la Renaissance française. C'est René du Bellay qui enterre au Mans son frère Guillaume, vice-roi de Piémont, et lui fait élever un tombeau achevé en 1557. A cette occasion se seraient rencontrés les protégés de la famille : le jeune Pierre Ronsard, dont l'oncle et premier maître est curé de Bessé-sur-Braye et chanoine de la cathédrale ; François Rabelais, un moment bénéficiaire de la cure de Saint-Christophe du Jambet (1551-1553) ; Jacques Peletier, né au Mans en 1517, poète, théoricien de la *Pléiade,* grammairien, médecin, mathématicien, qui insère dans ses *Œuvres poétiques* (1547) une pièce de Ronsard et une de du Bellay intitulée « A la ville du Mans ».

Deux auteurs touchent plus spécifiquement cette région. Jacques

Tahureau, né au Mans en 1527 et mort à vingt-huit ans, ami d'Antoine de Baïf qui vit près de La Flèche, dans son manoir du Pin, il choisit près du Mans une retraite « loin de la populace ». Oublié par ses contemporains qui lui préfèrent Nicolas Denisot, auteur de cantiques et de noëls, il est réhabilité par Paul Eluard qui introduit ce délicieux poète dans son *Anthologie de la poésie française*. Robert Garnier, le plus manceau de tous certainement, puisque né à La Ferté-Bernard en 1534 et membre du Présidial du Mans, est un tragique trop peu connu aujourd'hui. Il publie sa première œuvre *Porcie* en 1568 et son chef-d'œuvre *Sédécie ou les Juives,* de 1580, le fait apparaître comme un précurseur de Corneille.

C'est encore René du Bellay qui protège le voyageur et naturaliste Pierre Belon, né à Cérans en 1517, lui faisant introduire et acclimater dans les jardins et parcs de sa résidence de Touvoie, à Savigné-l'Evêque, de nombreuses plantes exotiques.

> *Plusieurs ont vu le nom de messire René du Bellay, dernièrement décédé évêque du Mans, lequel se tenoit sur son évêché studieux des choses de la nature, et singulièrement de l'agriculture, des herbes et du jardinage. Il avoit en sa maison de Touvoye un haras de jumens, et prenoit plaisir à avoir des poulains de belle race...* (Bonnaventure des Perriers, *Contes,* Nouvelle XXIX).

Le Mans. Maison dite d'Adam et Eve (1520-1525). Faut-il y voir, avec le sens populaire qui refuse les « extravagances du rêve renaissant », Eve offrant à Adam une grosse pomme au bout d'un thyrse, ou, avec Léon Palustre, parmi les interprétations savantes, un héros voyageur, une femme symbolisant l'humanité, du thyrse et l'univers ? *(Cliché R. Plessix)*.

La Renaissance artistique

Au début du XVIe siècle, des notables manceaux font édifier quelques somptueuses demeures, telles la « maison de la Reine Bérengère », bâtie en bois et en pierres par le marchand et échevin Robert Véron, de 1490 à 1515, ou celle dite « d'Adam et Eve », en pierres, étroite et haute comme les maisons de bois, due à Jean de l'Espine, médecin et astrologue, entre 1520 et 1525. L'artiste le plus illustre de cette première Renaissance mancelle est certainement Simon Hayeneuve, auquel ont été attribuées, sans preuve, toutes les œuvres de qualité de la première moitié du siècle. S'il est l'auteur de la chapelle de l'évêché aujourd'hui disparue, rien ne prouve qu'il soit celui du Grabatoire construit entre 1538 et 1542 pour les chanoines malades, et tout truffé de pignons, de lucarnes et de hautes toitures de tours d'escaliers.

L'influence italienne se manifeste, ici, dans la sculpture religieuse, avant même les expéditions militaires. C'est Michel Colombe qui introduit les premières traces d'italianisme. A-t-il personnellement travaillé à *la Mise au tombeau* (1496) de Solesmes ? S'est-il contenté d'inspirer le travail de Lambert, de François Angelus ou de Marc Gaultier ? Cette question demeure sans réponse. Toujours est-il que la trace de l'Italie est certaine tant sur les pilastres à arabesques que sur les casques et les cuirasses des gardes. L'architecture religieuse produit égale-

Château du Lude. Gravure de de Wismes. *(Cliché Musées du Mans)*.

Le sépulcre de Solesmes. *(Cliché Claude Lambert).*

ment la façade de l'église de Saint-Calais, entre 1522 et 1549, et surtout Notre-Dame des Marais à La Ferté-Bernard. Commencée à la fin du XVe siècle, elle bénéficie, vers 1535, de l'apport de Mathurin Delaborde, maître maçon de Chartres. Elle conserve également le plus bel ensemble de vitraux attribués à Robert et Jean Courtois, dont on ignore la parenté, et à François Delalande. Ils datent des années 1525-1540, même si certaines fenêtres n'ont été décorées qu'au début du XVIIe siècle.

C'est, en revanche, à son retour d'Italie où il a participé aux batailles de Marignan et de Pavie, que Jacques de Daillon, chambellan de Louis XII et de François Ier, décide de transformer la vieille forteresse du Lude avec l'aide de Jean Gendrot, architecte de René d'Anjou. L'évolution de l'influence italienne se lit, ici, sur les façades. A proximité, la maison dite « des architectes », attribuée à Gendrot, conserve, avec ses médaillons, les goûts antiquisants des bâtisseurs du château.

La Réforme Les faiblesses de l'Eglise restent l'une des causes essentielles de la réforme. Certains évêques s'occupent peu de leur diocèse : quatre d'entre eux, en cent-vingts ans, décèdent au-delà des Alpes et, Louis de Bourbon, évêque à 26 ans, cumule neuf abbayes et sept évêchés, dont celui du Mans. L'abus de la commande affaiblit la vie monastique ; La Couture perd avec Michel Bureau, en 1518, son dernier véritable abbé. Enfin, en 1495, Le Mans a eu sa petite « affaire des indulgences ». Mais il faut se garder d'exagérer. Devenu évêque, Philippe de Luxembourg (1477-1519), qui était auparavant abbé de Saint-Vincent où il se montrait, comme son successeur Yves Morisson, ce dernier en relation avec Lefèvre d'Etaples, soucieux de l'idéal religieux, abandonne les bénéfices qu'il tenait en commande et se comporte en pasteur zélé faisant imprimer des livres de prière et tenant des synodes pour améliorer la discipline de son clergé. René du Bellay (1535-1546) est attentif à la formation des prêtres, ordonne des leçons de théologie et lutte contre les erreurs ambiantes.

La doctrine luthérienne se propage assez tôt, mais il est impossible d'en suivre la progression. Ses premiers prédicateurs sont des spécialistes de la Bible : l'Augustin Morée (1533), le chanoine Boissel qui prêche au synode de 1536 et voit treize de ses propositions censurées l'année suivante, Adam Fumée, abbé de La Couture (1544). En 1555, un arrêt du Parlement de Paris constate la présence de « luthériens et héréctiques » au Mans et aux environs. Quatre ans plus tard, le consistoire de Tours envoie le pasteur Charles de Ris, dit Salvert, qui, après deux ans, est remplacé par le Genevois Pierre Merlin, véritable âme du consistoire local.

Il est impossible d'évaluer le nombre des protestants. On peut suivre, toutefois, leur prosélytisme grâce à la multiplication des lieux de réunions qui se tiennent au Mans, dès 1561 :

> Au lieu appelé le Greffier, au lieu appelé le Grenuillier et soubz les Halles de ceste ville pour y chanter psalmes et faire les prières et lectures publiques de la saincte escripture aux jours de dymanche et aultres festes.

Ils fondent des églises à Mamers, où prêche Pierre Merlin, à Noyen, à Château-du-Loir avec le ministre Pierre Macé, à La Ferté-Bernard, pourtant seigneurie des Guise, dont l'église est dirigée par Henri de la Haye, à Mansigné et à La Suze. Tout ce que l'on sait prouve que de nombreux officiers adhèrent à la foi nouvelle et laisse entrevoir qu'elle touche plus les milieux aristocratiques que les couches populaires. Elle gagne, cependant, le monde du commerce et de l'artisanat, comme en témoignent le « Registre du Consistoire du Mans » et celui de la bourgeoisie de Genève où s'inscrivent les noms de nombreux gens de métier comme Jehan Lorot, tanneur, originaire de Ballon, Jacques Nepveu, « coustelier », de La Ferté-Bernard...

En revanche, l'organisation de l'Eglise mancelle est bien connue par le « Registre du Consistoire » de 1561-1562).

Cathédrale du Mans. Stalles en chêne de 1576, en remplacement de celles détruites par les protestants. Celle-ci représente une réunion de protestants manceaux. *(Cliché Michèle Ménard).*

> *... Par l'advis et délibération de messieurs de Salvert et Poinsson, ministres, et d'aultres notables personnes de ceste ville du Mans [on a] faict cinq cantons tant de la dicte ville que des forsbourgs d'ycelle, et nommé cinq surveillans et deux diacres...*
>
> *Aussi a esté advisé qu'en chaicun des dicts cantons il sera esleu par le peuple jusques au nombre de neuf personnes notables de la dicte ville ou des forsbourgs pour estre sénieurs, lesquels délibèreront sur la police de l'Eglise...*
>
> *[Ces] Anciens sont ceulx que sainct Paul appelle gouverneurs... A ceulx cy apartient la juridiction ecclésiastique laquelle a deux parties principalles :*
>
> *La première est la puissance d'ordonner ce qui concerne l'honnesteté qui doibt estre gardée à ce que tout ce face par bon ordre en l'église.*
>
> *La seconde est en la correction et censure de ceulx qui faillent tant à l'observation des commandements de Dieu, que des loix qui auront esté establyes pour la police extérieure de l'église.*
>
> *[Ils veillent] ad ce que s'il y en a qui facent quelque désorde ou scandalle en l'église, qu'on s'en inquière et qu'on tasche de les ramener au droit chemin, ou par admonition faicte en privé, ou par répréhension convenable faicte en privé, ou par répréhension convenable faicte en l'assemblée de tous les anciens, ou par excommunication si la chose le requiert...* (H. Chardon, *Annuaire de la Sarthe*, 1867, p. 16-17).

Un surveillant par quartier les aide. Il doit trouver une maison pour le prêche, apporter la Bible, vérifier l'exactitude et l'assiduité des fidèles, interdire l'accès aux retardataires et aux intrus. Deux diacres instruisent les catéchumènes et secourent les pauvres, les prisonniers et les malades.

L'adhésion au protestantisme entraîne l'adoption d'une grande rigueur morale. Les réformés acceptent la correction fraternelle recommandée par l'Ecriture dans un sincère désir d'ascétisme et de pureté. Le consistoire reçoit les coupables et les admoneste. Ainsi, et pour ne citer que quelques exemples :

> *S'est comparu Pierre Piau mercier, lequel après qu'il s'est submis au jugement du consistoire touchant le jeu, a esté admonesté de se contenir à l'advenir du jeu des dez et cartes, d'estre plus modeste aulx aultres jeux, ce qu'il a promis de faire.* (H. Chardon, *Annuaires de la Sarthe*, 1867, p. 56).

Or, ce même Pierre Piau, convoqué ici le samedi 10 janvier 1652, avait été reçu déjà par le consistoire, pour le même motif, le 1er février précédent !

> *Messieurs Taron et Le Mercier sont chargés de remonstrer au sieur du Perroux et à la veufve de feu Jouennerie que l'église est scandalisée, que contre les deffenses à eulx faictes ils ne cessent de hanter et fréquenter l'un avec l'autre...* (H. Chardon, *Annuaires de la Sarthe*, p. 50).

De même, dans sa volonté de rigueur, l'Eglise nouvelle mancelle interdit à ces fidèles tout rapport, même indirect, avec le culte catholique.

> *Messieurs de Veignolles et Boussard se sont chargez de parler à monsieur Dupont et à sa femme et à leur fille à présent esposée à Monsieur Taron conseiller, ensemble au dict sieur Taron conseiller, pour sçavoir d'eulx s'ils se veullent pas commcetre à la discipline du consistoire, et pour les reprendre aigrement du scandale qu'ils ont commis d'avoir espousé à la papauté.* (H. Chardon, *Annuaires de la Sarthe*, 1867, p. 44).

Ou encore :

> *A esté fait comparoir Guillaume Louvigné, orfeuvre, lequel a con-*
> *fessé avoir commencé à faire une croix d'argent doré, et après qu'il*
> *s'est submis au jugement du consistoire, a esté admonnesté de mestre*
> *en masse la dicte croix, et tout aultre œuvre par luy encommencé qui*
> *pouroit servir à ydolatrie sur peine d'excommunication, et a esté*
> *advisé que l'église portera les frais et interests qu'il poura souffrir*
> *pour la cessation du dict œuvre, par ce qu'il avoit pris des arres de*
> *ceulx avecques lesquels il avoit marchandé le dict œuvre.* (H. Chardon,
> *Annuaires de la Sarthe*, 1867, p. 7).

L'adhésion des grandes familles à la Réforme dans les années 1550-1560 accélère sa diffusion. Néanmoins, toutes furent-elles sincères ? Les richesses acquises par le clergé au détriment des patrimoines nobiliaires irritaient certains. Les nobles débiteurs du clergé semblent avoir été de « bons » religionnaires et, durant les troubles de 1562, certains se préoccupèrent de trouver et de détruire les titres de leurs dettes. Françoise d'Alençon apporte, par son mariage avec Antoine, ses domaines manceaux (vicomté de Beaumont, baronnie du Saosnois, de La Flèche...) à la maison de Bourbon. C'est elle qui fait construire, vers 1540, le château de Neuf de La Flèche où elle habite. Leur fils Antoine, converti au protestantisme entre 1555 et 1558, en hérite. Avec sa femme Jeanne d'Albret, future mère de Henri IV, il protège les réformés et s'efforce, notamment après 1562, de faire progresser la doctrine nouvelle. En revanche, les Guise, farouches défenseurs du catholicisme, contrarient l'avance de l'hérésie sur leurs terres de La Ferté et de Sablé.

A partir de 1560, les protestants s'affirment. Leur culte devient public. L'intolérance règne dans les deux camps ; l'affrontement devient inévitable pour le malheur des populations, nous y reviendrons.

Le renouveau catholique et ses limites

Développement du protestantisme et violences des guerres ont profondément troublé les populations. A son tour, l'Eglise entreprend, sur un bon siècle, un ample mouvement de réforme. Deux manifestations affirment ce désir de renouveau. Au Mans, dès 1599, l'évêque Claude d'Angennes établit un collège-séminaire dans une maison presbytérale de Saint-Ouen-des-Fossés. Son successeur, Monseigneur de Beaumanoir, en donne la direction aux prêtres de l'Oratoire ; en 1647, Monseigneur de la Ferté sépare collège et séminaire, et confie ce dernier aux prêtres de la Mission. Au Mans toujours, il existait, au milieu du XVIe siècle, trois abbayes bénédictines dont une de femmes, deux couvents de moines mendiants et deux de femmes. En quarante ans (1602-1642), cinq nouveaux monastères apparaissent : deux d'hommes (capucins en 1602 et minimes, 1618) et trois de femmes (ursulines en 1621, Visitation en 1632 et bénédictines en 1642). Même éclosion à l'intérieur des « frontières départementales » actuelles : les jésuites et les récollets, une autre branche franciscaine, s'installent à La Flèche en 1603 ; les récollets à Précigné et à La Ferté-Bernard en

Les fondations de couvents

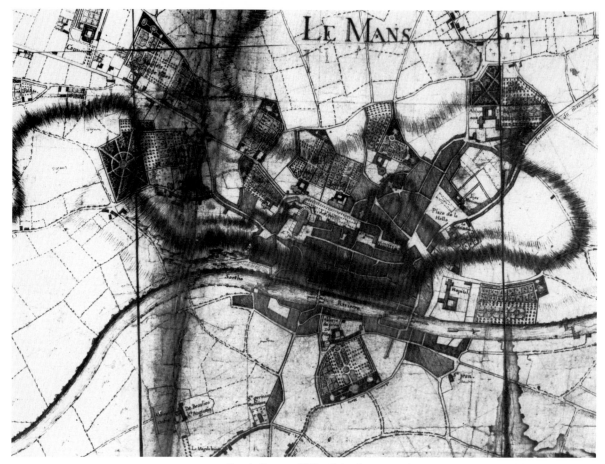

Plan du Mans au XVIIIe siècle. On peut y voir les emplacements de différents monastères.

1610, à Château-du-Loir en 1611, au Lude en 1633 ; les minimes à Sillé-le-Guillaume en 1623 ; les capucins à La Flèche en 1636. Pour les femmes, le Petit-Fontevraud ouvre à La Flèche en 1618 ; la Visitation à La Flèche en 1622, au Mans en 1632, à La Ferté-Bernard et à Mamers en 1633 ; les cordelières de Sainte-Elisabeth à Sablé et à Beaumont-le-Vicomte en 1631, à Noyen en 1637 ; les franciscaines à Beaumont-le-Vicomte et à Noyen en 1637 ; les camaldules à Bessé-sur-Braye en 1652, tandis que Jérôme Le Royer de la Dauversière fonde à La Flèche, en 1639, les hospitalières de Saint-Joseph. Une telle floraison, qui suppose l'éclosion de nombreuses vocations religieuses dans la bourgeoisie et la noblesse, est bien un signe de renouveau à tel point que, non sans exagération, Pierre Trouillars a cru pouvoir, en 1643, appeler Le Mans :

> *La véritable terre sainte et la tribu des lévites tant il y a d'ecclésiastiques, de religieux et de religieuses et tant ils possèdent de grands biens et de grandes seigneuries. (Mémoires des comtes du Maine, Le Mans, p. 12).*

L'exemple de la fondation du couvent de la Visitation de Mamers n'est pas à ce propos sans intérêt. Une des filles de Jean Davoust, sieur de Hautéclair, conseiller du roi et procureur au siège de Mamers, était entrée comme novice au couvent de Blois.

> *Pendant son noviciat Mr son père conserva toujours quelque espérance de la revoir chez lui, mais après sa profession, il pensa procurer l'établissement d'une maison de notre ordre dans la ville de Mamers. Il en fit les premières propositions qui servirent de récréations à nos sœurs de Blois, qui ne voyaient point de jour à cet entreprise et même avoient quelques pensées de faire une fondation à Rheims. Cependant les bons désirs empressés du procureur du Roy augmentoient de jour en jour pour attirer sa chère fille en cette ville, il prévoyait toutes les difficultés...* («*Journal de la fondation du monastère de Mamers*», bibl. du couvent du Grand-Fougeray, f° 174, ms. A 54).

Il fit intervenir son fils, curé d'Arrou, près de l'évêque de Chartres et accorder un endroit par le « général des habitants » pour construire un monastère. Il eut satisfaction avec l'arrivée des six religieuses, dont sa fille Marie-Augustine, le 25 novembre 1663.

Parallèlement, la réforme des anciens monastères est introduite progressivement : au Pré en 1630, à Saint-Vincent, avec quelques difficultés en 1633-1636, à Beaulieu en 1640, Saint-Calais en 1659, Solesmes en 1661 et Perseigne en 1662. Ceci ne se fait pas sans heurts. Ainsi, à Etival-en-Charnie, l'abbesse met quatorze ans (1636-1650) à imposer une règle plus stricte et, en définitive, adoucie par l'évêque. Au Mans, la réforme de l'abbaye de La Couture donne lieu à des incidents violents, les moines hostiles sont soutenus par les magistrats, le corps de ville et des bourgeois armés :

> *[Le 22 septembre 1659] les religieux réformés de l'abbaye Saint-Vincent forbourg de cette ville voulant rentrer en l'abbaye de la Coulture aussi au forbourg de cette ville d'où ils avoient été expulsés dès les rogations dernières par les antiens religieux firent venir de Tours en cette ville M. Morant, maistre des requestes et intendants... Le sieur Morant ayant sommé ceux qui estaient dedans la ditte abbaye d'ouvrir les portes, sur le refus il se trouva plusieurs hommes de la part des dits religieux de Saint-Vincent, lesquels armés de fusils allèrent au devant des murs de la Coulture à dessein de les escalader un d'iceux fut tué d'un coup de fusil par ceux du dedans, ce qui donna la fuite aux autres ; mais en fuyant un nommé Olivier, marchand demeurant aux Halles, fut tué d'un coup de pistolet par un des moines de la Coulture [qui] soutenait le parti de ceux de Saint-Vincent et conduisoit les hommes armés qui vouloient entrer...* («*Mémoires de Julien Bodereau*», *Annuaire de la Sarthe*, 1907, p. 152).

Ce n'est finalement que le 2 avril 1661, après une instance judiciaire en Parlement, que les religieux réformés peuvent rentrer dans l'abbaye de La Couture.

Les protestants, de l'édit de Nantes à sa révocation

Sous le régime de l'édit de Nantes, bien que comptant peu de fidèles, le protestantisme demeure vivant. Une étude récente évalue à 2.500 le nombre des protestants dans le Maine, soit de 0,5 à 1 % maximum de la population dans les limites départementales actuelles, proportion infime comparée à la moyenne du royaume qui atteint 5 %. Des documents locaux fournissent quelques indications plus précises mais fragmentaires : 300 familles huguenotes à La Flèche en 1524, selon les registres de délibération de l'hôtel de ville, mais 18 à 20 seulement, en 1697, d'après le mémoire de l'intendant Miromesnil. Charles Colbert de Croissy, dans son rapport de 1664, dénombre 30 familles protestantes au Mans.

Ces fidèles sont regroupés dans une dizaine d'églises : Le Mans, Ardenay, Dissé-sous-le-Lude, Dollon, Pringé, Château-du-Loir (puis Nogent-sur-Loir), Saint-Ouen-de-Mimbré, Mondoubleau. Ce sont des citadins bourgeois ou ouvriers du textile, de petites gens des campagnes et quelques nobles comme Suzanne de Voisins, veuve de Louis Le Vasseur, baron de Loudon et seigneur de Cogners, fondatrice du temple d'Ardenay, Georges de Clermont d'Amboise, marquis de Gallerande et frère de Bussy à Pringé, les Daillon, protecteurs du temple de Dissé-sous-le-Lude, ou Abraham Caillard à Aillières. Trop peu nombreux, ils éprouvent des difficultés à faire respecter les garanties obtenues. Ainsi, au Mans, ils doivent attendre le don d'une pièce de terre sur la paroisse Sainte-Croix pour faire édifier un temple en novembre 1610.

A partir de 1660, leur situation devient difficile. En août 1665, les curés de Saint-Mars-la-Brière et de Saint-Denis-du-Tertre obtiennent, par arrêt du Parlement, la destruction du temple d'Ardenay. Le clergé s'efforce d'extorquer les conversions des plus en vue, notamment des ministres, souvent par des moyens contestables. Si les Caillard d'Aillières déclarent, le 10 décembre 1668, rester fidèles à la religion réformée, les pasteurs Gabriel Martin à Montoire et David Courtil à Château-du-Loir abjurent. A partir de 1682, le ton monte et la persécution s'installe. Elle se poursuit même après l'édit de Fontainebleau qui révoque l'édit de Nantes en 1685. En 1682, le clergé, assisté de l'intendant de Nointel, donne au consistoire du Mans :

> L'avertissement pastoral de l'Eglise gallicane à ceux de la R.P.R. pour les porter à se convertir et à se réconcilier avec l'Eglise.

Trois ans plus tard, un arrêt du Conseil du 30 juillet interdit le culte réformé au Mans, puis une ordonnance de l'intendant du 30 août ordonne la destruction du temple dans les deux mois. Le 29 novembre, de Tours, arrive l'ordre de loger des troupes de la garnison chez les protestants :

> Pour les obliger à faire leur abjuration, et d'en mettre un nombre suffisant pour les y faire penser sérieusement. (Arch. Science et Arts, VI D1).

Prévenus, les réformés déménagent et quittent la ville. A Bonnétable, le curé fait abjurer des enfants de 10 et 12 ans. Enfin, à Aillières, Abraham Caillard qui refuse de se soumettre est l'objet de véritables sévices : chevaux mutilés sur ordre du curé, établissement d'une garnison dans son château, le 28 juillet 1698, sur ordre de l'intendant Miromesnil. Il finit par abjurer, le 23 août, trois mois avant son décès, le 30 novembre ! Certains préfèrent l'exil à l'abjuration. Ils ne furent certainement pas très nombreux, quelques dizaines sans doute, et leur départ ne dut pas affaiblir considérablement l'économie locale. Ils fondèrent, toutefois, en Angleterre des manufactures de toiles blanches et de toiles à voile qui concurrencèrent les manufactures locales. Les mesures de répression administratives sont, dans l'ensemble, venues à bout du protestantisme.

La réforme catholique et ses limites

En face du problème protestant, l'Eglise connaît l'échec, mais peut-elle trouver une solution satisfaisante à ses propres problèmes ? Chercher à répondre à cette question est légitime mais difficile en l'état actuel de la recherche, voire en celui des sources elles-mêmes qui paraissent, par moment, faire cruellement défaut. Comment, dès lors, mesurer l'importance numérique du clergé, apprécier son genre de vie et son niveau de formation intellectuelle et spirituelle, appréhender les évolutions, connaître la profondeur de la christianisation des masses ?

Crucifix. Bois gravé, Leloup.
(Cliché Musées du Mans).

En 1667, Nicolas Antin, chanoine du Mans et archidiacre de Passais, visite les paroisses de la Quinte du Mans, doyenné qui entoure la ville. Celui-ci compte 95 ecclésiastiques pour 35 paroisses ; en 1764, ils sont encore 95, soit un peu plus de deux prêtres par paroisse, en moyenne. Il y a donc une relative stabilité des effectifs. Le *Tableau de la Généralité de Tours* permet, à la fin du XVIIIe siècle, une mesure plus vaste et plus précise grâce aux dénombrements des élections de Château-du-Loir (1762) et du Mans (1764), qui débordent, il est vrai, plus ou moins du cadre départemental.

Nombre de	Election du Mans		Election de Château-du-Loir
	Le Mans	Paroisses rurales	
Paroisses	16	263	68
Prêtres	142	534	209
Religieux	97	44	0
Religieuses	148	167	31
Habitants/prêtre	114,4	306,4	277,6

Il est, néanmoins, difficile de tirer des conclusions de ces données.

A titre individuel, certains prêtres sont bien connus. René Flacé, curé de La Couture, fait paraître à Paris, en 1574, un catéchisme en vers latins qu'il traduit en français deux ans plus tard. Pierre Ragot, curé du Crucifix en 1653, après s'être dévoué aux pauvres et aux malades, notamment lors de l'épidémie de 1648 et des troubles de la Fronde de 1649, poursuit une œuvre d'apôtre de la charité. Mais, globalement, les procès-verbaux de visites pastorales sont rares, fragmentaires, et ne fournissent que des indications partielles. Ceux du début du XVIᵉ siècle, concernant 75 paroisses liées directement ou indirectement au chapitre cathédrale, témoignent d'une vie religieuse apparemment sérieuse, tant pour le clergé que pour les fidèles. Dans l'archiprêtré de La Flèche, mi-angevin mi-manceau, au milieu du XVIIᵉ siècle, un curé sur 27 est docteur en théologie et les remarques défavorables ne semblent concerner que les « prêtres habitués ». Dans un article récent, Pierre-Yves Prost tente de décrire la situation générale à la lumière des statuts synodaux. Dès 1620, Charles de Beaumanoir, évêque de 1601 à 1637, affirme :

« Le vray portrait du pieux et charitable prêtre Pierre Ragot, curé de la paroisse du Crucifix de la ville du Mans, surnommé le père des pauvres et le véritable père du peuple, décédé en odeur de sainteté le 13ᵉ de may 1683, âgé de 73 ans ». (Cliché Musées du Mans).

> *Voyant la splendeur de l'estat ecclésiastique autrefois tant escla-*
> *tante en ce diocèse s'y obscurcissoit de jour en jour, tant par l'igno-*
> *rance que mauvais exemple de ceux qui en doctrine et bonnes œuvres*
> *devroient servir de lumière et de guide aux ouailles du troupeau de*
> *Nostre Seigneur, nous avons jusques icy aporté toute diligence pour*
> *recognoistre, tant qu'il nous seroit possible, les principaux désordres*
> *qui tirent leur commencement et origine de ces deux causes tant pré-*
> *judiciables.*

Refus d'obéissance, relâchement des mœurs, cupidité et débau-
che, manque d'intérêt pour les valeurs religieuses, attrait démesuré
pour celles du siècle, semblent le lot d'une forte minorité. De nombreuses églises sont mal tenues. Monseigneur Emery-Marc de La Ferté
(1637-1648) poursuit et intensifie cette œuvre de réforme. Le rituel de
1647, difficilement accepté par le clergé, est un bon instrument de pastorale.

Au milieu du siècle, des progrès apparaissent, notamment dans
l'ordre des églises. Mais, en 1654 encore, l'évêque Philibert-Emmanuel
de Beaumanoir doit rappeler à ses curés l'obligation de résidence :

> *... d'y résider actuellement et personnellement pour y faire les fonc-*
> *tions rectoriales, c'est à dire administrer les saints sacrements et ins-*
> *truire les peuples tant par la solidité de leur doctrine que par la bonté*
> *de leur exemple...*

Par ailleurs, dans son *Rapport au Roy,* de 1664, Colbert de
Croissy affirme :

> *Et généralement parlant tous les ecclésiastiques tant de la ville [Le*
> *Mans] que de la campagne vivent assés licencieusement, ce qui pro-*
> *vient de leur trop grande opulence.*

A cette époque, le jansénisme atteint le diocèse du Mans, mais la
signature du *Formulaire,* demandée par l'ordonnance épiscopale du
16 août 1664, ne suscite pas d'opposition. Quelques familles nobles,
les religieuses de la Visitation du Mans, accueillent avec ferveur les
idées de Saint-Cyran et d'Antoine Arnaud, ainsi que certains chanoines écartés par lettres de cachet. Elles se répandent au siècle suivant,
comme en témoignent les ouvrages jansénistes trouvés dans les bibliothèques des prêtres des Quintes du Mans, de la région de Conlie, du
Fertois ou du Saosnois, ou dans celles de bourgeois — officiers ou
marchands — de La Ferté-Bernard ou Mamers. Les évêques les rencontrent sans cesse. Monseigneur de Froulay obtient l'adhésion de la
quasi-totalité du chapitre cathédrale à la bulle *Unigenitus,* au lendemain d'un banquet mémorable, en la présentant « comme une règle de
discipline et une loi d'Etat, non comme une norme de foi ». Les *Nouvelles ecclésiastiques* de janvier 1730 en conservent l'écho. Monseigneur de Grimaldi, véritable prélat de cour, se heurte aux jansénistes
qui l'accusent de méconnaissance théologique et lui reprochent « sa
mauvaise foi, ses abus et injustices ». Les difficultés s'apaisent avec
Monseigneur de Jouffroy-Gonssans qui prouve sa ferveur et son zèle
dans ses tournées épiscopales mais, sous son règne, le jansénisme
imprègne la pastorale des sacrements. Les *Exercices journaliers et prières à l'usage des pensionnaires et des écolières des religieuses ursulines
du Mans* (1779) en témoignent.

Ces querelles déconsidèrent l'Eglise, arrêtent ou même font reculer le mouvement réformateur. Le chapitre cathédral se discrédite par
ses procès contre l'évêque et par les rivalités de ses membres. Les prêtres des paroisses, mieux formés que leurs prédécesseurs — l'analyse

de leurs bibliothèques après leur décès en apporte la preuve — sont laissés à eux-mêmes par des évêques ou des grands vicaires qui négligent de les visiter.

> Le 30 octobre 1780, nous avons conduit une partie de nos paroissiens, au nombre de 235, dans l'église de Mansigné, où ils ont reçu le sacrement de confirmation de Mgr Gaspard de Gonssans, évêque du Mans, qui a visité les cinq premières années de son règne tout son diocèse. Douze ans auparavant, Mgr Louis de Grimaldi, depuis évêque de Noyon, avait administré le même sacrement dans l'église de Château. (« Registre paroissial », arch. com. de Requeil).

François-Yves Besnard, qui prend possession de la cure de Nouans le 29 mai 1780, rapporte dans ses *Souvenirs d'un nonagénaire* ses modes de vie de propriétaire terrien recevant ses voisins, leur apprenant l'usage du café et les jeux de cartes. Il y souligne également que certains de ses confrères du Saosnois avaient une vie rustique et un langage grossier.

Ainsi, l'élan réformateur n'a-t-il pas eu le temps de bien ancrer ses racines. Des ecclésiastiques s'inscrivent dans les loges maçonniques, des aristocrates et des bourgeois abandonnent le christianisme pour un vague déisme, situation qui inquiète, dès 1770, Monseigneur de Grimaldi. Il dénonce dans un mandement :

> Les apôtres de l'impiété [qui] renoncent à leur foi pour avoir le ridicule avantage de ne pas penser comme les autres et d'avancer ce que tout le monde avoue.

Certains prêtres se plaignent du relâchement des mœurs et Beucher, curé de Brûlon, note dans son registre, en 1784 :

> A la vérité, les mœurs ne sont pas encore si corrompues ici que dans les villes, mais je crains fort que peu à peu on ne secoue le joug et que le mal ne pénètre jusqu'à l'intérieur. (« Registre paroissial », arch. com. de Brûlon).

L'effort des meilleurs curés et des missionnaires n'a pas réussi à extirper les croyances séculaires et les superstitions. La montée du nombre des naissances illégitimes, dès 1770 à Mamers et dans le Saosnois, laisse bien entrevoir un relâchement de la morale religieuse.

Les Arts et les Cultures

Architecture civile, architecture religieuse

Aux XVIIe et XVIIIe siècles, des nobles, attentifs au goût du jour, font construire quelques châteaux, plus modestes qu'à la période précédente. Tous ces édifices se présentent aujourd'hui comme des variations autour d'un thème : un pavillon central de deux ou trois étages avec fronton triangulaire, deux ailes en retour et deux pavillons aux extrémités. Tel apparaît le château de Sablé édifié, à partir de 1715, pour Colbert de Torcy. Aux Bordeaux (1751) et à Amné-en-Champagne, le fronton en pierre est surmonté d'un toit à quatre pans et les deux pavillons sont raccordés à la façade par un quart de cercle concave, marque particulière du style rocaille. Un dôme à quatre pans surmonte la façade du château de Sourches (1761-1780), une des plus

Le château de Sablé. Gravure de de Wismes.
(Cliché Musées du Mans).

grandes des châteaux provinciaux, et une galerie basse relie les pavillons d'angle. Enfin, côté jardin, un salon en saillie anime la façade, en grès fin, pierre de Vouvray et tuffeau du château du Grand-Lucé, construit en 1760 pour Jacques Pineau, successivement intendant de Tours, de Hainaut et d'Alsace, qui n'y séjourna que rarement. La façade orientale du Lude, de style Louis XVI, commandée en 1785 par la marquise de Vieuville à l'architecte parisien Barré, s'inscrit entre deux tours du XVe siècle.

Au Mans, les moines de l'abbaye Saint-Vincent entreprennent la reconstruction de leurs bâtiments claustraux (1685-1735), suivis par ceux de Beaulieu (vers 1717) puis ceux de La Couture (1760-1775). Louis Haureau a bien souligné la volonté de Colbert au départ de ce mouvement. Il y voyait le moyen de faire investir les capitaux monastiques et de créer des emplois, mais les contemporains ne comprennent pas cette fièvre, qui leur apparaît comme une dilapidation de moyens qui pouvaient être employés différemment. Un article du cahier de doléances de Brûlon en témoigne :

> *Que font les moines de leurs biens immenses ? Les uns emploient des revenus qu'ils ne connaissent même pas, tant ils sont considérables, à faire de superbes maisons, des châteaux, des palais.*

Deux églises illustrent l'architecture religieuse de ces deux siècles. A La Flèche, les travaux de construction de la chapelle du collège des jésuites débutent en 1607. L'édifice, bien que non achevé, est consacré vingt ans plus tard. Le père Etienne Martellange, architecte de la Compagnie, lui donne la forme d'une croix latine avec une nef unique flanquée de chapelles latérales et couverte de voûtes sur croisées d'ogives sobrement moulurées. Des tribunes richement décorées s'intercalent

L'Oratoire du Mans (collège, XVIIIe siècle).
Remarquez également, au premier plan, les
animaux de la ferme, notamment la vache. La
gravure date de 1791.
(Cliché Musées du Mans).

entre chaque pilier, portées par un arc en plein cintre et surmontées
d'un arc surbaissé. Ici, point de façade noble et pompeuse, inutile,
c'est une chapelle de collège et c'est celui-ci qui ouvre sur la rue par un
portail monumental à fronton coupé. Au Mans, la chapelle du couvent
de la Visitation, due aux architectes manceaux Riballier père et fils, sur
les plans de la sœur Anne-Victoire Pillon, est consacrée en 1737. Un
portique sculpté avec colonnes et fronton orne la façade. A la croisée
du transept, une lanterne à huit pans en plein cintre surmonte la nef.
L'intérieur en tuffeau témoigne d'un style de transition Louis XIV-
Louis XV, avec ses voûtes d'arêtes à panneau peint à l'huile au centre,
sa galerie et sa balustrade en fer forgé, son maître autel en pierre et
marbre (1751).

Retables et statuaire en terre cuite

Aux XVIIe et XVIIIe siècles, très peu d'églises rurales sont construites dans les parties du Maine et de l'Anjou correspondant à l'actuel
département de la Sarthe. Des reconstructions ont lieu essentiellement
dans la seconde moitié du XVIIIe siècle et au XIXe siècle.

Au XVIIe siècle, les constructions ont surtout été entreprises par
les nouveaux ordres religieux (jésuites à La Flèche, oratoriens au
Mans...). Dans les paroisses, on se contente le plus souvent d'entretenir la maison commune en l'agrandissant éventuellement lorsque la
population augmente. En revanche, l'espace intérieur des églises est
peu à peu modifié. Du XVIIe siècle au XVIIIe siècle, un ordre s'insinue

Duneau. Retable du maître-autel, 1780 (J. Lebrun). *(Cliché Musées du Mans).*

qui, toujours, privilégie le maître autel. Cependant que, dès le XVIᵉ siècle, apparaissent, fixés à demeure derrière les autels, des édifices de bois, de stuc, de pierre, souvent décorés de marbre et enfermant ordinairement tableaux et statues : ce sont les retables.

Ces monuments se multiplient aux XVIIᵉ et XVIIIᵉ siècles ; les deux grandes périodes de production dans le Maine sont : d'une part, la deuxième moitié du XVIIᵉ siècle et le tout début du XVIIIᵉ siècle ; d'autre part, la deuxième moitié du XVIIIᵉ siècle. On construit encore des retables du même type pendant la première moitié du XIXᵉ siècle. Au cours des deux grands moments de la production, le rôle moteur est joué, dans les paroisses, par le curé et les « notables ». Le curé, devenu résidant, est le donateur dans plus de la moitié des cas ; et même lorsqu'il ne finance pas, il peut avoir l'initiative. Mais le retable paroissial reste œuvre collective : les habitants, presque toujours, participent à l'édification du monument par de multiples charrois. Introduits dans les villages alors que déjà abbayes ou couvents, collèges ou châteaux en possèdent, les retables paroissiaux subissent l'influence des premiers-nés ; mais la motivation la plus profonde, celle qui contribue à la multiplication des édifices, c'est l'émulation entre les paroisses. A Meurcé, en 1681, on demande à Nicolas Mongendre de faire deux retables latéraux enrichis de :

> chapiteaux, collonnes, frises, festons, cadre, lequel ornement desdits cadre et festons seront par bouquets de fueille et fleurs de la mesme manière que ceux des petits autels de l'église de Juillé. (Michèle Ménard, « Mille retables de l'ancien diocèse du Mans », p. 143, arch. dép. de la Sarthe, G add. 13).

247

En 1684, un traité est passé entre M⁰ Leroux et Pierre Lorcet :

pour construire et édifier un autel dans l'église de Saint-Léonard-des-Bois qui sera le grand autel de ladite église et sera conforme et semblable à l'autel qui a été construit de neuf dans l'église dudit Conlie, dédié à l'honneur de Notre-Dame. (Michèle Ménard, « Mille retables de l'ancien diocèse du Mans », p. 143, *arch. dép. de la Sarthe*, 4 E, supplt XIII).

On peut multiplier les exemples. Plus de la moitié des églises de la Sarthe ont conservé au moins un retable. On a pu émettre l'hypothèse qu'à la fin du XVIII⁰ siècle presque toutes les églises avaient un retable et que la plupart d'entre elles en possédaient trois.

Avec près de 600 édifices, l'ensemble conservé dans les églises paroissiales est, malgré son histoire perturbée, représentatif : il témoigne non seulement de la pénétration massive dans la province d'un certain type de monument d'autel, mais aussi de la manière dont les modèles ont été reçus, transformés, réinventés. Les retables sont les réceptacles de styles et de valeurs importés, mais ils ont été façonnés par des artistes et des artisans manceaux : les Mongendre, les Bigot, les Caratery, les Riballier, les Lebrun, les Lorcet, ou par des artistes lavallois comme Michel Langlois ou Pierre Corbineau. C'est ce dernier qui

Sainte Barbe. Champagné, retable du maître-autel. Détail. *(Cliché Michèle Ménard).*

exécuta, de 1633 à 1636, le plus magnifique mais aussi le plus cher (7.000 livres) des retables conservés, celui de la chapelle du Collège des Jésuites à La Flèche. Les retables des églises paroissiales sont généralement plus modestes ; la plupart d'entre eux coûtent de 300 à 1.500 livres. Lorsque l'architecture du retable est terminée, il faut y placer tableaux et statues. La statuaire en terre cuite polychrome est une production originale du Maine et de l'Anjou. Les sculpteurs en terre cuite les plus connus du Haut-Maine sont Mathieu Dionise, Charles Hoyau, Gervais I et Gervais II de la Barre, Joseph Coeffeteau et aussi Pierre I Lorcet et Joseph Lebrun. Le plus connu des sculpteurs angevins, Pierre Biardeau, est originaire du Mans.

Les retables manceaux sont le produit d'une vision du monde, celle de l'époque posttridentine ; mais la quantification des « images » permet de mettre en valeur les grands refus du Haut-Maine et la hiérarchie des choix. Ainsi, la représentation des âmes du Purgatoire n'apparaît pas ; la mort et la souffrance, rarement évoquées au XVIIe siècle, sont évincées au XVIIIe siècle. Le système d'images du retable manceau, en partie programmé, toujours orthodoxe, est théologique, trinitaire et christocentrique au XVIIe siècle. Il se simplifie à la fin du XVIIe siècle et au XVIIIe siècle ; c'est alors que se multiplient les ima-

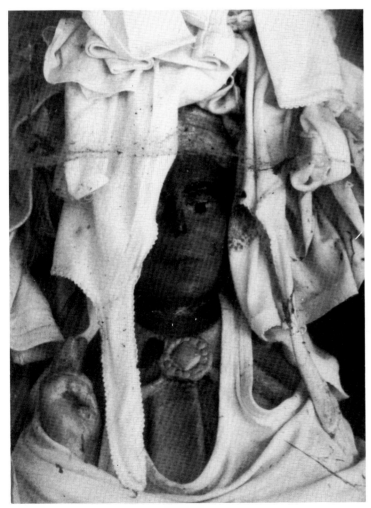

Saint Aignan.
Chapelle Saint-Aignan,
paroisse de Neuvillalais.
*(Cliché
Michèle Ménard).*

ges de l'Assomption, images du Ciel liées au rejet de la mort. Dans ce pays, créateur de Noëls, sont relativement abondantes les Nativités et les Adorations de bergers, souvent façonnées en relief.

Le retable regroupe les images au-dessus de l'autel : il est le lieu de rassemblement de la Cour céleste, dominée par la Glorieuse Mère de Dieu dont les seules représentations en ronde bosse égalent la totalité des images spécifiquement christiques. On voit apparaître des saints posttridentins comme saint Charles Borromée et saint François de Sales. Mais, ce sont les vieux saints qui sont les plus nombreux. Au premier rang, le grand antipesteux, saint Sébastien, qui, lorsque cesse la peste, s'occupe des épizooties. Les habitants se sont approprié ce vainqueur de la mort, délégué de l'Eglise ; cependant, pour les maux particuliers, qui ne concernent pas l'ensemble de la communauté, ils préfèrent s'adresser, hors de l'église paroissiale et hors retable, à des saints moins contrôlés par les clercs, comme saint Aignan, encore récemment efficace contre la teigne dans son oratoire de la paroisse de Neuvillalais. Sur les retables, les saints thaumaturges doivent remplir de nouvelles missions ; la sainte la plus représentée, après sainte Anne, sainte Barbe, qui protège de la foudre, donc de la mort subite, sauve de la mort sans sacrements. Il y a épiscopalisation des saints guérisseurs. La présence massive des saints évêques, sous la suprématie des patrons de la province de Tours et du diocèse du Mans, saint Martin et saint Julien, souligne le rôle de l'Eglise qui commence avec l'enseignement. La fonction didactique du retable est magnifiquement représentée par les images de deux éducations, celle de Marie par Anne et celle de l'Enfant par Joseph.

Avec sa structure caractérisée par la symétrie, l'équilibre, avec son système d'images dont on peut toujours percevoir la cohérence malgré les modifications sans cesse apportées, le retable manceau des XVIIe et XVIIIe siècles est le témoin d'un ordre proposé par les clercs, mais qui ne pouvait s'insinuer dans les paroisses qu'avec l'accord, si ce n'est de la *major pars,* du moins de la *sanior pars* des habitants.

Culture populaire et scolarisation

Pour le plus grand nombre, l'image reste un moyen de culture privilégié. L'imagerie populaire est née, au XIVe siècle, avec la gravure sur bois. Entre 1760 et 1830, cette « industrie » connaît son apogée et Le Mans, dont les planches et les feuilles rares aujourd'hui demeurent mal connues malgré les travaux de certains érudits, figure, avec des imprimeurs comme Gaugain et Leloup, parmi les grands centres français de fabrication. Les thèmes sont religieux (scènes de l'Ancien et du Nouveau Testament, vierges de pèlerinages, saints protecteurs), mais aussi profanes (légendaires ou anecdotiques). Ces grandes feuilles, édifiantes ou amusantes, sont certainement collées dans bien des chaumières sur le manteau de la cheminée, à la tête des lits ou au revers des portes d'armoires. Elles attirent plus par leurs couleurs vives que par leur texte, le plus souvent, d'ailleurs, réduit au minimum. Cette production s'adresse, en effet, à une clientèle quasiment illettrée.

Depuis les chiffres publiés par Maggiolo en 1880, on utilise la signature de l'acte de mariage comme indicateur, grossier mais tout de même intéressant, du degré d'alphabétisation. Certes, les données utilisées dans cette enquête sont insuffisantes pour la Sarthe sous l'Ancien Régime ; elles n'en fournissent pas moins une première idée : 17,9 % des hommes et 10,8 % des femmes signent leur acte de mariage en 1686-

REPRESN TE CIDES J   TTIS CON LES VOIT

ſerotez Lamapratique   ala petites loterie   ala paille davoine   leramoneur motes a bruler

m flans a Flire   Bon   maigre   la laitierre   Le Falot   Et desrave c aneaux vendre

Les petits métiers.
Bois gravé, Leloup,
vers 1790.
(Cliché
Musées du Mans).

1690, 22,4 % et 19,1 % un siècle plus tard, soit une progression nettement inférieure à la moyenne nationale. En 1816-1820, ce sont encore moins de 30 % des hommes qui peuvent signer le jour de leur mariage, mais 60 % des conscrits savent lire et écrire en 1830-1833. Les dépouillements actuels confirment et nuancent ces données. A Nogent-le-Bernard, la fréquence des signatures masculines n'atteint jamais 30 % de 1700 à 1829, alors qu'à Saint-Vincent-des-Prés, dans un riche terroir, elle frôle 40 % au début du règne de Charles X. En ville, les choses sont différentes. A Mamers, la fréquence se situe toujours au-dessus de 35 % et atteint même 61 % durant la décennie 1770-1779. De même, l'analphabétisme féminin, flagrant dans les campagnes où moins de 22 % des femmes signent lors de leur mariage, est moins marqué à Mamers où les épouses rejoignent le niveau culturel de leur mari au début du XIXe siècle. Au Mans, 43 % des nouveaux mariés savent signer en 1697-1698 ; la différence de taux d'alphabétisation entre les sexes est de 11 à 12 %. Trente ans plus tard, l'instruction progresse légèrement mais celle des hommes stagne. Au milieu du XVIIIe siècle, on atteint 46 %, puis l'alphabétisation marque un pallier jusqu'à la fin du siècle ; la progression de l'alphabétisation féminine étant plus rapide. Au début du XIXe siècle, le niveau est toujours bas. En l'an XII, 13,5 % des habitants de Ballon savent lire et écrire, 7,5 % de ceux de Luché, mais seulement 4,5 % à Thorée, 4 % à Saint-Mars-de-Cré, 1,5 % à Courceboeufs. En 1838, un quart des Fertois seulement savent lire et écrire. Au total, la Sarthe est, en quelque sorte, une transition entre les régions alphabétisées, situées au nord de la ligne Le Mont-Saint-Michel - lac de Genève, et les régions analphabétisées du sud.

Un instituteur manceau « philanthrope »
sous la Monarchie de Juillet
François Dulac

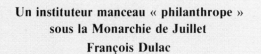

Né à Bourges en 1804, mort au Mans en 1873, François Dulac dirigea l'école publique gratuite, dite « mutuelle », de cette dernière ville pendant près de quarante années, de 1831 à 1872 « Entièrement dévoué à ses fonctions », il consacra une part importante de son activité d'éducateur d'enfants issus de milieux populaires à mettre sur pied de nombreuses œuvres péri et post-scolaires, avec l'appui des notables locaux et concurremment avec les Frères de la Doctrine Chrétienne.

En 1836, il avait d[e] organisé des co[urs] d'adult[es] des cours po[ur] former des moniteurs d'éco[le] régimentaires et créé, semble-t[-il] la première caisse d'éparg[ne] scolaire en France (183[4]. A cette date, da[ns] une lettre au maire [du] Mans, président [de] la commissi[on] de surveillan[ce] de l'éco[le] Du[lac] présen[ta] certai[ns] de ses proje[ts]

Thuiland, l'institute[ur]
Poterie de 1886.

Monsieur le Maire,

J'ai l'honneur de vous adresser ci-joint, l'état nominatif des élèves proposés pour les récompenses de la fin du mois de février 1836.

Quelques enfants dont j'avais à me plaindre fortement, viennent en quittant l'établissement de prévenir l'expulsion à laquelle leur inconduite les aurait amenés.

Monsieur le Maire, plusieurs fois déjà, l'administration, dans l'intérêt de l'établissement que je dirige, a banni de son sein les mauvais sujets qui le déshonnoraient.

Cette mesure, souvent proposée par moi-même, a toujours laissé en mon cœur un plaisir mêlé de peine.

Si d'un côté je me réjouissais en voyant l'école purgée, de l'autre je me demandais que vont devenir ces enfants, auxquels le renvoi définitif de mon école doit fermer l'entrée de toutes les autres ?

Rien de plus affligeant pour des cœurs philantropes (sic) que l'idée de vagabondage de désœuvrement dans lesquels vont tomber ces êtres malheureux.

Pour obvier d'un côté à ce déplorable état de choses, et de l'autre ne pas cesser d'éloigner de notre famille ceux qui en sont indignes, j'ose prendre la respectueuse liberté de vous faire part d'un projet que j'ai conçu : c'est celui de la création d'une école disciplinaire laquelle serait le réceptacle, non seulement des expulsés, mais qui, par la sévérité de son réglemens (sic) servirait de frein à ceux qui quoique bons encore auraient de la tendance à l'insoumission.

Cet établissement où seraient exercées les facultés physiques et intellectuelles, présenterait selon moi des résultats bien plus heureux que les prisons où se corrompent les mœurs des jeunes gens, par le contact impur des individus gangrenés qu'ils y rencontrent.

Nouveau champ d'asile, il serait non seulement une ressource inappréciable pour les enfants indociles chassés des écoles ; mais aussi pour cette autre classe désœuvrée, fléau de la société, dont l'oisiveté constante ne peut son avenir d'un si fâcheux augure.

Une fois ce projet exécuté, le zèle de Monsieur Deleuze déjà si bien connu, assure à notre cité la disparition entière des jeunes mauvais sujets qui infestent ses rues.

Dès lors, loin de nous la douleur de voir des enfants se livrer au vol et à d'autres fautes qui les ont conduits devant les tribunaux et de là en prison, faits déplorables dont tous les jours on est témoins.

Une salle d'asile pour le premier âge.

Une école élémentaire pour les enfants plus avancés.

Des cours d'adultes, une école supérieure, une école normale, une caisse d'épargnes, la création d'une école disciplinaire, complément de toutes les autres, ne peuvent manquer d'assurer à la ville du Mans les résultats les plus heureux.

Toujours guidé par le désir de me rendre utile, après avoir pensé à rendre moins triste le sort de ceux de mes enfants que leur méchanceté pourrait priver du bienfait de l'instruction, j'ai songé à augmenter les moyens auxquels j'ai eu recours jusqu'à présent pour arriver à mon but d'éducation morale envers ceux qui sont dociles à mes leçons.

Les visites fréquentes que j'ai faites de mes élèves au sein de leurs familles, m'ont mis à même de voir que quelques-uns d'entre eux, ainsi que leurs parents, désireux de charmer les ennuis des longues soirées d'hiver, par une lecture amusante, n'avaient souvent entre les mains que des ouvrages futiles pour ne pas dire dangereux.

Alors j'ai cru qu'il serait bon d'établir une petite bibliothèque populaire, qui composée à peu de frais d'ouvrages utiles et intéressants, serait mise à la disposition des élèves capables de profiter de cet avantage.

A la fin de chaque mois, et en présence de leurs camarades, une prime d'encouragement serait accordée à ceux qui rendraient un compte plus exact de leurs lectures.

Maintenant, Monsieur le Maire, je crois devoir vous prévenir que la visite de tous les élèves faite par le Médecin serait urgente. Dans nos revues de propreté journalières, nous avons trouvé un galeux. D'autres sont affectés de maux à la tête qui me laissent des doutes.

Je crois aussi en terminant devoir vous rappeler que votre intention est d'établir dans la classe des rideaux pour remédier aux inconvéniens (sic) de la trop grande sonorité de la salle, qui est pour nous très fatigante.

J'ai l'honneur d'être avec le plus profond respect, Monsieur le Maire, votre très humble serviteur.

DULAC f.

(Source : *Archives communales du Mans*, mairie du Mans, 0 434).

Présentation et commentaire de Gérard BOELDIEU.

Luché. Education de la Vierge par Sainte Anne (1659). *(Cliché Michèle Ménard).*

Cette série d'observations pose le problème de l'efficacité des petites écoles au cours du XVIIIe siècle. Certes, leur mention existe pour les garçons, voire pour les filles, dans un certain nombre de paroisses, mais aucune statistique d'ensemble n'a été établie et rien ne renseigne, d'autre part, sur leur existence certaine et ininterrompue à partir d'une date donnée. Vu la médiocrité des fondations, certaines n'ont dû avoir qu'une durée éphémère. Par ailleurs, le bas niveau probable des maîtres et des maîtresses, l'absentéisme fréquent des enfants rendent compte de la faiblesse des résultats obtenus. A Mamers, Jean Laperdrix, prêtre, et Louis Triger, conseiller du roi, officier au grenier à sel, fondent une école en 1733 avec une maison, 16 hommées de vigne et 50 livres de rente. Ils engagent la ville à fournir 200 livres de rente supplémentaire pour faire venir les frères de la doctrine chrétienne. La ville n'eut sans doute jamais les moyens d'assurer un tel financement, les frères ne vinrent pas et le rôle de l'école est inconnu. Jacques-Pierre Fleury porte dans ses *Mémoires* un jugement sans appel :

> *Mes parents payaient pour moi trente sols chez les maîtres d'école où l'on n'apprenait que le jeu, la dissipation et le libertinage. A cette époque, la corruption des mœurs faisait partout des progrès très rapides... Je terminais ma onzième année, je ne savais ni lire ni écrire.*

Cet état ne s'améliore pas avec la Révolution. Les mesures antireligieuses comme l'insécurité freinent la scolarisation des enfants. Si l'on en croit l'enquête de l'an X, des écoles primaires existent dans la moitié des communes, mais « le triste résultat de leur organisation ne fait point regretter qu'elles ne le soient dans la totalité ». L'Empire et le calme rétabli permettent-ils de retrouver la situation antérieure ? Rien ne permet de le dire. Une seule chose est certaine : 14.000 enfants des deux sexes seulement sont scolarisés en 1829, 14 % des enfants de 5 à 15 ans environ, encore l'absentéisme est-il fréquent ! Le premier progrès substantiel tient à la loi Guizot de 1833, 33.000 élèves fréquentent les écoles primaires en 1846, remarquable progression de 136 % en vingt-six ans. Un collège municipal s'installe au Mans, dans les locaux des oratoriens, mais ne compte que 45 élèves en 1798. L'école centrale qui lui succède sous le Directoire, trois ans après la création gouvernementale, ne connaît qu'un succès relatif. Enfin, point n'est besoin d'insister sur le rôle du lycée napoléonien. Par contre, il est bon de souligner que la confiscation des bibliothèques des monastères et des abbayes est à l'origine des bibliothèques municipales du Mans et de Mamers.

Il ne faut pas, toutefois, accorder aux chiffres une valeur absolue. L'image qu'ils fournissent est réelle mais ne signifie pas que la moitié, voire les deux tiers de la population, vivent en marge de la civilisation de l'écrit. Ceux qui savent lire jouent, fort probablement, un rôle inversement proportionnel à leur faible nombre. Un exemple permet d'en juger. En l'an XII, après le décès de son mari, François Desforges, libraire à Sillé-le-Guillaume, sa veuve fait dresser l'inventaire des biens du ménage. L'actif atteint 3.010,80 F dont 916,70 F pour 67.788 exemplaires de livres de colportage. Comme le libraire ne rayonne que sur une trentaine de kilomètres autour de sa boutique, on peut expliquer l'importance de ce stock par une hypothèse : tout groupement d'habitat, village ou hameau de quelques bordages, comprend quelque personne, adulte ou enfant, capable de lire non seulement pour lui-même — plaisir ou instruction — mais à haute voix pour ceux de l'entourage groupés autour de la cheminée durant les longues soirées d'hiver. Ces livres, « contes de fées, cantiques, bouquets poissards et autres ouvrages de cette nature », vendus quelques sols ou quelques centimes, probablement imités sans scrupules de la « bibliothèque bleue » de Troyes par le libraire silléen ou ses collègues manceaux, appartiennent à une littérature d'évasion, à contre-courant des dures réalités quotidiennes. Ils reflètent également une religion où se mélangent foi simple et superstitions.

Dans cette contrée où l'on ne rencontre pas de cas patents de possession ni de sorcellerie, les superstitions diverses, la croyance au merveilleux sont, comme ailleurs, parties intégrantes de la culture et de la religion populaires. Les archives judiciaires, trop longues à citer ici, en gardent le souvenir. Certains n'hésitent pas à abuser de la crédulité commune. L'acte de baptême suivant, rédigé par le curé de La Suze, en témoigne également :

> *Pierre, fils de Raguideau et de... (illisible) sa femme fut baptisé le jour de Saint-Nicolas, sixième jour de décembre 1645... Pour moi je voudrois bien assurer et assuroi le vrai que cette femme a obtenu cet enfant par miracle saint de la chapelle N.D. des Bois de cette dite paroisse, d'autant qu'elle en avoit déjà eu trois ou quatre morts nés, et qu'elle alloit tous les jours dans icelle chapelle pour implorer la grâce de Dieu par les intercessions de la bonne Dame pour avoir un heureux accouchement, qui est arrivé grâce à Dieu et à la bonne Dame. Elle n'avoit jamais eu d'enfant vivant. Icelle femme disoit longtemps auparavant que d'être malade : mon enfant aura baptême, j'ai trop bonne espérance en la bonne Vierge.*

En 1679, Jean-Baptiste Thiers, curé de Vibraye en 1692, publie un *Traité des superstitions* qu'il complète en 1703, année de sa mort. Il y dresse un catalogue des superstitions pour mieux en dénoncer le ridicule et en faciliter la disparition et s'inscrit, ainsi, dans l'œuvre d'assainissement entreprise par l'Eglise au lendemain du Concile de Trente. Les pratiques n'en demeurent pas moins, à preuve ce monitoire de l'évêque du Mans du 23 avril 1779 :

> *Tous ceux qui savent et ont connaissance que nombre de particuliers de l'un et l'autre sexe abusent de la simplicité et de la crédulité de nombre de personnes des deux sexes qui s'adressent à eux soit pour se faire guérir ou pour faire guérir leurs bestiaux sous prétexte qu'ils sont sorciers. Qui sçavent que ces particuliers se disant devins ont recours à des pratiques et à des incantations superstitieuses, qui toutes ont pour objet de tromper et abuser le public, qu'il en résulte de grands inconvénients et les plus grands abus. (Arch. com. du Mans, 835).*

Culture savante

Un monde sépare ces masses populaires des privilégiés de la naissance et de la fortune qui sont en même temps les privilégiés de la culture. Deux collèges fournissent un enseignement de qualité. Au Mans, celui de l'Oratoire, qui annexe, en 1652, l'ancien collège Saint-Benoît, reçoit des enfants d'hommes de lois, de marchands, de laboureurs et quelques fils de gentilshommes. Au total, 889 élèves en 1661, 754 en 1678, 400 en 1763, environ 300 à la fin de l'Ancien Régime. Celui de La Flèche est de loin le plus célèbre grâce à la qualité des maîtres et à la variété des matières enseignées.

> *L'an 1603, le roi, après avoir rétabli les jésuites en son royaume, redouble ces royales faveurs envers ces pères et leur donne sa propre maison de La Flèche, en Anjou, en laquelle il avait été conçu, pour y bâtir un collège. Il leur donna encore une grande somme d'argent pour y bâtir, ce que firent ces bons pères avec magnificence digne de la main royale et bienfaitrice de ce monarque. Le sieur de La Varenne-Fouquet prit un grand soin de cet édifice... et l'a rendu un des plus beaux bâtiments de l'Europe...*

> *Dès cette année [février 1604] l'on commença d'y faire leçon en la grammaire, réthorique, philosophie, mathématiques, théologie et hébreu... C'est une chose admirable de considérer combien les lettres florissaient alors au collège de La Flèche, par les soins, le travail, la piété et la doctrine des jésuites, et le grand nombre d'écoliers qu'ils y attiraient.* (Roger, « Histoire de l'Anjou », *bibl. mun. d'Angers*, mss 1001).

Ces élèves, surtout fils de l'aristocratie et le plus souvent étrangers à la province, sont 1.200 en 1604, 1.400 en 1612, 1.800 en 1625, mais seulement 550 en 1761, à la veille de l'expulsion des jésuites. Parmi les anciens, on remarque Descartes et le père Mersenne.

Par ailleurs, durant les vingt-cinq dernières années de l'Ancien Régime, les manifestations d'une vie intellectuelle collective se multiplient. Dès 1728, une société de lecture, où brillaient les médecins Champion père et fils, avait été fondée. Une société littéraire et patriotique naît en 1778, sous l'impulsion de Le Riche de Vaudy, directeur des fermes. La « Société et jardin de la rue Saint-Vincent ou de Saint-Ouen », créée en 1785, offre à sa centaine d'adhérents un cabinet de lecture avec les grands journaux français, deux salles de billard et une salle de jeux. La première feuille locale, les *Annonces, Affiches et Avis divers pour la ville du Mans et pour la Province,* est lancée, le 4 février 1771, par l'imprimeur manceau Charles Monnoyer, l'un des premiers à prendre cette initiative parmi ses collègues provinciaux. Enfin, le bureau du Mans de la Société d'Agriculture de Tours a vu le jour, on l'a dit, en 1761. Quant à la maçonnerie, elle apparaît très tôt au Mans puisque la première loge, divisée en deux ateliers, *la Paix* et *la Moria,* date de 1741, mais elle disparaît vers 1764. La loge *la Moria,* composée de membres de la haute bourgeoisie mancelle et de clercs, se reconstitue en 1783 ; elle tient 13 réunions annuelles, compte 58 membres à la veille de la Révolution. Deux autres loges, *Saint-Julien de l'Etroite Union* et *Saint-Hubert,* en groupent respectivement 36 et 30. En 1789, des loges apparaissent à Château-du-Loir et à Sablé. Le salon de Madame de Fondville règne sur la haute société mancelle de 1740 à 1787. Le Mans inaugure une salle de spectacles en 1776, tandis que des nobles installent des théâtres dans leurs châteaux, ainsi le comte de La Châtre à Malicorne, en 1777, Nepveu de Bouillon, en 1786 à Rouillon, la comtesse de Sourches, à Courcemont. L'élite locale suit avec intérêt toutes les nouveautés, l'*Encyclopédie,* mais aussi les problèmes économiques. Nioche de Tournay, inspecteur des manufactures, fait passer à ce propos une annonce dans les *Affiches,* preuve de la circulation des ouvrages :

> *N. de Tournay ne peut pas se rappeler à qui il a prêté les* Considérations sur les Finances, *deux volumes in 4°, ceux qui les ont sont priés de se faire connaître.* (11 février 1788).

Elle s'intéresse aux expériences de Louis Damoreau, démonstrateur de physique expérimentale qui donne des cours au Mans en 1777 et 1778, et aux premiers vols des aérostats, au Mans, en 1784 :

> *Le ballon annoncé... a été lancé lundi dernier, 3 du courant, sur les sept heures du soir, à la maison conventuelle de Messieurs les chanoines réguliers de Beaulieu en présence et à la satisfaction de tous les citoyens... [Il] est parti avec promptitude, a été suivi à l'œil pendant 14 à 15 minutes. Le vent qui étoit Nord-Nord-Ouest l'a porté sur la ville qu'il a traversée et d'où il a été vu de toutes parts. Son ascension a paru au moins de 400 toises... Nous venons d'apprendre... que le ballon est tombé dans un chemin non éloigné de la métairie de la Butte, paroisse de Lasse, au-delà de Beaugé, à environ 16 lieues de son départ.* (Affiches, 10 mai 1784).

L'année suivante, un nouveau vol d'aérostat a lieu à La Flèche, à l'initiative de Claude Chappe, né à Brûlon, en 1763, et inventeur du télégraphe qu'il emploie pour la première fois les 2 et 3 mars 1791, entre Brûlon et Parcé, sur une distance de 15 kilomètres. Présentée un an plus tard à l'Assemblée législative, l'invention est adoptée par la Convention le 26 juillet 1793.

Mais ce n'est pas au Mans que font carrière les deux grands auteurs de l'époque : Paul Scarron et François Véron de Forbonnais.

Scènes du roman comique : entrée des comédiens au Mans. J.-B. Coulon.
(Cliché Musées du Mans).

Né à Paris, en 1610, Paul Scarron est élevé par une marâtre avare. Pour faire carrière, il choisit d'entrer dans les ordres. En 1629, il porte le titre d'abbé. En 1633, Charles de Beaumanoir, évêque du Mans, le prend à son service et l'amène au Mans. Il y passe huit ans au palais épiscopal obtenant, en 1636, un canonicat. En 1638, il tombe malade et regagne Paris, paralysé. Ce bref séjour lui fournit l'essentiel du cadre — et peut-être des personnages — de son *Roman comique,* publié en 1651.

Paul Scarron

257

**François
Véron
de Forbonnais**

Arrière petit-fils de Jean Véron, l'ingénieux artisan inventeur de l'étamine du Mans, François Véron de Forbonnais naît dans la maison de la Sirène, en 1722. Economiste, il publie ses *Recherches et considérations sur les finances de la France* en 1752, puis ses *Eléments du commerce* en 1754 ; il est nommé inspecteur des monnaies en 1756. Premier commis du contrôleur général Silhouette en 1759, il propose une réforme du système fiscal : impôt unique et diminution de 75 % des frais de perception. La coalition des bénéficiaires du régime existant a raison de lui. Le roi l'exile temporairement sur sa terre de Champaissant. L'Assemblée constituante utilisera ses connaissances monétaires et il jouera un rôle comme administrateur du district de Mamers. Il meurt en 1800, après avoir publié un dernier ouvrage : *Analyse des principes sur la circulation des denrées.*

François Véron de Forbonnais. Tableau de Colson. *(Cliché Musée de Dijon).*

D'une révolution à l'autre

Les structures sociales

En ville

Paul Bois a montré l'absence, au Mans, des plus titrés et des plus riches. Ils vivent en permanence à Paris. Le sommet de la pyramide sociale est dès lors tenu par les nobles apparentés à la bourgeoisie d'affaires comme le riche étaminier Cureau, seigneur de Roullée. Mais la stratification sociale, qu'il obtient à partir des rôles de taille de 1778, n'épouse pas le dessin classique de la pyramide à base large et à angle aigu. En effet, 26,6 % des taillables paient moins d'une livre, à peine le prix d'une journée de travail d'un tisserand, le « minimum vital » de l'époque. 8,5 % paient de 1 à 2 livres, mais 17 % acquittent de 2 à 4 livres et 27,4 % de 4 à 10 livres, 12 % de 10 à 20, 7,3 % de 20 à 50 et

La Sarthe au Mans, 22 août 1832. Lady Elisabeth-Suzan Percy. Au premier plan, à gauche, moulin de Chétive-Eau ; vieilles maisons et tanneries sur les deux rives. Au centre, le pont Yssoir. *(Cliché Musées du Mans).*

1,1 % seulement plus de 50 livres. L'étude des 852 contrats de mariages passés à Mamers, entre 1769 et l'an II, fournit, à partir d'une autre source, une image voisine puisque 42 % des futurs époux n'apportent pas, ensemble, 100 livres (40 % environ du revenu annuel d'un ménage de tisserands), 14,3 % de 100 à 200 livres, 7,27 % de 1.000 à 2.000 livres, 6,45 % de 2.000 à 5.000 livres et 2,2 % 5.000 livres et plus. Cette importante catégorie intermédiaire est constituée d'artisans de service ou, secondairement, d'artisans dépendants, maîtres des communautés de métiers ou maîtres des métiers libres.

En campagne   De la même manière, l'étude, à la même période, de 1.028 contrats de mariages dans le Saosnois rural, fournit une image grossière de la société paysanne. Il faut, néanmoins, se garder d'attribuer à cet échantillon une représentativité qu'il n'a pas forcément. 32,78 % des futurs mariés apportent moins de 100 livres, 20,33 % de 100 à 200 livres, alors que la moyenne des apports est voisine de 500 livres. Ce sont, pour l'essentiel, des journaliers et des domestiques. Leur fortune initiale n'atteint pas le prix d'un bon bœuf de labour, mais 52 % des bordagers se situent au-dessus de 400 livres et 55 % des laboureurs au-dessus de 1.000 livres. Au total, ce sont tout de même près de 70 % des futurs mariés des paroisses rurales qui débutent avec un capital d'au moins 400 livres, preuve de l'inégalité des conditions et de l'existence, dans cette contrée relativement riche où l'on pratique la culture et l'élevage, où l'on cultive le trèfle selon le témoignage sans doute exagéré de F.-Y. Besnard, curé de Nouans, d'une importante paysannerie à l'aise en année normale. Il n'en est sans doute pas de même dans les régions pauvres, entre Le Mans et Saint-Calais, par exemple.

Paul Bois a souligné l'homogénéité de la structure sociale des campagnes où le bordager s'intercale entre le pauvre journalier et le laboureur aisé, où des liens de collaboration s'établissent, inévitablement, entre les riches qui disposent de l'outillage et de l'attelage, les moyens et les petits qui fournissent une indispensable main-d'œuvre d'appoint au moment des grands travaux (fanage, moisson, battage). Il a montré aussi que, là où ils sont nombreux, les tisserands ruraux, dépendant des marchands des villes petites ou grandes, constituent, en quelque sorte, un monde à part, et introduisent avec la bourgeoisie marchande un élément étranger dans cette société, l'esprit de la ville.

La crise de 1788-1789

Ces années sont ici, comme en bien des endroits, des années de crise. La crise frumentaire est liée à des conditions météorologiques désastreuses.

L'hiver [1787-1788] a été très mouillé, le printemps un peu moins, les menus grains ont été fait difficilement. Le mois de juin a été très mauvais surtout depuis le 17 jusqu'à sa fin. Le mois de juillet depuis le 6 jusqu'à la Magdeleine a esté si pluvieux que les foins qui étoient en abondance ont été plus de moitié perdus... La récolte [des grains] a duré jusqu'au mois d'octobre... La récolte des gros grains a été très mauvaise... Enfin le froid a surpassé celui de 1709 de trois degrés et demi. Je ne parleray point de la misère que la disette des grains a occasionné et le pillage des bois occasionné par le froid... (« Registre paroissial », arch. com. de Nogent-le-Bernard).

La crise touche également les industries textiles. Au Mans, la manufacture des étamines connaît de graves difficultés.

Il n'est pas de bon citoyen de la ville du Mans, qui ne voye depuis trente ans avec la plus vive sensibilité, la décadence progressive de la manufacture des étamines, si florissante autrefois. Combien, à plus forte raison, n'est-il pas affecté dans le moment où ne se faisant aucune demande, elle paraît comme anéantie, surtout pour le petit fabricant... forcé de mettre bas ses métiers, de renvoyer ses ouvriers laissant les fileuses sans travail... (Nioche de Tournay, supplément aux Affiches du Mans, 31 décembre 1787).

Complainte sur Louis XVI, imprimée au Mans, chez Fleuriot.
(Cliché Musées du Mans).

La ville compte, dès 1786, 4.117 pauvres assistés par le bureau de charité, près du quart de la population.

> *Une visite générale que je fis d'abord [1785] chez tous les pauvres de mon district [paroisses du Pré et de Gourdaine] me fit connaître des besoins immenses en tous genres et une misère incroyable. Des vieillards impotents, couchés sur de mauvais grabats, sans autre couverture que des haillons, et exposés aux injures de l'air ; de pauvres ouvriers manquant souvent de travail, exténués par le défaut de nourriture ; des malades et infirmes, sans secours, attendant sur un lit de douleur le moment où ils pourraient obtenir une place à l'hôpital ; des mères désolées de ne pouvoir satisfaire à leurs besoins et à ceux de leur famille ; des troupeaux d'enfants presque nus, criant à la faim [...] et, pour comble de malheur, la plupart de ces victimes de l'infortune étaient entassées dans les plus tristes réduits, dans des caves, dans des greniers, dans des lieux infectés de la plus mauvaise odeur.* (Leprince d'Ardenay, *Mémoires [1737-1815]*, p. 202).

En même temps règne l'effervescence politique. L'Assemblée provinciale, réunie au Mans le 6 octobre 1787 (après celle des trois provinces en août à Tours), rassemble des représentants des trois Ordres et manifeste la montée du tiers état qui y bénéficie de la double représentation. Certes, elle n'a qu'une session mais, après avoir divisé la province en districts, laisse sur place une commission intermédiaire. Celle-ci est très active. Elle suit l'élection des municipalités établies par l'édit du 18 juillet 1787 et leur adresse un questionnaire très détaillé d'enquête : neuf questions relatives à la taille et aux vingtièmes, huit à la gabelle et au tabac, sept au commerce, neuf aux hospices, hôpitaux, écoles, mendiants et bureau de charité. Ces questionnaires, souvent destinés à rechercher des abus, notamment dans la partie fiscale, poussent, inconsciemment peut-être, les municipalités à donner un ton revendicatif à leurs réponses, préparation indirecte à la rédaction des cahiers de doléances. Elle en vient ainsi à partager, de fait, l'administration de la province avec l'intendant, affaiblissant d'autant l'autorité royale. La réunion au Mans de ses correspondants de districts, le 3 novembre 1787, et leur demande de création d'un Etat du Maine en apporte la preuve.

Revendications et contestations

Au même moment, c'est une véritable ébullition intellectuelle qui agite la ville à la veille des élections aux Etats généraux. En avril 1788, Monseigneur Jouffroy de Gonssans réunit un synode diocésain pour établir de nouveaux statuts modifiant l'organisation et établissant une discipline plus rigoureuse. Il déclenche une véritable révolte dont rend compte l'abbé Beaucher, curé de Brûlon :

> *Nous nous rendîmes à la cathédrale à huit heures du matin. L'évêque officia pontificalement... On fit l'appel de tous les curés, nous étions 354 curés, en y comprenant les grands vicaires, archidiacres, députés des chapitres et communautés nous pouvions être 400. Après l'appel, on lut les statuts que le seigneur évêque nous proposait. Après cette lecture vinrent les débats aussi bruyants que longs et scandaleux. Il y en eut d'abord pour la préséance. Le curé de Gourdaine... avait toujours gardé un levain contre l'évêque. Aussi, tous les curés peu favorables aux statuts l'avoient choisi pour chef... Il se leva, lut un mémoire d'une demi-heure contre le despotisme épiscopal, dit tout et plus qu'on ne pouvait dire sur l'autorité du second ordre... L'après dîner même tumulte et même débat surtout l'article des servantes...* (Arch. com. de Brûlon).

Cette contestation règne aussi, plus nette et plus massive, chez les robins. Lors de la tentative de réforme de la justice, les tribunaux locaux passent à la révolte. L'intendant doit venir au Mans exiler plusieurs magistrats en mai 1788. En décembre, après la capitulation royale, les bannis reviennent aux applaudissements de la haute société mancelle qui les soutenait. Le curé de Brûlon peut alors conclure dans son registre paroissial :

> *Pendant toute cette année le royaume a été dans une agitation continuelle pour ne pas dire révolte... Le Roi a été obligé... de rappeler M. Necker, le nouveau Sully, qui a ramené le calme et nous a promis les Etats-Généraux pour le mois d'avril 1789. Le Tiers-Etat doit avoir autant de voix que le Clergé et la Noblesse... (Registre paroissial », arch. com. de Brûlon).*

Doléances et Grande Peur

Dans cette effervescence, chaque paroisse doit rédiger son cahier de doléances. Le plus souvent conservés, ils constituent pour l'historien un témoignage irremplaçable, du moins quand les paysans se sont exprimés librement sans se laisser impressionner par les officiers seigneuriaux ou les bourgeois, cas les plus fréquents dans ce pays d'habitat dispersé. La revendication la plus fréquente porte sur le poids et la répartition de l'impôt ainsi que sur la gabelle. Pour le reste, le ton est plus réformiste que révolutionnaire, les plaintes contre les droits féodaux et l'excessive richesse du clergé ne sont virulentes qu'à l'ouest du Mans.

Pourtant, vers le 20 juillet, juste au début d'une moisson qui s'annonce bien, la peur des « brigands » déclenche un ouragan meurtrier :

> *Le mercredi [22 juillet], deux courriers arrivés successivement, répandent avec le ton de l'effroi l'arrivée de cinq à six mille brigands dans le canton. A les entendre Nogent et La Ferté-Bernard venaient d'être pillés et mis à feu et à sang. On les avait vus dans la forêt de Bonnétable ; bientôt ils n'étaient plus qu'à deux milles au plus, déjà les voilà aux portes de Mamers. Le trouble et la terreur s'emparent de tous les citoyens [...]. On sonne le tocsin, des femmes au nombre de six à sept cents prennent la fuite avec leurs enfants, vont se cacher dans les grains...*

> *Cependant les hommes s'assemblent quoiqu'en petit nombre, ils s'arment [...] et s'excitent au combat, ils attendent nos brigands de pied ferme. On ne perd pas la tête, on envoie, en poste, à Alençon, demander des secours à l'Intendant [qui] refuse net, on jure sa perte.*

> *On fait sonner le tocsin dans toutes les campagnes voisines... [Ces] préparatifs ont été heureusement inutiles, les brigands n'ont point paru... On n'en demeure pas moins sous les armes ; les bourgeois et les paysans font patrouille d'une ville à l'autre, de village à village, de bourg à bourg. On commence à s'aviser et à croire que les courriers qui ont annoncé leur arrivée pourraient bien être des émissaires payés par des gens intéressés à faire diversion à la fureur du peuple qui est toujours plus décidé que jamais à faire la guerre aux accapareurs de grains. (Mamers, 24 juillet 1789, « Troubles, émeutes et exécutions qui ont eu lieu dans les cantons de la province du Maine », Bibliothèque nationale).*

Justement, Cureau, accusé par erreur d'être l'un de ces accapareurs, est arrêté à Nouans avec son gendre le marquis de Montesson, coupable d'avoir voulu le défendre. Tous deux sont emmenés à Ballon par des paysans chez qui la peur engendre la violence, et massacrés cruellement ; leurs têtes tranchées sont portées au bout de piques dans les rues de la petite ville.

Donjon de Ballon. Au pied de ce donjon, des paysans de Nouans et des villages voisins massa-crèrent Cureau et son gendre, et promenèrent les têtes dans les rues. *(Cliché J.-M. Martin).*

La constitution civile du clergé et ses conséquences

Point n'est besoin de reprendre ici, dans le détail, une histoire qui reproduit souvent le cours des grands événements parisiens, même si Le Mans manifeste un certain enthousiasme à établir le nouveau régime. Il faut, toutefois, souligner ce qui marque la vie quotidienne des habitants. En premier lieu, il faut citer, issue de la crise financière, la décision de « mettre les biens du clergé à la disposition des habitants », de novembre 1789, et la réorganisation religieuse qui s'en suit, votée le 12 juillet 1790 et promulguée le 24 août.

La vente des biens nationaux (biens d'Eglise puis biens des émigrés) porte, selon les calculs de Ch. Girault, sur près d'un sixième de la superficie départementale. Pour les seuls biens d'Eglise, sont mis aux enchères : l'évêché avec deux châteaux, 196 églises et chapelles, 239 presbytères, 39 cimetières, 175 couvents et prieurés, 1.250 bâtiments de toutes sortes, 138 moulins et 2.931 fermes (soit, environ, 65.000 hectares au total).

Ces biens sont rarement divisés, malgré les décrets de 1790 et 1793, puisque, pour ne citer que quelques exemples, le château épiscopal d'Yvré et ses dépendances (160 hectares), le prieuré de Solesmes et ses quatre fermes (145 hectares), l'abbaye de Perseigne et ses dépendances ne firent chacun qu'un seul lot. Les terres les plus fertiles, à rente foncière élevée, ont souvent été arrachées par des bourgeois étrangers au département ou par des hommes de lois de l'Ancien Régime comme Pélisson de Gennes, ancien bailli du Saosnois, qui acquiert le château et la terre d'Avesnes appartenant à l'abbaye Sainte-Geneviève de Paris, avec trois fermes et une métairie (242 hectares). Au total, sur les 7.500 acquéreurs de biens ecclésiastiques, Ch. Girault en a identifié 4.814 : 286 membres du clergé qui en achètent 1,84 %, 56 nobles (5,7 %), 750 bourgeois (28,82 %) et 3.722 « prolétaires, membres de la classe ouvrière et paysanne ». Ces derniers, selon lui, constituaient les principaux bénéficiaires de ce formidable transfert de propriété. Mais que penser de cette classification socio-professionnelle qui regroupe sous un même terme, d'ailleurs anachronique, marchands de toutes sortes et artisans, laboureurs et bordagers, compagnons de métiers et journaliers ou domestiques. L'étude de la stratification sociale, d'après les contrats de mariages et les rôles de taille que confirmerait celle des inventaires après décès si elle était massivement réalisée, a montré l'aisance, voire la richesse, de certains d'entre eux. De plus, cette confusion à l'intérieur d'un « prolétariat » impersonnel ne rend compte ni de l'opposition de la population rurale face aux acquéreurs citadins, ni du mécontentement des paysans.

Or, c'est cette bourgeoisie « étrangère », sinon « ennemie », qui peuple les administrations. Certes, dans leur grande majorité, les ruraux sont citoyens actifs et manifestent leur opposition aux citadins. Le suffrage à deux degrés, la fréquence des élections locales (renouvellement des administrateurs par moitié tous les ans) jointe aux élections nationales favorisent les notables hommes de lois et marchands des bourgades. Les cultivateurs ne peuvent pas multiplier les déplacements par des chemins lamentables et la longueur des scrutins (du 1er au 10 septembre, au Mans, au second degré en 1791) s'accommode mal avec les travaux des champs. Aussi, l'administration se fait-elle sans les paysans. Ils ne représentent que le dixième des membres au conseil général, le sixième dans les conseils de districts.

Toutefois, cette administration, souvent épurée par la suite par les représentants en mission, notamment Garnier (de Saintes), doit faire appliquer la réforme religieuse et la conscription.

La crise religieuse et les troubles populaires

> Je vais passer dans [votre] département pour m'occuper rapidement des épurations quil seroit important de voir totalement terminée.
> En me rendant dans votre district [Fresnay], je ne m'occuperai d'aucun autre soin...
> Les Commissaires des cantons feront leurs notes sur les Maires, agents et Juge de pais de leurs cantons qui croiront devoir être changé ou conservé. En cas de changement, ils auront soin de désigner les candidats quils croiront propres à remplir ces fonctions. (30 ventôse an II, arch. dép. de la Sarthe, L 123/79).

COMPLAINTES SUR LA MORT DE PERRINE DUGUÉ,

Agée d'environ dix-sept ans, native de Thorigné, à deux petites lieues de Sainte-Suzane,

(Elle fut affassinée le 22 Mars 1796, le mardi de la semaine Sainte, (vieux stile), entre Blandouet & son pays, en allant à la foire de Sainte-Suzane pour y voir les freres.)

ORAISON A N. S. JÉSUS-CHRIST.
Pour les femmes enceintes et les voyageurs.

Mon doux sauveur Jésus-Christ, qui avez bien voulu sauver l'innocence de Perrine Dugué, en lui donnant la force de résister, & de souffrir la mort plutôt que de consentir, faites, par son intercession, que nous soyons délivrés de nos péchés & de tout mal, en cette vie et en l'autre. Ainsi soit-il.

Au Mans, chez PORTIER, marchand d'Estampes, rue Dorée.

Une des trois complaintes sur la mort de Perrine Dugué, née le 10 avril 1777, à Thorigné-en-Charnie, assassinée fort probablement par trois chouans, le 22 mars 1796. De sentiment républicain, les gens de « son parti » voient tout le parti qu'ils peuvent tirer de cet assassinat. En pleine déchristianisation, ils en font une sainte républicaine, martyre de la pudeur, « une sainte patriote qu'on avait vu monter au ciel avec des ailes tricolores ». Une chapelle est construite, mais le culte ne survivra pas à l'établissement du Consulat et à la fin de la querelle religieuse.
Trois complaintes ont été composées à cette occasion, sans doute par Chaulière, ancien vicaire de Ballée, curé assermenté de Sablé. Elles constituent un remarquable spécimen de littérature populaire. (Cliché Musées du Mans).

Derrière leur évêque, Monseigneur Jouffroy de Gonssans qui émigrera en Angleterre puis à Paderborn, 632 prêtres refusent de prêter le serment que 444 prononcent, selon les chiffres fournis par Ch. Girault. Les jureurs résident surtout à l'est du département, les réfractaires à l'ouest, chacun reflétant, par son attitude, une mentalité collective, comme l'a montré Paul Bois. Les mesures d'internement des réfractaires au chef-lieu du département sont appliquées ici dès mars 1792. En août-septembre, 160 prêtres souffrent des décisions de déportation et d'internement adoptées en juin et août par la Législative. Prudhomme de la Boussinière, élu évêque constitutionnel, n'a ni l'envergure, ni l'autorité nécessaire à la direction du diocèse. Dans les campagnes, avec la connivence des populations, les réfractaires se cachent et aggravent l'animosité des ruraux contre la ville.

Crise de subsistance et taxation populaire

Les bonnes récoltes de 1790 et 1791 ramènent le calme et une nourriture suffisante. En mai 1791, les cours, au Mans, sont les mêmes qu'en 1787, année de bas prix. Les céréales circulent facilement et l'on ne compte guère que quelques incidents locaux (Château-du-Loir, Le Lude, Saint-Calais). Mais la dépréciation rapide de l'assignat entraîne, dès la fin de 1791, la hausse des prix, aggravée par le mauvais approvisionnement des marchés. Les paysans manquent de confiance dans le papier monnaie et ne livrent leur grain qu'avec parcimonie. En mars 1792, au Mans, le boisseau de blé atteint 3 livres 11 sols, soit une augmentation de 42 % en six mois ! Les troubles renaissent ; les récoltes relativement bonnes n'amorcent aucune tendance à la baisse. En novembre, à l'initiative du maître verrier du Plessis-Dorin (Eure-et-Loir), jacobin notoire, se déclenche, au moment des élections administratives, la randonnée des taxateurs. Parties des forêts de Montmirail et de Vibraye, des bandes de bûcherons, de verriers, de travailleurs des forges, renforcées de paysans pauvres, gagnent les villes voisines. Le 17, elles sont à La Ferté-Bernard mais échouent à Mamers, le 25. La veille, au Mans, elles avaient reçu le renfort de la garde nationale. Le mouvement, qui ne triomphe guère que dans les régions pauvres, s'arrête à Sablé. Partout où elles pénètrent, elles proclament, temporairement, la taxe du blé et du pain.

Peu après, la taxation officielle et les mesures de coercition furent impuissantes à résoudre le problème de l'approvisionnement des villes. Durant des années, celui-ci demeure délicat et insuffisant. Ainsi, à Mamers, de 1792 à 1796, les habitants souffrent d'une disette chronique et consomment du pain d'avoine.

Vendéens et chouans

La levée en masse du début de 1793 est à l'origine de manifestations au Mans, au Grand-Lucé et dans la région sabolienne. Cette dernière, le 12 septembre, est le théâtre d'un soulèvement paysan au moment de la mobilisation contre les Vendéens. Le bataillon de volontaires du Mans qui le réprime se disperse, ensuite, avant de marcher contre les « brigands ».

Ceux-ci, après leur échec devant Granville, se replient vers Angers où ils ne peuvent pénétrer, vers La Flèche dont ils s'emparent le 7 décembre et Le Mans où ils entrent le 10 en fin d'après-midi, après avoir renversé les défenses. Ils y trouvent des réserves alimentaires et des maisons pour se nourrir et se reposer. Le 12, les armées de Westerman, Marceau et Kleber investissent la ville qu'elles occupent le lendemain

La bataille du Mans. Jean Sorieul. *(Cliché Musées du Mans).*

matin, après de violents combats de rues. Une partie des Vendéens se sont enfuis vers l'ouest. Ceux qui restent sont, pour le plus grand nombre, impitoyablement massacrés.

> *Lorsque j'arrivai au Mans [...] tout y était dans le trouble et l'agitation [...] dans toutes les rues de la ville dans laquelle on ramenait sans cesse des traînards fugitifs, que l'on entassait dans les églises avec les autres prisonniers, dont on fusillait tous les jours un assez grand nombre.*
>
> *Entré dans une église qui servait de prison aux femmes, je fus frappé du spectacle le plus lamentable qui puisse être offert aux regards. Ces malheureuses, couchées à demi-nues sur un peu de paille, et surtout les dames à qui on n'avait laissé qu'un simple jupon, n'attendant que la mort, manifestaient le désespoir dont elles étaient atteintes, moins peut-être par les larmes et les sanglots que par le sombre accablement sous lequel on eût dit qu'elles étaient prêtes à succomber. Cet horrible tableau n'est jamais sorti de ma mémoire [...].*
>
> *Un nouveau spectacle hideux m'attendait sur la route d'Angers, surtout depuis Pontlieue, au sortir du Mans, jusqu'à Arnage, où le combat avait commencé à s'engager. Je voyais de distances en distances très rapprochées, dans les fossés qui bordaient le chemin, des cadavres à demi-enterrés ou dont on apercevait distinctement quelques membres...* (F.-Y. Besnard, *Souvenirs d'un nonagénaire,* t. II, p. 58-63).

La Vendée défaite, la guerre civile se poursuit à l'ouest et au sud, notamment autour de Sillé-le-Guillaume, de la Charnie et de Sablé, poussant même une pointe jusqu'à Marolles-les-Braults. C'est une véritable guerre de guérilla avec embuscades et coups de main de fanatiques et d'insoumis dissimulés dans une population qui leur est favorable ou qu'ils terrorisent. Toutefois, le nord et le centre du département restent fidèles aux « bleus ». Ils constitueront, durant la Restauration et la Monarchie de Juillet, les fiefs des libéraux et des démocrates. Le calme ne revient qu'avec la pacification militaire et le rétablissement de la liberté de culte en 1799. Il demeure tout de même précaire puisque les royalistes du comte de Bourmont s'emparent du Mans le 14 octobre 1799 et y demeurent trois jours, pillant les caisses publiques et les dépôts d'armes. Une nouvelle bande apparaît en Charnie, lors de la levée de 300.000 hommes de 1813, sous les ordres de François Morin, dit Sans Façon, qui se rend en septembre. Une dernière manifestation agitera les confins occidentaux lors de la tentative de la duchesse de Berry.

Une vie politique et sociale en léthargie

La noblesse locale paraît avoir gardé ou repris une partie de ses biens. Elle participe au progrès agricole et occupe, durant la Restauration, une place importante au collège électoral. Le cens, fixé à 300 francs,

Passage d'une altesse royale au Mans. Marie Thérèse Charlotte, duchesse d'Angoulême, fille de Louis XVI, épouse de Louis Antoine de Bourbon, fils du comte d'Artois, son cousin. Tous deux, réputés libéraux, n'osent s'opposer aux initiatives de Charles X, leur père, ni aux ordonnances de 1830. *(Cliché Musées du Mans)*.

limite à 1.596 (dont 260 éligibles) le nombre des électeurs (128 nobles, 7 ecclésiastiques, 91 maires non nobles, 125 fonctionnaires, 153 membres des professions libérales et 1.092 commerçants ou propriétaires). La réaction triomphe. Au Lude, une vingtaine de paysans et d'anciens soldats forment les « Vautours de Bonaparte », portent la cocarde tricolore et tentent d'organiser la subversion ; sept d'entre eux sont guillotinés. Epuration et destitution frappent 622 personnes, tandis que 820 se trouvent placées sous surveillance. Après le triomphe de l'opposition aux élections de 1818, la préfecture élimine, par manipulation des impôts, 200 libéraux du collège électoral qui ne compte plus que 1.369 membres (0,3 % de la population).

La bourgeoisie, bien que ce terme soit incertain compte tenu de l'éventail des revenus et des mentalités du petit rentier ou du boutiquier aux membres des professions libérales ou aux rares fabricants d'esprit capitaliste comme Trouvé-Chauvel, participe davantage à la vie politique sous la Monarchie de Juillet. L'abaissement du cens électoral à 200 francs porte, en effet, à 2.714 le nombre des électeurs (0,6 % de la population). En revanche, les classes populaires, dominées par l'artisanat urbain et rural, subissent l'influence patronale et demeurent étrangères à la politique. Le monde agricole demeure extrêmement varié et contrasté. Il reste imprégné des souvenirs des sanglants épisodes de la chouannerie.

Durant cette trentaine d'années (1815-1846), l'ensemble des activités économiques n'évolue que lentement. Toutefois, la fondation, au Mans, en 1828, de la Mutuelle Immobilière Incendie de Louis Basse ouvre un domaine d'avenir. En débordant sur les départements voisins, elle se développe rapidement assurant pour 20 millions de capitaux en 1828 et 612 millions en 1847. Une nouvelle société, la Mutuelle Mobilière Incendie, naît en 1842.

BIBLIOGRAPHIE

BELLEE (A.). — *Recherches sur l'instruction publique dans le département de la Sarthe avant et pendant la Révolution,* Le Mans, 1875.

BERRANGER (H. de). — *Le Maine durant les guerres de religion,* P.M., 1968.

BOIS (P.). — « Structure socio-professionnelle du Mans à la fin du XVIIIe siècle », *Actes du 87e Congrès des Sociétés savantes,* 1962.

BOUTON (A.). — *Les francs-maçons manceaux et la Révolution française,* Le Mans, 1958.

DELAUNAY (P.). — *Etudes sur l'hygiène, l'assistance et les secours publics dans le Maine,* Le Mans, 1920 et 1923.

DE DIEULEVEULT (A.). — *La Flèche sous la Révolution,* mémoires de Charles Boucher, La Flèche, 1982.

DUPÂQUIER (J.). — *La population rurale du Bassin parisien à l'époque de Louis XIV*, Paris, 1979.

EPINAL (J.-P.). — « L'imprimerie et la librairie au Mans au XVIIIe siècle », *B.S.A.-S.A.S.*, 1975.

EPINAL (J.-P.). — *Les Desforges (1771-1846), imprimeurs-libraires à Sillé*, P.M., 1976.

FILLON (A.). — *Louis Simon, étaminier (1741-1820), dans son village du Haut-Maine au siècle des lumières*, mémoire de troisième cycle, 1982.

FLEURY (G.). — *François Véron de Forbonnais*, Mamers, 1915.

FLEURY (G.). — *La ville et le district de Mamers durant la Révolution (1789-1804)*, Mamers, 1906.

GIRAULT (C.). — *Les biens d'Eglise dans la Sarthe à la fin du XVIIIe siècle*, Laval, 1953.

GREGOIRE. — *Histoire du revenu agricole, de la dîme et des rentes foncières dans le Haut-Maine*, mémoire de troisième cycle, 1983.

GUILLEUX (J.). — « Etude socio-économique sur la paroisse de La Couture (1694-1774) », *B.S.A.S.A.S.*, *1980.*

LEBRUN (F.). — *Les hommes et la mort en Anjou aux XVIIe et XVIIIe siècles*, Paris, 1971.

LEBRUN (F.). — « Les intendants de Tours et d'Orléans aux XVIIe et XVIIIe siècles », *Annales de Bretagne*, 1971.

LEBRUN (F.). — « Les grandes enquêtes statistiques des XVIIe et XVIIIe siècles dans la généralité de Tours », *Annales de Bretagne,* 1965.

PLESSIX (R.). — *La population de Mamers et du Saosnois*, 3e cycle, Rennes, 1976.

PLESSIX (R.). — « Le peuplement de l'élection du Mans et son évolution », *A.B.P.O.*, 1978.

PLESSIX (R.). — « Les affiches du Mans, source de l'histoire sociale du Maine à la fin de l'Ancien Régime », *B.S.A.S.A.S.*, *1974.*

PLESSIX (R.). — « Les campagnes mancelles d'après l'enquête de 1747 », *B.S.A.-S.A.S.*, 1982.

PIOGER (A.). — « La Champagne mancelle aux XVIIe et XVIIIe siècles », *B.S.A.S.A.S.*, 1963 et 1964.

PIOGER (A.). — « Le Fertois aux XVIIe et XVIIIe siècles, histoire économique et sociale », *B.S.A.S.A.S.*, 1969 à 1973.

POYER (A.). — « Les curés de la Quinte du Mans au XVIIIe siècle », *Province du Maine*, 1974 et 1975.

PROST (P.-Y.). — « Le Maine vu par un intendant de Louis XIV », *B.S.A.S.A.S.*, 1977.

PROST (P.-Y.). — « Contribution à l'histoire du clergé paroissial du diocèse du Mans (1600-1670) », *B.S.A.S.A.S.*, 1981.

QUENIART (J.). — *Cultures et sociétés urbaines dans la France de l'Ouest au XVIIIe siècle*, Paris, 1978.

ROCHEMONTEIX (C. de). — *Un collège de jésuites aux XVIIe et XVIIIe siècles, le collège Henri IV de La Flèche*, Le Mans, 1889.

TERMEAU (M.). — *Le vieux Sillé au XVIIIe siècle*, Le Mans, édition de 1976.

TRIGER (R.). — *L'année 1789 au Mans et dans le Haut-Maine*, 1889.

VOVELLE (M.). — « Les taxations populaires de février-mars et novembre-décembre 1792 », Comité des travaux historiques et scientifiques, *Mémoires et documents*, 1958.

Pichet au chef de gare. Sur cette reproduction, l'on peut voir le train représenté par le potier de Prévelles. Thuiland. *(Cliché Musées du Mans).*

L'avènement
du rail
(1846-1914)

Succès
et
échec
de la modernisation

CHRONOLOGIE

1846-1847	Crise céréalière nationale, particulièrement forte dans l'Ouest.
24 février 1848	Chute de la Monarchie de Juillet.
20 mars 1848	Trouvé-Chauvel commissaire du gouvernement provisoire. Victoire électorale des républicains modérés, Trouvé-Chauvel élu à l'Assemblée constituante.
Décembre 1848	Les Sarthois votent massivement aux élections présidentielles en faveur de Louis Napoléon Bonaparte.
Mars 1849	Défaite des républicains sarthois, écrasement des modérés. Victoire des conservateurs et des bonapartistes.
5-6 déc. 1851	Trouvé-Chauvel soulève la commune de La Suze contre le coup d'Etat présidentiel.
28 mai 1854	Inauguration de la gare du Mans.
1855	Introduction au Mans, par Louis Cornilleau, du tissage mécanique de la toile.
10-11 janv. 1871	L'armée Chanzy perd la bataille du Mans.
12 janv. 1871	Entrée des Prussiens au Mans.
1873	Amédée Bollée construit sa première automobile (à vapeur) : l'Obéissante.
1875	Début de la longue baisse des prix agricoles et de la désindustrialisation du département.
1881	Extinction du dernier haut fourneau sarthois.
1882-1888	Construction du premier réseau de chemin de fer de la Compagnie des tramways de la Sarthe.
1888	Construction (au Mans) de la gare centrale des tramways à vapeur.
1896	Amédée Bollée fils et Léon Bollée mettent au point, chacun de leur côté, un véhicule à essence.
1898	Joseph Caillaux élu député de Mamers.
1900	Léon Bollée, grâce à son usine des Sablons, passe à la fabrication industrielle des véhicules automobiles. Fondation de la caisse régionale de Crédit Agricole du Maine par Brière.
1904	Constitution, au Mans, de la Société Carel, Fouché et Cie, spécialisée dans la fabrication de voitures et wagons de chemin de fer.
1906	G. Durand fonde l'Automobile Club de la Sarthe, qui deviendra bientôt l'A.C.O.
8 août 1908	Grâce à L. Bollée, premier vol (en Europe) de Wilbur Wright (aux Hunaudières).
1911	Grande exposition au Mans. Premier Prix de l'Automobile Club de l'Ouest.

A la veille de la grande crise économique et sociale qui amènera le renversement du régime de la Monarchie de Juillet à la satisfaction des notables manceaux alors républicains, la Sarthe, malgré quelques difficultés économiques (dans la métallurgie, voire dans son industrie clé : le tissage du chanvre), fait preuve d'un dynamisme réel. Les paysans (et les propriétaires fonciers !) bénéficient, vers 1840, des premiers effets tangibles d'une « révolution agricole » amorcée dès la fin de la Restauration. Celle-ci permet de faire face à l'augmentation de la pression démographique. En effet, en 1841, la densité (75 habitants/km²) est supérieure à la moyenne nationale. Malgré une bourgeoisie assez peu dynamique face au progrès technique (mais il existe des exceptions remarquables), le département connaît les premières étapes de la révolution industrielle avec les progrès de la mécanisation et l'utilisation limitée mais croissante de la machine à vapeur. Et, avec le vote de la loi du 21 juin 1846, les Sarthois l'emportent sur leurs rivaux de l'Orne. La ligne ferroviaire du Paris-Brest passe par Le Mans qui triomphe ainsi de sa rivale, Alençon. L'importance de l'enjeu est confirmée par l'évolution économique ultérieure, facilitée par « l'avènement du rail » qui n'atteindra, cependant, Le Mans qu'en 1854 !

La violente crise de 1846-1847 dont les conséquences se feront sentir jusqu'en 1851, révélatrice des faiblesses internes de l'économie sarthoise, marque une césure dans l'évolution du département dont la population globale commence à décliner, alors que Le Mans devient le pôle économique quasi unique de la Sarthe. Grâce au chemin de fer, la population sarthoise bénéficie de la réelle « prospérité impériale » qui masque, cependant, une certaine vulnérabilité structurelle. La Sarthe sera atteinte par le retournement de la conjoncture économique, brutal et sensible dès 1874-1875. L'agriculture et les paysans connaissent une longue crise qui durera jusqu'à l'orée du XXᵉ siècle, alors même que s'amorce un véritable processus de désindustrialisation qui affecte particulièrement les secteurs traditionnels (textile, cuirs et peaux, conserves). Les Sarthois réagissent, cependant, avec vigueur. L'agriculture s'oriente avec succès, et en se spécialisant, vers le débouché parisien grâce aux efforts des propriétaires fonciers et de l'efficace et puissant syndicat des agriculteurs. Dans l'industrie, la reconversion demeure limitée mais, cependant, se développe la fonderie de seconde fusion et Le Mans sera « le berceau de l'automobile ».

Dans le domaine politique, l'originalité sarthoise est évidente non pas tant dans l'affrontement droite/gauche, que dans la répartition quasi figée sur le plan géographique des deux camps opposés et dans les raisons de cette répartition : « tradition politique issue de la Révolution » peu modifiée jusqu'en 1914 par l'évolution économique et sociale, comme l'a bien montré Paul Bois dans sa thèse *Paysans de l'Ouest*.

Le tournant du siècle : la crise de 1846-1847
Structures et conjoncture

La mauvaise récolte céréalière de 1846 déclenche dans la Sarthe une grave crise agricole qui, réduisant fortement le pouvoir d'achat des paysans — principaux consommateurs des produits de l'industrie textile — affecte par contrecoup l'artisanat toilier, activité essentielle du département, provoquant, simultanément, cherté du pain, chômage et donc misère. Cette crise met en évidence combien l'économie sarthoise, malgré les progrès réalisés pendant la première moitié du siècle, reste encore proche des structures d'une économie d'Ancien Régime : dans l'agriculture, prédominance et vulnérabilité du secteur céréalier ; dans le secteur secondaire, écrasante domination de l'artisanat textile (tissage des toiles de chanvre).

Les structures économiques

L'héritage du passé

Si les agriculteurs sarthois vivent encore en « semi-autarcie », le département, pour ses « produits » d'élevage, bénéficie, cependant, de la proximité du marché parisien, y expédiant des bœufs et surtout, par roulage, ses porcs : 63.000 en 1844. Ce qui permet à nombre de paysans de payer fermages et impôts. L'originalité sarthoise se marque surtout par l'importance de la culture du chanvre — base de la principale activité « industrielle » locale — le département occupant, dès 1840, le premier rang national par l'étendue de la superficie qui lui est consacrée : 7.880 hectares, soit 2 % des terres labourables. Mais, malgré une polyculture céréalière diversifiée — le Sarthois « moyen » consomme environ 80 kg de blé, 70 de méteil, 60 d'orge et 50 de seigle, chaque année — le département équilibre à peine production et consommation céréalières. Le problème céréalier reste mal résolu, comme le note judicieusement un rapport préfectoral au ministère de l'Intérieur, en 1846, décrivant la situation assez difficile du département.

... Au nombre des départements arriérés et jusqu'ici trop oubliés peut-être, où la dépréciation universelle de la valeur monétaire n'a pas été compensée par une augmentation proportionnelle du revenu des classes ouvrières, se trouve celui de la Sarthe. Les travaux sont restés au même prix qu'en 1830 et les variations qu'a subies depuis dix ans le taux des salaires sont à peine sensibles...

Au reste cet état est ancien : la classe indigente... a été de long temps dans le Maine excessivement nombreuse. Il y a un demi-siècle,

Il est vrai, d'ailleurs, que l'impact de la « révolution agricole » se fait surtout dans la région sabolienne où progressent les cultures du froment et de la pomme de terre, liée à la croissance de l'élevage porcin car, effectivement, le « précieux tubercule » est fort peu utilisé pour l'alimentation humaine dans la Sarthe, à l'époque. Quant à l'industrie, il faut souligner l'importance vitale pour l'économie sarthoise du tissage, « à bras », du chanvre qui emploie plus de 8.500 tisserands vers 1845-1848, grâce à l'abondance de la matière première locale — élément essentiel du coût de production de la toile — et de la main-d'œuvre tant rurale qu'urbaine (d'où des salaires, ou plutôt des « prix de façon », car les tisserands sont payés à la pièce de tissu fabriquée, fort médiocres surtout en période de mauvaise conjoncture économique). En joignant au chanvre les secteurs, bien moins importants, de la laine et du coton, le textile emploie environ les deux tiers de la main-d'œuvre « industrielle » (au sens de main-d'œuvre travaillant dans le secteur secondaire de l'économie) masculine départementale ; le tissage du chanvre est encore demeuré entièrement au stade artisanal sur le plan technique (8.449 métiers à bras recensés vers 1845). Les structures restent encore très proches de « l'Ancien Régime économique », et ce d'autant plus que la seconde industrie de la Sarthe, par l'importance des effectifs employés, est celle du bâtiment — plus de 6 % de la main-d'œuvre masculine. Les activités sont très sensibles à la conjoncture économique et aux fluctuations du marché, et connaissent, par ailleurs, de notables variations saisonnières. En dehors de ces deux secteurs principaux des activités industrielles, il faut mentionner l'existence ancienne d'« établissements industriels » (papeteries, tanneries, hauts fourneaux) et d'une « poussière » de petites activités « artisanales » restant « à l'échelle humaine », comme en témoigne ce bulletin de l'enquête industrielle réalisée à la fin de la Monarchie de Juillet.

Débouchés... des produits : ... le teinturier dont le nom figure en tête de ce tableau ne travaillant que pour les particuliers, les objets dont il est chargé appartiennent aux personnes des cantons de Loué, Brûlon et Conlie.

Ouvriers : l'industriel et son épouse... [Machines] un Moulin pour broyer l'indigo, une presse et une pompe, dix cuves à froid et six chaudières...

Il existe en outre dans la commune de Loué deux autres teinturiers...

Certifié conforme aux renseignements que nous nous sommes procurés, par nous, Mairie de la commune de Loué.

A Loué le Huit avril, mil huit cent quarante sept.

Pour le maire démissionnaire, l'adjoint.

Statistiques de la France - Industrie. Commune de Loué.

Patente 18 francs 10 c. Teinturerie. Nom du fabricant : Gigon Jean.

Mat. premières employées annuellement	Quantité	Valeur unitaire	Valeur totale	Lieux d'origine
Indigo	75 kg	20 F 0 c.	1.500 F	Les Indes
Couperose	300 kg	0 F 20 c.	60 F	France
Bois d'inde	250 kg	0 F 30 c.	75 F	Espagne
Bois de brésil	25 kg	1 F 80 c.	45 c.	Brésil
Bois jaune	25 kg	0 F 30 c.	7,50 F	Brésil
Produits fabriqués				
Fils en échevaux	600 kg	2 F	1.200 F	
Laine Id.	1.400 kg	2 F 20 c.	3.080 F	
Toiles ou autres tissus	3.000 m	1 F	3.000 F	

(Arch. dép. de la Sarthe, W 7129).

Les tentatives de novation

Il ne faut cependant pas sous-estimer les efforts de modernisation économique accomplis par les Sarthois à la veille de la grande crise de 1846-1847. Certes, en 1847 l'industrie, mines exclues, ne compte qu'une douzaine de machines à vapeur d'une puissance totale d'environ 80 chevaux-vapeur, car le coût du combustible minéral — houille anglaise ou du bassin de la Loire — reste prohibitif, le problème du transport étant mal résolu. « Entre le lieu d'extraction pour le charbon anglais et la Sarthe, le prix unitaire a été multiplié par 6,3 ! Au total, la consommation des industries sarthoises reste fort modeste, on peut l'estimer à 4.000 tonnes au maximum (en 1847). La Sarthe consomme pour ses besoins industriels moins de 10 kg de charbon par habitant, contre 130, en moyenne, en France ». Mais il ne faut pas réduire la modernisation de l'industrie à l'utilisation de la machine à vapeur. Dans le textile, elle s'effectue, d'abord, par la mécanisation de la filature, les machines étant mues grâce à l'énergie hydraulique. Et la Sarthe compte déjà quelques filatures mécaniques (usines) de laine ; les tisserands en siamoises de Bessé — tissus mixtes, à chaîne de fil de lin et à trame de coton — sont alimentés en filés de coton « à la mécanique » par une usine comptant 6.000 broches vers 1845. Même progrès dans le secteur clé, celui du chanvre, où la mécanisation pose des problèmes techniques délicats. En 1846, le département ne compte, cependant, que deux filatures mécaniques, l'une au Mans, l'autre à Yvré-l'Evêque. La novation technique se heurtant parfois sinon à l'hostilité, du moins à l'indifférence des notables locaux.

La Sarthe est susceptible de prendre un grand développement industriel ; elle possède une quantité considérable de chutes d'eau. On estime à 1.000 à 1.500 chevaux-vapeur les forces utilisées dans le *seul département de la Sarthe. Cette contrée est bien pourvue de routes, cependant le progrès n'y arrive que lentement ; espérons que la nouvelle voie du chemin de fer de Paris à Brest viendra vivifier nos populations qui ont grand besoin du frottement de celles plus avancées. Non pas que la civilisation ne nous est pas venue [que] nous ayons conservé la simplicité de mœurs d'autrefois. La corruption est aussi avancée ici qu'ailleurs. Sans en chercher les causes bien loin, la misère peut en être une. Pour apporter sa part de coopération aux efforts que fait le gouvernement pour purifier les masses, le Propriétaire de la filature d'Yvré-l'Evêque n'a voulu donner du travail et du pain qu'aux ouvriers qui se conduiraient régulièrement. A ces fins, il a interdit dans l'usine le mélange des sexes. Il aurait désiré fonder un établissement modèle où chaque fille honnête devrait entrer pour s'acheter un trousseau et n'aurait point à craindre qu'on leur jetât à la face le reproche d'avoir travaillé dans l'usine. Il y a déjà un an que cette filature marche au gré de son propriétaire sous le rapport industriel, mais non à l'égard de l'autre but qu'il s'était proposé. Il aurait eu besoin du concours de tous les gens de bien du Pays. Soit apathie, soit pour une autre raison, ce concours lui a manqué. Le clergé lui-même est presqu'hostile à l'usine pour cela même, que toutes les fabriques sont un foyer de perdition...* (« Bulletin de la filature d'Yvré-l'Evêque », observations, le 8 décembre 1844, *arch. dép. de la Sarthe,* M 174/2).*

Malgré les persistance de certaines structures « archaïques », l'économie sarthoise connaissait donc une mutation notable lors des années « 1840 », mais sa base essentielle, l'agriculture, où travaillait la majorité de la population active, demeurait vulnérable comme en témoigne l'ampleur que revêt la crise du milieu du XIXᵉ siècle.

La grande crise (1846-1852)

Le déficit céréalier

L'été trop sec et trop chaud de 1846, accident météorologique, entraîne une mauvaise récolte céréalière. Par rapport à 1845, année normale, le déficit pour le blé atteint 20 %, ce qui ne serait guère inquiétant car le département couvrirait presque sa consommation habituelle. Mais les céréales secondaires (méteil, seigle, orge), consommées sous forme de pain bis par la majorité des ruraux et les classes pauvres des villes, voient leur production se contracter encore plus fortement (— 40 % pour le méteil comme pour l'orge ; — 62 % pour le seigle !). Les prix s'envolent ; les spéculateurs profitent de la pénurie. Sur le marché du Mans, de juin 1846 à mai 1847, sommet de la crise, le prix du blé augmente de 116 %, celui du seigle de 128 %. Or, le prix du pain représente dans un budget ouvrier environ 40 % des dépenses en période normale. Une telle augmentation entraîne donc des conséquences dramatiques pour les pauvres, et ce d'autant plus que la crise est génératrice de chômage. Bien qu'informé rapidement par les autorités locales de la gravité de la situation, le gouvernement tend à minimiser l'ampleur de la crise tout en prévoyant, cependant, de fournir du travail aux (futurs) chômeurs par une politique de travaux publics, remède classique en l'occurrence, afin qu'ils conservent un minimum de ressources.

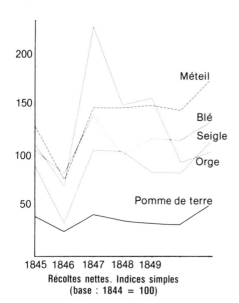

200

150

100

50

Méteil

Blé

Seigle

Orge

Pomme de terre

1845 1846 1847 1848 1849
Récoltes nettes. Indices simples
(base : 1844 = 100)

*Monsieur le Préfet, vous m'avez transmis les informations deman-
dées par ma circulaire du 25 Août dernier sur les résultats de la récolte
de 1846 dans votre Département. Vous annoncez que, comparativement à une année ordinaire, il y aura déficit d'un quart sur le froment,
d'un tiers sur le méteil, l'avoine et les pommes de terre, de deux tiers
sur le seigle et de moitié sur l'orge ; les restes en vieux grains ne s'élèvent guère à plus de 6.000 hectolitres. J'ai l'honneur de vous remercier
de l'envoi de vos informations et du soin avec lequel vous avez bien
voulu les recueillir, mais j'ai peine à croire que la récolte fut aussi peu
productive qu'elles paraîtraient l'indiquer. La prolongation de la
sécheresse a dû, il est vrai, nuire au développement des céréales dans
les terres légères qui composent en majeure partie le sol de votre
Département ; mais n'a-t-on pas vu le mal d'autant plus grand que l'on
avait d'abord conçu les plus belles espérances ?...*

*Du reste, si la cherté se prolongeait le moyen le plus efficace que
l'administration put employer afin de venir en aide à une population
nécessiteuse serait, ainsi que vous le pensez avec raison, de leur procurer du travail. Des crédits ont été votés pour la canalisation de la
Sarthe, pour l'ouverture du chemin de fer de Paris à Rennes par Le
Mans ; des projets d'amélioration de routes royales ainsi que la construction d'un pont sur la Sarthe sont à la veille d'être approuvés...
(Paris, le 8 octobre 1846). Le ministre de l'Agriculture et du Commerce.
(« Rapports sur les états des récoltes », arch. dép. de la Sarthe, M 156/15).*

La crise industrielle

Les conséquences immédiates de la crise sont dramatiques, une
crise de pain cher ne profitant à personne, sauf à quelques spéculateurs. En effet, la majeure partie des paysans ne disposent pas, lors
d'une mauvaise récolte, de surplus commercialisables compte tenu de
l'autoconsommation rurale et de la nécessité d'assurer les prochaines
semailles. Les produits textiles se vendent mal, notamment les toiles.
Des milliers d'artisans toiliers, mal payés et ne disposant que de faibles
économies, sont condamnés au chômage. La crise est particulièrement
sensible en hiver, surtout au Mans où l'industrie du bâtiment fléchit
brutalement. L'anxiété générale ne favorise pas les investissements
immobiliers, notamment dans les villes toilières comme Mamers. Les
autorités locales se préoccupent d'assurer le ravitaillement des villes,
de remédier à la détresse résultant de la montée simultanée du prix du
pain et du chômage, car toute une partie de la classe « ouvrière » (artisanale) rejoint les rangs déjà nombreux des indigents devant être assistés en période « normale ». Ainsi, pendant l'hiver 1846-1847, 28 %
des habitants de Bonnétable sont considérés comme indigents ; la ville
de Saint-Calais prévoit une ration quotidienne de 500 g de pain bis à un
prix relativement bon marché (15 francs), par personne pour les chômeurs et leur famille — un emprunt municipal comblant la différence
entre prix de la « ration » et prix « commercial » du pain — et des ateliers de charité sont ouverts pour employer ces chômeurs. On prend
des mesures identiques au Mans : ateliers de charité employant des
chômeurs, à 1 franc par jour, à des travaux de voirie, « système de
compensation du prix du pain aux frais de la municipalité » (avec
rationnement pour les nécessiteux, le tiers de la population mancelle au
plus fort de la crise !).

*... Mairie du Mans... Le 30 janvier 1847... Monsieur le Préfet... je ne
crois pas commettre d'erreur considérable en vous faisant connaître
les faits qui se rattachent au rayon d'approvisionnement de la ville du
Mans.*

*Ce rayon qui embrasse une étendue de 5 à 6 lieues [soit environ
25 km] autour de la ville se divise en deux régions distinctes et qui ont
été traitées bien différemment lors de la dernière récolte. La ligne*

Portrait d'Auguste Trotté de la Roche, industriel et maire du Mans. Suan.
(Cliché Musées du Mans).

séparative est assez exactement tracée par le cours des eaux [l'Huisne puis la Sarthe] qui coupe notre département du N.E. au S.O.

Au-dessus de cette ligne, pays fertile, terre à froment, la récolte a été médiocre sans doute ; mais les cultivateurs ont dû recueillir assez de blé pour nourrir la population... les greniers ne sont pas encore entièrement vides ; c'est de ce côté que vient le peu de froment que l'agriculture envoie à votre marché.

Mais, l'autre partie de notre territoire d'approvisionnement, celle située au-dessous de la ligne de l'Huisne et de la Sarthe, a été très maltraitée, c'est un pays à seigle et le seigle a partout manqué... Il y a donc déficit sur notre marché et déficit assez considérable. Le commerce seul peut le combler...

Ce qui a contribué, sans doute, à la tranquillité dont nous jouissons, c'est le parti que l'on a pris dès le mois d'octobre dernier de pourvoir largement aux besoins de la classe indigente. Les ressources de la charité privée, les sacrifices votées par la ville, ont été consacrés à ce double but : fournir du travail aux ouvriers nécessiteux ; faire en sorte que ce travail leur procure, et à leur famille, les choses nécessaires à l'existence. Des ateliers de charité ont été ouverts, des bons de pain

Au prix d'une misère certaine, le pire, la famine, fut évité pendant la crise agricole de 1846-1847. La récolte céréalière de 1847 s'avéra exceptionnellement bonne, dépassant de 40 % celle d'une année « normale » pour le blé et le méteil, de plus de 100 % pour l'orge, de 10 % environ pour le seigle. Le problème essentiel était donc résolu. Et la reprise s'amorçait ; sur le plan économique, la situation de l'année 1847 s'avère bonne. Mais la Révolution de février puis, et surtout, la crise de confiance qui suit l'avènement du nouveau régime, la Seconde République, entraînent un long marasme économique.

La crise de confiance

Effectivement, la Révolution de Février, provoquant, compte tenu des incertitudes de la conjoncture politique, une crise de confiance majeure, va amener dès mars, l'accentuation du marasme économique. Comme dans le reste de la France, les retraits des déposants — petits ou grands — s'avèrent massifs dans les caisses d'épargne, en particulier au Mans, à Mamers, à La Flèche. Et la panique devient contagieuse, gagnant les activités artisanales, commerciales, industrielles. Bientôt, tout crédit est suspendu, d'où la multiplication des faillites et la montée du chômage par manque de travaux ou de commandes. Les efforts de Trouvé-Chauvel, promu commissaire départemental, et banquier expérimenté, pour remédier à la crise — moratoire des paiements, fondation d'un comptoir départemental d'escompte — sont positifs mais ne peuvent redresser la situation ; tout au plus contribuent-ils à une stabilisation à un niveau médiocre de l'activité de l'économie départementale. Presque tous les secteurs de celle-ci vont être touchés suivant des modalités différentes. Le plus vulnérable, le

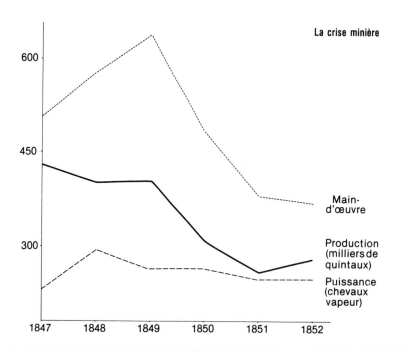

La crise minière

Main-d'œuvre

Production (milliers de quintaux)

Puissance (chevaux vapeur)

bâtiment, stagne pendant plusieurs années. Quant au textile, le manque de débouchés, malgré les commandes de l'armée obtenues par la maison Cohin, du Breil, provoque, ailleurs, une paralysie quasi générale de cet artisanat dont la reprise ne s'amorce que progressivement à partir de 1849.

Pour la métallurgie lourde — la Sarthe compte quatre hauts fourneaux — la production de fonte diminue de plus de 20 % de 1847 à 1849, et celle de fer beaucoup plus. L'un des palliatifs à la crise consiste à augmenter la production de fonte de moulage de première fusion utilisée directement, au détriment de celle destinée à l'affinage pour sa transformation en fer. Cela permet d'éviter l'extinction des hauts fourneaux, au prix d'une activité réduite. La crise industrielle est donc générale ; elle concerne toute les activités sarthoises.

La Seconde République

Grâce à la Révolution de Février et à la proclamation du nouveau régime, le rêve des républicains manceaux semble — enfin — se réaliser, réalisation facilitée par la protection de Ledru-Rollin devenu ministre de l'Intérieur. Trouvé-Chauvel, nommé commissaire du gouvernement le 20 mars (pour la Sarthe, puis pour la Mayenne, le Maine-et-Loire et la Sarthe), triomphe aux élections à l'Assemblée constituante avec 115.016 voix ! Forts prudents, les Sarthois, qui ont accueilli le nouveau régime avec plus de circonspection que d'enthousiasme, ont assuré la victoire de la liste des « républicains modérés » conduite par Trouvé-Chauvel, au détriment de celle des « républicains de gauche » menée par Ledru-Rollin qui n'obtint que 45.881 voix et fut battu, comme sa liste. Trouvé-Chauvel poursuit sa carrière politique à Paris où il est préfet de police, puis de la Seine et enfin ministre des Finances en octobre. Quant aux Sarthois, les journées de juin 1848 les inquiètent fort ; plusieurs centaines de gardes nationaux de l'arrondissement de La Flèche marchèrent sur Paris afin d'appuyer le gouvernement contre les ouvriers insurgés de la capitale où ils arrivèrent après l'écrasement du soulèvement.

Aux élections présidentielles de décembre, le suffrage universel, masculin, donne plus de 86.000 voix à Louis Napoléon Bonaparte — 80 % des votants — contre 10.000 à Cavaignac et 10.000 à Ledru-Rollin. Aux élections législatives de 1849, droite et bonapartistes regroupés s'assurent presque les deux tiers des votes. La liste de gauche, dirigée par Ledru-Rollin, en obtient 28 % ; celle des républicains modérés où se présente Trouvé-Chauvel est écrasée. L'heure n'est plus à la modération et au compromis. Les royalistes l'emportent à l'Assemblée législative ! Dans le département, la presse républicaine succombe « sous les amendes et les procès ». Les véritables républicains, surveillés de près par l'énergique préfet Migneret installé en décembre 1849, ne peuvent guère s'exprimer. Le coup d'Etat du prince-président, le 2 décembre 1851, rencontre peu d'opposition. Les républicains du Mans délibèrent mais ne se décident pas à agir. Quelques réactions plus sérieu-

**Les républicains :
l'échec final des modérés**

« La fête impériale ». *(Affiches municipales du Mans, arch. mun. du Mans. Cliché Grégoire).*

ses, comme celle de tisserands de la commune du Breil, n'aboutissent pas faute de réactions mancelles ; les attroupements se dissipent vite. Seule tentative véritable de résistance, celle de Trouvé-Chauvel et de ses frères qui soulèvent les ouvriers de leur tannerie de La Suze, le 5 décembre. En fait, isolés — la population locale leur est hostile — les insurgés se dispersent ou se soumettent. Dès le 6, Trouvé-Chauvel, ses deux frères et Veillard-Lebreton — un des chefs républicains du Mans et qui assista Trouvé-Chauvel dans cette tentative de soulèvement — prennent la fuite. Nombre d'arrestations désorganisent le « parti » républicain dont douze « meneurs » seront déportés en Algérie et une centaine mis en résidence surveillée. Trouvé-Chauvel ayant fui à Jersey, puis à Constantinople, ne rentrera jamais d'exil. Il refuse de bénéficier de l'amnistie de 1859. Quant à la population sarthoise, lasse du marasme économique, espérant qu'un pouvoir fort rétablira l'ordre et ramènera la confiance, elle accepte le coup d'Etat par 108.000 oui contre moins de 8.000 non lors du plébiscite de 1851 (taux de participation : 86,2 %). Le succès est aussi massif pour Louis Napoléon Bonaparte lors du vote sur le rétablissement de l'Empire le 22 novembre 1852. 108.400 électeurs votent oui et seulement 2.600 non. La majorité des Sarthois s'est ralliée à Napoléon III et au nouveau régime.

Le monde rural :
pesanteurs et modernisation

La seconde moitié du XIXe siècle engage l'économie agricole et, dans une moindre mesure, la société rurale sur la voie de la modernisation. La poursuite de la « révolution agricole » permet au département d'assurer — enfin — sa propre subsistance et de développer ses expéditions de produits locaux vers les marchés parisiens ou étrangers, tout en bénéficiant de la « prospérité impériale » due à une conjoncture économique favorable, malgré la persistance de structures « archaïques ».

Sarthe [département de la]. Statistique agricole.

Ce département est principalement agricole, et des industries auxquelles il se livre la principale est précisément (sic) dérivée de l'agriculture, nous voulons parler de la fabrication du fil et de la toile...

... Etendue des fermes - Sur 100 fermes, on en compte 47 ayant moins de 5 hectares ; 25 ayant de 5 à 10 hect ; 16 de 10 à 20 hect ; 11 de 20 à 50 hect, et 1 de 50 à 100 hect. Il n'en existe pas qui aient une étendue supérieure à ce dernier chiffre.

Durée des baux - Sur 100 baux écrits, 38 ont moins de 9 ans ; 52, 9 ans et 10 seulement plus de 9 ans.

Nous ferons ici la réflexion que nous avons déjà faite à propos d'un autre département : la médiocre étendue de la plupart des fermes et surtout la courte durée de la plupart des baux, dans le département de la Sarthe ne sont pas des conditions propres à y favoriser les progrès rapides de l'agriculture...

... Instruments agricoles - C'est par la nature de son outillage qu'on peut surtout apprécier le degré d'avancement de l'agriculture d'un pays. Sous ce rapport essentiel, le département de la Sarthe a fait de notables progrès, depuis le commencement de ce siècle, mais il lui reste encore beaucoup à faire pour être au niveau des pays qui tiennent, en Europe, le premier rang par l'état florissant de leur agriculture...

... Conclusion - Le département de la Sarthe est un pays de petite et moyenne culture. La propriété y est très divisée. On y compte 124.588 propriétaires fonciers, se partageant 1.062.238 divisions parcellaires. Les fermes d'une étendue supérieure à 100 hectares y sont inconnues ou du moins très peu nombreuses ; les baux à long terme y sont rares ; les instruments perfectionnés encore trop peu répandus. Toutefois, l'agriculture y a fait dans ces derniers temps de notables progrès qu'on peut attribuer à l'amélioration des chemins, à l'emploi mieux entendu et en plus grandes quantités des engrais, surtout de la chaux et de la marne à l'action bienfaisante des comices agricoles, aux efforts continus de la société d'agriculture du Mans, etc. (H. Thibaud, L. Moll et F. Gayot, Encyclopédie pratique de l'agriculture, Paris, 1867, p. 555, 563 et 565).

Le progrès décisif : l'autosuffisance céréalière

Cette mutation fondamentale, aboutissement de la « révolution agricole », s'est accomplie dès le début du Second Empire qui recueille ainsi les bénéfices de l'évolution antérieure.

Une réussite majeure   Sous l'égide des grands propriétaires fonciers sarthois, un véritable remaniement du système de production de l'agriculture s'effectue de 1830 à 1870, remaniement qui se traduit dans l'extension et la répartition des superficies cultivées, comme dans l'accroissement de la production.

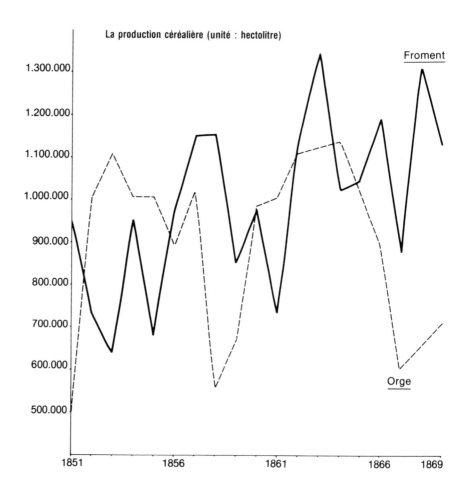

La production céréalière (unité : hectolitre)

Les progrès de la céréaliculture, l'amélioration des rendements grâce au chaulage, le développement des prairies artificielles et le recul des pâtis et des landes marquent bien l'intensification du système agricole sarthois. Ce qui permet au département de résoudre définitivement ses problèmes de ravitaillement même lors de mauvaises récoltes.

Evolution de la S.A.U. (surface agricole utile)					
	Milliers d'hectares			Pourcentages	
Occupation du sol	1840	1862	Evolu-tion %	1840	1862
1 - Céréales	203	212	+ 4,4	43,8	44,5
2 - Autres cultur.	42	46	+ 9,5	9,0	9,7
3 - Total cultures (1 + 2)	245	258	+ 5,3	(52,8)	(54,2)
4 - Prairies artif.	42	65	+ 54,7	9,0	13,6
5 - Terres labou-rées (3 + 4)	287	323	+ 12,5	(61,8)	(67,8)
6 - Jachères	98	88	— 10,2	21,1	18,6
7 - Terres labou-rables (5 + 6)	385	411	+ 6,7	(82,9)	(86,4)
8 - Prairies natur.	70	56	— 20,0	15,1	11,7
9 - Vigne	9	9	0	2,0	1,9
10 - S.A.U.	464	476	+ 2,6	100,0	100,0
11 - Pâtis, landes...	53	19	— 64,1		

(Sources : *Enquêtes agricoles de 1840 et 1862*)

Le bilan du succès

Les Sarthois se nourrissent mieux ; le spectre séculaire de la famine a cessé de hanter les imaginations populaires. Chaque année, le département « exporte » des centaines de milliers d'hectolitres de blé et d'orge à un prix rémunérateur pour les cultivateurs. Bien mieux, la croissance et les modifications de structure de la production des céréales permettent d'accélérer le passage d'une économie agricole « semi-autarcique » à une économie orientée vers le marché, par une orientation plus accentuée vers l'élevage dont les produits représentent 25 % de la valeur nette de la production agricole du département en 1852, 30 % en 1862. Ici également, le rôle des rentiers du sol stimulant les exploitants de fermes « modèles » a été déterminant, ces exploitations donnant l'exemple par une accentuation précoce de l'élevage grâce à l'extension des cultures fourragères et des prairies artificielles.

M. Vérel n'a pu se mettre sur les rangs des candidats aux différentes primes [de comice agricole], attendu qu'il a obtenu l'année dernière la médaille d'or pour son exploitation... La ferme de l'Angevinière se compose de 36 hectares de terres labourables et de 10 hectares de prés... L'assolement est calculé de manière à obtenir sa fécondité. Il y a un champ d'expérience qui présentera par la suite un grand intérêt ; il est destiné à juger la valeur des engrais chimiques... comparativement avec les fumiers de ferme.

Les bâtiments sont en très bon état et bien disposés pour leur destination...

Les fumiers, bien tassés sont l'objet des meilleurs soins...

... L'outillage est bien calculé pour l'importance de l'exploitation et offre la réunion de tous les outils pouvant faciliter la bonne exécution des travaux en réduisant autant que possible la main-d'œuvre...

Les cultures fourragères et les plantes sarclées sont abondantes et fournissent une copieuse nourriture à tout le bétail... Le mobilier vif est composé : de 18 têtes de gros bétail, race Durham, cotentine et mancelle cotentine ; 12 veaux et génisses de 6 mois à 2 ans, même croisement ; 1 taureau Durham-cotentin, 1 taureau pur sang Durham... Ecurie : 4 juments de travail et 2 bons poulains. Bergerie . 8 béliers, 100 brebis, 62 moutons et agneaux...

M. Vérel par sa culture intelligente et productive... donne donc un exemple précieux à ses voisins, exemple dont quelques-uns ont déjà profité... En voyant sa récolte vraiment extraordinaire de topinam-

bours dans un sol autrefois en landes stériles et délaissées, ils ont essayé cette culture, la Providence des terres pauvres ; et en se procurant ainsi des plantes fourragères dont ils n'auraient pu apprécier la valeur sans l'exemple qu'ils avaient sous les yeux, ils pourront élever plus de bestiaux, surtout de meilleurs bestiaux ; faire plus de fumiers, par suite améliorer leurs terres ; et sortir ainsi de l'ornière où ils végètent depuis trop longtemps.

M. Vérel donne donc un exemple précieux et dont le monde agricole doit le remercier... (« La vie économique et sociale sous le Second Empire », dossier A.R.D.O.S. n° 15, document 2, *Bulletin de la Société du matériel agricole*, 1868, arch. dép. de la Sarthe).

Consommation annuelle des principales céréales (par habitant, en kg)											
Années	Blé	%	Seigle	%	Méteil	%	Orge	%	Total	%
1835/40	75	34	57	26	51	23	37	17	220	100
1855	88	34	48	19	67	26	54	21	257	100
1869	106	38	46	16	61	22	64	24	276	100
Evolution 1835/40-1869	+ 41 %		— 21 %		+ 20 %		+ 73 %		+ 25 %	

Le désenclavement des campagnes. La gare de Vallon-sur-Gée, sur la ligne de tramways à vapeur Le Mans-Loué. *(Collection privée).*

Vallon-sur-Gée. — La Gare

L'appel du marché

Ayant amélioré leurs exploitations, les paysans sarthois s'orientent vers les marchés urbains, alimentent l'industrie locale dominante (fabrication de la toile) en matière première (le chanvre), conservent et accroissent leurs ventes de porcs gras destinés au marché parisien et exportent même vers la Grande-Bretagne, fournissant de l'orge aux brasseries anglaises.

Les marchés agricoles

Le rôle du chemin de fer favorisant cette évolution a été indéniable, mais il se révèle déjà ambigu. Ainsi, pour les expéditions de bovins vers la capitale, il favorise de nouveaux concurrents. Les envois de bétail vers Paris tombent de 6.000 têtes à la fin de la Monarchie de Juillet à 3.500 vers 1862-1865. La Sarthe a, de ce fait, perdu sa rente de situation géographique ; la proximité de la capitale ne lui profite plus. Il en va tout autrement pour les traditionnelles expéditions de porcs gras. En effet, l'élevage porcin bénéficie de l'accroissement de la culture de l'orge, du maintien de celle de la pomme de terre et du développement de l'élevage laitier local.

Le département reste le premier fournisseur de Paris. Chaque année, 80 à 100.000 porcs — pour environ 10 millions de francs — partent des marchés du Mans, de Bonnétable et de Vibraye. La prédominance sarthoise en ce domaine subsiste jusqu'à la veille de la Première Guerre mondiale. Le rail facilite aussi la centralisation du commerce des produits agricoles locaux au profit du Mans qui conserve le premier rang en France pour le négoce de la graine de trèfle. Enfin, le chemin de fer permet d'augmenter les exportations en conquérant de nouveaux débouchés ; il était nécessaire de commercialiser les récents excédents de céréales. Ainsi, grâce au réseau de la Compagnie de l'Ouest, la Sarthe exporte sur Londres, par Caen et Honfleur, « pommes de terre, fruits secs, graines fourragères, céréales et farines »... Indéniable prospérité facilitée par la hausse des prix agricoles.

La modernisation de l'agriculture

Au demeurant, la paysannerie sarthoise a donc réussi à s'adapter aux nouvelles conditions économiques, à l'économie de marché et à un début d'intégration dans l'ensemble national en utilisant au mieux les ressources locales et en modernisant son système de production, graduellement, certes, mais efficacement.

> Dans la Sarthe, l'emploi de la chaux à l'amendement du sol a beaucoup amélioré la culture ; le chaulage a permis de transformer les anciennes terres à seigle en terre à froment. Les plantations de pins ont permis d'utiliser ces vastes plaines sablonneuses jadis stériles... Le métayage tel qu'il est pratiqué dans la Mayenne a aussi contribuer à développer la prospérité de notre département...
>
> Le chanvre, déjà cultivé dans la Sarthe, y occupe une superficie d'environ 12 à 13.000 hectares, 20.000 ouvriers des deux sexes s'occupent de la culture et de la préparation des produits, on évalue la filasse que l'on retire à 10 ou 11 millions de kilogrammes, et le prix marchand à 7 ou 8 millions [de francs]. Après que cette filasse a été employée par l'industrie, elle acquiert une valeur d'au moins 25 millions ; ... Au point de vue social, la culture du chanvre est donc très avantageuse puisqu'elle donne du travail à de nombreux ouvriers ; elle

Marolles-les-Braults. Batteuse et son personnel, début du XXᵉ siècle. *(Collection Béalet).*

est un frein aux émigrations des campagnes vers les villes, puisque les diverses transformations que subit le produit ont principalement lieu en hiver lorsque les travaux des champs ne réclament que peu de bras...

... [L'élevage] : c'est dans cette dernière branche de l'économie rurale que ce département a réalisé ses plus rapides progrès. En possession d'une race bovine médiocre pour le travail, mauvaise laitière et n'ayant comme avantage qu'une légère aptitude à l'engraissement, l'agriculteur manceau l'a croisé avec la race durham et depuis la qualité laitière, la précocité et l'aptitude à prendre de la graisse se sont développées ; la transformation n'est pas complète, néanmoins tous les doutes se sont dissipés... (Concours régional du Mans, Le Mans, 1865, 124 p., p. 6, 7, 17, 74 et 75, *bibl. mun. du Mans*, Fonds Maine, cote : 1539).

Les prix agricoles (1850-1900)

Blé

Orge

Pommes de terre

1850 1860   1870   1880   1890 1900

Difficultés et redressement agricoles

Mais la « prospérité impériale » masque des structures fragiles car en pleine mutation ; de plus, l'intégration, réussie, au marché national implique le passage d'une économie autocentrée à une économie dépendante dont la croissance est plus vulnérable aux fluctuations de la conjoncture. Comme tant d'autres départements ruraux, la Sarthe va être fort atteinte par la grande dépression économique qui s'amorce en 1875 avec la baisse des prix des céréales, cause de la gravité de cette crise majeure qui impose de nouveaux changements de structure dans le système productif sarthois. Il s'agit là d'effets inattendus du désenclavement opéré par le chemin de fer et de l'existence d'un bon réseau routier.

Grâce à ce développement considérable des voies de communication, l'agriculture sarthoise est en grande partie désenclavée. D'une part, elle peut s'intégrer au marché national, d'autre part, les paysans peuvent recevoir les produits nécessaires à l'amélioration de la productivité, y compris dans les contrées les plus reculées. (J.-M. Herreng, l'Origine des organisations professionnelles agricoles dans la Sarthe [1884-1900], mémoire de maîtrise, université du Maine, Le Mans, 1981).

La grande dépression

Dans la Sarthe, la crise se manifeste essentiellement par la crise céréalière attribuée à la concurrence étrangère. Ainsi, le prix du blé recule-t-il de 15 % des années « 1860 » à 1880, puis encore d'environ 25 % jusqu'en 1890. La reprise s'amorce ensuite, mais les prix, à la veille de la guerre, ne retrouvent pas le niveau des « bonnes années » 1873-1874. Malgré un accroissement des rendements, la valeur de la production céréalière recule de 17 % de 1862 à 1892, et au début du XXe siècle. Le niveau atteint en 1862 n'est pas encore rattrapé ! Les superficies emblavées ont fortement diminué à la suite de la baisse des prix.

Quelles sont les réactions à la crise ? D'une part, grâce au vote de la loi Waldeck-Rousseau (1884) sur les syndicats, le département connaît un essor remarquable et précoce du syndicalisme agricole ; d'autre part, un remaniement des structures de la production s'esquisse et conduit à une adaptation réussie aux nouvelles conditions économiques résultant de l'évolution des marchés.

Le réseau routier et la circulation moyenne diurne (1856-1857)

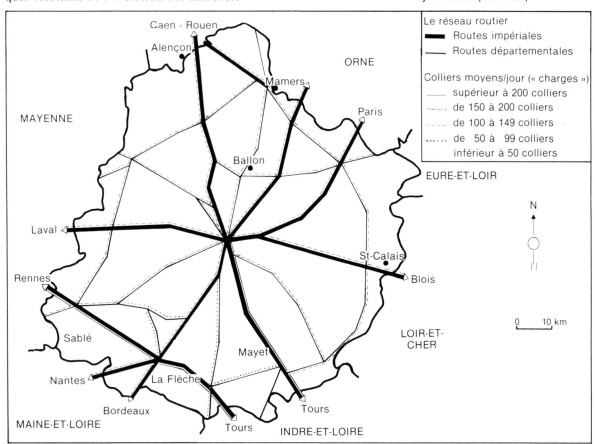

Les progrès du syndicalisme agricole

Extraits des statuts du syndicat agricole du canton de Sablé.

Titre I - Constitution du syndicat.

Art. 1 - Il est formé entre les soussignés et ceux qui adhéreront aux présents statuts un syndicat ou association professionnelle qui sera régi par la loi du 21 mars 1884 et par les dispositions ci-après :

Art. 2 - L'association prend pour dénomination « Syndicat agricole du canton de Sablé ». Son siège est établi à Sablé. La durée sera illimitée...

Titre II - Composition du syndicat.

Art. 3 - Peuvent faire partie du syndicat :

1°) Les personnes ayant qualité de propriétaires et faisant valoir par elles-mêmes, par serviteurs, métayers ou fermiers des fonds ruraux.

2°) Les fermiers, colons, métayers, vignerons, jardiniers, horticulteurs, préposés à l'exploitation de ces mêmes fonds ruraux, et les régisseurs et hommes d'affaires préposés à la surveillance ou à l'administration des dits fonds ruraux.

3°) Les serviteurs et ouvriers employés à la culture de ces mêmes fonds ruraux...

Titre III - Objet du syndicat.

Art. 7 - Le syndicat a pour objet général l'étude et la défense des intérêts économiques agricoles.

Art. 8 - Il se propose spécialement :

1°) D'examiner toutes les mesures économiques et toutes les réformes législatives que peut exiger l'intérêt de l'agriculture et de revendiquer notamment le dégrèvement des charges qui pèsent sur la propriété rurale...

2°) De provoquer et de favoriser des essais de culture, d'engrais, de machines et instruments perfectionnés et de tous autres moyens à faciliter le travail, réduire les prix de revient et augmenter la production... (« Bulletin du syndicat agricole du canton de Sablé », février 1889, J.-M. Herreng, *l'Origine des organisations professionnelles agricoles dans la Sarthe [1884-1900]*, mémoire de maîtrise, université du Maine, Le Mans, 1981, annexe 3).

Ainsi, les petits et moyens exploitants ont formé le « Syndicat des agriculteurs de la Sarthe » qui se développe rapidement : 1.700 adhérents en 1888, 7.000 en 1896, plus de 12.000 en 1900 et 16.000 en 1913 ! Animé par l'actif Théodore Brière qui le préside depuis 1892, ce syndicat se révèle apte à fournir des engrais chimiques de « qualité et à bas prix » aux paysans, à faciliter l'introduction des progrès techniques au niveau des exploitations, donc à améliorer les rendements. Puis, il permet l'organisation du crédit (Brière fonde, en 1900, la caisse régionale de Crédit Agricole dont l'actif dépasse les 2.000.000 de francs en 1914) et la création d'une mutuelle agricole contre les accidents (la Sarthoise, fondée en 1905). « Grâce au syndicat, les petits paysans ont donc été moins exploités, moins à court d'argent, moins inquiets du lendemain ». Une telle activité d'un syndicat de gauche entraîne une riposte : les grands propriétaires fonciers souvent nobles fondent d'abord leurs propres organisations, dont le syndicat agricole du canton de Sablé, qui se regroupent et fusionnent de 1895 à 1900 dans l'« Union des syndicats agricoles de la Sarthe » (8.866 adhérents en 1895). Au début du XXᵉ siècle (1902), les deux syndicats totalisent 21.948 membres, dont 13.387 pour le Syndicat des agriculteurs et 8.561 pour l'Union. La Sarthe vient au premier rang des départements français pour le nombre de syndiqués. Face à la crise, les agriculteurs sarthois ont réagi avec vigueur et efficacité !

Les céréales les moins rentables reculent. Blé et avoine se maintiennent. L'élevage des chevaux, en effet, se développe avec l'utilisation de charrues perfectionnées et un travail plus intensif des sols. Mais le recul d'ensemble des superficies témoigne de la mutation des structures agricoles sarthoises.

L'adaptation de l'économie agricole

Evolution des emblavures (hectares)

	1864	1874	1882	1892	1914	Evolution (%) 1864 1914
Froment	73.217	74.723	78.378	80.073	77.668	+ 1 %
Méteil	28.296	28.330	28.849	23.654	12.140	— 57 %
Seigle	22.932	22.765	23.017	19.884	19.330	— 16 %
Sarrasin	1.651	3.000	1.542	1.540	1.000	— 39 %
Avoine	35.558	33.079	32.904	34.073	36.688	+ 1 %
Orge	56.889	56.727	48.138	40.653	36.947	— 35 %
Total	218.543	218.624	213.028	199.877	183.773	— 16 %

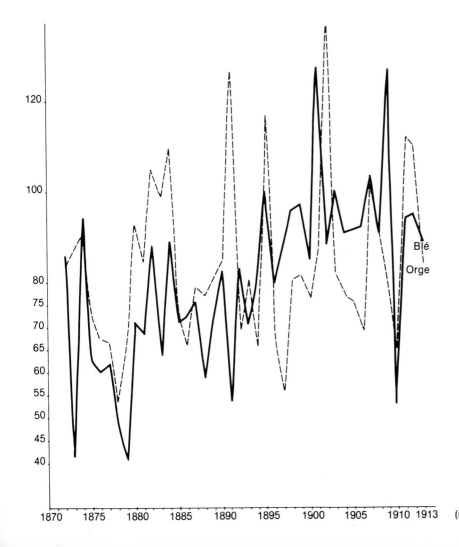

Les récoltes céréalières
(indice ; base 100 : 1900-1902)

293

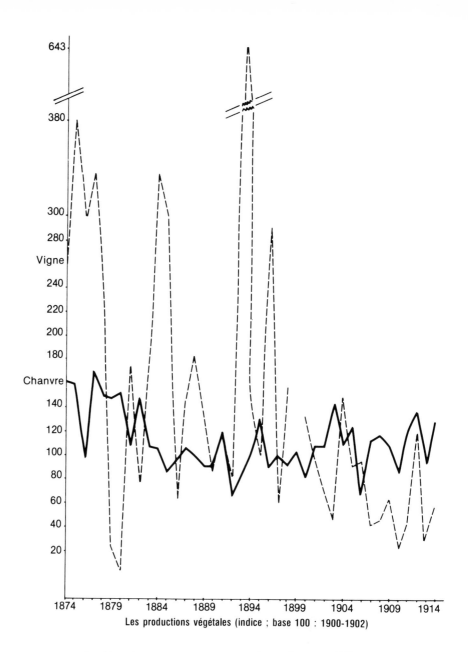

Les productions végétales (indice ; base 100 : 1900-1902)

Le département accentue son orientation vers l'élevage plus renta-
ble, les prix des produits animaux (viande, lait) baissant moins que
celui des céréales. Celui-ci peut être développé et intensifié grâce aux
progrès des cultures fourragères et à l'extension des prairies naturelles
(environ 56.000 hectares en 1862, 63.500 en 1872, 74.500 en 1892 et
99.000 hectares en 1911, soit une progression globale de 77 %). Et
l'élevage, lui aussi, se spécialise. La régression des landes et pâtis
entraîne celle des ovins (81.000 en 1862, 43.000 en 1911). Après 1890,
l'élevage du porc tend à stagner, le consommateur parisien se détour-
nant peu à peu du porc gras. Grâce à l'intensification de l'élevage laitier facilitée par une sélection plus stricte et les croisements avec la race
normande, au développement de l'élevage des veaux gras blancs vendus à Paris dont la Sarthe est devenue le premier fournisseur, à l'exten-

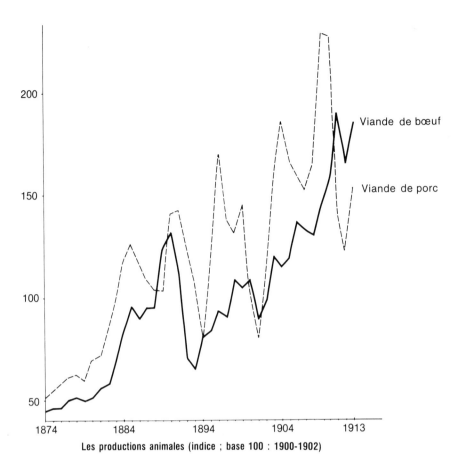

200

150

100

50

1874   1884   1894   1904   1913

Viande de bœuf

Viande de porc

Les productions animales (indice ; base 100 : 1900-1902)

sion de la consommation de viande de bœuf, le cheptel bovin s'accroît rapidement : 149.000 têtes en 1862, 191.000 en 1882 et 239.000 en 1911. Cette mutation, facilitée par l'action des organisations agricoles, s'effectue en préservant la structure foncière du département. L'élevage bovin reste associé le plus souvent à des exploitations moyennes pratiquant la polyculture. Le changement est donc progressif. Ceci explique qu'en 1913, en valeur, les produits végétaux l'emportent encore sur les productions animales. La structure est cependant inverse pour les grandes exploitations modernes. Et la Sarthe affirme son orientation agricole ; bien que leurs effectifs diminuent en valeur absolue, les paysans représentent la moitié de la population active en 1882, et 58 % en 1901 (moyenne nationale : 43 %).

Dès le milieu du siècle, l'exode rural s'est amorcé. Le département recense 359.000 ruraux en 1872, 302.000 en 1911 où ils représentent environ 72 % de la population sarthoise (moyenne française : 56 %). Le nord-ouest du département est particulièrement atteint. Les campagnes perdent avec le déclin des industries traditionnelles, en particulier celui du tissage manuel de la toile, un grand nombre d'artisans ; puis, l'attrait de la ville et de meilleurs salaires favorisent l'émigration des salariés, journaliers et domestiques, d'où une incitation supplémentaire à l'extension des herbages permanents. Par contre, le nombre des exploitants augmente, passant de 41.000 à 46.000 de 1862 à 1892 (dont

Les campagnes sarthoises

deux tiers de fermiers), et la petite exploitation (de 1 à 10 hectares) se consolide : 27.368 recensées en 1862, 33.161 en 1892. Comment expliquer cette évolution ? La crise amène une détérioration de la valeur du capital foncier, d'où un recul de la grande propriété plus coûteuse à mettre en valeur compte tenu de la hausse du coût de la main-d'œuvre, hausse facilitée par l'émigration de nombre de salariés agricoles. Enfin, les fermiers — au moins jusqu'au XXe siècle — sont avantagés par la conjoncture (à partir de 1880, les fermages tendent à baisser) et ils se montrent, de plus, mauvais payeurs.

> ... Même ces fermages en baisse ne sont pas payés régulièrement par les agriculteurs. A partir de 1870, une dette importante apparaît dans la comptabilité du propriétaire. En 1880, elle représente presque 50 % des fermages... 76 % en ... 1888 et même 100 % en 1896... Les fermiers sont... en position de force et peuvent sinon dicter leurs conditions aux propriétaires, du moins oublier parfois de payer le fermage sans risquer l'expulsion. (J.-M. Herreng, l'Origine des organisations professionnelles agricoles dans la Sarthe [1884-1900], mémoire de maîtrise, université du Maine, Le Mans, 1981, p. 28-29).

Vers le début du XXe siècle, la condition paysanne s'est donc améliorée, les éléments les plus pauvres de la société rurale tendent à émigrer vers les villes. La paysannerie sarthoise a su faire face à la grande dépression (1875-1900) et bénéficie par la suite du redressement des prix agricoles.

Une industrie traditionnelle en Sarthe (vers 1912). Les potiers de Malicorne. (Collection André Ligné).

MALICORNE (Sarthe). - Une Poterie

L'industrie : les limites de la révolution industrielle dans la Sarthe

Les historiens de l'économie sarthoise mentionnent souvent l'archaïsme relatif des structures industrielles locales vers 1850 sur les plans financier et technique, en particulier pour l'industrie principale, celle des toiles de chanvre : « Il y a là (dans la « fabrique » du Breil), en somme, dominé par le capitalisme commercial, un type de fabrication intermédiaire entre l'antique travail à domicile et l'usine moderne. Le machinisme n'apparaît pas, sans être absent cependant, puisque les lins filés proviennent de la filature mécanique de Frévent... L'évolution de l'industrie sarthoise a donc été considérable depuis un siècle, sans qu'elle se soit encore détachée, malgré la révolution industrielle, des procédés du passé » (F. Dornic).

Le poids du passé : une industrie à dominante rurale

Les contemporains furent eux aussi sensibles à la difficulté d'opérer la modernisation des structures industrielles du département et au « retard » technique de l'industrie toilière, activité clé du secteur secondaire local, employant vers 1847 environ 60 % de la main-d'œuvre « industrielle » masculine de la Sarthe.

La première industrie sarthoise : le textile chanvre

Note de Monsieur Pance, ex-préfet de la Sarthe, sur l'enquête agricole et industrielle faite dans le département en 1848... Industrie.

Le département de la Sarthe ne compte pas parmi les localités (sic) *réellement importante sous le rapport de l'industrie. Nous n'avons pas de grands établissements, on ne compte que quelques mines d'anthracite et quelques fabriques de tissage de chanvre, quelques tanneries... Aussi le nombre des ouvriers est-il minime en comparaison de la population agricole, qui est une des plus importantes de la France... Le sol du département de la Sarthe fournit une qualité excellente de chanvre ; le cultivateur trouve un bénéfice suffisant à cette culture, et les industriels qui viennent après ont longtemps bénéficiés aussi sur les différents travaux qui amenaient le produit à l'état de marchandises livrable au commerce. L'industrie présentait, il y a peu de temps encore, l'avantage de fournir de l'occupation à des familles entières, y compris les femmes et les enfants. Mais ce travail, qui n'avait recours qu'aux procédés les plus simples, devait succomber lorsque les améliorations surviendraient et diminueraient le prix de fabrication. C'est ce qui devait être prévu et ne l'a pas été. Les familles qui s'occupaient à leurs travaux habituels, et ne modifiaient en rien leur manière de fabriquer, ont été surprises par le perfectionnement. Sans entrer dans des détails techniques, la filature à la mécanique, le tissage par des machines plus rapides et plus actives a détruit l'industrie des fileuses et des tisserands.*

... de là résulte une crise à laquelle il est impossible de porter remède, car évidemment l'industrie primitive doit périr, et ses malheureux ouvriers n'ont pas le capital nécessaire pour se pourvoir des instruments qui doivent remplacer les leurs. Ce mal est d'autant plus grand que ceux qui l'éprouvent ne veulent pas voir la cause où elle est réellement. De ce que l'Etat, comme le commerce, s'approvisionnait autrefois de leurs produits et que, dans un intérêt général et national, il a posé des conditions nouvelles et régulières à ses fournitures par adjudication, les petits fabricants ont conclu que c'était la nouvelle méthode du gouvernement qui était la cause de leur ruine ; et ils ne cessent de demander que les fournitures leurs soient commandées de façon à assurer leur existence, et leurs bénéfices, ce qui veut dire en d'autres termes, qu'il faut acheter chez eux, à un prix élevé, ce qu'ailleurs on peut trouver à un prix modeste. Ils ne se rendent pas compte, qu'alors même que l'Etat entrerait à son grand détriment, dans cette voie ruineuse, ses commandes, répartie avec justice, ne fourniraient pas un aliment suffisant à leur industrie, si le commerce cessait de recourir à elle. Il est bien vrai, et l'enquête [de 1848] de plusieurs localités le prouve, que plusieurs conditions, celles notamment de posséder 40 métiers battants et de tisser toutes pièces avec un fil de couleur traversant toute la trame d'un bout à l'autre, sont préjudiciables aux petits fabricants, mais il est certain que l'abolition de ces deux exigences difficiles à satisfaire, ne pallierait pas bien longtemps le vice qui mine cette industrie et la tuera. Le seul résultat probable, c'est la fondation de grandes fabriques où les petits fabricants dépossédés trouveront peut-être de l'occupation en petit nombre, tandis que les autres seront forcés de recourir à l'agriculture, qui leur évitera les terribles mécomptes dont ils sont aujourd'hui victimes... (Annuaire de la Sarthe [administration], 1850, p. 44, 50, 53 et 54).

De fait, la modernisation de l'industrie chanvrière reste limitée. Le département avant 1848 ne compte que deux filatures mécaniques (7.000 broches, 70 ouvriers) et plus de 4.500 tisserands. La famille Cohin, en revanche, s'est engagée résolument sur la voie d'un capitalisme commercial concentré (l'ordonnance royale de 1843, en effet, réservait les commandes militaires aux fabricants occupant plus de 40 métiers réunis) en créant de vastes ateliers artisanaux et contrôlant des centaines d'artisans ruraux travaillant à domicile, d'où, en 1848, les plaintes, sans effet, des petits entrepreneurs de tissage locaux. En 1855, les Cohin contrôlent 1.400 métiers à tisser et font travailler, au total, 5.000 artisans sarthois dont 600 dans leurs ateliers du Breil. En dehors du chanvre, les activités industrielles demeurent limitées.

Les industries secondes

Les autres secteurs de l'industrie textile, bien moins importants que le chanvre (un peu plus de 500 ouvriers pour le coton, de 300 pour la laine) se sont mécanisés plus tôt. Au total — chanvre compris — le secteur textile ne dispose donc que de huit usines modernes (26.000 broches, 361 ouvriers) avant la crise de 1848 qui ralentit encore les progrès de l'industrialisation.

La bonne conjoncture économique du Second Empire profite à l'industrie mancelle du bâtiment qui se relève rapidement de la grande crise du milieu du siècle. Cet essor, favorisé par l'avènement du rail, relance les activités commerciales et industrielles du Mans. Il facilite la croissance de la capitale sarthoise qui passe de 35.800 habitants en 1851 à 45.200 en 1866, et devient le pôle industriel de la Sarthe. L'impact du rail est également favorable à la marbrerie sabolienne, dont les activités augmentent ; ses établissements occupent 180 ouvriers en 1857, 250 en 1865.

Vue générale du Mans prise du chemin de Rouillon. Au pied de la ville, le chemin de fer. **Louis Moullin.** *(Cliché Musées du Mans).*

L'industrie manufacturière compte 73 chaussumeries et tuileries ; 31 poteries et faïenceries ; 1 verrerie ; 5 grosses forges ; 11 papeteries ; 6 scieries dont 3 pour le marbre et 3 pour le bois ; 3 ardoisières, 3 mines d'enthracite ; quelques mécaniques pour carder et filer la laine ; 3 filatures de coton, 3 mécaniques pour la préparation du chanvre ; 59 tanneries ; 2 manufactures de bougies ; 786 moulins à farine mûs par l'eau ; 8 moulins à farine mûs par le vent ; 37 moulins à tan ; 27 moulins à foulon ; 3 fabriques de couvertures ; 10 imprimeries ; 7 lithographies... 10 blanchisseries de toiles... Depuis peu d'années l'industrie a pris un grand accroissement au Mans et dans ses environs... (« Notice sur le département de la Sarthe », p. 4-5, *Annuaire de la Sarthe* [administration], 1849).

La bonne conjoncture économique du Second Empire va faciliter la poursuite de la révolution industrielle dans la Sarthe, après la quasi-stagnation qui suivit la grande crise du milieu du siècle, en particulier pour l'industrie toilière.

La croissance de l'industrie sarthoise

Cette production [de chanvre] serait beaucoup plus considérable si des industries déjà florissantes sur plusieurs points de la France, étaient introduites dans la Sarthe... Le progrès a presque été nul sous ce rapport. Le chanvre brut passe encore des mains de l'agriculteur dans celles d'industriels qui le pilent à grands renforts de bras, le peignent et le vendent aux femmes qui le filent et le portent sur les marchés... le chanvre filé est vendu aux petits marchands et aux courtiers qui le cèdent aux blanchisseurs ; ceux-ci le vendent à leur tour, aux fabricants qui l'emploient dans les tissus. La toile est achetée par des commissionnaires pour le compte des principales villes de France, et arrive enfin aux consommateurs. Combien de temps perdu, de dépenses inutiles dans cette longue série d'opérations ! Le tissage dans la

Sarthe n'a pas fait plus de progrès. Quelques perfectionnements de détail ont été introduits dans les métiers ; mais c'est toujours le tissage à main qui est employé pour toutes les espèces de toiles sans distinction... Partout le filage à main disparaît graduellement ; et, dans le Département même, existent déjà de petites filatures dont la prospérité fait présager celle qu'on peut attendre d'une usine [moderne]... (« Note sur le projet d'un établissement de filature de chanvre et de tissage mécanique dans la Sarthe », Le Mans, Monnoyer, 1857, 15 p., p. 3-4, *bibl. mun. du Mans*, Fonds Maine, cote : 1385).

En fait, le renouveau industriel s'esquisse dès 1853 quand le magnat alençonnais Richer-Lévêque, qui exploite déjà une filature dans l'Orne, en monte une autre à Yvré-l'Evêque. La Sarthe dispose de deux atouts importants : l'abondance et le faible coût de la main-d'œuvre, et un approvisionnement aisé en matières premières (le chanvre représente les deux tiers du coût de production des filés, la moitié de celui des toiles). Puis, Louis Cornilleau, qui faisait travailler un millier de métiers à tisser dans la région mancelle, introduit au Mans, en 1855, le tissage mécanique de la toile. D'autres filatures mécaniques se fondent. Elles s'implantent toutes, sauf une située à Mamers, dans la région mancelle ou au Mans même car la métropole sarthoise bénéficie de sa position centrale et contrôle le réseau de communication départemental. Enfin, Eugène Bary, entrepreneur de tissage à La Ferté-Bernard, construit au Mans un établissement moderne qui intègre filature et tissage mécanique, tout en gardant le contrôle de 1.200 métiers à bras. Concentration industrielle, financière et géographique des activités chanvrières dont bénéficie Le Mans, au détriment des villes toilières traditionnelles, telle Mamers où s'amorce un net processus de déclin économique. A noter qu'usines et artisanat toilier font bon ménage tant que les débouchés s'accroissent. Or, les fibres textiles nationales, dont le chanvre, bénéficient, de 1862 à 1805, d'une conjoncture exceptionnelle. La guerre de Sécession prive l'industrie cotonnière de ses arrivages habituels de matières premières. Après 1865, ne pouvant résister à la concurrence croissante du machinisme, l'artisanat toilier amorce sa longue décadence.

D'autres secteurs de l'économie sarthoise profitent également de la « prospérité impériale ». La mécanisation progresse dans la manufacture de siamoises de Bessé ; l'industrie de la chaussure s'implante au Mans et emploie bientôt 2.000 ouvriers. Sablé reste un pôle secondaire mais dynamique, grâce à ses industries extractives (marbre, anthracite).

Désindustrialisation et efforts de renouveau

Dès les années 1875, la « grande dépression » se manifeste aussi dans l'industrie. Intégrée dans le marché national par le chemin de fer, la Sarthe est soumise à la concurrence d'autres régions et perd ainsi certains de ses débouchés « traditionnels ». Souffrant d'un handicap énergétique sensible (les prix du charbon baissent, mais la poursuite de la mécanisation augmente la consommation globale), ayant profité du boom économique impérial qui masquait sa vulnérabilité structurelle sans faire de grands efforts d'innovation, les industries départementales résistent mal à une conjoncture économique difficile et un « véritable processus de désindustrialisation » se met en place.

La désindustrialisation

Pour le chanvre, l'artisanat décline rapidement. A son apogée, le département comptait environ 10.000 métiers et, en 1864, les tisserands représentaient encore 44 % de la main-d'œuvre du secteur secondaire. Il en reste moins de 7.000 dès 1869 et la concurrence du machinisme aidant, la Sarthe ne compte plus que 4.000 métiers à bras dès 1876, 2.500 en 1887. L'industrie subit, quant à elle, la concurrence du Nord, la perte des commandes militaires (au profit du lin ou du coton) et le remplacement du chanvre par le jute pour nombre d'usages. Dès 1884 disparaît, au Mans, le tissage mécanique de Cornilleau. Le département ne compte plus, en 1887, que 500 ouvriers d'industrie dans ce secteur, au lieu d'un millier en 1873. Quant à l'industrie lainière, peu importante il est vrai, elle disparaît totalement en 1886.

Même processus de déclin, moins accentué toutefois, en ce qui concerne le coton, la manufacture de Bessé réussissant à survivre. Recul notable également des industries mancelles ; celle de la chaussure, victime de la concurrence de Fougères qui a su se mécaniser à temps ; celle des conserves qui a perdu ses marchés à l'étranger.

Déclin encore plus accentué pour l'anthracite de la région sabolienne : 240 mineurs en 1872, une centaine en 1886, 15 au recensement de 1911 ! La dernière mine, celle de Sablé, ferme le 12 août 1914. Déclin lié à celui de l'utilisation de la chaux dans l'agriculture. En 1909, les trois quarts des fours à chaux de la Sarthe étaient éteints : 12 seulement étaient encore en activité à la veille de la guerre.

Le déclin du chanvre

L'adaptation des industries « anciennes »

La grande dépression des années 1875-1895 a contraint l'industrie sarthoise « traditionnelle », affaiblie, à s'adapter aux nouvelles conditions du marché ; l'amélioration de la conjoncture, à la fin du siècle, assure sa survie. Mais, pour l'essentiel, les activités industrielles se concentrent au Mans — 10,5 % de la population du département en 1872, 16,5 % en 1911 — qui est devenue une ville ouvrière au prix de la désindustrialisation des campagnes et des autres villes sarthoises. L'industrie chanvrière s'est reconvertie, passant de la fabrication de la toile à celle des bâches et des sacs destinés à l'emballage des produits agricoles (établissements Leduc-Ladevèze : filature de Champagné, tissage d'Yvré-L'Evêque ; maisons Morancé et Ransillat frères, du Mans). Seule l'usine Janvier fils, du Mans, qui fut fondée par E. Bary, fabrique toujours des toiles. L'artisanat toilier recense encore en 1906, 450 métiers à bras (50 pour les toiles de lin de Fresnay, 150 à La Ferté-Bernard, etc.). Au total, l'industrie textile (y compris le coton : 323 ouvriers) occupe environ 2.700 ouvriers (contre 12.500 en 1864), et le second rang départemental après l'industrie du bâtiment. Se sont également maintenues : la fabrication des galoches (11 établissements, 4 à 500 ouvriers en 1906), celle des conserves alimentaires (4 établissements au Mans, un à Saint-Calais, un à La Ferté-Bernard). La tannerie (675 ouvriers en 1911) et la papeterie (612 ouvriers au recensement de 1911), malgré une baisse de leurs effectifs, ont su s'adapter à l'évolution du marché et se moderniser en se mécanisant.

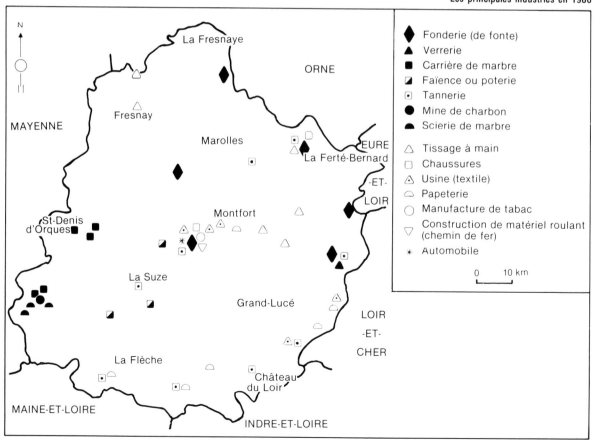

Les principales industries en 1906

◆ Fonderie (de fonte)
▲ Verrerie
■ Carrière de marbre
◪ Faïence ou poterie
⊡ Tannerie
● Mine de charbon
◗ Scierie de marbre

△ Tissage à main
□ Chaussures
⬭ Usine (textile)
⬠ Papeterie
○ Manufacture de tabac
▽ Construction de matériel roulant (chemin de fer)
✳ Automobile

0   10 km

Tannerie.

Le nombre de tanneries a considérablement diminué dans le département de la Sarthe depuis 50 ans et surtout depuis 1870. On en compte cependant encore une vingtaine en pleine activité, dans les centres importants du Mans, La Suze, Connerré, Saint-Calais, La Flèche, La Ferté-Bernard, Bonnétable, Château-du-Loir, La Chartre et Le Lude. La production annuelle des cuirs tannés dans ces différents établissements peut être évaluée à environ 200.000 cuirs de bœufs, vaches et taureaux. Il faut y ajouter environ 80.000 petites peaux de veaux, moutons, chèvres et même chevaux... Les hauts prix des peaux et la hausse du cuir tanné ont contraint les tanneurs à restreindre leur fabrication. La tannerie sarthoise s'approvisionne non seulement dans la région, mais encore dans les villes de Paris, Angers, Laval, Rennes, Tours et surtout Le Havre, où arrivent les peaux de l'Amérique du Sud et de l'Asie... Les 200.000 cuirs... représentent un tonnage de 3.000.000 de kg de cuirs tannés... [valant] de 10 à 12 millions de francs, auxquels il faut ajouter une somme de 800.000 francs pour les cuirs de veaux et de 200.000 francs pour les autres peaux...

Papeterie.

L'industrie de la papeterie est très ancienne dans la Sarthe. Il y a 50 ans, toutes [les] usines, situées sur des cours d'eau n'utilisaient la vapeur que pour le lessivage des chiffons et le séchage du papier... Peu à peu les machines à vapeur se sont installées et la force hydraulique représente à peine le quart de celle utilisée pour la production de marchandises qui a décuplé... Quant au personnel ouvrier, il est loin d'avoir augmenté dans les mêmes proportions. L'emploi de machines puissantes ne nécessite pas sensiblement plus de bras et l'utilisation des pâtes de bois comme matières premières a permis d'augmenter la production, sans avoir besoin de main-d'œuvre pour la préparation des chiffons, autrefois seules matières premières employées... (Marcel Hédin, « Situation économique du département de la Sarthe », in *Cinquantenaire de la fondation de la Chambre de commerce du Mans*, Le Mans, 1906, 105 p., p. 116, 117 et 118).

Les efforts de « renouveau industriel »

Autre tentative réussie pour surmonter la crise dans le secteur de l'industrie lourde : la création d'entreprises nouvelles mieux adaptées à l'évolution des structures de l'économie. La tradition métallurgique sarthoise était ancienne, mais la « prospérité impériale » ne peut procurer qu'un sursis (de 20 ans, il est vrai) aux hauts fourneaux sarthois menacés pour cause de retard technologique par la concurrence anglaise, depuis le traité de commerce franco-britannique de 1860 qui leur assène le coup de grâce.

Dès 1868, un seul haut fourneau reste en activité, il sera mis hors feu en 1881. Cette tradition métallurgique a facilité l'essor d'une industrie nouvelle : la fonderie de seconde fusion. Introduite dans la Sarthe par Joseph Chevé et Victor Doré (anciens employés des forges d'Antoigné), en 1841, cette industrie se développe progressivement. L'usine mancelle de Chevé et Doré, d'abord modeste atelier (15 ouvriers en 1845), bénéficie des commandes liées à la construction des chemins de fer. Elle emploie 150 ouvriers en 1855 et produit 2.000 tonnes de fonte. Les deux associés exploitent ensuite les forges d'Antoigné, transformées ultérieurement (en 1860) en fonderies de seconde fusion. Grâce au chemin de fer, ce secteur se développe rapidement. L'abaissement des coûts de transport (et le traité de commerce de 1860) permet d'importer la fonte brute (anglaise) à bon marché.

Les progrès de la fonderie de seconde fusion s'affirment donc et entraînent celui des industries mécaniques. Dès la fin du Second Empire, cette nouvelle branche industrielle compte une vingtaine d'établissements employant près de 800 ouvriers et a pris le relais de l'ancienne industrie métallurgique.

Intérieur de la fonderie Chappée à Antoigné. P. **Soyer**. *(Cliché Musées du Mans)*.

La « grande dépression » ne ralentit guère la progression de cette industrie. De la fin de l'Empire à 1890, la croissance annuelle de la production de fonte de seconde fusion s'effectue au taux moyen de 3,6 % l'an. Au début du XXe siècle, les industries métallurgiques et mécaniques sarthoises occupent plus de 2.400 ouvriers et se situent au troisième rang départemental, derrière le bâtiment et le textile. Dans ce domaine, la Sarthe a donc su s'adapter à l'évolution économique et sauvegarder — sous d'autres formes — une tradition ancienne.

L'industrie métallurgique est encore très importante dans le département, malgré la suppression des hauts fourneaux. Le traitement des fontes de seconde fusion a lieu dans huit usines et particulièrement à Saint-Pavin [au Mans] et à Antoigné.

La fonderie de cloches Bollée, jadis si réputée, a perdu de son importance... La fabrique de grosses horloges de Mayet est également en décroissance.

En revanche, d'autres industries mécaniques sont très florissantes, tels sont, au Mans, les ateliers de construction des béliers et moteurs à gaz et particulièrement la fabrication des automobiles, cette industrie bien française créée au Mans par M. Bollée père et prodigieusement développée par son fils Léon dans son vaste et magnifique établissement des Sablons, près Le Mans, qui expédie chaque année en tous pays plus de 300 automobiles. (Louis Saillant, Au pays du Maine, Le Mans, 1910, 441 p., p. 430).

Le circuit de la Sarthe.
(Bibliothèque municipale du Mans. Cliché Grégoire).

Les Bollée,
pionniers de « l'aventure automobile »

1908. Léon Bollée, au volant, conduit l'avion de W. Wright au champ d'aviation. *(Collection A. Ligné).*

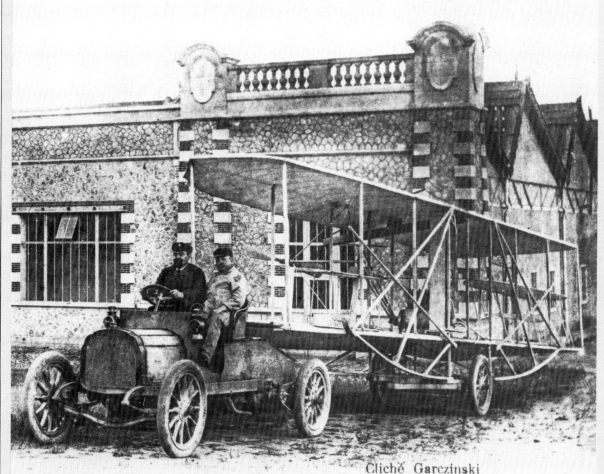

Cliché Garczinski

11 L'Aéroplane est conduit au champ d'aviation
The Aeroplane taken to the aviation-field

Fils d'Ernest-Sylvain Bollée, créateur, en 1842, de la fonderie de cloches de Saint-Pavin, Amédée Bollée (1844-1917), formé à la fonderie et à la mécanique dans les ateliers paternels, est le premier inventeur de la « machine automobile » moderne.

En 1873, il construit une voiture automobile à vapeur ; véritable « locomotive routière », l'Obéissante peut transporter 12 personnes, pèse plus de 4 tonnes et atteint la vitesse de 40 km/heure ! En 1875, l'Obéissante relie Le Mans à Paris après qu'Amédée Bollée ait obtenu, avec quelques difficultés, une autorisation de circulation. Puis, il met au point dans les ateliers paternels une voiture plus légère — 2,7 tonnes — la Mancelle, qui sera présentée à l'Exposition universelle de Paris (1878), à la Cour de Vienne (1879), à Berlin (1880)... Et, en 1880, Amédée Bollée installe un atelier de construction automobile à côté de la fonderie paternelle. Son fils Amédée Bollée (1867-1926) participe à ces recherches dès 1885, puis, comprenant que la vapeur donnera toujours des véhicules trop lourds, au moteur trop encombrant, met au point, après des années de tâtonnement, sa première voiture à essence qu'il construit en 1896 dans les ateliers d'Amédée Bollée père.

Bientôt, Amédée Bollée multiplie les améliorations et les perfectionnements techniques. Dès 1912, il invente un nouveau procédé de fabrication des segments de piston. Inventeur, créateur et technicien émérite, Amédée Bollée fils perfectionne la technique de l'automobile, mais s'intéresse beaucoup moins à la partie industrielle. Son frère cadet Léon Bollée (1870-1913) marche sur les traces de son aîné. Dès 1896, il construit son premier véhicule à essence. Bientôt, les modèles légers de Léon Bollée se distinguent dans nombre de compétitions sportives. La fabrication à l'échelle industrielle commence dans son usine des Sablons, en 1900. Bientôt, ne respectant pas un accord passé avec son frère, il se lance dans la fabrication de modèles lourds. Son usine emploie, en 1906, 360 ouvriers et sort une automobile par jour. Léon Bollée ouvre des succursales à Paris, Berlin, Londres et même New York. Il sera le premier entrepreneur sarthois à introduire le « travail en série » dans son usine, ce qui sera à l'origine du déclenchement d'une grève assez dure, en 1906. Pionnier de l'industrie automobile, Léon Bollée, enthousiasmé, par ailleurs, par le sport aérien (il effectua de nombreuses ascensions en aérostat), invite en 1908 Wilbur Wright à faire ses expériences d'aviation au Mans (W. Wright réussira son premier vol le 8 août 1908). Malheureusement pour l'industrie automobile mancelle, Léon Bollée doit arrêter ses activités en 1911 et disparaît en 1913, son usine ne retrouvant jamais son dynamisme initial.

Commissariat central du Mans. Rapport du 27 février 1906.

Demain dans la matinée une délégation des ouvriers de l'usine Bollée [Léon] doit se rendre auprès de M. L. Bollée pour le prier d'élever de 0,5 à 0,6 F le prix de l'heure... Dans le cas où la délégation échouerait dans ses démarches, la grève éclaterait demain dans la journée...

Commissariat de Police - 3e arrondissement. Rapport adressé au Maire, le 28 février 1906.

... Je me suis transporté ce matin à l'usine L. Bollée route de Paris à l'effet de recueillir discrètement des renseignements sur l'agitation du personnel de cette usine.

De mon enquête il résulte que des ouvriers de l'usine Léon Bollée se sont rendus tout dernièrement à Brest et à Lorient dans le but de se mettre en contact avec des ouvriers métallurgistes pour les engager à venir au Mans leur prêter leur concours dans le cas où ils se mettraient en grève...

Rapport du 4 mars 1906.

... [La grève ayant été votée] les ouvriers se rendront demain matin à 3 heures [aux portes de l'usine] à l'effet d'empêcher par tous les moyens possibles, les chauffeurs de prendre leur service et surtout de mettre les machines motrices en mouvement...

Rapport du 8 mars 1906.

... L'usine rouvrirait lundi soir avec ceux des ouvriers ayant fait une demande soit 150 à 180. Ce nombre ne serait pas augmenté par la suite. M. Bollée reviendrait à son ancienne méthode de faire venir des pièces toutes fabriquées...

Rapport du 22 mars 1906.

... On sent que le découragement gagne les grévistes... La grande manifestation annoncée pour jeudi prochain est remise à une date ultérieure... (« Dossier Bollée [grève] », arch. mun. du Mans).

La grève, qui a duré presque un mois, se terminera par un échec total pour les grévistes dont la majorité perdra son emploi.

Le premier voyage de l'Obéissante, 1873.

Joseph Caillaux
(1863-1944)

Ce grand parlementaire sarthois, dont jusqu'à 1980 aucune rue ou place communale du département ne portait le nom, n'est encore connu que par les affaires judiciaires dans lesquelles les détours de la vie politique l'ont entraîné avec éclat : elles n'étaient pourtant que les dramatiques conséquences de l'action et des choix politiques nationaux dont s'est toujours préoccupé Joseph Caillaux.

Joseph Caillaux, ministre des Finances, et **Aristide Briand**, ministre de l'Instruction publique, en visite à La Ferté-Bernard, **le 13 octobre 1907**. *(Photo Chotard. Cliché A. Drouet).*

Héritier d'un nom, d'un patrimoine qui le classe parmi les familles bourgeoises les mieux dotées de la France de 1900, et d'une tradition familiale de service public, Joseph Caillaux, né au Mans comme son frère Paul, éduqué dans son enfance par un précepteur et instruit des usages de la vie dans la société dirigeante, devient bachelier ès lettres et ès sciences au lycée Condorcet (1881), puis licencié en droit à Paris, afin de pouvoir concourir à l'inspection des Finances. Il y est admis en 1888, préférant, contre l'avis initial de son père, cette voie de la haute fonction publique à celle que lui aurait ouverte l'Ecole polytechnique où il dut se présenter et fut même admissible en 1833. En 1898, il a presque une décennie de pratique qui consacre sa réputation définitive de spécialiste averti de la fiscalité, qualification rare qui contribue à sa première réussite politique et, pour partie ensuite, à son établissement dans le monde du parlement.

La mort de son père Eugène Caillaux, ancien député de la Sarthe en 1871, puis sénateur, conseiller général de Mamers (1875-1892), maire d'Yvré-l'Evêque depuis 1890, incite son fils à tenter sa première expérience électorale. Il la manque de peu aux élections municipales de 1896 à Yvré ; il la réussira brillamment aux élections législatives de 1898, dans la circonscription unifiée de Mamers. L'arrondissement le réélira constamment au premier tour de scrutin jusqu'en 1914, lui apportant entre 54 et 58 % des suffrages exprimés. Après l'interruption de sa carrière entre 1917 et 1925, le canton de Fresnay-sur-Sarthe qu'il représente au conseil général, après avoir été de 1904 à 1918 l'élu de celui de Mamers, lui accorde jusqu'en 1937, son dernier renouvellement, une confiance qui avoisine les 75 % des suffrages. Le département qui en fait un sénateur en 1925 et qui le réélit en 1927 et en 1935, lui assure une majorité, certes, déclinante en dix ans, mais qui, partie de 86 % des suffrages des grands électeurs, en réunit encore plus de 55 %. La présidence du conseil général confirme ce crédit politique et moral : il y est réélu de 1909 à 1917, puis de 1925 à 1939. Cette esquisse quantitative permet de parler d'une carrière électorale prestigieuse. Au demeurant, par sa durée, 37 années effectives, elle se classe au deuxième rang dans le palmarès des élus sarthois de la IIIᵉ République, derrière Gaston Galpin.

La carrière ministérielle de Joseph Caillaux ne sera pas moins remarquable. Ministre des Finances dans les deux plus longs cabinets de la IIIᵉ République (Waldeck-Rousseau [1899-1902], Clemenceau [1906-1909]), puis en 1911, dans celui de Monis, et en 1913, dans celui de Doumergue, il a atteint, en devenant président du Conseil des ministres de juin 1911 à janvier 1912 et appelé à ce titre à faire face à la crise d'Agadir, le plus haut niveau de l'exercice effectif du pouvoir exécutif dans la République. C'est l'apogée de son ascension dans l'Etat. L'affaire du *Figaro* (mars 1914), les opinions et attitudes qu'on lui prête à tort plus qu'à raison pendant la Grande Guerre, interrompent cette carrière, sans la briser définitivement. Le promoteur d'une meilleure équité dans les taxations des biens alimentaires (boissons, sucre) et des successions, puis d'un impôt général et progressif sur le revenu (1907, 1909, 1914), a concentré sur sa personne autant que sur sa politique bien des mécontentements, sinon des inimitiés irréductibles. Cette dimension socio-politique qui inquiète une grande partie de l'opinion le fait écarter, en novembre 1917, au profit de Clemenceau, qui préconise, comme lui, une stratégie offensive pour gagner la guerre, mais qui n'a certainement pas alors comme lui des vues déterminées sur la nature de la paix à conclure. Un procès politique est alors engagé contre lui qui s'achèvera par un jugement du Sénat, siégeant en Haute Cour de justice, en 1920 et tendant à l'exclure définitivement de la vie politique.

L'amnistie, votée par la Chambre du cartel des gauches, en 1925, permet à Joseph Caillaux son « retour de Mamers », auréolé d'un prestige politique et d'une abusive réputation (qu'il réprouve) de « thaumaturge » financier. Il ne peut faire de miracles au ministère des Finances d'avril à octobre 1925, ni de juin à juillet 1926 (cabinets Painlevé, puis Briand). A l'exception des trois jours de juin 1935, où il retrouve cette fonction ministérielle dans l'éphémère cabinet Bouisson, il asseoit sa réputation, son prestige et son influence sur la présidence de la commission sénatoriale des Finances (1932-1939) ; c'est par elle qu'il contribue au renversement des cabinets Blum (1937, 1938), au nom d'une idéologie de gauche qui redoute un recentrage de la coalition du Front populaire sur ses formations révolutionnaires, qui lui préfère un rééquilibrage inverse et qui reçoit, de ce fait, l'appui de ses adversaires traditionnels de droite. Le régime du maréchal Pétain, auquel il a accordé son vote en juillet 1940, le laisse dans une retraite mamertine dont il ne se soucie plus de sortir. Il meurt à Mamers le 22 novembre 1944, après avoir assisté à la libération du département.

Le message de Joseph Caillaux n'est pas seulement inscrit dans ses *Mémoires* ou dans ses recueils de discours d'actualité, mais surtout dans ses nombreux articles publiés entre 1920 et 1940, dans lesquels il analyse les caractères surtout économiques du présent et s'efforce d'en prévoir l'évolution à plus ou moins long terme : économie à planification indicative, concentration et harmonisation internationales des productions de base, regroupement politique des Etats européens, et, plus immédiatement, défaite inévitable de l'Allemagne nazie, vaste ambition à l'échelle de l'audace et de l'imagination du personnage qui n'ayant jamais craint d'affronter le présent se mesurait prudemment à l'avenir : Joseph Caillaux assumait ainsi l'unité vivante des deux phases de son existence, de part et d'autre de la Grande Guerre, celle du « défi victorieux », celle de « l'oracle ».

J.-C. ALLAIN

Politique, société et vie urbaine

Le fait politique

La férule impériale

La surveillance étroite des milieux d'opposition, en particulier ceux de gauche, explique en grande partie l'atonie de la vie politique sous l'Empire autoritaire. Mais il ne faut pas sous-estimer l'ampleur du ralliement paysan au régime impérial. Soucieux d'ordre, de stabilité, de progrès maîtrisé et surtout de bons prix agricoles, les paysans sarthois comme tant d'autres ruraux français se montrent satisfaits du régime impérial et lui accordent sans rechigner un réel soutien électoral. Manière d'échapper parfois, sans risque important, à la tutelle des notables locaux ! Aussi, grâce à la prépondérance numérique des masses paysannes, les candidats officiels aux élections législatives sont élus dans les quatre circonscriptions sarthoises sans problème majeur, avec plus de 58 % des inscrits, soit 84,7 % des votants en 1857, plus de 63 % des inscrits aux élections de 1863 et encore 55 % à celles de 1869.

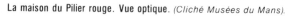

La maison du Pilier rouge. Vue optique. *(Cliché Musées du Mans).*

Préfecture du département de la Sarthe. Elections du Corps législatif. Le Mans, 22 février 1852. Electeurs de la Sarthe.

Quelques jours encore et vous allez nommer vos députés au Corps législatif. Je vous ai fait connaître les candidats que Louis-Napoléon recommande à vos suffrages ; vous les connaissiez d'ailleurs puisque vous les avez déjà nommés plusieurs fois. Cependant on vous propose de les repousser et de choisir d'autres personnes. Pourquoi le feriez-vous ? Vous voulez encore ce que vous vouliez le 20 décembre quand vous avez donné au Président 116.000 suffrages. Eh bien, ne vous laissez pas égarer, ne contribuez pas à affaiblir votre propre ouvrage ; ne vous prêtez pas à arrêter dans les mains du Prince le bien qu'il peut vous faire.

Le 10 décembre 1848, la France se crut sauvée après avoir nommé Louis-Napoléon. Le fut-elle ? Non. Pourquoi ? Parce que, quatre mois après, elle se laissa aller à nommer une Assemblée qui ne sut pas s'associer aux efforts de l'Elu du 10 décembre. La situation est semblable, ne commettez pas la même faute. Electeurs de la Sarthe, ayez de la mémoire et votez pour le candidat du gouvernement.

Electeurs de la deuxième circonscription, le gouvernement ne reconnaît, ne recommande à vos suffrages que Monsieur Langlais, ancien représentant de la Sarthe... M. Langlais est votre compatriote, il a conquis sa place par le talent et la probité. Deux fois il a été votre élu ; c'est de vos mains que Louis-Napoléon l'a reçu et c'est votre choix qu'il honore en vous le recommandant.

Le candidat du gouvernement, dans cette commune, est M. Langlais, ancien représentant. Le préfet de la Sarthe, S. Migneret. (In A.R.D.O.S., pochette n° 14, « la Vie politique sous le Second Empire », document n° 6, *arch. dép. de la Sarthe,* M 61/4 ter).

Le Mans conserve cependant, malgré les pressions administratives, une tradition d'opposition républicaine qui se manifeste surtout par un taux élevé d'abstention lors des législatives (plus de la moitié des électeurs). Mais l'Empire obtient une nette majorité lors du plébiscite de mai 1870 approuvant l'orientation libérale du régime. Dans la Sarthe, le régime recueille 101.000 oui (plus de 75 % des inscrits) contre 14.000 non.

La guerre de 1870-1871 : la bataille du Mans

A la suite de la défaite de Sedan, la nouvelle de la proclamation de la République, le 4 septembre 1870, est connue au Mans dès le lendemain, mais bientôt se pose le problème militaire. En effet, les premières troupes ennemies atteignent l'ouest du département dès novembre, puis progressent lentement. Installé au Mans le 19 décembre, Chanzy, commandant la seconde armée de la Loire, décide d'y livrer « la bataille décisive ». Le 10 janvier, plus de 100.000 Français affrontent 72.000 Allemands. Ceux-ci parviennent dans l'après-midi à s'emparer de Changé, menaçant ainsi le centre du dispositif français ; par contre, à l'aile gauche, au prix de lourdes pertes, les Français restent maîtres du plateau d'Auvours, qui commande l'accès direct au Mans. Le 11 janvier, après des combats sanglants, les Allemands, poursuivant leurs efforts pour percer au centre, prennent le soir la colline du Tertre, menaçant de se porter ensuite sur Pontlieue. A l'aile gauche — au nord du champ de bataille — ils s'emparent de la position clé du plateau d'Auvours, mais une vigoureuse contre-attaque organisée par le général Gougeard permet de les refouler jusqu'au centre du plateau, permettant ainsi d'empêcher une percée ennemie vers Le Mans. Cependant, le sort de la bataille se joue à l'aile droite du dispositif français. En effet, le soir du 11 janvier, un nouveau corps d'armée allemande (le 10e) s'avance vers Ruaudin et le Tertre-Rouge qui commande l'accès sud du Mans. La position du Tertre-Rouge défendue par les six batail-

« Eine strasse in Le Mans ». Dessin extrait d'un journal allemand. Le Mans une nouvelle fois occupé par les Prussiens. *(Cliché Musées du Mans).*

lons des mobilisés d'Ille-et-Vilaine mal armés, sans expérience et démoralisés par un long séjour au camp de Conlie, va être abandonnée par ceux-ci, pris de panique devant cette attaque inattendue. Le courage du 33e mobile (de la Sarthe) qui tente, malgré sa lassitude, de freiner l'avancée ennemie, ne peut renverser le sort des armes ; le 12 au matin, il bat en retraite, entrant à Pontlieue. L'accès du Mans étant totalement découvert, le général Chanzy ordonne la retraite vers Laval. Le 12, les Prussiens entrent au Mans. C'est devant Le Mans qu'a été scellé définitivement le sort de la guerre et de la France.

L'occupation prussienne, à cause de nombreuses exactions, pesa lourdement sur la Sarthe : Le Mans doit verser deux millions de francs de contribution, La Flèche 350.000. Prises d'otages et pillages furent assez fréquents.

Le nouveau régime

Aux élections de la nouvelle Assemblée nationale en 1871, marquées par un fort taux d'abstention (plus de 37 % des inscrits), la liste conservatrice, royaliste, l'emporte facilement, la liste républicaine n'ayant aucun élu. Les campagnes ont voté pour la paix et l'ordre.

La majorité des Sarthois s'intéresse d'assez loin au fait politique, sauf en période électorale. Un rapport du sous-préfet de Saint-Calais, à la fin du Second Empire, notait déjà que : « Les habitants des campagnes sont presque indifférents aux événements politiques, ils sont surtout préoccupés de leurs intérêts matériels ». Prudence paysanne !

> *Sablé. Rapport mensuel adressé à Monsieur le Préfet par le Commissaire de police de Sablé. Mois de septembre 1875... Esprit des populations.*
>
> *La population du canton de Sablé est on ne peut plus calme, elle est animée d'un bon esprit pour le maintien du bon ordre, elle a une entière confiance en la personne de Monsieur le Maréchal Mac Mahon...*
>
> *Attitude des partis politiques.*
>
> *Tous les partis sont très calmes en ce moment. Les Radicaux ne montrent pas d'hostilité au gouvernement actuel. Le parti Bonapartiste est toujours celui qui met le plus d'acharnement à la propagande, fort heureusement ce parti tombe en défaillance surtout dans les campagnes.*
>
> *... Moralité publique.*
>
> *La moralité publique du canton laisse à désirer surtout dans la ville de Sablé, les mœurs font défaut sur (sic) la classe ouvrière. Malgré les mesures sévères prises par l'autorité municipale et la grande surveillance exercée à ce sujet, l'on voit avec peine qu'un grand nombre de filles et mêmes (sic) des femmes mariées se livrent journellement à la prostitution. Un certain nombre d'ouvriers dépensent le fruit de leur travail en orgies, puis les familles restent en souffrance...*
>
> *... Attitude des divers fonctionnaires... [ils] s'occupent avec zèle et dévouement des fonctions qui leur sont confiées laissent toutefois de côté toutes questions politiques...*
>
> *... Extinction de la mendicité.*
>
> *La mendicité a pris depuis quelques mois une extinction très sensible, on ne voit plus de mendiants étrangers au pays, les campagnes sont beaucoup moins visitées par ces bandes de bohémiens nomades, les agents de l'autorité exercent une grande surveillance à ce sujet. (Arch. dép. de la Sarthe, M 78).*

Aux élections législatives de 1876, le département (divisé en six circonscriptions électorales : Le Mans 1, Le Mans 2, Mamers 1, Mamers 2, Saint-Calais, La Flèche) donne une légère majorité en voix aux républicains, au détriment des conservateurs ; ils obtiennent trois sièges sur six (Rubillard étant l'élu de la circonscription du Mans 1, Galpin celui de La Flèche et Lemonnier celui de Saint-Calais).

Le clivage droite-gauche

Sur le long terme, la séparation traditionnelle droite-gauche, qui correspond à une géographie politique départementale aux racines anciennes, n'évolue guère : pas de changement aux élections législatives de 1877 et de 1881.

En revanche, aux élections de 1885, le scrutin de liste avantage les conservateurs qui ont quatre élus contre trois aux républicains. La baisse de la gauche se confirme en 1889, malgré le retour au scrutin d'arrondissement, le premier arrondissement du Mans étant emporté par un candidat boulangiste. Mais les républicains conservent leurs circonscriptions traditionnelles : Saint-Calais et La Flèche. La vague boulangiste ayant reflué, le *statu quo* se rétablit aux élections législatives de 1893. A la droite (conservateurs, royalistes légitimistes), les circonscriptions de : Le Mans 2, Mamers 1 et Mamers 2 ; à la gauche (républicains) : Le Mans 1, La Flèche et Saint-Calais. En 1898, l'unification des deux circonscriptions électorales de Mamers permet au républicain J. Caillaux, qui bénéficie de la notoriété de son père qui fut député puis sénateur conservateur, de s'implanter dans cette circonscription en battant le légitimiste de La Rochefoucauld et d'assurer quatre sièges sur cinq aux républicains. Une seule surprise en 1902, l'élection de l'industriel Fouché, candidat conservateur et nationaliste, qui emporte la première circonscription du Mans, reflet du mécontentement de nombre de Manceaux face à une politique anti-cléricale agressive. Les élections de 1906 enregistrent à nouveau une victoire de la gauche, la droite ne tenant plus que la circonscription du Mans 2. Le résultat est identique en 1910.

> Mamers, le 30 novembre 1909. Rapport mensuel du sous-préfet de Mamers au préfet de la Sarthe.
>
> ... Il n'a guère été question du voyage de Monsieur Caillaux en Egypte. Je ne crois même pas que les journaux du département a (sic) quelque nuance qu'ils appartiennent aient signalé son départ qui remonte à trois semaines. L'effet produit par une absence de plus de 2 mois n'aurait pas certes été d'un bon effet selon moi ; mais comme M. Caillaux ne fera pas à l'étranger un aussi long séjour [que prévu] et que, par suite, il reprendra sa place à la Chambre avant la fin de la session ordinaire, je constate avec plaisir que les réactionnaires ont malhabilement, laissé passer une occasion d'attaquer M. Caillaux sur un point qui n'aurait peut-être pas laissé insensible une partie de l'arrondissement. Ce qui préoccupe en effet ici les électeurs, c'est comme vous le savez, d'avoir avant tout un député constamment attaché à défendre les intérêts de la circonscription. La majorité républicaine est si faible que la campagne... activement menée par les réactionnaires, est toujours redoutable. En 1906, la question des bouilleurs de cru, la question religieuse également ont été si bien exploitées que M. Caillaux n'a eu que 92 voix de majorité absolue (12.356 voix contre 12.448). La situation est incontestablement meilleure en ce moment... [mais] la propagande effrénée et mensongère faite contre l'impôt sur le revenu et son auteur, et aussi l'appréhension des impôts nouveaux sont loin d'être sans effets sur la masse électorale d'un arrondissement qui s'effraie des innovations et risquerait de retomber entre les mains des réactionnaires si le député sortant n'était un homme de valeur et de la trempe de M. Caillaux. (Arch. dép. de la Sarthe, série M).

On observe une nouvelle poussée de la droite en 1914. Elle conquiert la circonscription du Mans 1 et conserve la deuxième circonscription mancelle. La gauche sauvegarde les trois autres. Que retenir de cette évolution politique sous la IIIe République ? Quelques grandes tendances s'affirment :

• Le corps électoral sarthois reste relativement stable. Le clivage gauche-droite subsiste. Le nord et surtout l'ouest du département votent conservateur ; l'est et le sud-est donnent une majorité à la gauche. Géographie politique dont les origines remontent à la Révolution, comme les travaux de P. Bois le montrent.

• Une tendance à la montée de la droite et à une régression de la gauche apparaît avec l'affaiblissement de la tradition républicaine du Mans.

Enfin, en particulier en milieu rural, l'influence des notables qui donne souvent lieu à de véritables manifestations de clientélisme : les électeurs, en « échange » de leurs votes, attendent des satisfactions matérielles pour leur circonscription. Ce dont témoigne les textes cités et le courrier adressé aux parlementaires. Mais, en l'occurrence, la Sarthe n'est pas une exception dans cette France parlementariste de la IIIe République.

Le clergé sarthois du XIXe siècle au début du XXe siècle

Au sortir de la Révolution de 1789, la situation est difficile pour le clergé sarthois. Les défections et les disparitions l'ont privé d'une partie de ses membres ; le recrutement a été interrompu pendant dix ans. Les institutions assurant sa formation ont disparu. Aussi, ne trouve-t-on pas dans le département beaucoup plus des 350 prêtres indispensables pour assurer le service religieux dans autant de paroisses.

Un personnel ecclésiastique abondant

Dès 1806, pour répondre à une forte demande des habitants, un petit séminaire est ouvert à Saint-Saturnin. L'implantation définitive s'effectue à Précigné, en 1817. Le grand séminaire est reconstitué à Tessé, en 1810, auquel on ajoute, en 1816, l'ancienne abbaye Saint-Vincent. Cependant, de 1803 à 1811, on n'enregistre que 68 ordinations pour 277 décès dans les rangs du clergé. Sous la Restauration s'effectue un redressement spectaculaire, amplifié par les apports de la Mayenne qui, jusqu'en 1855, se trouve associée à la Sarthe dans un diocèse unique.

Au milieu du siècle, le personnel ecclésiastique est redevenu très abondant (en moyenne, un prêtre pour 900 habitants). L'évêque peut venir en aide à des diocèses moins favorisés et laisser partir des missionnaires vers le monde entier sans compromettre la vie religieuse locale. Jusqu'au début du XXe siècle, la question des effectifs ne se pose plus, sinon sous la forme d'une inquiétude pour l'avenir, le recrutement connaissant alors un progressif effondrement jusqu'à la veille de la Première Guerre mondiale.

Il faut dire qu'au XIXe siècle l'engagement dans le sacerdoce est facilité par le statut concordataire qui assure au prêtre un salaire de l'Etat et un logement, tandis que la fonction continue de bénéficier de la considération, sauf dans l'est et le sud-est du département où se manifestent de bonne heure des dispositions anticléricales. Se fondant sur l'existence de ces avantages, le clergé paroissial trouve facilement des candidats parmi les enfants des milieux modestes : journaliers, petits paysans, mais plus encore artisans (42 % des prêtres sarthois pour 6 % de la population active du département).

Le chemin jusqu'au sacerdoce est long : au minimum quatre années au petit séminaire, cinq au grand séminaire. On en sort avec une formation à la vie de prières, des connaissances générales surtout littéraires, les notions dogmatiques et morales indispensables pour conduire une paroisse. Malgré les efforts d'un évêque comme Monseigneur Bouvier, lui-même auteur de manuels théologiques estimés en leur temps, l'ardeur intellectuelle est généralement limitée. Quand celle-ci existe, notamment à la fin du siècle, elle est investie dans des études profanes, essentiellement l'histoire locale où plusieurs se feront un nom.

Les méthodes pastorales

Préposé au culte, habité de convictions sincères, le clergé est avant tout préoccupé, au siècle dernier, de l'organisation des cérémonies religieuses, de la distribution des sacrements et de l'enseignement de la doctrine. Au nom de la mission divine dont il se sait investi, il veut guider les paroissiens sur le chemin du salut et se conduit volontiers en gardien austère de la morale, ce qui ne va pas sans soulever quelques tensions, notamment avec la jeunesse.

Il y a peu de prêtres scandaleux dans le diocèse. Le prêtre mène une vie digne et un peu sévère. Il sort et reçoit peu, sinon des confrères et quelques notables.

La guerre de 1870 fait découvrir à plus d'un prêtre, avec la réalité d'une société qui s'éloigne souvent sans bruit du catholicisme et de ses traditions, la nécessité de repenser la conception du sacerdoce et de renouveler les méthodes pastorales. La Séparation de l'Eglise et de l'Etat opérée, malgré quelques manifestations, dans des conditions peu dramatiques en 1905, semble fournir l'occasion d'échapper enfin aux anciennes pesanteurs et d'entrer résolument dans une ère nouvelle. « Le prêtre a vécu trop séparé du peuple », écrit alors un membre du clergé sarthois ; « maintenant, il devra se mêler le plus possible à ses paroissiens, fidèles ou égarés, aux jeunes gens et aux hommes surtout par conséquent » ; et d'envisager une participation au travail agricole ou industriel selon les lieux, l'organisation en missions, dans les régions les plus déchristianisées du département. Il faut attendre plus de cinquante ans encore pour que ces intentions commencent à entrer dans les faits.

Le clergé et la politique

Le clergé ne se cantonne pas dans le domaine strictement religieux ; il ne peut se désintéresser de la vie politique qui implique des orientations plus ou moins favorables au développement de la vie religieuse. Des raisons historiques, étayées de « justifications » théologiques, expliquent son adhésion massive et constante au légitimisme, et ses tentatives répétées pour persuader les fidèles d'adopter cette option. Seules la mort du comte de Chambord (1883) puis les déclarations du pape Léon XIII (1892), lui font admettre tant bien que mal le ralliement à une République qui se montre soupçonneuse à son endroit et dont une partie des serviteurs ne font pas mystère de leur hostilité foncière à l'égard du catholicisme.

Vis-à-vis de la question sociale, le clergé reste longtemps dans une vision fixiste de la société selon laquelle la hiérarchie sociale est aussi nécessaire qu'immuable et qu'elle est l'expression de la volonté divine pour chaque individu. On prêche donc l'acceptation de son sort et l'on condamne toute idée de révolte, voire tout effort en vue de modifier la situation. Dans le même temps, on rappelle aux riches leur devoir pressant d'assistance aux plus pauvres. Il n'en reste pas moins que le discours sert les forces conservatrices.

Dans le cadre de la lutte entre l'Eglise et le gouvernement qui se poursuit après la Séparation, les curés des paroisses du Mans sont poursuivis pour « infraction à la loi sur les réunions publiques » (pour « délit de messe », disent les catholiques). Entourés de leurs défenseurs et de quelques sympathisants, ils posent avec assurance devant le Palais de justice, le 18 décembre 1906.
(Document archives départementales de la Sarthe, 13 F 611).

Le clergé sarthois serait-il donc brouillé avec le progrès ? De nombreux indices démontrent le contraire : Monseigneur de Pidoll (1802-1819) encourage ses diocésains à faire vacciner les enfants contre la variole et apaise leurs craintes ; Monseigneur Bouvier (1834-1854) vante les mérites des caisses d'épargne et les progrès agricoles, soutient l'effort d'instruction pour tous. Plus d'un sermon, jusqu'au fond des campagnes, célèbre les conquêtes de la science tout en se refusant à l'opposer à la foi.

Relativement aisé, envié par plus d'un, retiré au fond des presbytères, ayant accès à une vie spirituelle étrangère à la masse de la population et n'hésitant pas à prendre de nettes options politiques, le clergé sarthois de l'époque concordataire n'est pas parvenu à s'intégrer véritablement à la société locale, malgré les services rendus. Ce n'est pas le moindre des paradoxes pour un clergé qui, dans la proportion des neuf dixièmes au moins, était issu du peuple.

Influence du chemin de fer

Grâce à la voie ferrée qui arrive au Mans en 1854, la ville devient le pôle industriel du département et accentue son rôle centralisateur des produits agricoles sarthois. Cette croissance économique et démographique se poursuit même pendant la grande dépression en partie grâce à la construction des réseaux ferroviaires d'intérêt local. Ainsi, Le Mans atteint 69.000 habitants en 1911 (27.000 en 1851), alors qu'Alençon sa rivale, qui a bénéficié plus tardivement de la « révolution du rail », ne compte que 17.000 habitants en 1911 (14.700 en 1851). Dans une moindre mesure, les villes secondes de la Sarthe, qui jouissent de l'avantage de se trouver sur le passage d'une ligne du réseau général, poursuivent leur croissance pendant la seconde moitié du siècle (La Ferté-Bernard : ligne Paris-Le Mans-Rennes ; Château-du-Loir : ligne de Tours ; Sablé : ligne Paris-Le Mans-Angers-Nantes), alors que les autres (Mamers, Fresnay, Saint-Calais) déclinent. Mais, au début du XXe siècle, l'influence du Mans sur son département devient telle, concentrant fonctions industrielles et commerciales, que les équilibres anciens sont rompus et, si la croissance mancelle continue, les petites villes périphériques stagnent.

**Un problème urbain :
le paupérisme**

La prospérité impériale ne doit pas faire oublier qu'en milieu urbain, en particulier au Mans, la misère et l'indigence restent fort répandues ; 10 % de la population doivent être secourus en période normale, le double en temps de crise. Et les autorités municipales se préoccupent fort de la moralité des secourus comme en témoigne ce rapport, lors de la crise de 1853-1854, sur la nécessité de veiller à la bonne utilisation des secours municipaux.

Le Mans. Le quai Louis-Blanc. *(Bibliothèque municipale du Mans. Cliché Grégoire).*

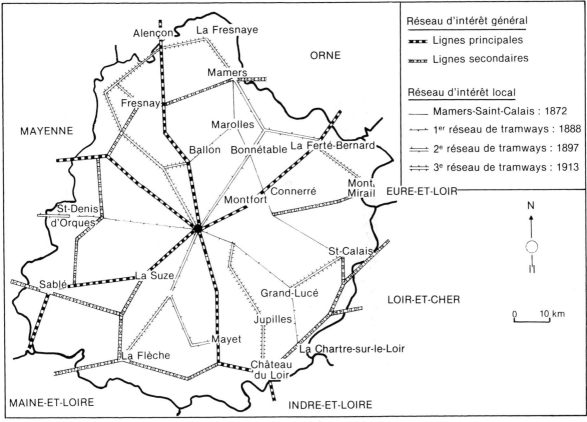

Le réseau ferroviaire d'intérêt local (1872-1922)

... Où le besoin absolu cesse, notre devoir s'arrête aussitôt. Si par un entraînement au-delà du besoin nous nous laissions aller à engager l'avenir plus qu'il ne conviendrait, c'est surtout notre population pauvre qui aurait à en porter la peine, puisque nous serions obligés de reculer encore davantage la réalisation de projets qui intéressent au plus haut point la salubrité de la ville et le bien être des quartiers les plus pauvres... Une partie de la classe indigente se trouve habituellement hors d'état de se procurer des moyens d'existence. Notre Bureau de Bienfaisance y subvient et continuera d'y subvenir... Une autre partie de la population indigente ou peu aisée se procure ordinairement par son travail, des moyens suffisants d'existence, mais ne peut y arriver cette année parce que le pain est devenu trop cher... [la] commission a donc pensé qu'il y avait lieu de faire à cette partie de la population des distributions de pain ou de bons pour avoir du pain [à prix réduits]... Nous tous proposons d'ailleurs... d'indiquer en tout état de cause pour le maintien sur cette liste [des bénéficiaires de bons de pain] certaines conditions spéciales que vous avez le droit d'exiger.

Si nous nous imposons le devoir de venir en aide à notre population pauvre, d'un autre côté... nous n'avons pas le droit de largesse aux frais de la cité, et nous avons à demander à ceux qui réclament de l'aide à commencer d'abord par s'aider eux-mêmes. Tout individu qui après avoir obtenu son admission sur la liste de secours, serait convaincu, étant à même de trouver du travail, d'avoir refusé, devrait être rayé et laissé désormais à lui-même.

Tout ouvrier qui chômerait le lundi, au lieu de rester ce jour-là dans son atelier, serait supposé avoir des moyens d'existence suffisamment assurée d'ailleurs, puisqu'il ne croirait pas avoir besoin de travailler le lundi et il devrait être rayé.

Enfin, tout individu qui fréquenterait habituellement les cabarets ou serait surpris en état d'ivresse, serait encore rayé, car, assurément, si

Le Mans. La place de la République. *(Bibliothèque municipale du Mans. Cliché Grégoire).*

nous pouvons demander à nos concitoyens [des sacrifices]... ce ne peut-être qu'en vue de procurer du pain aux malheureux et non pour alimenter les habitudes d'ivrognerie qui sont trop souvent la cause et l'explication de la misère... (« Délibérations du conseil municipal », séance du 16 novembre 1853, *arch. mun. du Mans*).

La situation ne s'améliore, progressivement, qu'après 1860.

Les villes périphériques :

Faute de pouvoir étudier toutes les villes « secondes mais non secondaires » du département, il a été choisi quelque peu arbitrairement deux exemples types de développement urbain sarthois, en dehors du Mans. La Flèche, ville à vocation administrative et tertiaire, et l'autre pôle de son arrondissement, Sablé, à vocation industrielle.

La Flèche

Comme nombre de villes françaises pendant la période considérée, La Flèche tiraillée entre l'influence du Mans et celle d'Angers, a un solde naturel (naissance moins décès) négatif et ne s'accroît que grâce à l'apport permanent des campagnes voisines. Sous le Second Empire, la ville atteint 11.000 habitants (2,3 % de la population sarthoise, 11 % de la population urbaine), tirant profit de sa situation de chef-lieu administratif, de ses fonctions de siège de tribunaux, de centre d'enseignement et de la présence du Prytanée militaire. Croissance soutenue également par la prospérité des activités du bâtiment, du cuir (tanneries, ganteries) et des papeteries. Mais, devancée par Sablé mieux située en ce qui concerne la centralisation du commerce des produits agricoles, La Flèche subit fortement la grande dépression économique du dernier quart du XIXe siècle ; l'industrie s'effondre. Malgré tout, La Flèche compte 12.000 habitants au recensement de 1906, date à laquelle il apparaît que seul un tiers des habitants est né sur place ; un autre tiers provient de l'immigration rurale sarthoise et le dernier de professeurs et militaires du reste de la France. Au début du XXᵉ siècle, La Flèche, ville tertiaire (12 % de rentiers dans la population), ne compte que 500 ouvriers et sa population tend par la suite à stagner.

Sablé

Grâce à l'arrivée de la voie ferrée en 1861, Sablé, petite ville industrielle active (minoteries, proximité des industries extractives, marbreries) qui compte alors 6.126 habitants, peut développer ses industries traditionnelles, celles des biens de consommation, et son rôle de marché agricole régional. Mais, là aussi, la grande dépression (1875-1895) se révèle néfaste surtout après 1880. Les effectifs employés dans l'industrie reculent du tiers en quelques années. Du fait de la crise céréalière qui entraîne progressivement une reconversion de l'agriculture locale vers l'élevage, l'activité des fours à chaux décline, ce qui provoque la régression de la production d'anthracite. La dernière mine en exploitation ferme en 1914. Le relais pris par la commercialisation des produits agricoles, essentiellement les bovins, ne peut suffire à compenser une désindustrialisation massive. Sablé, qui avait atteint 6.418 habitants au recensement de 1881, n'en compte plus que 5.493 à celui de 1911 (soit — 14,5 % en trente ans !).

Ville de Sablé - Structures socio-professionnelles (%)

Population vivant de :	1866	1872	1881	1886	1891
L'agriculture	25,7	16,4	21,9	23,2	16,4
L'industrie	48,6	48,2	36,8	24,7	37,4
Professions libérales	4,2	5,7	4,8	2,3	3,1
Transports	7,0	3,3	6,6	8,2	9,1
Autres	14,5	26,4	29,9	41,6	34,0

Les ouvriers sarthois

L'avènement de la modernité se traduit aussi par une transformation presque totale de la structure des « classes laborieuses ». Les artisans disparaissent au profit des ouvriers travaillant en usines : mutation décisive provoquée par la révolution industrielle qui transfère l'industrie des campagnes à la ville. Au milieu du siècle, la condition des tisserands restait misérable. Plus de la moitié du budget ouvrier devait être consacrée à l'achat du pain quotidien au sens strict du terme. D'où la nécessité lors de la montée des prix céréaliers — en 1846-47, 1853-54 — de recourir à la charité publique ou privée, car de la pauvreté l'on bascule dans la misère.

Les ouvriers du Second Empire sont d'ailleurs très surveillés par l'administration : contrôle des sociétés de secours mutuel, obligation du livret renforcée par l'empereur.

Loi du 22 juin 1854.

Napoléon, par la grâce de Dieu et la volonté nationale...

Art. 1 - Les ouvriers de l'un et de l'autre attachés aux manufactures, fabriques, usines, mines, minières, carrières, chantiers, ateliers et autres établissements industriels, ou travaillant chez eux pour un ou plusieurs patrons sont tenus de se munir d'un livret.

2 - Les livrets sont délivrés par les maires...

3 - Les chefs ou directeurs des établissements spécifiés dans l'article 1ᵉʳ ne peuvent employer un ouvrier soumis à l'obligation prescrite par cet article, s'il n'est porteur d'un livret en règle.

Bien plus, jusqu'en 1864, toute grève reste illégale et donne le plus souvent lieu à des poursuites judiciaires. D'où le peu de fréquence des grèves qui se déclenchent surtout dans le secteur dominant, le textile, compte tenu du faible taux des salaires. Ainsi, en 1857, les ouvriers du Breil se mettent-ils en grève. Mais Cohin refuse toute augmentation de salaire ; la grève échoue et onze « meneurs » sont déférés devant les tribunaux. Même réaction des tisserands en siamoises de Bessé qui cessent le travail pendant trois semaines pour faire échec à une baisse des salaires décidée par les entrepreneurs. Après l'abolition de la loi sur les coalitions (en 1864), les tisserands du Mans obtiennent après onze jours de grève une augmentation notable de leur salaire porté à 2,70 francs (contre 2 francs par jour antérieurement).

En revanche, la grève longue (un mois) de 300 ouvriers menuisiers se traduit par un échec total. Sous la IIIe République, la condition ouvrière s'améliore lentement, mais les ouvriers des industries touchées par la « grande dépression » vivent dans la hantise du chômage et ne parviennent que fort difficilement à sauvegarder leur niveau de vie. Une grande grève des ouvriers cordonniers éclate en 1884. Un millier de personnes font grève pendant six semaines afin d'empêcher une baisse des salaires.

Fédération socialiste révolutionnaire du centre.

Parti ouvrier. Conférence publique contradictoire.

Organisée par le groupe l'Egalité du Mans, au bénéfice des ouvriers cordonniers.

Le mardi 10 juin 1884, à 8 heures du soir.

Salle des Canotiers, chez M. Ory, rue d'Enfer.

Ordre du jour : les grèves, la séparation des classes.

Orateur inscrit : M. Jules Guesde, Rédacteur au Cri du Peuple.

Entrée : 50 c. pour les citoyens ; 25 c. pour les citoyennes.

Les citoyens qui prendront la parole pour la contradiction sont priés de donner leur nom au bureau. (In A.R.D.O.S., « le Monde ouvrier sarthois du XVIIIe siècle à 1914 », document n° 23, « Affiche » [M. Sup. 374], arch. dép. de la Sarthe).

Les logements ouvriers de la verrerie de la Pierre (Coudrecieux), une initiative sociale de 1902.
(Cliché P. Guégano).

Si la situation s'améliore à la « Belle Epoque », la condition ouvrière reste précaire malgré le développement par les grandes entreprises mancelles d'un paternalisme social accentué : encouragement à l'épargne, secours en cas de maladie, logements à bon marché. La journée de travail atteint souvent les 12 heures, seuls quelques rares « privilégiés » ne font que 10 ou 9 heures ; les salaires reste modestes et plus de 70 % des dépenses ouvrières sont consacrés à l'alimentation.

La Sarthe a donc su s'adapter au choc de la modernisation en développant le secteur élevage de son agriculture, en sauvegardant la fonction industrielle et commerciale du Mans. Adaptation partielle et insuffisante il est vrai : la population départementale décline depuis 1851. Les petites villes (et les campagnes) se sont désindustrialisées. Cependant, les avantages de l'achèvement du rail l'emportèrent sur les inconvénients, ce dont témoigne la traditionnelle comparaison de la croissance du Mans et de la relative stagnation d'Alençon. Au demeurant, les Manceaux eurent donc raison de célébrer avec faste l'arrivée du rail dans leur ville qui leur permit, malgré de réels inconvénients qu'il ne faut pas surestimer, de faire mieux face au choc, inévitable, de la modernisation.

Le moment de l'ouverture de notre chemin de fer approche et vous pensez comme nous que la ville doit célébrer par des fêtes un événement appelé à lui apporter un surcroît de prospérité... [après la] cérémonie religieuse de la bénédiction du chemin de fer et des machines... le lendemain un cortège historique représentant l'entrée au Mans de Charles III Duc d'Anjou et comte du Maine, parcoura la ville en faisant une quête au bénéfice des pauvres... A ce souvenir vivant du passé viendra se joindre l'emblème des richesses locales du présent représenté par des chars spéciaux à telles ou telles industries. Ainsi il y aurait les chars de l'agriculture, des industries du chanvre, du fil, des toiles, des marbres, des arts métallurgiques, des mines, etc... Enfin le soir un feu d'artifice sera tiré... (« Conseil municipal », séance du 4 avril 1854, arch. mun. du Mans).

Le Mans. L'exposition de 1911.
(Collection Gouline).

BIBLIOGRAPHIE

A.R.D.O.S. — *La vie des Sarthois avant le chemin de fer*, 1973, n° 2.

A.R.D.O.S. — *Le monde rural sarthois (1870-1914)*, 1974, n° 3.

A.R.D.O.S. — *Le monde ouvrier sarthois*, 1979, n° 8.

AUFFRET (M.). — « Aspects de la révolution industrielle dans la Sarthe », *B.S.A. S.A.S.,* mémoires, 1980, Le Mans, 1981.

BATAILLE (A.). — *Les droites dans la Sarthe,* maîtrise, Le Mans, 1973.

BOIS (P.). — « La crise dans un département de l'Ouest : la Sarthe », *Aspects de la crise et de la dépression de l'économie française au milieu du XIXe siècle,* 1956.

BERRANGER (H. de). — *La Sarthe sous la Seconde République,* Le Mans, 1949.

BOLLEE (P.). — *Tempête sur l'histoire,* Le Mans, 1939.

FOUCAULT (P.). — *Aspects de la vie chrétienne dans un grand diocèse de l'Ouest de la France, le diocèse du Mans de 1830 à 1854,* 3e cycle, Caen, 1981.

GREFFIER (T.). — *Une petite ville du Maine au XIXe siècle, Sablé,* D.E.S., 1960, Faculté des lettres de Rennes.

HERRENG (J.-M.). — *L'origine des organisations professionnelles agricoles dans la Sarthe (1884-1907,* maîtrise d'Histoire, Université du Maine, 1981.

LE MERCIER D'ERM. — *L'étrange aventure de l'armée de Bretagne : le drame de Conlie et du Mans (1870-1871),* Paris, 1975.

LEVY-LEBOYER et col. — *Un siècle et demi d'économie sarthoise (1815-1966),* publication de la Faculté de Caen, 1968.

MALLEJAC (J.-P.). — *La gauche et son électorat dans la Sarthe sous la IIIe République,* maîtrise, Le Mans, 1971.

POSTEL-VINAY (G.). — « Apologie du rentier ou que font les propriétaires fonciers ? », *le Mouvement social,* avril-juin 1981, n° 115.

RENAUDEAU (G.). — *La Flèche au XIXe siècle,* maîtrise, 1978, seconde édition, 1979, 140 p.

SACHTER (B.). — « Sensibilité des caisses d'épargne sarthoises aux conjonctures économiques, politiques, militaires de la Monarchie de Juillet à la IIIe République (1834-1876) », *Annales de Bretagne et des Pays de l'Ouest,* 1975, n° 1, p. 69-96.

SAILLANT (L.). — *Au pays du Maine,* Le Mans, 1910.

TERMEAU (J.). — *La Sarthe à la fin du Second Empire,* maîtrise, 1969.

La liaison électrique Paris-Le Mans (1937). *(Affiche de Pierre Fix-Masseau. Cliché Vie du Rail).*

Une Sarthe en mutation
(1914-1958)

EN **?** HS

PARIS-LE MANS

SÉCURITÉ VITESSE CONFORT

211
KILOMÈTRES

Pierre FIX-MASSEAU

CHRONOLOGIE

Août 1914	Arrivée des troupes belges en retraite.
1917	Création de la Défense automobile et sportive (D.A.S.).
14 janvier 1918	Arrestation de Joseph Caillaux.
1918	Création de la Mutuelle du Mans.
1920	Grève des cheminots.
1920	Création de la Mutuelle générale française « Vie ».
1923	Premières Vingt-Quatre Heures du Mans.
1924	Olivier Heuzé premier maire socialiste du Mans.
1924	Victoire totale du Cartel des gauches : six élus sur six.
1925	Ouverture des « Dames de France ».
1929	Les premiers Quatre Jours du Mans.
2 février 1933	Crime des sœurs Papin.
14 juillet 1935	Manifestation en faveur du Front populaire au Mans.
1935	Inauguration de la gare routière du Mans.
Mai 1936	Défaite du Front populaire dans la Sarthe.
Juin 1936	Grèves un peu partout dans le département.
1936	Installation de Renault au Mans.
18 juin 1940	Entrée des Allemands au Mans.
8 août 1944	Libération du Mans.
23 août 1944	Le général de Gaulle traverse la Sarthe, discours au Mans.
22 nov. 1944	Décès de Joseph Caillaux.
Septembre 1947	Grèves et manifestations.
1947	Fermeture des tramways de la Sarthe.
26 juin 1949	Le Président de la République Vincent Auriol inaugure les Vingt-Quatre Heures du Mans.
17 janvier 1951	Net succès R.P.F. aux élections législatives.
Août 1953	Importants arrêts de travail.
Juin 1955	Accident aux Vingt-Quatre Heures du Mans (82 morts).
2 janvier 1956	Le Parti communiste devient le premier parti du département aux élections législatives.

Nous tenons à remercier les personnalités suivantes qui nous ont apporté leur témoignage : M. BOYER, L. CHASERANT, R. DRONNE, A. FOUET, A. GAUBERT, J. de MONTGASCON et C. PINEAU.

Jusqu'à la Deuxième Guerre mondiale, la Sarthe demeure un département rural et traditionnel. Les activités agricoles l'emportent largement. Les industries de type ancien gardent de l'importance. L'équipement en voies de communication mis en place au XIXᵉ siècle s'achève. Les forces politiques du début du siècle perdurent.

Pourtant, dans l'entre-deux-guerres s'amorce une modernisation : mécanisation dans l'agriculture, déclin des voies ferrées locales au profit de la route, début de décentralisation industrielle, exode rural plus accentué.

La coupure est sensible dans les années qui suivent la Libération ; les signes en sont nombreux. Le Mans, avec une population et des activités industrielles en expansion, constitue le phénomène principal ; il domine le département. Les campagnes se dépeuplent, tandis que stagnent certaines petites villes restées rurales. La Sarthe entre dans l'orbite parisienne et devient un département urbain et industriel. Politiquement, on assiste à un renouvellement des partis et des hommes en faveur de la gauche socialiste et communiste, qui ne l'emporte pas pour autant au niveau local du fait de l'implantation des notables traditionnels.

Les années cinquante marquent sans doute pour la Sarthe un nouveau départ.

L'ébranlement d'une société traditionnelle (1914-1944)

La Grande Guerre : sur « l'autre front »

Le cadre militaire

Lorsque éclate la guerre le 1ᵉʳ août 1914, Le Mans est chef-lieu de la IVᵉ région militaire composée de la Mayenne, l'Orne, l'Eure-et-Loir et la Sarthe, laquelle est partagée en deux subdivisions : Le Mans et Mamers. Les principales garnisons se situent au Mans (casernes Paixhans, Cavaignac, Chanzy, Négrier, Pontlieue), à La Flèche et à Mamers, et abritent, entre autres, les 115ᵉ et 117ᵉ régiments d'infanterie, les 31ᵉ et 44ᵉ régiments d'artillerie de campagne qui font partie du 4ᵉ corps d'armée. En outre, existent trois centres d'instruction à La Ferté-Bernard, Fresnay et La Flèche. De nombreux établissements (59 au total), hôpitaux ou écoles transformés en la circonstance, reçoivent les soldats blessés, dont plus du tiers au Mans. Loin du front, la Sarthe est touchée par la guerre, mais elle l'est surtout en tant que département de l'arrière, sur « l'autre front ».

L'économie de guerre

Elle s'organise dans le cadre du Comité d'action économique créé en octobre 1915. En 1915, 10 établissements industriels travaillent pour la Défense nationale : on en compte 69 fin 1918, ce qui prouve l'effort de guerre. Il s'agit surtout des industries mécaniques (Bollée, Carel et Fouché, Chappée), mais aussi des tanneries, des scieries, des industries textiles et alimentaires. Une bonne partie de ces usines se situe le long des voies de communication, principalement sur l'axe La Ferté-Bernard-Le Mans-Sablé. Pour faire face au besoin de main-d'œuvre, on emploie des prisonniers de guerre, des enfants et un nombre croissant de femmes (à Antoigné : 19 % des effectifs). La contribution du monde rural, moins visible, n'en est pas moins importante. Il doit alimenter les soldats et les villes, alors que la main-d'œuvre fait défaut. De nombreuses réquisitions ont lieu : blé, avoine, chevaux. Elles provoquent des protestations et obligent à des adaptations. Aussi, conseille-t-on aux agriculteurs de nourrir les chevaux avec de l'orge et du maïs afin de réserver l'avoine aux chevaux de guerre, ou encore d'atteler les bœufs. On encourage la diffusion des tracteurs et le Syndicat des agriculteurs de la Sarthe subventionne certains particuliers pour en acquérir. Ces palliatifs ne suffisent pas à compenser l'absence de bras. On fait appel aux prisonniers, aux réfugiés, belges notamment, mais c'est sur les femmes que repose la plus grande part de l'effort !

Prisonniers allemands à Neufchâtel-en-Saosnois. (Collection G. Fournier).

> ... Il y a des quantités de fermes où la femme est restée seule avec des jeunes enfants ou des jeunes domestiques, presque incapables de conduire les attelages, et ces femmes sont admirables d'énergie et de dévouement; il y en a beaucoup qui conduisent elles-mêmes la charrue. (*Agriculteur Sarthois*, 6 mars 1915).

Le départ des travailleurs pour le front pose un problème de nombre mais aussi de qualification ; ainsi, les agriculteurs de Neuvy-en-Champagne s'adressent collectivement au préfet, le 18 mars 1917, pour obtenir une permission en faveur de leur maréchal-ferrant mobilisé.

> L'atelier de réparations de machines agricoles et de maréchalerie installé au hameau de Saint-Julien, rendait les services les plus indispensables aux agriculteurs de toute la région et sa disparition va leur causer les plus grandes difficultés. Avant la guerre [il] occupait 5 ou 6 ouvriers ; aujourd'hui il ne reste plus qu'un jeune apprenti [...] et nos machines sont dans un état très précaire. (*Arch. dép. de la Sarthe*, Vt 483/15).

Il résulte de cette situation une diminution des surfaces cultivées (blé, orge, pommes de terre...), alors que prairies naturelles et artificielles tendent à augmenter.

Répercussions sociales

La pénurie alimentaire provoque une hausse des prix qui affecte les villes, Le Mans surtout : entre septembre 1914 et novembre 1918, le prix des six kilogrammes de pain passe de 2,40 à 3,30 francs ; les pommes de terres augmentent de 85 %, les œufs de 56 %. Les tickets de pain sont institués en août 1917, ce qui provoque une tension entre villes et campagnes. Les citadins accusent les paysans de vendre trop cher les produits du sol. Les agriculteurs en rendent responsables les citadins qui achètent à n'importe quel prix. En fait, cela recouvre aussi une opposition entre les gens aisés et le reste de la population. La cause essentielle des conflits du travail qui se produisent, notamment en 1917 (grèves généralement courtes comme celle de l'entrepôt du « Maroc » au Mans, le 18 juin), est la cherté des denrées et non pas la diffusion des idées politiques ou pacifistes. Les grèves sont plus dures en 1918, par exemple celle de douze jours des 300 ouvriers du textile de l'usine Janvier, en juin. Le préfet note dans son rapport au ministre de l'Intérieur, de juin 1918 :

> Les ouvriers du fer demandent une augmentation de salaire de 1 à 1,80 F par jour. Les patrons offrent 15 % à la base pour arriver à 0 quand l'ouvrier gagne 1,20 F de l'heure... la situation ouvrière n'est pas tout à fait stable. Je la suis très attentivement pour parer aussi diligemment que possible aux difficultés qui pourraient surgir d'un instant à l'autre. (*Arch. dép. de la Sarthe*, Vt 409/129).

Ces grèves s'achèvent par une augmentation de salaires, profitant davantage aux femmes qui accèdent, à l'époque, à de nouveaux métiers : vendeuse, receveuse de tramway, employée de chemin de fer...

L'opinion publique

Les Sarthois font preuve d'un grand calme. La guerre ne fait pas l'objet de contestation politique. Le commissaire central écrit au préfet en novembre 1917.

> ... En vérité, la population sarthoise, sans rester indifférente aux faits de guerre... ne considère chacun d'entre eux que comme des épisodes plus ou moins marquants de la tragédie mondiale qui se joue depuis 38 mois. Aussi conserve-t-elle son entière sérénité. (*Arch. dép. de la Sarthe*, Vt 409/129).

Les lettres envoyées par les combattants témoignent principalement d'un intérêt pour leur village, leur famille, les travaux des champs, même si la censure veille. Cette même censure s'exerce dans notre département et certaines colonnes blanchies en première page du journal *la Sarthe* (16 novembre 1914, 29 juin 1916) nous en apportent la preuve. On surveille les syndicalistes, la propagande pacifiste. Il existe, d'ailleurs, à Précigné, un camp où sont regroupés les suspects et les étrangers ; il compte jusqu'à 750 prisonniers en mars 1915. L'affaire la plus célèbre est celle qui met en cause Joseph Caillaux accusé « d'intelligence avec l'ennemi et d'attentat à la Sûreté de l'Etat » après la constitution du gouvernement Clemenceau (novembre 1917). Caillaux est arrêté le 14 janvier 1918. Après vingt-sept mois de détention, il est condamné, en 1920, à trois ans de prison et cinq ans d'interdiction de séjour. Le sénateur d'Estournelles de Constant le soutient et dans la Sarthe son autorité n'est guère contestée. Le commissaire central rapporte le 31 décembre 1917 :

> La considération dont il jouit parmi les électeurs est telle que, malgré les accusations dirigées contre lui, sa situation n'est nullement altérée [...] Il jouit d'un si grand prestige auprès des populations que, quoiqu'on dise, écrive et fasse, il n'en subira aucune atteinte et il sera soutenu jusqu'au bout par ses amis irréductibles. (Arch. dép. de la Sarthe, Vt 409/129).

On veille au moral de la population. Journaliste, instituteur, curé doivent y contribuer. Des poèmes célèbrent le courage des soldats, tel celui de H. Daguet, en juin 1915 :

> Parmi les bons Français avides
> Du péril des brillants exploits,
> Parmi ces guerriers intrépides
> Au premier rang sont les Sarthois.

Troupes noires américaines à Roézé. *(Collection Denis Béalet).*

Edit. Picault

A. Lemaître, phot. La Suze

ROEZÉ (Sarthe) — Vue sur le pont
Troupes noires américaines en séjour à Roézé.

Ils sont nombreux dans la Sarthe. D'abord, les prisonniers de guerre dont 928 sont employés dans l'agriculture en août 1918, mais aussi les Alsaciens-Lorrains répartis dans quatre camps (Le Mans, Dollon, Saint-Calais, Ballon), et les réfugiés du Nord et de Belgique que l'on trouve davantage dans l'arrondissement de Mamers. Les troupes alliées ont été diversement appréciées. Les Belges ont été chaleureusement reçus après leur retraite en 1914. Les Anglais n'ont séjourné que de septembre 1914 à février 1915. Les Américains ont été accueillis avec enthousiasme tant on place d'espoir en eux pour aider à la victoire, mais aussi parce qu'ils apportent une autre civilisation. Pourtant, au bout de quelque temps, le calme Sarthois les trouve tapageurs, indisciplinés et encombrants. On leur reproche aussi de faire grimper les prix, surtout alimentaires. Les Américains sont 150.000 au début de l'année 1919. En revanche, on accuse les soldats russes de violence, de refus de travailler, de pacifisme, et la situation se détériore encore après la paix séparée signée avec l'Allemagne en mars 1918.

L'armistice du 11 novembre 1918 s'accompagne d'une grande liesse. Les cloches sonnent, les musiques militaires, les cortèges et les bals s'installent dans la rue. Puis, peu à peu, les soldats reviennent, rarement avant 1919. La guerre est finie. Mais les victimes sont nombreuses : 13.674 morts pour la Sarthe, soit 3,2 % de la population et 6,8 % de la population masculine, chiffres comparables à ceux de la France : respectivement 3,5 % et 7,2 %. Au premier rang des victimes : 8.625 agriculteurs, soit 63 %, puis les ouvriers, 2.110, soit 15,4 %. Au total, une très forte proportion de travailleurs manuels de condition modeste qui reflète à la fois la Grande Guerre, la dernière guerre de paysans, et la société sarthoise. Cette terrible saignée est inscrite sur les monuments aux morts de la quasi-totalité des villages, tel Aubigné-Racan qui a perdu 73 garçons sur 1.865 habitants. Cette perte de force vive a été traduite autrement par l'historien André Bouton :

> ... Cela équivaut à la disparition totale d'un de nos plus forts cantons sarthois ou mieux encore à la disparition de la population la plus active, celle qui est en pleine force de travail dans 8 de nos cantons dans lesquels il ne resterait plus que les vieillards, les femmes et les enfants. (« La dépopulation dans la Sarthe », B.S.A.S.A.S., 1929-1930, p. 257).

Une vie politique qui se perpétue (1919-1939)

La guerre terminée, plusieurs élections renouvellent les mandats prolongés par le conflit au-delà du terme légal. La plus importante est celle du 16 novembre 1919 marquant la victoire du Bloc national. Le scrutin de liste départemental donne quatre sièges à la liste d'Entente nationale républicaine qui arrive en tête dans 25 cantons sur 33 : Galpin, Leret d'Aubigny (députés sortants), Fouché et de Rougé. Caillaux absent, Ajam, tête de liste radicale, est réélu. La liste socialiste atteint

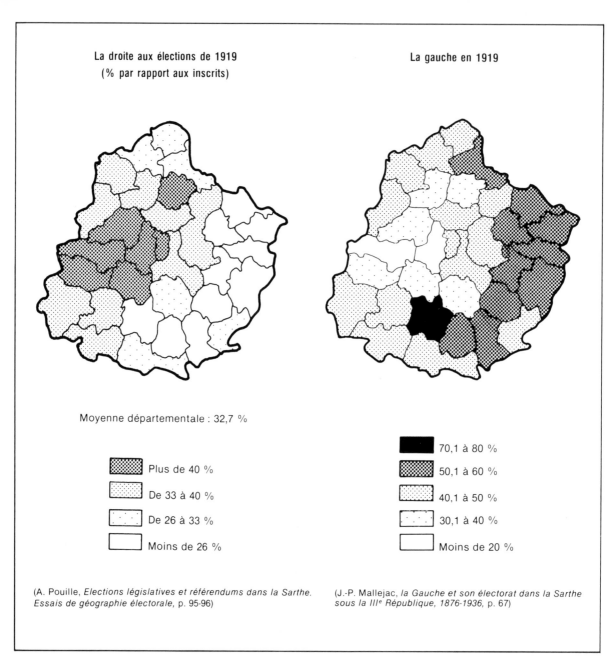

La droite aux élections de 1919
(% par rapport aux inscrits)

La gauche en 1919

Moyenne départementale : 32,7 %

Plus de 40 %
De 33 à 40 %
De 26 à 33 %
Moins de 26 %

70,1 à 80 %
50,1 à 60 %
40,1 à 50 %
30,1 à 40 %
Moins de 20 %

(A. Pouille, *Elections législatives et référendums dans la Sarthe. Essais de géographie électorale*, p. 95-96)

(J.-P. Mallejac, *la Gauche et son électorat dans la Sarthe sous la IIIᵉ République, 1876-1936*, p. 67)

Elections législatives de 1919.

le tiers des voix conservatrices, ce qui représente un gain très sensible par rapport à 1914. Au Mans, la gauche marque le pas. Il faut noter le fort taux d'abstention : 28,1 %. Les élections sénatoriales de janvier 1920 reconduisent dans leurs fonctions Lebert et Cordelet, mais aussi d'Estournelles de Constant, malgré l'appui apporté à Caillaux en 1918.

Cette stabilité politique contraste avec l'agitation sociale qui prolonge les conflits de 1917 et 1918. Une importante manifestation se déroule le 1ᵉʳ mai 1919, au Mans, avec arrêt de travail de vingt-quatre

Aubigné-Racan. Monument aux morts.
(Cliché J.-C. Doumerc).

Le Mans. Cheminots grévistes (mai 1920).
(U.D.C.G.T. du Mans).

heures, suivie de plusieurs conflits touchant des centaines d'ouvriers. Plus importante encore est la grève qui débute le 1er mai 1920 : l'activité cesse au Mans (Bollée, Carel, Tramways), à Antoigné, à La Ferté-Bernard. Les cheminots mènent une action qui dure un mois ; la direction les congédie et plusieurs grévistes ne sont pas repris, dont le socialiste Henri Barbin. Cette même année se déroule le Congrès de Tours (fin décembre) qui amène la division des socialistes. En Sarthe, la majorité reste fidèle à la S.F.I.O., tandis qu'une douzaine de militants forme, le 3 mars 1921, la première cellule communiste.

La victoire éphémère du Cartel des gauches (1924)

Elle est précédée du succès au Mans de la liste radicale et socialiste lors des élections complémentaires de mars 1924. L'alliance des radicaux, radicaux-socialistes et socialistes est à l'origine de leur victoire aux législatives du 11 mai 1924.

> *Les républicains radicaux et socialistes marchent à la bataille la main dans la main... Les socialistes ne sont ni des communistes ni des bolchevistes... Si les républicains de gauche ne partagent pas les doctrines socialistes en ce qui concerne certaines formes futures de la propriété, ils n'en ont pas moins avec eux de nombreuses idées tant au point de vue laïque qu'au point de vue des réformes sociales. (Le Bonhomme Sarthois, 4 mai 1924).*

Les six candidats du Cartel sont élus : Montigny, Breteau et Dalmagne (radicaux) ; Barbin et Heuzé (socialistes) ; Lainé (socialiste indépendant) avec 50.000 voix. Le Bloc national est battu avec 38 à 40.000 voix. La liste communiste avoisine 1.500 voix. Cette victoire est suivie de la réhabilitation de Joseph Caillaux, assigné à résidence surveillée à Mamers depuis avril 1920, qui devient ministre des Finances en avril 1925 et sénateur en juillet.

Les années qui suivent marquent un reflux de la gauche. Aux élections complémentaires de 1927, les trois élus Legué, Moulière et Saudubray, de la liste d'Union républicaine soutenant Poincaré, distancent assez nettement les candidats socialistes et radicaux qui n'ont pas montré la même volonté d'unité qu'en 1924. Les scrutins de 1928 et 1932, qui se font dans le cadre des cinq circonscriptions électorales, donnent les résultats suivants : Montigny, radical, à La Flèche ; Legué, modéré, dans la première circonscription du Mans ; Thibault, indépendant, dans la deuxième du Mans ; Gourdeau, radical, à Mamers ; de Grammont-Lesparre, modéré, à Saint-Calais. Les quatre premiers sont réélus en 1932, alors que Romastin, radical, devient le député de Saint-Calais.

La presse et la vie politique

La vie politique sarthoise de l'entre-deux-guerres prolonge celle du début du siècle tant dans son personnel que dans ses conceptions. Elle est indéniablement dominée par le radicalisme et la personnalité même de Joseph Caillaux, longtemps président du conseil général. On lui reproche, d'ailleurs, son autoritarisme au point, disent certains, que rien ne se fait dans la Sarthe sans son assentiment. On lui reproche encore d'avoir négligé la modernisation du département, surtout les infrastructures. En fait, cela correspond aux conceptions mêmes de la population rurale et des élus. Il s'agit d'un radicalisme mesuré. D'autres hommes de renom comme d'Estournelles de Constant et

Montigny témoignent de l'implantation du radicalisme « caillautin » : sur les trente quatre députés de 1914 à 1936, quatorze sont radicaux, avec des nuances, il est vrai.

La droite modérée et conservatrice a aussi son importance avec de nombreux élus, surtout en 1919. Après son net échec de 1924, elle connaît une remontée stimulée par l'apport du courant catholique et elle l'emporte en 1936.

Les socialistes tiennent une place plus limitée (seulement deux élus) et l'agglomération mancelle constitue leur bastion essentiel.

C'est aussi une période de grande diffusion de la presse écrite dans toute la France. Le journal le plus important est le quotidien *la Sarthe*.

Les journaux dans la Sarthe

Nom du journal	Date de fondation	Tendance politique	Tirage	Périodicité
« La Sarthe »	1868	Conservateur	50-70.000	Quotidien
« Le Bonhomme Sarthois »	1896	Radical (Caillaux)	10-15.000	Hebdomadaire
« La République Sociale de l'Ouest »	1919	Socialiste	2- 2.500	Hebdomadaire puis bimensuel
« L'Unité Ouvrière et Paysanne »	1936	Communiste	1- 3.000	Bimensuel
« Le Pays Sarthois » puis « La Dépêche du Maine »	1934	Catholique (conservateur)	5-10.000	Hebdomadaire

Un banquet du Parti radical. *(Collection privée).*

Commune de THORÉE-les-PINS

BANQUET DÉMOCRATIQUE

du 3 Octobre 1937

Organisé sous la présidence

de Monsieur Joseph CAILLAUX

Président d'Honneur du Parti Radical-Socialiste
Sénateur de la Sarthe

Avec l'assistance

de Monsieur René BESNARD

Ancien Ambassadeur -- Ancien Ministre
Sénateur Radical-Socialiste d'Indre-et-Loire

de Monsieur René BUQUIN

Ancien Sénateur
Maire et Conseiller Général de La Flèche

de Monsieur Jean MONTIGNY

Vice-Président
du Groupe de la Gauche Radicale de la Chambre
Député de La Flèche

Le Banquet aura lieu à midi 30, Hôtel Bignon
Prix 12 francs.

MENU

Consommé Royal

Entrée

Filet de bœuf Charollais

Légumes

Haricots panachés

Rôti

Poulet au Cresson

Salade

Tarte aux Fruits

Desserts variés

Vouvray

Café - Calvados

Dans l'ensemble, les journaux reflètent la division en deux blocs opposés. C'est aussi vrai au niveau local : *l'Echo du Loir* (conservateur) et *le Journal Fléchois* (républicain) dans le sud ; *l'Avenir* (conservateur et *le Réveil* (républicain) à Mamers. Il est aisé de constater que la presse conservatrice tient des positions beaucoup plus fortes que celles de la gauche, lors du Front populaire par exemple.

La vie politique s'exprime aussi par les cortèges, les réunions et les discours. Il est ainsi, au Mans, des lieux privilégiés comme la salle des Garderies Champêtres, la Maison Sociale, le Chalet, les places des Jacobins et de la République. Les comices agricoles et les banquets font souvent office de tribunes politiques.

L'échec du Front populaire (1936)

La manifestation violente du 6 février 1934, à Paris, due à la crise économique et à la crise du régime, reçoit un écho dans la Sarthe. Le 12 février, une contre-manifestation qui regroupe 200 personnes selon *la Sarthe,* 4.000 selon *la République Sociale de l'Ouest,* se déroule au Mans. Quelques bagarres et manifestations résolues témoignent d'une certaine tension en 1934. Peu à peu, l'unité se réalise entre radicaux, socialistes et communistes, et le 14 juillet 1935 préfigure le Front populaire. En revanche, Montigny et Caillaux refusent de s'y associer.

Aux origines du Front populaire. *(Cliché arch. dép. de la Sarthe).*

SAMEDI 13 et DIMANCHE 14 JUILLET 1935

La République Sociale
DE L'OUEST
JOURNAL BIMENSUEL POLITIQUE, ÉCONOMIQUE & D'INFORMATIONS
Organe de la Fédération Socialiste S.F.I.O. de la Sarthe
désigné pour la publication des annonces légales

ABONNEMENT :
D'un an .... 15 franc

REDACTION :
2, Rue du Greffier, 2 — LE MANS (te.
Publicité reçue directement au Bureau du Journal

FONDATEUR :
Olivier HEUZÉ
REDACTEUR EN CHEF :
André TELLIER

ADMINISTRATION :
Abonnements et Publicité : 2, Rue du Greffier, LE MANS

TOUS DEBOUT, LE QUATORZE JUILLET POUR LA DEFENSE DE LA REPUBLIQUE.

TOUS DEBOUT, A LA VILLE ET AU VILLAGE POUR CELEBRER DANS LA JOIE ET L'ESPOIR LA GRANDE FÊTE DE LA LIBERTÉ !

Le 14 Juillet 1935
GRAND RASSEMBLEMENT

Pour les libertés démocratiques ! Pour le désarmement et la dissolution des ligues fascistes ! Pour libérer l'État de l'emprise des féodalités économiques ! Pour l'organisation de la Paix, le désarmement simultané, progressif et contrôlé ! Pour le pain à tous ; aux paysans le fruit de leurs peines ; aux jeunes, du travail ! Pour la destruction de toutes les Bastilles !   TOUS AUX JACOBINS, DIMANCHE L'APRÈS-MIDI !

Mots d'ordre

Nous n'avons pas la prétention ni la présomption de tirer à nous les mots d'ordre qui seront, dimanche prochain, ceux du Front Populaire tout entier, qui forment comme un lien de rassemblement politique et spirituel pour tous les partis et groupements qui le composent. Mais nous avons bien le droit de dire que le Parti socialiste s'était conformé

« LES MALHEUREUX SONT LES PUISSANCES DE LA TERRE ; ILS ONT LE DROIT DE PARLER EN MAITRE AU GOUVERNEMENT QUI LES NÉGLIGE. »

(Saint Just : Discours à la Convention).

Républicains Sarthois !

La FÊTE DU 14 JUILLET appartient au Peuple.
La LIBERTÉ lui appartient, c'est lui qui l'a conquise.
La RÉPUBLIQUE lui appartient, c'est lui qui l'a fondée.
La PATRIE lui appartient, c'est lui qui la défend.

Fête Nationale

En France, la date du 14 Juillet est sans doute la plus connue, la plus populaire, celle qui éveille le plus de sentiments. Point lumineux sur la ligne des temps ! Aussi les fondateurs de la troisième République l'ont-ils choisie pour fixer la fête nationale, comme un symbole de libération et d'enthousiasme.

Il n'est pas inutile, sans doute, de rap-

La campagne électorale de 1936 oppose nettement les deux tendances. L'affiche du candidat socialiste Geneslay, maire du Mans, déclare :

> ... Défendre contre le fascisme l'ordre républicain qui est la liberté, pour libérer le travail opprimé par l'Argent-Roi, pour faire, par la sécurité collective, la paix réelle et indivisible, la paix sans la guerre... dimanche... vous signifierez votre volonté de voir la France de demain nettoyée de ses profiteurs et des parasites, fidèle à ses traditions profondes de raison et de justice.

La Dépêche du Maine réplique le 26 avril 1936 :

> Le Front Populaire, c'est la faillite et la guerre... Le Front dit Populaire, voilà l'ennemi ! Tout candidat qui ne le répudie pas nettement doit être écarté. C'est pour le pays une question de vie ou de mort. Trompé deux fois par le Cartel, le pays serait sans excuses de se laisser prendre une troisième fois. Ne l'oubliez pas, n'en doutez pas : des élections prochaines dépendent vos libertés, vos biens, l'avenir du pays.

A l'inverse des résultats nationaux, les élections traduisent un échec complet pour le Front populaire. Dès le premier tour, deux de ses adversaires obtiennent la majorité des voix : à La Flèche, Montigny (candidat indépendant, député sortant) avec 11.492 voix contre 6.159 à Carré (S.F.I.O.) ; à Mamers, d'Aillières (Union républicaine) avec 11.073 voix contre 7.097 à Gourdeau (radical, député sortant). Le deuxième tour confirme ces résultats : au Mans 1, Saudubray (Union républicaine) 11.904 voix contre 11.763 à Geneslay (S.F.I.O.) ; au Mans 2, Goussu (Union républicaine) 8.523 voix contre 8.238 à Lhuissier (radical-socialiste). Seul Romastin (radical, député sortant) représente le Front populaire avec 6.908 voix contre 6.133 à Perrin (radical indépendant).

Elections législatives de 1936.

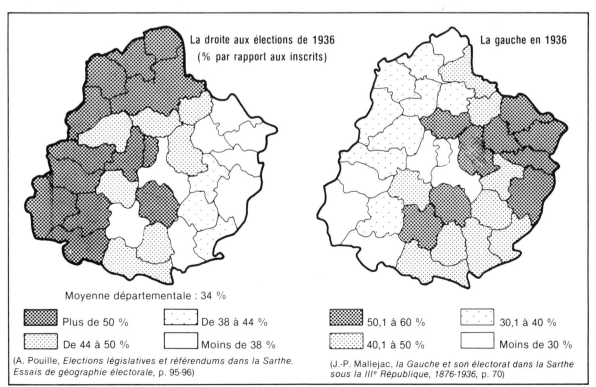

La droite aux élections de 1936
(% par rapport aux inscrits)

La gauche en 1936

Moyenne départementale : 34 %

Plus de 50 % De 38 à 44 %

De 44 à 50 % Moins de 38 %

50,1 à 60 % 30,1 à 40 %

40,1 à 50 % Moins de 30 %

(A. Pouille, *Elections législatives et référendums dans la Sarthe. Essais de géographie électorale*, p. 95-96)

(J.-P. Mallejac, *la Gauche et son électorat dans la Sarthe sous la IIIe République, 1876-1936*, p. 70)

La carte reproduit une fois de plus l'opposition entre le sud-est favorable à la gauche et l'ouest plus conservateur. L'option de Caillaux et Montigny, des Caillautins en général, a certainement pesé lourd. On peut aussi avancer les dissensions internes des socialistes, surtout au Mans ; enfin, l'arrivée sur la scène politique de nouveaux comme Goussu et Saudubray, issus du courant de la Démocratie chrétienne.

L'accès de Léon Blum au pouvoir fait l'objet de dures attaques de *la Dépêche du Maine* (7 juin 1936).

> *... Quand on a le gosier fragile et les nerfs à fleur de peau de ce juif mince et blême comme une chicorée, filée dans une cave de ghetto, on se jette affolé dans la gueule de la bête qu'on a déchaînée.*

En revanche, *la République Sociale de l'Ouest* (31 mai 1936) s'attache à définir le cadre d'action du nouveau gouvernement de coalition.

> *Le socialisme ne va donc pas prendre le pouvoir, mais il va simplement participer au pouvoir puisqu'à ses côtés seront des radicaux, des hommes de l'Union socialiste et que les communistes assureront le soutien du gouvernement au pouvoir. Le programme du front populaire que les socialistes réaliseront en commun avec les autres partis de gauche n'est pas le programme socialiste.*

Comme dans le reste de la France, d'importants mouvements de revendications éclatent au début de juin, au Mans, chez Carel, à l'Angevinière, chez Bollée, à la STAO, aux « Dames de France »... Si le reste du département est moins touché, des arrêts de travail se produisent à La Ferté-Bernard (Fatz), La Chartre (Rustin), Malicorne (Tessier), Connerré (Gantois)... Ces grèves se déroulent dans la joie, avec l'appui de la population et contrastent, de ce point de vue, avec celles de 1920. Tout cela se traduit par des succès.

> *On a obtenu le paiement des jours de grève, la semaine de 40 heures, les congés payés. Des conventions collectives comportent même souvent des augmentations de salaires : 50 % à Saint-Pavin, 100 % à l'Angevinière... 30 % à la STAO, 15 % chez Carel, à la Cartoucherie... 13 % dans les Grands Magasins, 12 % à Ouest-Métaux. Les galochiers de La Flèche obtiennent une convention collective. (R. Jarry, les Communistes au cœur des luttes des travailleurs sarthois, tome 1, 1970, p. 76).*

La principale mesure prise par le Front populaire qui touche le monde rural est l'Office du blé. Il est difficile d'en apprécier l'acceptation par les agriculteurs ; en revanche, seul Romastin a voté cette mesure, alors que d'Aillières déclare à ce sujet dans *l'Avenir* (10 juillet 1936) :

> *Un pas nouveau sera fait vers l'étatisation, vers la collectivisation des moyens de production, vers la suppression de nouvelles libertés.*

Vers la guerre

Au-delà de 1936, la fermentation sociale diminue. Les décisions de juin 1936 sont difficilement appliquées. Le dernier soubresaut est sans doute la journée d'action du 30 novembre 1938, limitée à quelques établissements (la Cartoucherie au Mans) et entravée par la présence des forces de l'ordre aux portes des usines.

Mais, surtout, la population s'inquiète de plus en plus des affaires internationales, notamment lors de la crise de Munich.

Une indéfinissable angoisse a transformé les aspects familiers de notre ville, quand sont apparues sur les murs les affiches blanches convoquant certains réservistes... l'air devint lourd à respirer. Les femmes songeaient au déchirement du départ... Les hommes, plus calmes, allaient chercher leur livret militaire, certains souriant d'un sourire un peu morne. (Le Journal de Mamers, 30 septembre 1938).

Economie et société d'un monde perturbé

Durant le premier tiers du XXᵉ siècle, on assiste à un tassement de la population sarthoise, puis à la reprise amorcée pendant la guerre et nettement confirmée après 1945.

La stagnation démographique

La population de la Sarthe de 1911 à 1962

Années	Population totale	Population urbaine	Population rurale	% de la population rurale
1911	419.390	117,4	302,8	72
1921	389.235	115,8	273,4	70,3
1926	387.482	117,4	270,1	69,7
1931	384.619	121,4	263,2	68,4
1936	388.519	129,5	259	66,7
1946	412.214	149,1	263,1	63,8
1954	420.393	171,1	249,3	59,2
1962	443.019	201	240	54,4

(Source : « la Population par commune de 1806 à 1962, département de la Sarthe, *INSEE*. Direction régionale de Nantes, octobre 1966)

L'évolution de la population de la Sarthe et de la ville du Mans de 1911 à 1962

Années	Sarthe		Le Mans	
	Population	% évolution	Population	% évolution
1911	419.390		69.361	
1921	389.235	— 7,7	71.783	3,4
1926	387.482	— 0,4	72.867	1,5
1931	384.619	— 0,7	76.868	5,4
1936	388.519	1	84.525	10
1946	412.214	6	100.455	18,8
1954	420.393	1,9	111.988	11,4
1962	443.019	5,1	133.008	15,8

(Source : « la Population par commune de 1806 à 162, département de la Sarthe », *INSEE*. Direction régionale de Nantes, octobre 1966)

Les recensements traduisent une baisse, non une hémorragie. Cette situation médiocre provient d'un accroissement naturel insuffisant et d'un nombre élevé de départs. A. Bouton estimait à un millier environ, dans les années vingt, le nombre de Sarthois et de Sarthoises gagnant la région parisienne pour s'y placer comme domestiques ou travailler dans le commerce de l'alimentation. Mais beaucoup de partants quittent un canton rural pour Le Mans ou une petite ville de la périphérie : il y a donc redistribution. Entre 1911 et 1936, l'arrondissement de Mamers a perdu 16,6 % de sa population — les cantons de Fresnay et de Bonnétable atteignant 19 % — mais celui de La Flèche 10,2 % seulement, avec des cantons plus touchés comme Le Lude (13 %) et Pontvallain (19 %). Quant à l'arrondissement de Saint-Calais, rattaché en 1926 à celui du Mans, il compterait 12 % de diminution.

La Grande Guerre a continué d'influencer la natalité en raison du non-remariage de veuves encore jeunes et de la relative rareté des conjoints pour les femmes célibataires. Mais le thème développé à l'envi reste celui — traditionnel dans la France de ce temps — de la dénatalité et de l'enfant unique. D'autant que le contrôle des naissances paraît, sous des formes élémentaires, entré dans les mœurs.

> Le paysan sarthois dans son ensemble est réfléchi, il a le sentiment de la propriété poussé très loin et il me paraît que la dénatalité rurale est une conséquence tant du souci de laisser aux enfants une situation successorale qui les mette dans une condition supérieure sinon égale à celle des parents, que de l'appréhension du partage légal des terres entre plusieurs enfants [...] Nos campagnes ne sont plus ignorantes de l'hygiène sexuelle et aujourd'hui n'auraient aucun sel certaines histoires des commis voyageurs de jadis qu'on pourrait intituler De l'influence des grands lits de couette des paysans de la Sarthe sur la natalité dans les campagnes. (André Bouton, « la Dépopulation dans la Sarthe », *B.S.A.S.A.S.*, 1929-1930, p. 256-257).

Ces informations valent sans doute pour des familles aisées ou riches ; et nous savons qu'il n'existait pas un paysan sarthois uniforme. Les comportements différaient forcément puisque, par son taux de fécondité légitime, la Sarthe figure en 1935-1937 en tête de la statistique nationale, aux côtés des départements bretons (plus de 112 naissances pour 1.000 femmes mariées de 15 à 49 ans). D'ailleurs, les intéressés ont toujours récusé les reproches de malthusianisme. Au printemps de 1939, le Syndicat des agriculteurs de la Sarthe et la Chambre d'agriculture adoptent un rapport réclamant une aide aux jeunes agriculteurs et, en particulier, un prêt au mariage ; c'est l'occasion d'une vigoureuse mise au point.

> [...] Ce n'est pas chez les agriculteurs que l'on trouve les célibataires égoïstes, les ménages volontairement sans enfant, les faux ménages qui nous valent ce faible pourcentage de natalité [...] A la terre, dans la vie de l'exploitation, femmes et enfants sont choses précieuses. (Session de la Chambre d'agriculture de la Sarthe, 13 mai 1939).

Le faible solde naturel tient à une mortalité toujours préoccupante, plus marquée chez les enfants et les vieillards.

Dans la thèse qu'il consacre, en 1922, à *la Mortalité infantile dans la Sarthe,* le docteur Leroy incrimine l'inconscience des nourrices et leur manque d'hygiène. De nombreuses femmes de condition modeste accueillent encore des enfants en bas âge, placés par l'Assistance publique ou la ville de Paris. Pour supprimer le scandale des villages « cimetières d'enfants », médecins, élus et administrateurs s'interrogent. En 1921, le sous-préfet de Mamers se singularise en proposant la création de « comices puéricoles ». Plusieurs associations voient le jour, qui distribuent du lait stérilisé, organisent des pesées de nourrissons, des contrôles médicaux et des concours de bébés.

Chez les adultes, la mortalité baisse trop lentement car la guerre laisse des traces : femmes épuisées par les travaux de la ferme, démobilisés incurables promis à une mort proche. On voit aussi dans le séjour d'étrangers, soldats ou travailleurs civils, une cause supplémentaire de contagion. En 1919, le bourg de Jupilles et la forêt de Bercé ont ainsi abrité des ressortissants de sept nations !

Au Mans, avec un taux supérieur à 20 °/₀₀, la mortalité semble plus spectaculaire et très liée aux deux fléaux sociaux les plus redoutés, la tuberculose et l'alcoolisme. Créée dès 1922 pour organiser la lutte à l'échelle du département, l'Association d'hygiène sociale se dote d'un remarquable outil, le sanatorium de Parigné-l'Evêque, ouvert en 1932 et confié au docteur Gallouedec. Les objectifs ne manquent pas d'ambition.

> *A l'origine de la tuberculose, on trouve toujours une ou plusieurs fautes : faute d'alimentation, d'aération, de vêture, de travail, passions déprimantes, intoxication ! Apprenons aux jeunes à se conduire sainement dans la vie, à cultiver harmonieusement leur corps et leur intelligence, à se soustraire aux instincts brutaux et destructeurs, à s'imposer des disciplines morales, à aimer la famille, les enfants, les joies simples. Je suis convaincu pour ma part que là est le remède de la tuberculose [...] (Rapport du docteur Langevin, président de l'A.H.S., 11 mai 1933).*

La surmortalité provoque pourtant moins de commentaires que l'exode rural, qui frappe surtout les ouvriers agricoles, passés dans la Sarthe de 30.500, vers 1913, à 22.000 en 1922. Aux causes bien connues (infériorité des salaires dans l'agriculture, lourdeur du travail, manque de confort, attrait des villes), s'ajoutent la loi de huit heures, l'embauche facile dans les chemins de fer et... « la vague de paresse consécutive à la guerre » ; tel est, du moins en 1923, l'avis du Comité sarthois de retour à la terre. Pour stopper cette fuite, certains se contentent de prôner l'extension du confort et des loisirs, mais les plus lucides mettent d'abord l'accent sur les réalités économiques.

Exode rural et gonflement urbain

> *N'exagérons pas avec le cinéma, la T.S.F., les marmites électriques, tout cela ne fera pas rester 5 % des ouvriers qui s'en vont. Il faut voir comme cela les intéresse [...] Le plus grand mal, c'est que la plupart de nos ouvriers quittent la terre parce que nous ne pouvons pas leur assurer du travail pendant la morte-saison, qui dure quelquefois 6 mois et même 7. Que l'on nous permette donc de gagner de l'argent, nous pourrons alors mieux conserver notre main-d'œuvre. (Th. Chéreau, l'Agriculteur sarthois, 18 janvier 1930).*

L'augmentation de la population urbaine entraîne une crise du logement, surtout sensible au Mans. D'où un regain d'intérêt pour la formule des habitations à bon marché (H.B.M.), déjà mise au point avant 1914, et une floraison d'initiatives dans les années vingt. Il s'agit soit d'offices publics (La Ferté-Bernard, Saint-Calais, Le Mans), soit de sociétés anonymes comme à Sablé et au Mans (« la Collectivité », « les Habitations populaires », « le Foyer manceau »...). Au Mans, où les besoins sont bien supérieurs, le pittoresque « Paysan sociologue » Ambroise Yzeux est à l'origine de plusieurs lotissements et du quartier d'Yzeuville. A Saint-Calais, en 1929, on décide la réalisation d'une cité-jardin. La loi Loucheur (1928) accordant de nouvelles facilités, la construction de logements neufs progresse encore, ralentie, il est vrai, par la crise.

Il reste, toutefois, beaucoup à faire, ne serait-ce que la résorption des taudis du Vieux Mans, dans lesquels s'entassent 10.000 miséreux. C'est un cas limite que cette population déshéritée, pratiquement ignorante des mutations que commence à vivre le département.

Maisons de l'office d'H.B.M. de La Ferté-Bernard. *(Collection Denis Béalet).*

Des éléments de changement : les transports et le commerce

A peine terminé en 1922, le réseau ferré d'intérêt local se révèle mal adapté, coûteux, et subit déjà la concurrence de la route. Pour atténuer le déficit, le conseil général décide des suppressions de lignes et des services partiels ; les lignes exploitées passent ainsi de 492 kilomètres en 1921 à 161 kilomètres en 1939. Dans le même temps, le grand axe ferroviaire est-ouest se modernise. L'électrification de la ligne Paris-Le Mans est réalisée en mai 1937, ce qui crée une liaison rapide de la plus haute importance entre la Sarthe et la capitale.

Mais le phénomène le plus frappant demeure le succès de l'automobile (2.000 en 1920, 17.000 en 1933), succès que la crise ne compromet qu'en partie. Autocars et camions confirment leur avantage, visible surtout par la position dominante de la Société des transports automobiles de l'Ouest (STAO), dont la moderne autogare, construite au Mans en 1935, symbolise le rayonnement. Quatre ans plus tôt, le dernier fiacre manceau avait disparu. Cette expansion de l'automobile ne saurait surprendre dans le département où siège l'Automobile Club de l'Ouest. En organisant, à partir de 1923, les Vingt-Quatre Heures du Mans, cette association a voulu qu'une telle course d'endurance fût génératrice de perfectionnements dans la construction automobile de série.

Les nouvelles conditions de circulation influencent les échanges.

> [...] Le commerce se fait de moins en moins au village, il se fait à la ferme même où se rendent les voitures de livraison du boucher, du boulanger, de l'épicier, des magasins du Mans ; les marchands vont acheter sur place les bestiaux et les denrées. Tous les gros fermiers ont leur automobile et se rendent désormais au marché du vendredi au Mans de tous les points du département, sous prétexte d'y prendre le courant, ils y amènent leurs femmes qui maintenant y font leurs acquisitions de toutes sortes, parce qu'elles ont le choix et la nouveauté. (André Bouton, « la Dépopulation dans la Sarthe », *B.S.A.S.A.S.*, 1929-1930, p. 255).

La vie commerciale connaît, en effet, dans la Sarthe une évolution rapide à laquelle contribuent deux entreprises de taille : le grand magasin des « Dames de France », ouvert en 1925, et les Comptoirs modernes, société à succursales multiples fondée en 1929.

Le cadre de vie et les loisirs

Le Mans et quelques villes ont bénéficié les premières de l'électricité. Dans les années vingt, des syndicats cantonaux concluent des contrats avec les sociétés distributrices. Puis, le conseil général prend l'initiative d'un plan d'ensemble — fait assez rare en France — et s'entend sur un cahier des charges avec la société Maine-Anjou. Celle-ci diffuse, d'ailleurs, une habile publicité et accorde un tarif économique aux abonnés possédant au moins deux « appareils électro-domestiques ». Dès 1933, tous les bourgs sont électrifiés, mais le programme prend du retard car certains ont hésité à engager des frais et, par manque d'abonnés, le réseau n'a pas atteint l'envergure souhaitable. En 1937, plus de 160.000 habitants sont tout de même desservis, sans compter les Manceaux. La même année, seules 30 communes sur 386 n'ont aucun poste téléphonique.

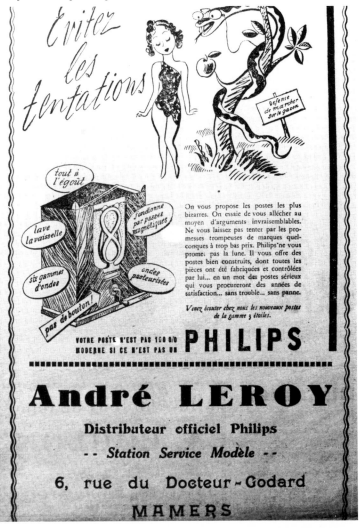

Publicité publiée
dans le Journal de Mamers (1938).

345

La « révolution » électrique s'ajoute à des changements moins spectaculaires peut-être, mais tout aussi décisifs, évoqués ici par le directeur d'une poterie de Malicorne.

> *[...] En raison du développement des laiteries coopératives et diverses, l'article pour le lait se vend de moins en moins. Les barattes et laitières en grès sont remplacées par les écrémeuses centrifuges et le pot pour couler le lait n'est plus employé [...] Dans les fermes, comme dans chaque ménage de ville, on ne fait plus la cuisine devant le feu ou sur la braise, on n'emploie plus le pot à bouillon ou la cafetière en terre qui bouillaient lentement devant la cheminée, ni la soupière en poterie qui chauffait sur un peu de braise rouge. Chaque ménage a sa cuisinière, le pot de terre ne résiste pas au feu de charbon ou au gaz. L'aluminium ou l'émail ont remplacé nos soupières et nos cafetières en poterie.* (Lettre du 27 février 1931, arch. de la Chambre de commerce et d'industrie du Mans).

La vie sociale reflète, dans une certaine mesure, l'ouverture de l'époque. En 1923, la T.S.F. apparaît modestement ; le public curieux peut alors écouter les premiers concerts dans des restaurants et des magasins d'appareils électriques. Quelques années plus tard, des éleveurs avisés suivent sur leur poste la retransmission des cours de La Villette. Le cinéma entre aussi dans les mœurs. Les salles du Mans et des principales villes offrent les films des grands circuits mais, en zone rurale, il ne manque pas de spectateurs pour les cinémas ambulants et les séances d'associations. Souvent, c'est l'école communale qui acquiert un projecteur sur les fonds de la coopérative scolaire, et le produit des séances finance un voyage à Paris ou à la mer.

Le passage d'un grand cirque ou d'une troupe théâtrale cotée reste un événement, sauf au Mans. Dans le domaine du sport, on constate la nette primauté du football et du cyclisme. Fêtes patronales (ou « assemblées ») et bals du dimanche soir perdent un peu de leur importance ou tombent dans la médiocrité, ce que déplorent les défenseurs des traditions.

> *[Les jeunes de la J.A.C. — Jeunesse agricole chrétienne — de la région de Mamers] disent leurs remerciements aux cultivateurs qui ont accepté d'être chefs de musique et de procurer ainsi à de jeunes ruraux une distraction éducative et à nos villages un élément de vie et de gaieté ; demandent que les assemblées ne se réduisent pas à l'ouverture d'une chaumière, le soir, mais comprennent un programme de fête pour toute la journée ; se mettent à la disposition des gens d'initiative, commerçants, municipalités qui désireraient organiser, sans frais, séances théâtrales, carrousels, fêtes du travail, etc.* (Journal de Mamers, 4 mars 1938).

Il est vrai que les cultivateurs avaient souvent d'autres soucis que l'organisation de réjouissances...

Les agriculteurs et leurs inquiétudes

L'entre-deux-guerres prolonge la période que J. Dufour appelle celle de l'uniformisation de l'agriculture sarthoise. Un bocage serré recouvre l'essentiel du département. Environ un tiers de la surface agricole est exploité en faire-valoir direct, et deux tiers en fermage, le métayage restant insignifiant (1,3 % des exploitants en 1929). La Sarthe est ainsi un des six départements comptant une majorité d'exploitants fermiers. La superficie des terres labourables ne fait que diminuer, tandis que progressent les surfaces toujours en herbe, économes de main-d'œuvre. De 1914 à 1929, on compte 75.000 hectares de prairies nouvelles. Les rapports s'établissent ainsi (en hectares) :

	1929	1938	1945
Terres labourables	303.493	275.889	245.159
Surfaces toujours en herbe	174.470	180.170	209.200

A l'essor des herbages correspond le progrès de l'élevage bovin car la Sarthe est entrée dans le « bassin laitier » de la capitale, à laquelle elle fournit aussi de la viande. Le mouton et le cheval sont en recul, même l'élevage du porc perd de son importance.

Les difficultés que rencontre la commercialisation du chanvre explique la diminution des surfaces (3.600 hectares en 1919, 2.400 en 1938), bien que la Sarthe demeure le premier département producteur.

Dans une conjoncture plutôt difficile, le syndicalisme agricole a eu l'occasion de prouver son dynamisme. Unifié en 1921, le Syndicat des agriculteurs de la Sarthe est dirigé jusqu'en 1929 par Théodore Brière, incontestable chef de file et pionnier infatigable, qu'il s'agisse d'agronomie, de syndicats, de coopératives, de crédit agricole ou d'organisations mutualistes. Autour de lui, une remarquable équipe travaille et se prépare à des responsabilités nouvelles ; citons, entre autres, J. de Nicolay, H. Colas, C. Chevalier, R. de Vannoise, Th. Chéreau, L. Champion, H. Guibert, L. Chaserant.

En 1924-25 est fondée la Mutuelle agricole du Maine (élargie à la Mayenne et à l'Orne), sous le regard sceptique et un peu jaloux des grandes compagnies d'assurances mancelles ; le succès ne tarde pas. D'autre part, à la suite d'un accord entre la ville du Mans et la Société des agriculteurs, naissent en 1929 les Quatre Jours du Mans : le grand concours agricole annuel s'élargit à une foire-exposition ouverte à l'artisanat, au commerce et à l'industrie. Ce sont là deux réalisations plus visibles, mais une énorme activité est déployée à divers niveaux : syndicats locaux (d'élevage, de battage, de défense des cultures), coopératives d'achat (de semences, d'engrais...) et de vente, contrôle laitier, comices, écoles ménagères rurales, cours post-scolaires agricoles. Il faut souligner l'harmonie qui règne entre le Syndicat, la Chambre d'agriculture, créée en 1927, et la Direction des services agricoles. Le siège des organisations, au 30, rue Paul-Ligneul, près de la gare du Mans, est devenu le point de ralliement et le fanion de la paysannerie sarthoise.

Le choc de la crise

Dès 1927, la Chambre d'agriculture signale le danger de la baisse des cours des denrées agricoles, alors que les baux ruraux restent élevés. Trois récoltes excédentaires de blé — 1929, 1932, 1933 — provoquent l'écroulement, lisible dans le cours moyen du quintal de blé à la bourse de commerce du Mans :

```
1930-31 : 163 F
1931-32 : 150 F
1932-33 : 102 F
1933-34 : 122 F
1934-35 :  91 F
1935-36 :  81 F
1936-37 : 139 F
```

Exemples de productions agricoles ou industrielles sarthoises directement menacées par des importations (1930-1939)

Type de production	Pays concurrents	Localités ou secteurs touchés plus particulièrement
Chanvre............	Italie, Yougoslavie.	Saosnois, Bélinois.
Beurre	Suisse, Danemark, Pays-Bas, Esthonie.	
Viande bovine.......	Amérique du Sud (Argentine, Uruguay).	
Viande de mouton	Argentine.	
Pommes à couteau ...	Italie, Espagne, Suisse.	Sud du département.
Dentelles, broderies ..	Japon, colonies françaises (Madagascar, Indochine).	Mamers et sa région. Fresnay et sa région. Le Mans.
Manches de parapluies	Japon.	Vibraye.
Filets de pêche.......	Japon, Italie.	Le Mans.
Faïences, céramiques	Italie, Tchécoslovaquie.	Malicorne.

Devant la désorganisation du marché normal, le troc apparaît comme un pis-aller.

Le cultivateur ne pouvant réaliser sa récolte comme il le faisait toujours, paye en blé, non seulement son boulanger, ce qu'on peut encore concevoir comme le désir de manger le ce qu'il a produit, mais paye aussi en blé le maréchal, le bourrelier, le marchand d'essence, enfin tous ses divers fournisseurs. (Séance de la Chambre de commerce et d'industrie du 19 octobre 1933, *arch. de la Chambre de commerce et d'industrie du Mans*).

Les organisations agricoles réagissent par d'imposantes manifestations au Mans, en avril 1930, mars 1933, avril 1935 ; le sens de leur revendication est clair.

5.000 cultivateurs sarthois déclarent ne plus trouver dans le prix de vente de leurs produits le remboursement de leurs frais et la rémunération de leur travail. Alors que les éléments de dépense des cultivateurs oscillent entre les coefficients 6 et 7, que les charges budgétaires voisinent du coefficient 13, les produits agricoles n'atteignent que le coefficient moyen 3,5 [...] Dans les réclamations qui surgissent de toutes parts en vue de la baisse du coût de la vie, les agriculteurs sont les seuls à avoir fait la baisse, ce qui crée pour eux une situation intolérable. (Extrait de l'ordre du jour de la manifestation du 24 mars 1933, cité dans le *Pays Fertois*, 31 mars 1933).

La défense de la profession

Loin de se contenter de réclamer la protection douanière et la régularisation des marchés, les responsables jouent la carte de la coopération. En 1932, la toute jeune coopérative de La Guierche, avec Théophile Chéreau, décide la construction de silos pour stocker le grain et freiner la chute des cours, donc empêcher l'étranglement du producteur. En 1937, cette coopérative se mue en coopérative agricole départementale (C.A.D.S.) ; à ce moment, d'autres silos à grains ont été construits, comme à Saint-Calais, et les moulins de Saint-Georges pris en charge. En gare d'Ecommoy, des silos coopératifs à pommes sont édifiés.

Le paysan sarthois se rebiffe donc, et cette lutte pour la vie provoque quelques conflits avec les négociants en grains, les industriels de la meunerie, les boulangers (au point que, dans certaines fermes, on remet en marche le four à pain), et même les maréchaux-ferrants accusés de trop majorer leur prix.

Par ailleurs, à cette époque, le mouvement de « Défense paysanne », inspiré par Dorgères, recrute des adhérents dans la Sarthe où l'énergique J. Eynaud multiplie les réunions. On défend des fermiers

Le silo coopératif de La Guierche (1932). *(Collection privée)*.

menacés de saisie, on surveille les droits de place sur les marchés. Le congrès régional de Sablé, en septembre 1938, réunit plus de 12.000 personnes.

Les mesures du Front populaire n'ont pas entraîné l'unanimité, malgré l'utilité de l'Office du blé. L. Chaserant, directeur des organisations agricoles, exprime sa déception :

> *Les lois sociales se sont succédées à une cadence précipitée et seules les populations urbaines en ont profité [...] Les transformations apportées dans les villes avec les 40 heures, les congés payés, les allocations familiales, etc., ont creusé, que l'on admette ou que l'on discute les nouvelles lois votées, un fossé de plus en plus profond entre la ville et la campagne [...]* (L'Agriculteur Sarthois, 12 février 1938).

La loi de quarante heures est d'autant plus critiquée qu'elle méconnaît les contraintes saisonnières des travaux des champs, risque d'entraîner des poursuites contre les réparateurs d'engins agricoles et semble vexatoire aux paysans sarthois, suffisamment préoccupés par le doryphore (apparu en 1931), la fièvre aphteuse toujours menaçante et le risque latent d'une surproduction.

La crise a sérieusement compromis l'évolution de l'agriculture sarthoise ; en 1939, on ignore encore le remembrement et la motorisation a faiblement progressé (400 tracteurs). Mais le département paraît riche de possibilités.

Si la crise est durement ressentie par les ruraux encore majoritaires, elle n'épargne pas les citadins et survient même dans un contexte de fragilité des activités industrielles et artisanales.

Un reclassement industriel

Certaines industries anciennes, très liées à des matières premières locales, s'adaptent mal aux conditions héritées de la Grande Guerre. C'est le cas du textile. Les derniers métiers à bras cessent de battre vers 1930 à La Ferté-Bernard, où les tissages Béalet continuent de travailler le jute et non plus le chanvre. Le renouveau du lin à Fresnay (1918-1930) n'est qu'un feu de paille. Le nombre des tanneries passe de 15 en 1917 à 6 en 1937, le tannin des écorces étant condamné par les produits chimiques ; autant d'emplois perdus à Château-du-Loir et à La Suze, et chez les bûcherons qui se louaient au printemps pour « peler » les chênes. La seule verrerie de la Sarthe, celle de La Pierre à Coudrecieux, disparaît en 1936, après plusieurs années de fonctionnement difficile. Tuileries, briqueteries, fabriques de céramiques et industries du bois ressentent aussi la menace de l'irrégularité des commandes et la concurrence de rivaux produisant à coût moins élevé. De façon plus générale, les artisans des bourgs (charrons, bourreliers, sabotiers...) ressentent les premiers effets d'une évolution pour eux désavantageuse.

Mais il est des industries plus dynamiques, comme la métallurgie. La maison Chappée, absorbée en 1928 par la S.G.F., a ouvert dès 1923, à Antoigné, une nouvelle fonderie d'où sortent des radiateurs produits à la chaîne. Carel et Fouché compte sur la construction de matériel ferroviaire entièrement métallique pour mieux asseoir sa position, et la firme Léon Bollée exporte dans les pays méditerranéens des segments de piston pour automobiles et avions. Par ailleurs, la confection a réalisé de gros progrès (10 entreprises et 800 emplois au Mans en 1934). Quant aux industries alimentaires (laiterie, beurrerie, conserverie), elles ont acquis une renommée certaine. Il faut aussi noter une sorte de

La tannerie Maillard à Château-du-Loir.
(Collection G. Fournier).

décentralisation avant la lettre. Le Mans accueille la Cartoucherie (1928), Renault (1936), les moteurs Gnome et Rhône (1939). Les autres implantations sont dispersées : les « Isolants français » à Sougé-le-Ganelon (1920), les explosifs « Alsetex » à Précigné (1935), les équipements d'aviation Simmonds à Champaissant (1939). Plusieurs de ces firmes ont obéi à des impératifs stratégiques.

Ces entreprises plus rationnelles n'ont pourtant pas complètement amorti le coup de boutoir de la crise des années trente.

Le poids du chômage

Dès 1932-1933, plusieurs usines réduisent les horaires de travail ou même licencient ; grandes et petites sont touchées.

> L'activité des établissements Carel et Fouché a subi un tel ralentissement que l'effectif de leurs ateliers du Mans, qui était de 1.200 unités environ au début de 1931, en est actuellement réduit à 400. (Bulletin de la Chambre de commerce et d'industrie du Mans, décembre 1932).

> Depuis le début du mois de novembre, une soixantaine d'ouvriers de la Société de matériel agricole de Sablé ne sont plus occupés que 21 heures par semaine. La situation de ces ouvriers est devenue assez sérieuse [...] (« Lettre du maire de Sablé au préfet », 21 décembre 1932, arch. dép. de la Sarthe, Vt 460/55).

En 1934, 250 ouvriers de la fonderie Chappée, de Sainte-Jamme, ne travaillent plus que trente deux heures par semaine. La crise réduit de moitié le personnel des faïenceries de Malicorne, d'autant plus que des ouvriers et ouvrières grévistes de juin 1936 n'ont pas été repris.

Les municipalités viennent en aide aux chômeurs et à leurs familles : travaux de voirie (Le Mans, La Flèche, La Suze, Bessé-sur-Braye, La Ferté...), secours divers et surtout distributions de soupes populaires (La Flèche leur consacre 11.500 F en 1934), bons de pain, de lait et viande. Les cantines scolaires, qui se développent alors, s'occupent spécialement des enfants sous-alimentés. Le conseil général accorde des subventions à toutes ces villes et aussi à Mamers, Tuffé, La Chartre.

Le chômage pourrait affaiblir la combativité ouvrière. Or, après 1936, la tension persiste entre employeurs et travailleurs syndiqués. Forte de ses 16.000 adhérents (1937), la C.G.T. réagit à certaines pressions patronales chez Carel au Mans, ou chez Alsetex à Précigné. De même, la grève du 30 novembre 1938 provoque des remous dans plusieurs entreprises, dont la Manufacture des Tabacs.

La crise a été sévèrement ressentie : le niveau de production industrielle de 1938 reste inférieur à celui de 1928-1929, observe M. Auffret. La conjoncture n'incite donc pas à la détente sociale.

La Sarthe occupée (1940-1944)

L'emprise allemande

Si la déclaration de guerre ne se traduit pas immédiatement par des combats, dès l'automne 1939 la Sarthe en perçoit pourtant les signes : présence de troupes anglaises, réfugiés nombreux, récupération de la ferraille... Les premiers fuyards, à la suite de l'offensive allemande du 10 mai 1940, arrivent au Mans le 13 mai : Belges, population du Nord et de Paris ; au total, près de 8.000 personnes à la fin du mois de mai.

> *... Des charrettes de foin de la Somme traînées par des chevaux fatigués et chargées de marmots ébouriffés. Derrière, dans une carriole, sur des sacs, le curé et le garde-champêtre avec son képi [...] La chapelle de la Visitation, place de la République, est jonchée de paillasses pour les réfugiés. L'exode se présente de la façon suivante : 1er flot, autos ; 2e flot, camionnettes ; 3e flot, voitures à foin traînées par des tracteurs et des chevaux ; 4e flot, cyclistes ; 5e flot, piétons à valises, harassés.* (« Journal du docteur Delaunay » présenté par A. Pioger, *Province du Maine,* juillet-septembre 1971).

L'avance des Allemands se matérialise par des bombardements qui affectent Mamers, La Ferté-Bernard, Sablé entre le 13 et le 17 juin. Les villes se vident, laissant la place à quelques pillards. Le 18 juin, les premières troupes allemandes motorisées pénètrent au Mans, sans combat. A La Flèche, le lendemain, les Allemands font irruption alors que se déroule le marché. Pourtant, certains responsables sont à leur poste : le préfet, Caillaux, président du conseil général, et nombre de maires.

Aussitôt, les Allemands s'installent : écriteaux en langue allemande, heure de Berlin, réquisition d'immeubles ; selon A. Pioger, il y a 2.200 Allemands au Mans le 15 juillet et davantage à la fin de l'année. La Feldkommandantur 755, qui dirige la Sarthe, a ses bureaux à la Bourse du Commerce. La Gestapo apparaît à la fin de 1942, en particulier rue des Fontaines, de sinistre mémoire : elle procède à plus de 2.000 arrestations pendant la durée de la guerre. Des milliers de prisonniers français sont regroupés dans les camps d'Auvours et de Mulsanne avant d'être envoyés en Allemagne. Dès 1940, les Allemands ouvrent un camp de concentration de nomades à Coudrecieux, puis à Mulsanne en 1942.

L'économie est mise au service de l'Allemagne : l'usine Gnome et Rhône fabrique des moteurs d'avion, Renault des chenilles, du matériel pour camion, sous la surveillance de soldats qui veillent au sabotage. La main-d'œuvre fait aussi l'objet de réquisitions. L'appel aux travailleurs volontaires, puis la relève ne suffisent pas ; le S.T.O. est institué en février 1943.

Réquisitions, départs en Allemagne, réfractaires (1940-1944)

	Appelés	Partis en Allemagne	Mutés en France	Réfractaires
Volontaires	1.407	1.407		
Relève	4.239	3.541	269	247
S.T.O.	12.949	2.541	3.325	1.069
Total	18.595	7.489	3.594	1.316

(J.-C. Garnier, 1981)

Ce chiffre de 7.489 (7.936 selon les sources allemandes) représente 4 % de la population active en 1936, dont une forte proportion de travailleurs spécialistes, métallurgistes par exemple.

Pénurie et insécurité

Les premiers mois de l'occupation sont favorables au commerce car les soldats achètent beaucoup, des vêtements surtout, pour expédier en Allemagne. En ce qui concerne l'approvisionnement, la Sarthe, département rural, connaît une pénurié moindre que d'autres régions. Pourtant, les agriculteurs doivent nourrir à la fois les villes et les troupes d'occupation en l'absence d'engrais, de machines neuves et avec une main-d'œuvre réduite, ce qui n'empêche pas la jalousie des citadins. Les restrictions apparaissent vite : sucre, café, huile se raréfient sur le marché. Un système compliqué de rationnement est institué : viande, beurre, pain, charbon de bois. Tel jour est décrété sans alcool, mais avec viande de boucherie ou de charcuterie, pâtisserie et confiserie (11 juin 1943). La population est divisée en huit catégories dont les J3 (jeunes de 13 à 21 ans) ou les T (travailleurs de force), chacun ayant droit à une ration différente. Ainsi naît le marché noir qui porte sur le grain, le lait, la viande. Certains paysans dissimulent la réalité de leur production. Certains bouchers pratiquent l'abattage clandestin. La pénurie de monnaie, par exemple de pièces de 1 F, 2 F ou 0,50 F, aggrave la situation. Mais ces difficultés sont inégalement ressenties :

> ... La répartition des produits consommables est, plus que jamais, liée à celle du pouvoir d'achat. Ce ne sont pas les tickets qui fixent la part de chacun, mais bien la somme d'argent dont il dispose... Dans ces conditions, la prétendue égalité devant les restrictions est une dérision ! Les détenteurs de billets de banque, ayant le monopole du marché noir, peuvent vivre en marge du rationnement ; cependant que [...] le nombre grossit de ceux qui, faute d'argent, ne peuvent même plus acquérir les maigres rations de leurs cartes. (Bulletin de la Chambre de commerce et d'industrie du Mans, 11 février 1943).

La pénurie porte aussi sur les matières premières et une campagne d'économie et de récupération est lancée (papiers, chiffons, cheveux...) ; on recherche des produits de substitution (semelles de bois). Le carburant et les moyens de transport font défaut.

Une autre inquiétude pèse sur la population, surtout celle du Mans : les bombardements, trois en 1943 sur la gare, les usines Renault et Gnôme et Rhône. Beaucoup plus à partir de mars 1944, dont les deux plus meurtriers, les 7 et 14 mars, font 31 et 48 tués. Au total, 185 victimes au Mans, ce qui est peu comparé aux autres villes de l'Ouest. Les Manceaux sont organisés (depuis septembre 1938) en défense passive avec ordre de respecter les strictes consignes et de rejoindre les abris en cas d'alerte.

Pétainistes et collaborateurs

Le 10 juillet 1940, les parlementaires sarthois, sauf Romastin (élu radical), votent les pleins pouvoirs au maréchal Pétain. Les autorités se rangent derrière le nouveau régime ainsi que le journal la Sarthe. L'action des partisans de Vichy se porte en direction des agriculteurs, des mères de famille et des prisonniers de guerre qui font l'objet de manifestations de sympathie.

Les groupes ouvertement collaborateurs connaissent une audience limitée. Au Mans existent des antennes du Parti populaire français (rue de l'Etoile), du Rassemblement national populaire (rue Nationale) et de la Légion des volontaires français (avenue Thiers). A La Flèche, l'écho est un peu plus favorable. Ils essaient de toucher l'opinion par des réunions, des conférences, des journaux et des tracts.

> Si vous voulez ne pas revoir vos prisonniers, empêcher la conclusion de la Paix, crever de froid et de faim, voir souffrir vos gosses, soyez anglophiles. Etre anglophile c'est boycotter les pourparlers pour le retour de nos prisonniers. (Tract distribué le 11 mars 1941 et cité par A. Pioger).

Cette « collaboration » a pour but principal de populariser la lutte aux côtés de l'Allemagne et d'inciter des Sarthois à s'engager dans la relève. A la fin de la guerre, elle dénonce fortement les bombardements alliés « responsables du massacre » et des ruines, ainsi que les communistes. La Résistance mène la lutte contre ces organismes dont les locaux et vitrines sont détruits.

La persécution des Juifs fut appliquée en Sarthe. Le 8 et le 9 octobre 1942, plusieurs commerçants juifs du Mans sont arrêtés ; d'autres doivent s'enfuir pour trouver refuge en zone libre. Au total, 362 personnes sont déportées pour motif racial ; 293 ne reviennent pas.

Résistances

Comme la collaboration, la Résistance est un phénomène minoritaire. Elle commence en 1940 par des tracts, des lettres envoyées à la préfecture ou des affiches qui dénoncent le gouvernement de Vichy et l'occupant.

> ... A la porte le gouvernement Laval. Place à un gouvernement du peuple au service du peuple (septembre 1940). Les Français se demandent si le vieux Maréchal n'est pas devenu fou. Collaboration avec les assassins des Français ? Quelle honte ! Vengeance viendra ! (1941). 8 jours après la visite de Darlan au Mans, les Patriotes sont persécutés par la Gestapo. Voilà la Kollaboration des Assassins et des Vendus ! Vive le Front National pour la libération de la France (octobre 1941). [Cité par A. Pioger].

La Résistance prend de l'importance à partir de 1943. Diverses tendances politiques sont représentées, en particulier les communistes dont le secrétaire fédéral Emile Chesne est arrêté puis exécuté le 26 janvier 1944. Nombre de personnalités socialistes agissent dans la clandestinité : Henri Lefeuvre (maire du Mans jusqu'en février 1941, puis remplacé par Chamolle) et Alexandre Oyon meurent en déportation. Paul Chantrel, militant démocrate populaire, membre du réseau « Alliance », est arrêté le 10 mars 1944. D'un point de vue socio-professionnel, les cheminots jouent un rôle particulièrement important et paient un lourd tribut (Pierre Pavoine est exécuté le 21 février 1942), mais aussi les enseignants (Roger Bouvet, adjoint au maire du Mans, meurt en déportation) ; les fonctionnaires de préfecture et de mairie, les gendarmes et les médecins apportent leur aide aux réfractaires au S.T.O.

Pour l'essentiel, les organisations de résistance sont des réseaux de renseignements : « Kléber », fondé le premier en septembre 1940, par J.-M. Lelièvre, « Alliance », « Sussex »... certains étant liés à Londres comme « Buckmaster ». Des groupes armés agissent aussi : l'Organisation civile et militaire puis l'Armée secrète, l'Organisation de résistance dans l'armée et surtout les Francs-tireurs et partisans. La plupart de ces groupes sont démantelés durant l'occupation, en particulier par des dénonciations et des infiltrations ; par exemple, le réseau du commandant Hérin.

> Son activité, outre le service de renseignements, consistait à participer aux parachutages du terrain du Haut Monsuieau [commune de Vaas]. Le 24 avril 1942, un officier de la Gestapo au nom de Bretcher ayant réussi à s'introduire au sein de l'organisation en fit arrêter la majorité des membres. Le calvaire du commandant Hérin commençait ; il devait durer 18 mois. (P. Guimard, *Ouest-France*, 9 octobre 1944).

Les activités de la Résistance ne se limitent pas à la collecte de renseignements : filières, comme celle conduisant au camp de Mulsanne à la zone libre en passant par Ecommoy ; journaux clandestins : on n'en connaît que deux : *l'Unité Ouvrière* (deux numéros) et *la Flamme* (six numéros) ; récupération d'armes et de matériel parachutés : soixante opérations réussies selon A. Pioger ; mais seulement trois atterrissages d'avion dans le sud du département ; nombreux cambriolages de mairies, surtout en fin de mois, pour s'emparer des feuilles de tickets de ravitaillement ; mais aussi « terrorisme ».

> *... On se souvient que depuis plusieurs mois une série d'attentats avait troublé notre région mancelle, pourtant jusque là fort calme : des bombes étaient jetées [...], valise chargée d'explosifs [...] Enfin, d'autres agressions étaient commises contre les installations fixes et mobiles de la S.N.C.F. et celles-là étaient d'autant plus graves qu'elles étaient de nature à provoquer, si elles n'avait pas été découvertes à temps, de véritables catastrophes.* (La Sarthe, 11 juin 1943).

Vers la fin de la guerre, les groupes clandestins multiplient les attentats et les sabotages, notamment le long des voies de communication : coupures de câbles et de lignes téléphoniques sur les lignes Paris-Brest et Paris-Nantes (Connerré, La Ferté-Bernard) ; coupures de voies ferrées (La Suze) ; attaque contre des soldats allemands à Sablé, le 16 janvier 1944, par les F.T.P. Quelques maquis franco-anglais apparaissent après le débarquement de juin 1944 en Charnie, à Teloché, à Ballon.

Les arrestations et les déportations de résistants continuent jusqu'à la libération complète du département. Au total, 1.372 Sarthois ont été déportés (pour causes diverses : résistance, motifs raciaux...) sur une population de 388.519 habitants en 1936, dont 689 ne sont pas rentrés. Parmi les internés, 31 ont été fusillés dont 15 dans le département (9 au camp d'Auvours), auxquels il faut ajouter 16 Sarthois arrêtés et exécutés hors du département.

La Libération

La percée d'Avranches (fin juillet) fait reculer une armée allemande qui ne ressemble plus aux fringants régiments de 1940. Les Allemands se retirent dans le désordre, quelques combats d'arrière-garde se déroulent dans la région de Ballon. Les ponts sur la Sarthe (sauf le pont Gambetta) et l'Huisne sont détruits au Mans. Les Allemands mettent le feu à leurs stocks et au central téléphonique dans la nuit du 7 au 8 août. Au matin, les premières troupes américaines, venant du sud de la Mayenne, entrent dans la ville avec une certaine prudence. Quelques îlots tenus par les Allemands sont maîtrisés dans le centre ville. La foule accueille avec enthousiasme les soldats alliés ; la ville est ornée de drapeaux ; les cloches des églises retentissent. Le 9 août, *le Maine Libre,* qui remplace *la Sarthe,* dirigé par Max Boyer, publie son premier numéro. Le 10 août, la 2ᵉ D.B. de Leclerc traverse Le Mans. Le 11 août s'installent le préfet Costa et le Comité de Libération, présidé par Ledru et composé des diverses tendances de la Résistance : Parti socialiste, Libération, Front national, Parti démocrate populaire...

Sur le chemin de Paris, le 23 août, le général de Gaulle, chef du gouvernement provisoire, s'arrête au Mans et prononce, place des Jacobins, un discours qui reflète bien sa vision des choses à son retour en France :

Vu à La Flèche le 8 Août 1944
August 8 th scen from La Flèche

Du G. Q. G. Allemand :

Nos troupes livrent de durs combats d'arrière-garde.

Augst 8 th. — Communique from Hitler's General Head-Quarters :

Our rear guards are striking hard blows to the ennemy's forces.

La Flèche. Départ des Allemands. *(Carte postale, collection privée).*

9 août 1944.
Le premier numéro du « Maine Libre ».

« La France a perdu une bataille, Ile n'a pas perdu la guerre. »

Général de Gaulle.
(Juin 1940.)

LE N° 1 Fr. 50   MERCREDI 9 AOUT 1944

LE MAINE LIBRE

Organe Régional de l'Ouest

Réd. adm. : 6, r. Gambetta. Le Mans (Sarthe) - Tél. Adm. Impr. 3-46. Réd. 3-01.

UNE JOURNEE HISTORIQUE

LE MANS A ÉTÉ LIBÉRÉ
PAR LES ARMÉES ALLIÉES

Le premier numéro de " Maine Libre " paraît aujourd'hui 9 Août, moins de 24 heures après la libération du Mans.

" Maine Libre " est dirigé par les hommes de la Résistance, par les patriotes qui n'ont pas collaboré, et ont lutté pour la France aux côtés es Alliés contre l'ennemi commun.

" Maine Libre " ne va pas aujourd'hui définir un programme, il veut mplement crier avec ses lecteurs :

Vive la Résistance Française grâce à laquelle la région du fans conserve son traditionnel patriotisme.

Vive la Liberté pour laquelle tant des nôtres sont tombés héroïement !

Vivent les Alliés dont l'effort magnifique permet la victoire !

Vive le Général de Gaulle, qui a maintenu dans la bataille a présence de la France et qui, à la tête du Gouvernement provoire de la République, symbolise les vertus et l'honneur français !

Vive la France !

L'ACCUEIL ENTHOUSIASTE

— Avez-vous trouvé de la résistance pour venir au Mans ?

— Depuis Laval, que nous avons eu ce matin, nous n'avons trouvé que peu d'Allemands.

Quand ils étaient plus nombreux que nous, les Boches étaient braves, surtout aussitôt après notre débarquement. Alors, nous avons eu beaucoup de mal. Mais maintenant ils s'en vont vite et nous allons bientôt les balayer de chez vous !

Puissiez-vous dire vrai, cher Sammy, et encore une fois, de tout cœur : Merci !

Pierre ROBIN

**LA FRANCE
DANS LA GUERRE**

UN APPEL DU COMITE DEPARTEMENTAL DE LA LIBERATION

Sarthois,

Continuant l'œuvre des patriotes, pionniers de la Résistance sarthoise qui sont tombés au Mans, le Comité départemental de la Libération, groupant dans son administration, toutes les tendances politiques, philosophiques et les grands courants populaires de la population sarthoise du département, vous adresse, avec reconnaissance et joie...

Le Mans, rue Gambetta. Scène de la Libération. *(Collection privée)*.

Français et Françaises qui êtes ici rassemblés, combien je suis heureux, ému, réconforté, par l'immense rassemblement que vous constituez. Tous ici, nous sentons bien qu'un même sentiment nous anime, le sentiment pur et simple de la liberté reconquise et de la grandeur que nous allons retrouver. (Le Maine Libre, 24 août 1944).

Parallèlement s'opère une épuration. Dans certaines entreprises ayant travaillé pour l'occupant, aux usines Renault par exemple, la direction et une partie de l'encadrement font l'objet de contestation, voire de poursuites. Plus généralement, à la mi-septembre, 400 dossiers d'enquête sont constitués et 57 collaborateurs sont internés. Au total, 726 personnes font l'objet de procès qui prononcent, entre autres sanctions, 35 condamnations à mort dont 4 effectives, auxquelles s'ajoutent 17 exécutions extra-judiciaires.

Le retour progressif des prisonniers, des déportés, des travailleurs du S.T.O. et la célébration solennelle de la victoire vers mi-mai 1945, clôturent cette période noire pour notre histoire. La Sarthe n'a pas été très affectée par les destructions de la guerre. La pénurie et les difficultés de tous ordres qu'elle a engendrées ne s'achèvent pourtant pas là. Les années suivantes restent douloureuses.

L'éclosion d'un monde nouveau (1944-1958)

L'amorce des grands changements

**Le temps
des vaches maigres**

Le département est moins touché que son chef-lieu. Au Mans, il faut reconstruire la gare de triage — nœud ferroviaire essentiel — et les quartiers proches, les ponts Yssoir, d'Eichthal et du Greffier, le circuit des Vingt-Quatre Heures. La Sarthe n'échappe pas à l'économie de pénurie : manque d'essence, de pneus, de goudron, de charbon, de bois de chauffage, de cuivre. Le ravitaillement des villes en pain continue de préoccuper, malgré l'apport américain de farine de maïs. On observe une lente reprise commerciale, stimulée par les achats des ruraux dont les moyens pécuniaires n'avaient pu être dépensés précédemment ; mais que l'on se garde de la légende des lessiveuses ! Dans la quincaillerie et le textile subsistent un temps quelques formes de marché noir appelé, désormais, marché « latéral ».

Tâche lourde et exaltante pour le conseil général qui s'occupe en priorité des routes, très abîmées, et de l'électrification rurale dont le taux dépasse à peine 60 %.

> [...] Depuis 1945, une pénurie considérable de matériel n'a permis de réaliser que quelques transformateurs et la tranche 1947 elle-même ne comporte encore que 20 postes. C'est très insuffisant lorsqu'on songe que c'est un millier de ces postes qui seraient nécessaires pour arriver à une électrification totale [...] Les nécessités d'une production agricole améliorée et accrue nous obligent à un effort particulier ; le manque de main-d'œuvre dans nos campagnes peut être compensé en partie par une électrification rationnelle. (Discours du président Max Boyer, session de mai 1948).

Manque d'équipements et de crédits, sourde oreille ministérielle... la question de l'électrification soulève toujours des protestations en 1951 et ne trouve vraiment une solution qu'après 1954 !

L'année 1949 marque le retour à une activité économique quasi normale, débarrassée du dirigisme et dans un contexte de libre concurrence et d'approvisionnement plus facile. Evénement symbolique : la réouverture du circuit permanent des Vingt-Quatre Heures. Après une vive alarme — l'A.C.O. parlait d'organiser la course à Reims — les travaux de réfection ont pu être réalisés et la compétition s'engage en juin 1949. Venu pour la circonstance, le président Vincent Auriol unit dans son discours l'avenir au présent.

> Et nous savons comment, depuis la Libération, vous vous êtes remis à l'ouvrage, contribuant par la diversité et l'intensité de vos activités industrielles, agricoles et touristiques, au relèvement commun [...] Le Mans, merveilleusement desservi par le rail et par la route, entouré par une Sarthe agricole et pastorale, diverse, riche, laborieuse et qui, très heureusement, cherche à adapter ses traditions d'exploitation familiale aux progrès de l'organisation et de la technique modernes,

Le Président Auriol aux Vingt-Quatre Heures du Mans (1949). A sa gauche, **Christian Pineau**. *(Cliché Lafay).*

Le Mans doit aider à la décongestion du Bassin Parisien et bénéficier davantage de la décentralisation industrielle. (Le Maine Libre, 27 juin 1949).

Un nouveau départ

Le redressement démographique se confirme et fait éclater le dispositif scolaire, surtout au Mans, point de convergence de nombreuses familles.

> *Chaque année, depuis quatre ans, nous créons 70 à 80 classes nouvelles dans notre département. En 1956, ce nombre atteindra sans doute 90. En 1952, la Sarthe comptait 1.600 instituteurs ; nous dépasserons 2.000 en novembre 1956 [...] Il est difficile de doter de maîtres les promotions d'enfants les plus fortes que la France ait connues, avec les jeunes gens qui nous sont donnés par les promotions qui furent les plus faibles. (Rapport de l'inspecteur d'Académie pour 1955-1956, arch. dép. de la Sarthe).*

Le Mans, en 1926, comptait 23.700 ménages dont 19 % mal ou très mal logés ; avec l'expansion de la ville, les chiffres en 1946 sont respectivement de 32.600 et de 35 %. Il faut, en conséquence, prévoir de grands programmes de logements, sous l'égide des organismes déjà en place, sans compter les nouveaux comme l'Office départemental d'H.B.M. ou la Société mancelle d'H.B.M., chargée de construire pour les ouvriers de Renault et de Jeumont. L'afflux des travailleurs vers la Régie modifie la composition sociologique de l'agglomération ; J. Gouhier, observateur attentif de ces bouleversements, a bien décrit la promotion d'un de ces salariés « immigrants ».

[...] Le père est arrivé jeune homme pour s'embaucher chez Renault. Il a peiné pendant plusieurs années ; on l'a mis à l'épreuve sur différentes machines pour juger de ses aptitudes. Il était dépaysé au début : en apprentissage, on ne lui avait pas appris à se servir des mécaniques puissantes ; il s'est souvent retrouvé fatigué et inquiet dans la chambre qu'il occupait dans une famille mancelle [...] On l'a trouvé sérieux, il est devenu régleur ; il est responsable de plusieurs machines dont se servent des manœuvres spécialisés. Il espère devenir chef d'atelier.

Quand il a su qu'il était embauché à demeure, il a pensé à créer un foyer. Sa femme était dactylo à la Mutuelle ; par la suite, elle a laissé le bureau. Il a fallu chercher un logement et longtemps le ménage a dû se contenter de deux pièces, dans un appartement de fortune, installé à l'étage de la mancelle d'un parent. Mais cette jeune famille désirait plus de tranquillité, surtout qu'elle a des enfants, maintenant. On a loué un appartement dans un immeuble fourni par la Régie. Cependant notre ancien villageois rêve de s'installer dans une maison qui serait la sienne ; il la ferait construire à Yzeuville ; c'est un quartier calme ; on peut y avoir un bon jardin [...] (Jean Gouhier, *Naissance d'une grande cité : Le Mans au milieu du XXe siècle*, Paris, 1953, p. 107-108).

Le Mans. Usine Renault (1951). Chaîne de tracteurs. *(Cliché R.N.U.R.).*

Le phénomène marquant de la période semble bien être le développement du Mans et, particulièrement, celui de l'usine Renault dont les effectifs passent de 3.000 en 1947 à près de 9.000 en 1958. Axée, d'abord, sur les tracteurs (5.000 en 1951, 18.000 en 1957), la production s'est diversifiée pour éviter les aléas d'un unique marché. Le directeur P. Lefaucheux fait ainsi ouvrir de nouveaux ateliers consacrés aux trains avant et arrière et aux boîtes de vitesses de voitures de tourisme (4 CV, Frégate et surtout Dauphine). En englobant les familles des ouvriers, la Régie fait vivre environ 25.000 personnes. Certes, il y a eu des à-coups, comme le conflit sur les salaires et la longue grève de février-mars 1950, touchant toute la métallurgie, et dont l'usine Renault a donné dans la Sarthe le signal.

Un autre élément de puissance est représenté par le groupe des assurances mancelles, qui comprend deux sociétés nationalisées (la Mutuelle générale française « Accident » et sa sœur jumelle « Vie ») et deux sociétés de statut privé (la Mutuelle du Mans « Incendie » et la D.A.S.). Pour prendre le cas de la M.G.F. « Accidents », on observe une envolée significative de la valeur des encaissements : 28 millions en 1947, 145 en 1954, 352 en 1960. Le rôle de ces compagnies est capital pour l'emploi local.

La ville, plus précisément la grande ville, semble avoir pris définitivement le pas sur la càmpagne dont elle tire constamment, il est vrai, des forces vives.

Un monde rural contrasté

L'inégalité des chances en milieu rural accélère l'exode, malgré l'action des syndicats et des élus contre la plaie du cumul.

> *Dans certains coins de notre département, quelques personnes, systématiquement, achètent les petits bordages, les groupent avec d'autres déjà en leur propriété, les mettent en herbe, laissent les maisons à l'abandon quand ils ne les abattent pas, et portent par de tels agissements un très grave préjudice à nos jeunes cultivateurs qui, faute de trouver de petites exploitations où ils pourraient débuter en attendant d'avoir quelque argent pour s'installer dans de plus grandes, désertent la campagne et vont chercher un emploi dans les villes.*
> (Intervention de F. Poignant au conseil général, cité dans le *Maine Libre*, 13-14 mai 1953).

Certaines constatations pourraient accroître l'impression de pessimisme. En 1952, avec 210 millions de litres, la production laitière sarthoise reste légèrement inférieure à celle de 1929. Reliquat de la crise économique et de la guerre ? Sans doute mais, cette même année 1952, un rapport de la Chambre d'agriculture souligne que « s'il y a dans la Sarthe des animaux d'élite, le cheptel et la production animale restent de qualité inégale et généralement faible ».

Déception encore du côté du chanvre dont la culture est de plus en plus compromise. Les industriels boudent les achats (ainsi en 1949-1951) et préfèrent des chanvres étrangers ou des fibres tropicales, voire synthétiques. La coopérative départementale aide, pourtant, les producteurs en stockant leurs chanvres invendus et en implantant à Vivoin-Beaumont une usine produisant de la ficelle-lieuse très résistante. Mais l'avenir du chanvre textile est trop compromis. En 1957-1958, on espère une relance grâce aux chanvres monoïques et à la cellulose : le débouché serait cette fois la pâte à papier. Techniquement défendable, le second projet de Vivoin tourne court.

Les Quatre Jours du Mans (1961). *(Collection Secrétariat des Quatre Jours).*

Au cours de cette décennie 1950, certains coopérateurs se sont découragés ; mais, face à eux, combien d'enthousiastes et de déterminés ! Dans le cadre de la nouvelle Confédération générale de l'agriculture (C.G.A.), la F.D.S.E.A. de la Sarthe se montre vite active, alors même que les organisations agricoles, riches d'expérience, s'étoffent et s'adaptent, donnant une extension remarquable à la Mutualité sociale agricole (M.S.A.). Motorisation, mécanisation, diffusion de techniques rationnelles, amélioration de la formation professionnelle caractérisent les progrès de ces années-là.

Aux premiers tracteurs de l'après-guerre, attribués parcimonieusement vers 1947-1948 grâce au plan Marshall, succèdent, en 1952, les tracteurs Diesel. La puissance augmente : de 17-20 CV, on passe en 1956 à 30 CV. Désormais, la Régie Renault tient mieux sa place face à ses concurrents américains (Massey-Harris, Ford-Ferguson...). Le parc de tracteurs s'élève de 1.337 en 1952 à 4.900 en 1957. En 1952, le département ne compte que 35 moissonneuses-batteuses dont 3 seulement sont automotrices.

De nombreuses Coopératives d'utilisation en commun de matériel agricole (CUMA) se sont constituées (150 en 1951). La formule de la coopérative se prête aux innovations ; l'une des plus notoires, dans ce département herbager, fut l'insémination artificielle.

C'était en 1947, à Saint-Mars-la-Brière, sous les ombrages de la propriété de M. de Vannoise. Il s'agissait, à cette date, de trois taureaux qui avaient noms : En avant, *tout un programme et même un ordre ;* Orateur, *nom porteur de bonne parole, en l'occurrence convaincante, et* Monarque, *qui n'avait rien d'absolu, malgré son volume, mais semblait dire avec ses collègues :* Nous présidons un nouveau régime. (Témoignage de A.-J. de Nicolay, *l'Agriculture sarthoise,* 13 septembre 1980).

Au début de 1952, quinze stations fonctionnent déjà. On remarque une large adhésion des éleveurs : 16.000 vaches ont été inséminées en 1950, 42.300 en 1954, 61.000 en 1955. Il s'ensuit une spectaculaire amélioration de la production de lait et de viande, facilitée également par d'autres pratiques comme l'ensilage de fourrages verts ou l'utilisation des pâturages tournants. Avant 1950, on a construit des étables de type danois ou américain, par exemple à Lombron, René, Luché-Pringé. Une installation de stabulation libre fonctionne à La Fresnaye-sur-Chedouet en 1954.

En ce qui concerne les cultures, les faits les plus saillants sont les progrès de la betterave sucrière, des fruits (la « Reinette » du Mans cède peu à peu la place à la « Golden »), et surtout du maïs. Vers 1947-1948, le maïs hybride a été introduit modestement, des volontaires pratiquant des essais. Mais la participation manuelle est encore lourde car il faut biner et récolter avec un crochet spécial. Quand, en 1954, se répand l'usage de la Simazine, désherbant très efficace, on enregistre une extension des surfaces consacrées au maïs, et bientôt le corn-picker vient simplifier la récolte.

La part prise par les femmes dans cette modernisation est importante, malgré des conditions peu favorables. L'homme a, le premier, profité des facilités du progrès : le tracteur, la moissonneuse-batteuse. La traite mécanique ? Puisque la traite est l'affaire de la femme, cet équipement peut attendre... ont estimé certains chefs d'exploitation, tant les mentalités évoluent lentement.

Un réseau dense d'écoles ménagères — sans doute le plus performant de France — comprend installations fixes et sessions itinérantes, ainsi que des cours par correspondance et des sessions supplémentaires sur des thèmes précis. Une évolution se fait jour : l'école ménagère agricole n'est plus seulement le moyen de former des épouses exemplaires qui, par leurs talents de maîtresses de maison, freineront l'exode rural !

[...] L'activité féminine dans nos campagnes s'appuie de plus en plus sur des données scientifiques qui impliquent la logique du raisonnement. Comment ordonner le menu de chaque jour si on ne connaît pas les principes rationnels de l'alimentation humaine ? [...] (E. Chevreuil, *Femmes au village,* n° 6, 1952).

[...] La comptabilité, le secrétariat à la ferme, tels furent les sujets étudiés au cours de la dernière session des dirigeantes de nos associations d'anciennes élèves des écoles ménagères. Elles avaient choisi, elles-mêmes, ces problèmes ardus et elles étaient venues, papier et porte-plume en main, presque une centaine. Il faut les avoir vues au travail, ces femmes et jeunes filles, pour avoir l'exacte impression de l'état d'esprit d'une nouvelle génération. (G. Lantin, *Femmes au village,* n° 62, 1958).

L'horizon des fermières s'élargit, grâce à la radio, grâce au mensuel *Femmes au village,* lancé en 1952 par l'Union des organisations agricoles. Dans le ton des articles, on retrouve l'attachement aux traditions et la foi dans le progrès technique. Ecoutons « Tante Célerine » parler des *Quatre Jours* du Mans.

[...] Les articles ménagers sont là, rutilants, tous plus modernes les uns que les autres, depuis les atomixeurs *qui fabriquent des mayonnaises en un clin d'œil, jusqu'aux frigidaires les plus ultra-imposants. J'ai rencontré ma vieille amie Hortense, qui n'est cependant guère à la page, elle n'en revenait pas. « Ah, m'a-t-elle dit, il faudrait bien que le père en achète un comme cela à la Juliette, qui se marie au printemps ! » J'ai plaidé la cause de la Juliette ; si elle sait se contenter de la vieille armoire de chêne du grand-père, au lieu d'un meuble plus moderne, je crois qu'elle aura gagné son frigidaire. Ici, ce sont des moulins à café électriques et des fers à repasser qui ont l'air de glisser tout seul ; quant aux cocottes-minutes, ça devient vraiment atomique [...]* (Femmes au village, n° 6, 1952).

Les cercles de jeunes fermiers, de jeunes fermières, les foyers ruraux, les équipes de la J.A.C. sont autant de noyaux dynamiques qui préparent l'évolution décisive de la décennie 1960 ; car des îlots d'inquiétude subsistent : l'installation des jeunes, problématique, l'adduction d'eau, insignifiante, le remembrement, au point mort (malgré l'essai partiel de la commune de Cré-sur-Loir).

Un camion de la S.T.A.O., place du Château au Mans. Le triomphe de la route. Camion immatriculé en 1951. *(Cliché S.T.A.O.).*

Les communications s'améliorent. Depuis 1947, les transports routiers n'ont plus à compter avec les chemins de fer départementaux. L'ouverture se confirme au niveau du tourisme ; en plus de son équipement hôtelier, la Sarthe dispose en 1956 de cinq terrains de camping et de deux auberges de jeunesse (Saint-Calais et Le Mans). L'ère de la télévision approche : le site de Mayet est reconnu en 1957, mais, dans les cantons du nord, on capte des émissions depuis 1953. La consommation d'énergie de la Sarthe, en 1955, est supérieure de 250 % à celle enregistrée en 1938. Décidément, un cap est franchi.

Le renouvellement politique : 1945-1958

Les hommes issus de la Résistance, désormais aux affaires, ont la ferme résolution d'ouvrir une ère nouvelle, de promouvoir une modernisation du département, malgré les obstacles.

La reconstruction (1945-1947)

> Changeons de méthode. Le très noble discours de de Gaulle a mis le point final à ce que nous pourrions appeler la Semaine de la Victoire. Derrière la joie et la confiance de toute une nation dans ses destinées se dessinent les difficultés innombrables [...] Nous constatons à l'intérieur même de notre pays trop d'erreurs, trop de négligences, trop de sabotages et trop d'incurie. Il est affligeant de sentir un peu partout ce freinage sourd mais conscient, qui déroute les meilleures bonnes volontés et dont le but n'est que trop clair : désarmer les gens qui croient encore à l'esprit de Résistance. (M. Boyer, le Maine Libre, 17 mai 1945).

Une des premières tâches du nouveau pouvoir est la rédaction d'une constitution. Trois votes se déroulent en 1945 et 1946 pour en décider. Le double référendum du 21 octobre 1945, approuvant le travail de réorganisation par le Gouvernement provisoire dirigé par le général de Gaulle, donne une forte majorité de oui et perpétue l'entente entre les forces issues de la Résistance. En revanche, le premier projet de constitution soumis au référendum du 5 mai 1946 traduit une rupture entre les partis.

Ch. Pineau déclare :

> [Les socialistes] voteront oui, sans autre phrase, moins par souci doctrinaire que par volonté de sauver un pays qui a besoin, pour vivre, de ses institutions définitives et une République pour laquelle tant des leurs ont sacrifié leur vie aux temps héroïques de la Résistance.

Tandis que le M.R.P., Mouvement républicain populaire, soutient...

> [...] que les libertés et les droits essentiels de la personne humaine et de la Nation ne sont pas positivement garantis par la Constitution. (Le Maine Libre, 4-5 mai 1946).

Par 53,1 % de non et 46,9 % de oui, les Sarthois repoussent ce projet. C'est un échec pour les socialistes et les communistes, une victoire pour le M.R.P. et les modérés de droite. Il faut noter qu'à l'inverse du département, la ville du Mans a voté oui à 52,3 %.

Finalement la Constitution de la IVe République est adoptée en octobre 1946 avec 53,7 % de oui, conformément à l'avis des trois partis au pouvoir (M.R.P., S.F.I.O., P.C.F.) et malgré l'opposition du général de Gaulle. Mais les abstentions s'élèvent à 35,3 % des inscrits.

Les résultats des élections législatives suivent à peu près la même évolution.

Les députés de la Sarthe en 1945 et 1946

	21-10-1945	02-06-1946	10-11-1946
S.F.I.O.	Mme OYON PINEAU LEDRU	PINEAU LEDRU	PINEAU
M.R.P.	LETOURNEAU	LETOURNEAU DUFOREST	LETOURNEAU DUFOREST
P.C.F.		MANCEAU	MANCEAU
Entente républ.	D'ARGENLIEU		
Union républ.			LEFEVRE-PONTALIS

L'éphémère succès des socialistes en 1945 s'explique facilement par leur action dans la Résistance et leur prise de responsabilité à la Libération. On revient, ensuite, à une situation plus équilibrée et plus conforme à l'opinion publique sarthoise.

La rupture de 1947   La désunion des forces issues de la Résistance, déjà effective avec le départ de de Gaulle en janvier 1946, est définitive avec la rupture du tripartisme (P.C.F., S.F.I.O., M.R.P.) en mai 1947, lors de la mise à l'écart des ministres communistes. C. Pineau, député, ministre à la Libération, approuve.

> Il n'est pas possible à un parti politique, fut-il le plus important de France, d'être à la fois dans le gouvernement et dans l'opposition... on dirait vraiment que depuis deux ans, malgré la contribution qu'il a apportée à la libération du pays, le Parti communiste a tout fait pour déconsidérer les institutions démocratiques... (Le Maine Libre, 6 mai 1947).

Un symbole de cette désunion est l'inauguration du monument de la Résistance au Mans, fin octobre 1949 : deux cérémonies séparées ont lieu, dont l'une en présence du général de Gaulle.

L'année 1947 est aussi marquée par une grande agitation sociale. Malgré un certain rétablissement économique, la pénurie et la hausse des prix provoquent des manifestations et des grèves. Les plus importantes sont celles de septembre. Le 11, des manifestants forcent la préfecture. Le travail cesse dans de nombreuses entreprises. La C.G.T., pourtant puissante, ne contrôle pas parfaitement la situation et l'agitation continue.

> ... Vendredi matin... plusieurs groupes de grévistes se présentaient sur les marchés et chez certains commerçants à qui ils enjoignaient de baisser leurs prix. Des ménagères eurent ainsi la chance inespérée d'acquérir du poulet à 120 F et du bœuf à 100 F le kg. Les pommes de terre étaient vendues 11 F. (Le Maine Libre, 13-14 septembre 1947).

Le général de Gaulle et J.-Y. Chapalain, sénateur-maire du Mans, à la sortie de la cathédrale (octobre 1949). *(Cliché Le Maine Libre).*

La montée gaulliste

La création du R.P.F., Rassemblement du peuple français, par de Gaulle en avril 1947, est rapidement ressentie en Sarthe. Aux élections municipales d'octobre 1947, les gaullistes sont vainqueurs au Mans et Chapalain succède à Collet, maire socialiste depuis 1945. Le 7 novembre 1948, trois sénateurs R.P.F. sont élus et remplacent deux socialistes et un M.R.P. Pour les législatives de 1951, le R.P.F. mène une campagne percutante.

> *Le général de Gaulle sauvera la France avec son fidèle Etat-Major : le général Koenig, le général Billotte [...] Ils imposeront l'Ordre. Ils demanderont un gros effort militaire au Pays, les charges seront lourdes. Mais l'association Capital-Travail permettra d'obtenir une production accrue [...] Le Pays a besoin d'une main ferme. Mieux vaut donner son argent et renoncer à quelques libertés que de sacrifier la grandeur de la France. (Arch. dép. de la Sarthe).*

Trois autres listes condamnent la politique menée depuis plusieurs années : communiste, radicale, droite nationale. En face, le M.R.P. et la S.F.I.O. se réclament de la majorité sortante.

> *La République et les libertés démocratiques sont menacées par les néo-gaullistes et les communistes staliniens. La Paix, elle aussi, est menacée. Nous proclamons notre volonté de défendre l'indépendance nationale, la démocratie et nos libertés. (Affiche socialiste, arch. dép. de la Sarthe).*

Trois députés de 1936 (Goussu, d'Aillières, Saudubray), rendus inéligibles par leur vote du 10 juillet 1940 en faveur du maréchal Pétain, forment une liste qui est refusée par la préfecture. Goussu s'est d'ailleurs présenté avec succès aux élections cantonales en 1945, mais son mandat a été interdit. Il est réélu aux élections de 1949.

Le 17 juin 1951, le R.P.F. arrive en tête dans le département avec 26,6 % des voix et deux élus : Dronne et Gaubert. Les voix gaullistes entament le capital du M.R.P. qui n'a plus qu'un élu, Letourneau. La S.F.I.O. en déclin conserve un député, Pineau, ainsi que le Parti communiste qui maintient ses positions avec Manceau.

1956 : échec relatif du Front républicain

Alors que le système des apparentements n'a pas fonctionné en Sarthe pour les élections de 1951, il joue un rôle important dans les résultats de 1956 ; dix listes, soit cinquante candidats, se présentent. A côté des traditionnelles listes socialiste et communiste, on note avec étonnement l'apparentement de trois listes : M.R.P., Républicains sociaux (ex-R.P.F.) et Union des indépendants et paysans. Or, les candidats « R.P.F. », farouchement hostiles aux apparentements en 1951, les acceptent cette fois pour, disent-ils, « barrer la route aux communistes et pour préparer un regroupement des forces politiques nationales ». Etonnante aussi cette union du M.R.P. et du « R.P.F. » avec la liste qui comprend Goussu, Saudubray et d'Aillières qui ont, cette fois, le droit de se présenter. Une autre nouveauté est la présence de deux listes « poujadistes », concurrentes mais apparentées, alors que Lefèvre-Pontalis est à la tête d'une liste de sensibilité assez proche. La profession de foi de la liste poujadiste de Bône est sans équivoque.

Les candidats aux législatives de janvier 1956.
(Le Maine Libre).

L'IMMOBILISME:

un attentat contre le pays

VOTEZ POUR L'ACTION

VOTEZ MENDÈS-FRANCE!

VOTEZ LISTE FOUET!

Campagne électorale de 1956.
(Arch. dép. de la Sarthe).

Nous vomissons la politique. Nous ne vous promettons rien, sinon de nettoyer la maison [...] ce que nous voulons, c'est donner la parole au peuple par la convocation des Etats Généraux. Les élections ne sont qu'un moyen. Elles marqueront le réveil des citoyens contre les pourris, les lâches et les traîtres. Votez en masse dans l'union et la fraternité. Sortez les sortants. (Arch. dép. de la Sarthe).

Enfin, le courant radical donne naissance à deux listes dont une menée par Fouet se réclamant de Mendès France qui vient, d'ailleurs, en personne à la Maison sociale du Mans, le matin de Noël 1955, où il prend la parole dans une salle comble.

Les résultats du vote du 2 janvier 1956 marquent en voix une sensible poussée à gauche. Manceau reste député, tandis que le Parti communiste devient le premier parti. L'effondrement de la S.F.I.O. est enrayé et Pineau réélu. Si on y ajoute les voix radicales mendésistes, la « gauche » fait 47,5 % des voix. Mais le système des apparentements profite à la droite regroupée (29,4 % des voix) : Dronne est réélu, de même que Goussu, vingt ans après son premier mandat. Le M.R.P. n'a plus de député. La poussée poujadiste est très sensible et permet l'élection de Bône.

Comme en 1936, contrairement aux résultats nationaux, la gauche n'a pas gagné les élections en Sarthe. A droite, on assiste même à un durcissement puisque Goussu et Bône remplacent Gaubert (R.P.F.) et Letourneau (M.R.P.).

L'évolution politique 1945-1958

Elle est marquée par deux événements majeurs : les changements de l'après-guerre et la place prise par le gaullisme ainsi que par un renouvellement du personnel politique. La domination de la S.F.I.O. à la Libération n'est que momentanée. Son influence décline assez vite, témoin le journal *le Maine Libre* qui perd sa couleur socialiste en entrant dans le groupe Amaury *(le Parisien Libéré)*. Pineau, leader des socialistes dans la Sarthe, plusieurs fois ministre, notamment des Affaires étrangères en 1956 dans le cabinet Mollet lors de la crise de Suez, n'a pas véritablement réussi à s'imposer personnellement, même au sein de la S.F.I.O. locale. Son allure bourgeoise et intellectuelle l'explique pour partie. Collet, homme modeste et peut-être incompris, et Max Boyer, plus habile et plus écouté, sont les deux autres personnalités les plus marquantes de la S.F.I.O.

Le Parti communiste progresse régulièrement. Seulement 1.500 voix en 1936, mais 21.285 en 1945 et 39.451 en 1956. Robert Manceau est élu quatre fois député et devient conseiller général en 1955. Son implantation correspond à l'agglomération mancelle.

Le courant radical connaît un renouvellement. Il fait preuve d'une certaine faiblesse après la guerre. Sous la direction de Coutard, il réapparaît aux élections de 1951 et 1956. Cette tendance se réclame du cail-

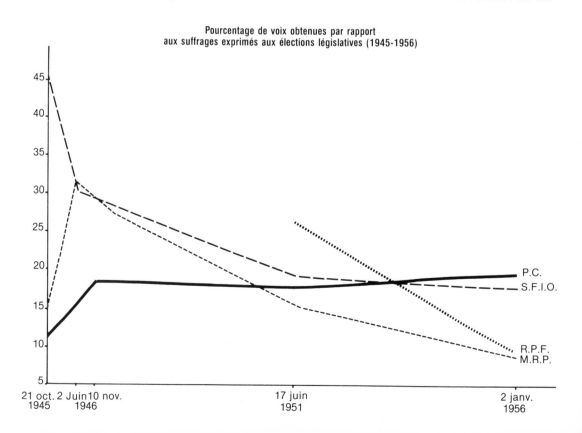

Pourcentage de voix obtenues par rapport
aux suffrages exprimés aux élections législatives (1945-1956)

lautisme et du radicalisme conservateur d'avant-guerre. Sous l'impulsion de Fouet, il retrouve un dynamisme et une coloration de gauche qui ne suffisent pas à lui redonner sa place d'avant-guerre.

Le M.R.P. est principalement incarné par Letourneau, plusieurs fois ministre de 1946 à 1953, entre autres de la France d'outre-mer, puis haut-commissaire en Indochine. Sa puissance lors des votes de 1946 s'explique par l'absence de la droite ; de même que sa chute rapide est due à l'apparition du R.P.F. dès 1947 et au retour des conservateurs au début des années 50.

Le spectaculaire succès du R.P.F. en 1951 paraît contredit par son piètre résultat en 1956. En réalité, l'implantation gaulliste dans la Sarthe est solide et le rôle de Chapalain, à l'origine socialiste, est considérable. Il fonde le R.P.F. et entraîne derrière lui des socialistes, des radicaux, des M.R.P. Les élections sénatoriales de 1948, 1951 et 1952 voient sa victoire totale. Ainsi s'explique le succès du gaullisme après 1958.

Le cardinal Grente (1872-1959). Né dans la Manche, ordonné prêtre en 1895, il est nommé évêque du Mans en 1918, archevêque en 1943 et cardinal en 1953. Fin lettré, il entre à l'Académie française. Le cardinal Grente a fortement marqué le diocèse et le clergé sarthois. Défenseur résolu du catholicisme, ouvert sur le monde, son activité et son autorité n'ont pourtant pas réussi à enrayer la chute des effectifs ecclésiastiques en Sarthe : 739 en 1910, 556 en 1930, 448 en 1960. *(Cliché Hamelin).*

Plus à droite, deux courants politiques se sont manifestés : le dorgérisme et le poujadisme. Au moment du Front populaire, le dorgérisme, mouvement paysan, a déjà rencontré un certain écho. Plus importante est sa place de 1954 à 1956. Selon A. Pouille, la Sarthe est en 1955 la deuxième fédération dorgériste de France, derrière le Calvados. Dorgères lui-même vient dans la Sarthe au moins deux fois. Le 26 mars 1954, au Mans, des opposants nombreux l'empêchent de parler. Le 8 septembre 1954, il est à Saint-Mars-sous-Ballon pour soutenir Levacher, cultivateur, qui doit vendre deux vaches pour payer la Caisse d'allocations familiales. Levacher, secrétaire départemental de la « Défense paysanne », est d'ailleurs candidat aux législatives en 1946 et 1956 sur la liste Lefèvre-Pontalis.

Le jour de la vente, Poujade est également présent. Pourtant, poujadistes et dorgéristes ne s'entendent pas aux élections de 1956. Il ne semble pas qu'il faille accorder une grande importance à l'élection de Bône qui n'est que l'écho de la percée nationale des poujadistes car, sur le plan local, ils n'ont aucune implantation. Rares sont les manifestations poujadistes comme celle du 14 mai 1956, où 300 sympathisants, dont le député Bône, répondent à l'appel d'un transporteur d'Ecommoy qui refuse de payer une taxe locale, ce qui leur attire un billet de la part de Dronne.

> Le député Maire d'Ecommoy remercie les travailleurs poujadistes venus pour la plupart d'Indre-et-Loire qui ont fait œuvre [...] de contribuables volontaires en acquittant en nature une journée de prestations sur les chemins ruraux pour le compte d'un économiquement faible. Les manifestants ont, par ailleurs, donné aux habitants d'Ecommoy l'occasion inespérée d'admirer une imposante exposition automobile avec de nombreuses puissantes et luxueuses voitures. (Le Maine Libre, 15 mai 1956).

Les événements internationaux et la décolonisation ont peu marqué la vie politique sarthoise, malgré les rôles joués au plus haut niveau par Pineau et Letourneau, ou l'intérêt porté à l'Indochine par Dronne. La guerre d'Algérie a suscité quelques manifestations comme celle du 16 mai 1956, lors du départ de soldats du contingent au Mans, alors que deux jours auparavant Soustelle prononce une conférence favorable à l'Algérie française.

BIBLIOGRAPHIE

A.C.O. — *Les 24 Heures du Mans (1923-1982)*, Paris, 1982.

ALLAIN (J.-C.). — « Solidarité régionale et détresses privées dans la Sarthe pendant la Grande Guerre », *Annales de Bretagne et des Pays de l'Ouest*, n° 3, 1982.

BLOT (J.). — *La Sarthe, un département de l'arrière pendant la Grande Guerre*, Université du Maine, 1977, 274 p.

COUTELLE (R.). — « Statistique de la déportation. Département de la Sarthe de juin 1940 à août 1944 », carte des « Internés, des déportés, fusillés, victimes civiles de la Sarthe », *Bulletin du comité d'histoire de la Deuxième Guerre mondiale*, n° 203, 1973.

DIEULEVEULT (A. de). — *Histoire des chemins de fer d'intérêt local de la Sarthe (1872-1947)*, Le Mans, 1964.

GOUHIER (J.). — *Naissance d'une grande cité : Le Mans au milieu du XXe siècle*, Paris, 1953.

Le Livre d'Or de la Sarthe, édité par la Chambre de commerce, Le Mans, 1956.

PIERRET (G.). — *La nécessité économique de l'aménagement du territoire dans le Maine*, Le Mans, 1960, 245 p.

PINEAU (C.). — *Mon cher député*, Julliard, 1959.

PIOGER (A.). — *Le Mans et la Sarthe pendant la Seconde Guerre mondiale*, 1976, 288 pages.

ROSIER (M.). — Nombreux entretiens avec des personnalités politiques : Manceau, Pineau, Letourneau, Chapalain, Collet, Dronne, Saudubray ; ainsi que divers articles sur la vie politique, *la Vie Mancelle*.

ROUXEL (J.-P.). — *La naissance du Front populaire à travers la presse du Mans (février 1934 - mai 1936)*, Rennes, 1968, 166 p.

VILLERET (M.-C.). — *La presse sarthoise et le premier gouvernement Léon Blum de Front populaire (juin 1936 - juin 1937)*, Université du Maine, 1975, 113 p.

Documents :

Santé, hygiène et médecine dans la Sarthe (XIXe siècle - milieu XXe siècle), Lycée de La Ferté-Bernard, 1979.

La Sarthe : choix de documents 1914-1939, C.D.D.P. Le Mans, 1978.

La Sarthe : choix de documents 1939-1947, C.D.D.P. Le Mans, 1981.

Les cahiers du Maine libre, 1944-1945.

La vie quotidienne sous l'occupation 1940-1944, A.R.D.O.S., pochette n° 22.

La Ferté-Bernard et le pays sarthois, recueil de cartes postales, éditions Bellanger, La Ferté-Bernard, 1981.

Le Mans et le pays manceau, recueil de cartes postales, éditions Bellanger, La Ferté-Bernard, 1982.

Sillé-le-Guillaume et les Coëvrons en cartes postales anciennes, La Ferté-Bernard, 1982.

Cathédrale du Mans et circuit des Vingt-Quatre Heures. *(Montage J.-M. Martin).*

La Sarthe
d'aujourd'hui :

ruptures et nostalgie
(Depuis 1958)

CHRONOLOGIE

Octobre 1955	Création du Comité d'expansion économique.
1956	8.500 salariés chez Renault.
30 mai 1958	De Gaulle répond affirmativement à l'appel du président Coty.
28 septembre 1958	La Sarthe vote oui au référendum constitutionnel.
1960	Création d'un Collège scientifique universitaire au Mans.
8 janvier 1961	Référendum sur l'Algérie.
1961	Création du label « Poulet de Loué ».
1963	Début de l'opération Sablons-Gazonfier.
1965	Démarrage de la Percée centrale.
19 décembre 1965	Réélection de de Gaulle.
16 mai 1968	Début de la grève chez Renault.
Juin 1968	Victoire des modérés aux législatives.
1968	La production laitière sarthoise atteint 4,5 millions d'hectolitres.
1969	Ouverture du premier hypermarché au Mans.
27 avril 1969	Victoire du « non » dans le département.
1970	10.000 ouvriers chez Renault.
1971	La liste conduite par le docteur Maury est réélue au Mans.
19 mai 1974	Valéry Giscard d'Estaing majoritaire en Sarthe.
Décembre 1975	Arrivée de l'autoroute en Sarthe.
17 mars 1976	Un socialiste indépendant, M.-F. Poignant, devient président du conseil général.
1977	Le Mans devient université.
1977	Victoire des listes conduites par R. Jarry et Y. Luby au Mans et à Allonnes.
Juin 1978	Ouverture de l'autoroute jusqu'au Mans.
19 mars 1978	Un communiste, Daniel Boulay, député de la deuxième circonscription.
14 décembre 1980	Décès de Joël Le Theule, ministre, député-maire de Sablé.
10 mai 1981	François Mitterrand majoritaire en Sarthe.
1981	L'aire de production des poulets de Loué est élargie à l'ensemble de la Sarthe ; 9,3 millions de têtes.
1982	Projet de T.G.V.
1982	La SOCOPA dépasse 1.000 salariés.
24 mars 1982	Réélection de M. d'Aillières à la tête d'un conseil général aux pouvoirs élargis.
14-15-16 mai 1982	Inauguration au Mans de la cité « Cénomane ».
1983	Premières représentations du Centre théâtral du Maine.

La baisse générale de la natalité, y compris dans les milieux agricoles, et l'essor de l'urbanisation constituent les premiers signes des ruptures actuelles observables en Sarthe. C'est peut-être aussi à « la fin des paysans » que nous assistons dans notre département. Devenus agriculteurs, ceux-ci se comportent plus en chefs d'entreprise, ce qui n'a pas, d'ailleurs, uniformisé nos paysages ; au contraire, les « pays » ont retrouvé une certaine personnalité et la Sarthe apparaît comme une région diversifiée, évoquant tantôt la Basse-Normandie ou le Bas-Maine, tantôt la Beauce, tantôt les Pays de Loire. Mais l'opposition entre le nord-ouest et le sud-est s'est bien atténuée aujourd'hui, en politique par exemple, et l'influence du Mans se fait profondément sentir, cimentant ainsi l'unité d'un département devenu de plus en plus industriel, une industrie dominée bien sûr par l'automobile et l'agro-alimentaire.

Région de marge, la Sarthe a parfois des difficultés à se situer. Hésitant entre Tours, Caen, Nantes, profondément marqué par l'influence parisienne, le département apparaît bien comme la porte de l'Ouest.

L'insertion dans les Pays de la Loire n'est plus remise en cause. On ne reviendra pas sur cette appartenance. Le rattachement à Nantes peut, certes, paraître artificiel, mais la politique suivie par les assemblées régionales fait que la Sarthe accepte son intégration. Avec l'autoroute vers Angers-Nantes et le T.G.V., les liens pourraient s'accentuer, mais tout dépendra de ce que deviendra la Région. (Michel d'Aillières, sénateur, président du conseil général, entretien, 10 mai 1982).

Au terme de longs siècles d'une histoire souvent troublée, la Sarthe vit aujourd'hui de profondes mutations, de véritables ruptures qui peuvent expliquer le mal-être actuel, la crise s'y ajoutant, des Sarthois hésitant nostalgiquement aux lisières du monde rural et de la société urbaine.

L'évolution récente de la population

Les transformations démographiques

Au 1er janvier 1981, la population de la Sarthe était estimée à 500.000 habitants (490.500 au recensement de 1975, 443.000 en 1962). Elle continue à augmenter et le rythme annuel s'est même accéléré : + 0,65 % entre 1954 et 1962 ; + 0,70 % entre 1962 et 1968 ; + 0,86 % entre 1968 et 1975.

Mais les courbes laissent sous-entendre une croissance moins rapide au Mans même que dans le reste du département. Avant de préciser les différents comportements dans l'espace, il convient d'expliquer que ce résultat est obtenu par un mouvement inverse des deux types de mouvements démographiques : le mouvement naturel et le mouvement migratoire. Dans les trois périodes, le mouvement naturel est positif, mais le solde annuel qui en résulte diminue : + 1,01 % ; + 0,90 % ; + 0,81 % ; en 1980, il n'est plus que de 0,52 %. Le solde migratoire est allé en s'améliorant : — 0,36 % ; — 0,19 % ; + 0,05 % ; il devient positif dans la dernière période. C'est lui qui, en dernière analyse, est le responsable de l'amélioration constatée d'une période à l'autre.

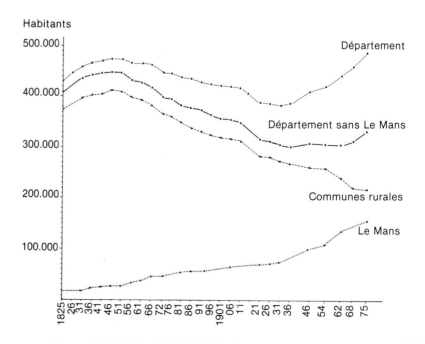

Evolution de la population

L'évolution du solde naturel illustre deux aspects de la démographie : la baisse générale de la natalité et le glissement du dynamisme démographique de la zone rurale vers les communes urbaines.

Il y a un recul des fortes natalités et l'établissement d'un nouveau comportement autour de valeurs bien plus faibles.

Ces modifications de la fécondité sont indissociables de celles qui affectent la société ; elles résultent de décisions quant à la venue ou non d'un enfant dans un foyer ; elles sont du ressort du changement social et culturel : la scolarisation prolongée qui retarde l'âge du mariage diminue la natalité. C'est un phénomène de société ; le fait de n'avoir qu'un ou deux enfants résulte de décisions individuelles, mais il contribue à mettre en place une société nouvelle constituée de ménages de dimensions réduites. Les ménages d'agriculteurs ne sont pas à l'écart de ce phénomène : dans de nombreuses communes rurales, ces ménages (en ne retenant que ceux qui ont au moins un enfant de moins de 16 ans) ont moins d'enfants que les autres. Une comparaison effectuée dans les cantons de Sablé, Malicorne, La Flèche, d'après les recensements de 1962 et de 1975, montre que dans les ménages d'agriculteurs le nombre de jeunes enfants de moins de 5 ans est tombé de 852 en 1962 à 333 en 1975, alors que dans les deux petites villes de Sablé et La Flèche il passait de 1.466 à 2.060. Si l'on rapporte ces chiffres au nombre de femmes de 15 à 49 ans, l'indicateur de fécondité ainsi obtenu passe de 0,38 à 0,23 dans les ménages d'agriculteurs, de 0,38 à 0,34 à La Flèche, de 0,31 à 0,40 à Sablé dans les autres ménages. Les communes rurales ont donc bien cessé d'être des réservoirs de jeunes et c'est là qu'il semble nécessaire d'aller chercher les foyers de la baisse de la fécondité, principalement chez les agriculteurs.

Le solde naturel

Les tendances de l'évolution de la population des communes sarthoises (1962-1975)
(Sources : R.P. 1962, 1968, 1975. INSEE)

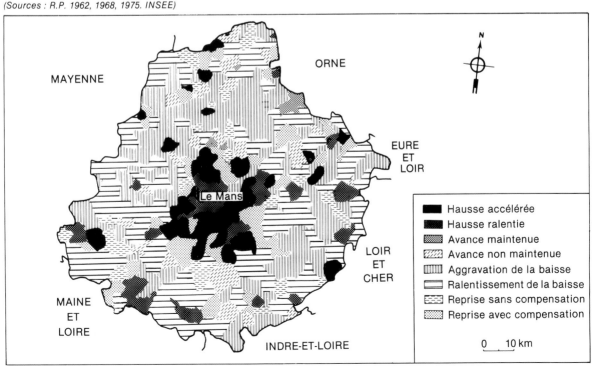

Légende :
- Hausse accélérée
- Hausse ralentie
- Avance maintenue
- Avance non maintenue
- Aggravation de la baisse
- Ralentissement de la baisse
- Reprise sans compensation
- Reprise avec compensation

0   10 km

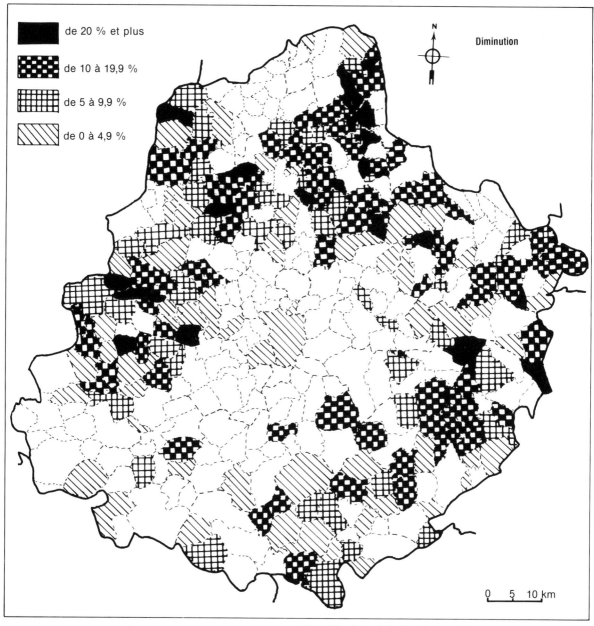

Répartition de la diminution de la population par cantons (1975-1982)
(Source INSEE, résultats provisoires, 1982).

Actuellement, l'évolution de la natalité est caractérisée par le resserrement des maternités dans la période 20-30 ans ; si la proportion de femmes de cet âge est plus forte dans une commune, c'est la fécondité de l'ensemble de la commune qui augmentera. Or, les migrations intérieures des campagnes vers les villes y renforcent la catégorie 20-30 ans, car elles concernent des jeunes adultes venant y travailler comme ouvriers ou employés ; le cas de Sablé est démonstratif par l'ampleur de l'augmentation de sa population passée de 7.544 habitants en 1962 à

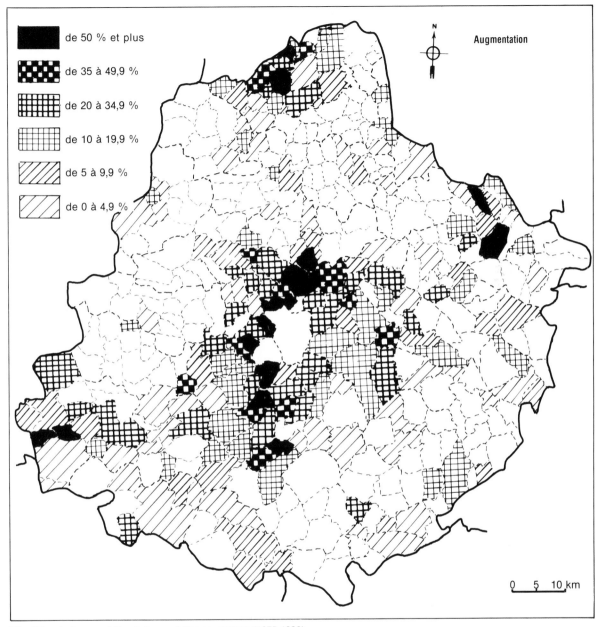

Répartition de l'augmentation de la population par cantons (1975-1982).
(Source INSEE, résultats provisoires, 1982).

10.717 en 1975, soit 42 % en plus, et la hausse de l'indicateur de fécondité qui provient du renforcement du groupe des jeunes actifs. Ces chiffres expriment un des aspects du rajeunissement de la population de petites villes et du développement des activités du secteur secondaire. Les classes d'âges sur lesquelles se resserre la fécondité y sont plus nombreuses, mais cette amélioration de la structure par âges n'a pas un effet équivalent sur la natalité.

L'évolution de la répartition géographique de la population - L'essor urbain

La population est de moins en moins régulièrement répartie dans le département. L'essor de la population urbaine et la place prise par Le Mans créent un contraste de plus en plus frappant. Toutefois, l'incorporation à l'agglomération mancelle de nombreuses communes alentour y remet en cause le dépeuplement rural. Sur la carte, on voit apparaître à 15 ou 20 kilomètres du Mans des communes où la population, en remontant de 1968 à 1975, avait retrouvé et même dépassé son niveau de 1962 (catégorie : reprise avec compensation). Il en est de même dans le nord près d'Alençon, en bordure de Mamers, La Ferté-Bernard, Château-du-Loir, La Flèche et Sablé ; en revanche, la hausse s'était ralentie dans la ville centre. Dans la région de Sablé, où la ville a encore progressé de 2.000 habitants entre 1975 et 1982, l'effet d'entraînement s'est poursuivi à Courtillers, Solesmes, et s'est étendu récemment jusqu'à Louailles et Parcé vers l'est. Près de La Flèche, où la population est restée à son niveau de 1975, l'effet d'entraînement s'est déplacé de Bazouges vers Cré, Clermont-Créans, Mareil, toujours dans la vallée du Loir.

Ces changements dans le dynamisme du peuplement des petites communes proches des villes doivent être interprétés avec précaution car ils résultent de la balance entre départs et arrivées ; il y a quelques années, quand les départs d'agriculteurs étaient nombreux, l'arrivée de nouveaux ruraux ne parvenait pas à compenser la perte de la population ; maintenant, il part moins d'agriculteurs car ceux-ci restent peu nombreux, il n'y a plus de domestiques agricoles et presque plus d'aides familiaux dans les exploitations non spécialisées qui disparaissent. Les effets de l'exurbanisation sont alors apparents. Ainsi, dans le groupe du Mans se dessinent trois types de communes : les villes du Mans, d'Allonnes, de Coulaines ont vu leur croissance se ralentir ; Le Mans a même perdu 10.000 habitants entre 1975 et 1982 ; dans une deuxième série de communes (Changé, Ruaudin, Mulsanne, par exemple), elle s'est accélérée ; enfin, sur le pourtour la troisième catégorie est celle de la reprise avec compensation ; la carte n'est pas très régulière, mais il est quand même possible d'évoquer une disposition en couronne.

Une telle évolution, qui n'a pu que s'accentuer depuis : stabilité et même baisse au centre, croissance dans la couronne extérieure, est à mettre en rapport avec les processus de redistribution de la population dans les grandes agglomérations : dans la zone centrale est privilégiée l'activité professionnelle et défavorisée la vie familiale ; les appartements plus petits sont occupés par des jeunes ménages sans enfants, des célibataires, tandis que le vieillissement a le même effet : départ des enfants, personnes qui restent seules ; le taux d'occupation des logements diminue. Au contraire, c'est en famille qu'on s'installe à l'extérieur par accession à la propriété d'une maison individuelle ; promotion sociale par le passage du statut de locataire à celui de propriétaire, vie familiale élargie vont de pair. Ainsi, les constructions neuves isolées ou groupées parsèment le territoire des communes rurales, d'abord dans tout le secteur sud du Mans, plus récemment dans le secteur nord (exemples : Lavardin, La Chapelle-Saint-Fray, Sainte-Sabine). Se sont trouvées transposées dans toutes ces communes les méthodes de construction urbaine : promoteurs et industrialisation de

Allonnes. Grand ensemble ou ville nouvelle ?
(Cliché J.-M. Martin).

la construction. La remise en cause du développement à partir du transport individuel peut ramener vers Le Mans, dans les quartiers vieillis qui entourent le centre ville, des familles plus jeunes mais avec un nombre d'enfants réduit, de sorte que la population n'augmentera pas dans les mêmes proportions. C'est le même phénomène qui a pu faire illusion dans de nombreuses communes rurales plus éloignées : les lotissements, les constructions neuves ont marqué le paysage et les esprits, mais les familles qui les habitent n'ont plus autant d'enfants que celles qui sont parties après la Seconde Guerre mondiale ; les familles d'agriculteurs ont moins d'enfants elles aussi et le vieillissement diminue encore le taux d'occupation des anciens logements, souvent réunis pour donner une maison plus spacieuse et plus confortable. L'extension des bourgs compense mal la diminution de la population dispersée : une exploitation agricole qui disparaît, c'est deux personnes retraitées qui s'installent au village, mais aussi le vide dans des lieux où vivaient vingt ans plus tôt cinq ou six personnes. De sorte que, dans les cantons où toutes les communes sont rurales (Brûlon, Marolles-les-Braults...), la perte de population continue.

Mutuelle générale française, site de la Californie. A l'arrière-plan, l'île aux sports et le lac des Sablons. *(Cliché M.G.F.).*

En voulant habiter près des villes mais en y délaissant le centre, les Sarthois, poussés par les changements dans la structure des emplois, hésitent aux lisières du monde rural et de la société urbaine.

Evolution de la population active

Le secteur secondaire

En 1954, les activités industrielles employaient 46.400 habitants du département de la Sarthe, soit 24,7 % des actifs ; en 1980, on est passé à 75.650 personnes, 37,25 % des actifs ; alors que la totalité de ceux-ci n'augmentait que de 15.280, ceux de l'industrie s'accroissaient de 29.250 et ceux du tertiaire de 41.325. C'est entre 1962 et 1968 que le rythme d'accroissement des emplois du secteur secondaire a été le plus élevé.

Evolution de la composition de la population active de la Sarthe (en %)					
Secteurs	1954	1962	1968	1975	1980
Primaire	44,8	35,6	27,1	16,4	13,9
Secondaire	24,7	29,6	34,9	38,3	37,3
Tertiaire	30,5	34,8	38	45,3	48,8
Total des actifs	187.800	185.545	193.416	204.370	203.080

(Source : *la Sarthe dans la région des Pays de la Loire*, brochure de la C.C.I. du Mans et de la Sarthe, 1981)

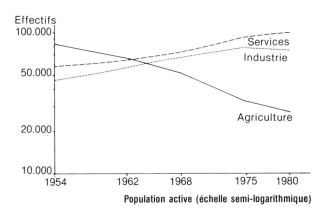

Population active (échelle semi-logarithmique)

Sur le court terme (1975-1980), les emplois du secteur tertiaire restent les seuls à augmenter, y compris les effectifs salariés du secteur privé. Cette dernière progression résulte, entre autres causes, de la politique des entreprises qui recourent, pour les travaux d'entretien, aux services de sociétés spécialisées, des changements de statut des actifs du commerce. Mais ce sont surtout les assurances qui assurent le dynamisme du tertiaire (près de 50 % des emplois sarthois d'aujourd'hui).

> *Les assurances : Le Mans peut prétendre au titre de « Cité des Assurances », étant le siège de trois importants organismes connus sous le nom de Mutuelles du Mans. Cette branche d'activité regroupe 4.200 emplois, et est notamment représentée par : la Mutuelle du Mans Assurance Incendie, la plus ancienne puisqu'elle fut fondée en 1821, la Mutuelle Générale Française (M.G.F.), qui vit le jour en 1883, et la Défense Automobile et Sportive (D.A.S.), créée en 1917. Ce groupe des Mutuelles du Mans, très décentralisé, possède de nombreux bureaux et délégations tant en France qu'à l'étranger. (L'économie sarthoise, 3e trimestre 1979, p. 21, C.C.I. du Mans et de la Sarthe).*

La baisse du nombre des agriculteurs s'inscrit dans une évolution de longue durée ; elle ne s'accompagne pas d'une baisse de la production agricole, mais elle multiplie le nombre des exploitations où le travail d'une seule personne suffit ; les conséquences sociales de ce phénomène sont évidentes car il n'y a plus l'unicité du revenu du ménage encore appelé « d'agriculteurs ».

Entre les deux derniers recensements agricoles (1970-1979), le nombre de chefs d'exploitation travaillant à temps complet sur leur terre, c'est-à-dire au moins quarante heures par semaine, a diminué d'un quart, passant de 13.500 à 9.900 environ. Près de 40 % du nombre total de chefs d'exploitation ont actuellement des revenus extérieurs. Même si on exclut les retraités, les doubles actifs représentent encore 23 % du total. Un sur cinq de ces actifs travaille dans une autre exploitation agricole ou dans une profession para-agricole ; dans les quatre autres, deux seulement sont ouvriers-paysans au sens strict, c'est-à-dire ouvriers d'industrie, les autres étant, pour les deux tiers, des commerçants, artisans ou salariés modestes, les autres des gens aisés pour lesquels la double activité n'a rien de vital.

La stagnation du nombre d'ouvriers-paysans est normale car les effectifs du secteur secondaire ne progressent plus depuis 1975, leur nombre a même diminué.

Croissance du tertiaire

La baisse du nombre des agriculteurs

Les mutations agricoles

L'évolution des structures

Le vieillissement de la population agricole

Au cours de la dernière période, peu de jeunes agriculteurs ont remplacé leurs aînés : on est passé de 650 installations par an vers 1955 à 120-150 vers 1970, alors que 800 à 1.000 hommes et femmes prenaient chaque année leur retraite. Et, depuis, la situation ne s'est guère améliorée.

Certes, aujourd'hui le nombre d'installations annuelles ne diminue plus : les résultats obtenus par les exploitants de pointe sont assez bons pour que leurs enfants désirent leur succéder et, en période de crise, les moins enthousiastes trouvent difficilement du travail à l'extérieur. Mais, dans le même temps, les générations nombreuses qui avaient entre 40 et 50 ans vers 1970 vont atteindre l'âge de la retraite (on la prend de plus en plus tôt grâce à l'indemnité viagère de départ) : la pyramide des âges des exploitants est de plus en plus triangulaire pointe en bas.

C'est souvent la difficulté de trouver une femme dans son milieu qui retient le fils d'agriculteurs aisés de s'installer : après la guerre, les filles ont déserté la campagne plus que les garçons, refusant de mener la même vie que leurs mères dans de petites fermes sans confort. En 1975, on ne comptait plus que 330 femmes pour 770 hommes dans la population agricole et les jeunes agriculteurs commencent à épouser des institutrices, des infirmières...

La concentration des exploitations

Du fait du petit nombre de reprises, les exploitations sarthoises se concentrent : leur taille moyenne, qui était inférieure à 14 hectares en 1955, atteignait presque 20 hectares dès 1970 et elle dépasse à coup sûr 25 hectares en 1982 (24,5 hectares au recensement agricole de 1979). Certes, on est loin du gigantisme et la disparition de petites exploitations trop nombreuses sur les sables a d'abord été bénéfique. Cependant, les suppressions se poursuivent à un rythme inquiétant, surtout dans la moitié sud-est du département où les terres sont plus pauvres : en moins de dix ans (1970-1979), quatorze cantons ont perdu plus de 25 % de leurs exploitations et, dans sept de ces cantons, les pertes ont été supérieures à 28 % !

Dans ces conditions, l'exploitation moyenne de la Sarthe, qui était primitivement plus petite que celle de la Mayenne et se situait à peu près au niveau de la moyenne régionale, est maintenant très au-dessus de celle-ci. Ce ne sont pas les très petites exploitations, de moins de 5 hectares, qui disparaissent le plus vite car nombre de celles-ci peuvent survivre grâce à l'agriculture à temps partiel ; les plus touchées sont les exploitations de 5 à 20 hectares ; mais, fait nouveau, depuis quelques années, même des exploitations de plus de 20 hectares disparaissent. A l'inverse, les exploitations de plus de 50 hectares sont moitié plus nombreuses en 1979 qu'en 1970. A ce rythme, la pression sur les exploitations libérées ne peut que se relâcher et le combat des syndicalistes agricoles « pour les structures » sera bientôt un combat d'arrière-garde, d'autant que très peu d'enfants naissent dans les familles agricoles aujourd'hui.

Le fait qu'on tende assez rapidement vers la « grande » exploitation à l'échelle de l'Ouest ne peut qu'influer sur le choix des systèmes de production. Cependant, de petites exploitations demeurent, surtout dans le croissant sableux qui s'étire à l'est et au sud du Mans, et il convient de préciser d'abord leurs orientations.

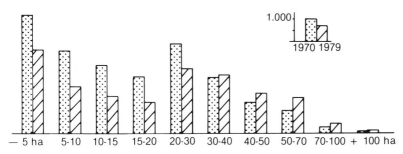

Evolution du nombre d'exploitations selon la taille
entre les recensements de l'agriculture de 1970-71 et de 1979-80
(Source : D.D.A.)

L'évolution des systèmes de production
dans les petites et moyennes exploitations

Au cours des vingt dernières années, la polyculture avec élevage laitier qui régnait dans presque toutes les exploitations a fait place, peu à peu, à des systèmes plus spécialisés, capables d'apporter des revenus suffisants à l'hectare. Seuls se soucient peu d'intensifier les agriculteurs âgés qui ne veulent plus investir et les agriculteurs à temps partiel qui ont peu de temps à consacrer à leur exploitation et ont d'autres revenus.

Légumes et petits fruits

Le maraîchage et l'horticulture ont peu tenté les cultivateurs manceaux, même aux abords de la grande ville qui ne dispose pas d'une couronne maraîchère très continue. Les légumes se cultivent surtout dans les vallées de l'Huisne et de la Sarthe (Yvré-l'Evêque, Changé, Saint-Georges-du-Bois, Allonnes, où l'on a créé une zone maraîchère pour recaser les maraîchers des Sablons expropriés lors de la construction de la Z.U.P.). Et les producteurs, qui n'acceptent pas tous d'être encadrés par la coopérative « le Maraîcher Sarthois », pratiquent beaucoup la vente directe sur les marchés du Mans, qui ont gardé un certain caractère archaïque.

Publicité pour une culture sous contrat.
(Extrait d'Agriculture Sarthoise, 24-04-82).

Certes, quelques agriculteurs ont réussi une percée grâce à la culture des fraises et des asperges qui conviennent bien sur les sables ; cependant, ces cultures stagnent, faute de main-d'œuvre suffisante au moment de la récolte, dit-on.

La culture de la pomme de terre de luxe B.F.15, lancée en 1955, a connu d'abord un certain succès dans le Belinois et sur les sables de part et d'autre, mais elle est aujourd'hui en net recul non seulement parce qu'elle demande trop de travail (l'arrachage est une tâche pénible qui rebute les femmes de nos jours), mais encore parce qu'elle n'est plus assez rémunératrice.

Les cultures sous contrat, à débouchés assurés, ont plus de succès : cornichons et choux à choucroute pour l'usine Christ, de Connerré, et cassis pour l'usine de la Société industrielle des alcools de l'Ouest, à Vernie, qui fait des jus de fruits. La cueillette des cornichons est longue et fatigante : on fait souvent travailler les enfants, de même que pour cueillir les cassis, mais on commence à récolter ces derniers à la machine.

Vigne et vergers

Alors que ces cultures sont assez diffuses dans l'espace sarthois, l'arboriculture fruitière, qui a pris un grand essor dans notre région autour de 1950, s'est surtout développée dans le sud, dans la vallée du Loir.

Après la guerre, les fruits manquaient sur les marchés européens et les pommes se vendaient bien. Aux vieilles vignes plantées après le phylloxéra et que la production de vin irrégulière, en quantité et en qualité, ne justifiait plus de replanter, on a substitué alors des vergers. Ceux-ci ont débordé rapidement hors des dernières régions viticoles : vergers de haute tige d'abord, produisant une pomme locale appréciée, la Reinette du Mans, puis vergers de basse tige, capables de donner, avec moins de travail, d'abondantes récoltes de Golden. Puis les variétés américaines se sont diversifiées, des poiriers se sont ajoutés.

Si les Pays de la Loire sont devenus gros producteurs grâce à la constitution de grands vergers industriels, les petits arboriculteurs, nombreux autour de Château-du-Loir, ont profité largement, pendant un temps, eux aussi, de la prospérité apportée par la pomme. Mais, aujourd'hui, la surproduction règne, les cours baissent et les petits producteurs arrachent. On replante bien quelques vignes car le public aime de plus en plus les vins de pays, et on essaie de restructurer le vignoble, mais ces efforts récents sont encore timides.

Les élevages industriels

Les élevages industriels sont une autre solution pour les exploitants modestes : les poulaillers de poulets de chair et poules pondeuses sous contrat avec les grosses firmes d'aliments pour le bétail se sont multipliés chez les petits fermiers. Il était préférable, pour ceux qui le pouvaient, c'est-à-dire ceux de l'ouest, d'entrer dans le groupement de producteurs de « poulets de Loué », élevés dans des conditions qui leur ont valu très vite un label de qualité et leur ont assuré une clientèle croissante.

C'est bien pour sauver les petits agriculteurs qu'a été lancé en 1959 ce « poulet de Loué » et le succès a été rapide. A partir de 1972, la production du SY.VO.L. (Syndicat des volailles fermières de Loué) s'est diversifiée : dès 1978, on vendait à peu près 5 millions de poulets par an, sans compter les dindes, pintades et canards... Les petits exploitants qui se sont lancés dès le début ont bien réussi mais, aujourd'hui, les investissements nécessaires pour créer de nouveaux poulaillers, en unités de plus en plus grosses, sont devenus tels, qu'ils sont plutôt réalisés par de grands exploitants.

L'élevage laitier

Dès que la surface est suffisante, aux cultures intensives on préfère l'élevage laitier qui demande moins de travail tout en étant d'un bon rapport. Beaucoup d'agriculteurs ont pu passer de la polyculture à l'élevage laitier spécialisé intensif en grossissant peu à peu leur troupeau et en l'améliorant. Certains ont renoncé à l'élevage mixte (lait-viande) en remplaçant leurs vaches normandes par des frisonnes, meilleures laitières (cette race, introduite dans la Sarthe vers 1960, progresse régulièrement).

Parallèlement aux efforts d'amélioration de cheptel, beaucoup d'éleveurs ont, depuis une vingtaine d'années, intensifié leur production fourragère en remplaçant des prairies naturelles peu productives par des prairies temporaires et des cultures de fourrages à ensiler, ray-grass et surtout maïs : cette « révolution fourragère », possible même sur les terres pauvres, a permis dans beaucoup d'exploitations de doubler le troupeau de vaches laitières. Et certains sont allés très loin dans la voie de la spécialisation en n'élevant même plus leurs génisses de remplacement.

Les régions qui produisent beaucoup de lait grâce à une masse de petits et moyens producteurs forment autour du Mans une couronne dont les points forts sont le bocage des Alpes mancelles et certains cantons des sables (Ballon, Montfort...), mais qui laisse en blanc les pays céréaliers, plaines jurassiques, environs de Saint-Calais et vallée du Loir.

Les choix nouveaux des grandes exploitations

Persistance de l'élevage bovin dans certaines régions

Les exploitants qui disposent d'au moins 40 hectares — des « grands » à l'échelle locale — choisissent parfois, eux aussi, l'élevage laitier s'ils ont besoin d'argent, et ceci même dans l'est du département. Cependant, ce choix est assez rare car l'élevage laitier est astreignant et de plus en plus rejeté par les jeunes qui veulent sortir le dimanche et prendre des vacances. D'autre part, la surproduction de lait dans la C.E.E. et les mesures prises pour la résorber jouent plutôt en faveur de l'élevage pour la viande qui, lui, demande moins de travail. Fait significatif : entre les deux derniers recensements agricoles, le nombre de vaches allaitantes a plus que doublé, alors que celui des vaches laitières a légèrement diminé.

Les choix des grands exploitants varient d'un pays à l'autre. Dans les régions où l'herbe pousse bien et où il existe une tradition en faveur de l'élevage pour la viande à partir de la race Maine-Anjou ou de la

Saosnoise, on fait de préférence de l'élevage mixte ou de l'embouche : le Charolais, introduit vers 1950, a conquis des positions limitées mais solides (cf. entre les forêts de Sillé et de Charnie, vallées de l'Huisne et de l'Orne saosnoise...). A l'inverse, dans les régions plates qui se prêtent bien à la culture mécanisée et où les sols sont bons (terres de groie des plateaux calcaires, bournais des plateaux de l'argile à sils, terres franches du Saosnois), on revient à la culture céréalière.

Essor de la culture céréalière : le maïs et le blé

Le grand fait de l'histoire agricole sarthoise au cours des vingt dernières années est l'introduction du maïs hybride. Les surfaces récoltées en maïs-grain, encore très réduites dans les premières années soixante, atteignaient déjà 30.853 hectares au recensement agricole de 1970, tandis que le blé reculait, puis se stabilisait autour de 40.000 hectares. En 1973, le maïs-grain dépasse le blé en surface et est à son maximum avec plus de 53.000 hectares.

Cette préférence s'explique par les meilleurs rendements obtenus alors avec le maïs (60 quintaux à l'hectare contre 40 pour le blé en 1968), ceci avec moins de travail car la maïsiculture est très mécanisée, et avec une vente assurée à bon prix, la C.E.E. étant déficitaire.

Ainsi, le maïs, connu jadis dans la Sarthe, puis oublié, a conquis rapidement le Saosnois et le Belinois (sols favorables à cause des réserves en eau) et le sud (où il réussit mieux que le blé sur les teres légères, surtout si l'on irrigue) ; ensuite, ont été gagnés les plateaux à blé, plaines calcaires et plateau de Saint-Calais. En fait, le maïs a progressé partout où les grandes exploitations pouvaient trouver de l'eau pour arroser et seul le massif ancien ne lui est guère favorable.

Depuis 1974, toutefois, le blé connaît un regain de faveur (55.523 hectares contre 34.961 hectares de maïs au R.G.A. de 1979) car, même si l'on excepte l'année sèche de 1976, les rendements de maïs sont en baisse, alors que ceux du blé montent : avec les variétés nouvelles à paille courte, ils peuvent atteindre 70 quintaux et sont plus assurés. Ceci dit, le total des céréales a tendance à croître.

Bordage à Changé, en 1962, déjà rénové avec son puits. Dernières traces de la culture du maïs sur les sables : les épis sèchent sur le rebord du toit.
(Cliché J. Dufour).

Il existe de plus en plus de grandes exploitations sans bovins ou au moins sans vaches laitières, associant aux céréales des cultures industrielles comme la betterave à sucre (cf. Saosnois et plaine à proximité de Mamers, où se trouvait une sucrerie qui vient de fermer), le chanvre (qui réapparaît, diffus, pour la fabrication du papier), ou encore les semences fourragères (ray-grass d'Italie autour de Sablé et trèfle violet autour de Saint-Calais).

Mais peu d'exploitations sarthoises ont une taille suffisante pour vivre exclusivement de la grande culture. Dans le sud, les agriculteurs associent fréquemment maïs et vergers (et quelques-uns sont de gros arboriculteurs spécialisés). Ailleurs, beaucoup ont adopté un élevage industriel qui permet de valoriser le maïs en le transformant.

Les élevages industriels associés à la céréaliculture

Dans les pays céréaliers du Jurassique et autour de Saint-Calais jusqu'à Bouloire, beaucoup d'agriculteurs font du taurillon et surtout du porc en fabriquant eux-mêmes leurs aliments à partir de leurs céréales : l'engraissement du porc s'est beaucoup développé, en particulier, dans le canton de Conlie qui détenait, en 1980, dans ses 62 élevages, 28 % des porcelets sarthois.

Si cet élevage stagne actuellement, celui des volailles de Loué est la grande réussite sarthoise. Dans ce cas, les céréales transitent par les fabriques d'aliments pour le bétail, coopératives ou non, car tout est soigneusement contrôlé, mais cela n'empêche pas les éleveurs d'obtenir de bonnes marges. La production est devenue énorme (9,3 millions de têtes en 1981) et elle s'est encore diversifiée (chapons du Mans) ; l'aire de production, d'abord limitée à l'ouest, a été progressivement élargie à tout le département et déborde sur la Mayenne. Là encore, la Champagne mancelle, bien placée par rapport aux abattoirs de Sablé, se distingue : en voyant partout surgir de grands bâtiments d'élevage modernes alors que les bovins ne servent plus qu'à valoriser les terres impossibles à labourer, on mesure l'ampleur du changement qui a touché cette région encore laitière naguère, en particulier autour de Conlie.

Enfin, l'élevage du mouton, qui n'avait guère survécu qu'autour de Sablé et de Saint-Calais, renaît, car il donne, lui aussi, moins de travail que l'élevage laitier. Il se développe, avec des techniques nouvelles, non seulement dans ces deux régions, mais encore dans tout le nord-ouest de la Sarthe, en particulier dans les plaines, d'où il avait disparu depuis un siècle et demi.

Les effets régionaux et globaux de ces mutations récentes

Le renforcement des contrastes entre régions agricoles

Si l'on replace sur une carte les principales activités agricoles d'après les résultats du recensement agricole de 1979-1980, on est frappé par l'existence de plages homogènes.

Certaines petites régions ont un caractère céréalier bien net : plaine d'Alençon et de Mamers, Saosnois, à l'exception des communes

Part de la superficie en céréales dans la S.A.U. en 1980, en %.
(Source : Premiers résultats du recensement général de l'agriculture).

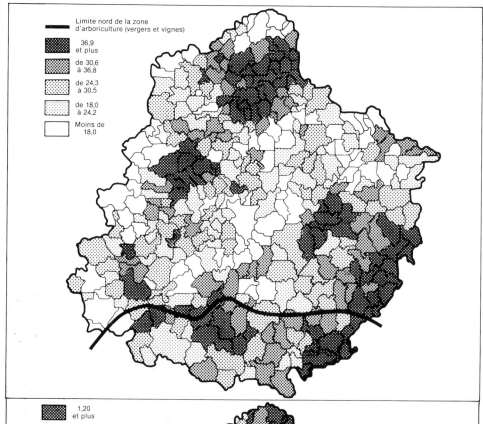

Limite nord de la zone d'arboriculture (vergers et vignes)

36,9 et plus

de 30,6 à 36,8

de 24,3 à 30,5

de 18,0 à 24,2

Moins de 18,0

Nombre de bovins par hectare de S.A.U. en 1980.
(Source : Premiers résultats du recensement général de l'agriculture).

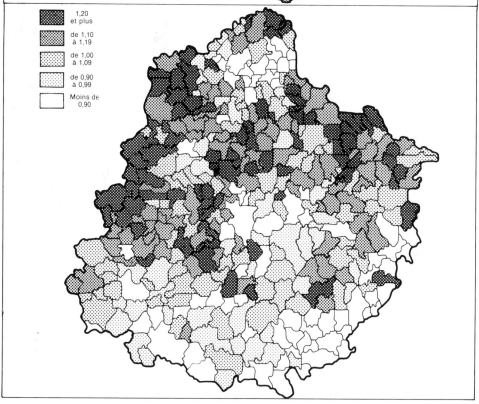

1,20 et plus

de 1,10 à 1,19

de 1,00 à 1,09

de 0,90 à 0,99

Moins de 0,90

riveraines de l'Orne saosnoise, Champagne mancelle autour de Conlie, environs de Saint-Calais et de La Chartre, plateaux bordiers de la vallée du Loir.

D'autres, au contraire, se consacrent essentiellement à l'élevage bovin plutôt pour la viande (cf. sur le massif ancien entre Sillé et Brûlon, autour de La Ferté-Bernard, sur les argiles cénomaniennes et les alluvions de la Sarthe à l'ouest et au nord du Mans), ou plutôt pour le lait (cf. au nord de Perseigne et dans le bocage des Alpes mancelles, entre autres...).

Quant aux cultures spéciales, elles se localisent surtout dans le sud : les dernières vignes se massent autour de Château-du-Loir et de La Chartre, alors que les vergers s'étalent d'est en ouest jusqu'aux environs de La Flèche.

Certaines communes apparaissent en blanc car elles n'ont pas de dominante, ce qui peut recouvrir soit la juxtaposition d'un peu de cultures légumières avec une polyculture d'arrière-garde pratiquée par des gens âgés ou des ouvriers-paysans (c'est le cas à l'est et au sud du Mans), soit le partage de la commune entre des exploitations spécialisées dans la culture ou dans l'élevage (par exemple, autour de Sablé et de Malicorne).

Ce dernier cas correspond à de petites régions où les sols sont variés et où, côte à côte, des exploitants placés dans des conditions semblables par ailleurs, peuvent avoir de bonnes raisons de faire des choix contradictoires. A l'inverse, les régions les plus homogènes sur la carte agricole sont en général celles qui ont des caractères physiques bien tranchés, qui inclinent la majorité des agriculteurs dans un sens déterminé. Ainsi, le bocage des Alpes mancelles, avec ses pentes bien arrosées, se prête mieux à l'élevage, en partie sur prairie naturelle, qu'à la grande culture ; celle-ci, en revanche, s'impose sur les groies plates et sèches des plaines dès que la taille des exploitations le permet, ce qui est très souvent le cas.

Ainsi réapparaissent des contrastes régionaux que la généralisation de l'élevage au cours de la période précédente avait eu tendance à effacer : les plaines redeviennent céréalières et contrastent avec les bocages d'élevage voisins. Mais il ne s'agit pas d'un retour au passé : les caractères des paysages, fortement marqués par l'évolution des techniques, sont là pour le rappeler. Ces contrastes sont la preuve des efforts des agriculteurs d'aujourd'hui pour tirer le meilleur parti de la mosaïque des régions naturelles sarthoises décrite au début de ce livre.

Les résultats économiques globaux

Le résultat de ces choix divergents selon les tailles d'exploitations et les régions agricoles est rassemblé, pour toute la Sarthe, dans un tableau qui fait apparaître l'évolution entre les deux derniers recensements agricoles.

Dans une S.A.U. (surface agricole utile) légèrement réduite du fait de l'urbanisation, des constructions de routes, etc., la S.T.H. (surface toujours en herbe) se restreint au profit des céréales : ceci a eu pour effet de faire monter le prix des terres de labour aussi haut que le prix des bonnes prairies, qui, au lendemain de la guerre, était beaucoup plus élevé. La culture des plantes sarclées, qui demande trop de travail, diminue sans cesse (moitié moins de pommes de terre en 1980), mais les cultures fourragères sont en plein essor.

Evolution de l'agriculture sarthoise entre les recensements de l'agriculture de 1970-71 et 1979-80			
	1970	1979	Evolution (en %)
Blé	34.961	55.523	+ 58,8
Orge........................	27.800	24.453	— 12
Maïs-grain	30.853	39.081	+ 26
Total céréales	108.329	126.351	+ 16,6
Pommes de terre	4.359	1.895	— 56,5
Cultures fourragères	56.531	81.943	+ 15
Vergers	2.599	2.490	— 4,2
S.T.H.......................	263.904	221.213	— 16,2
S.A.U.......................	453.499	442.371	— 2,5
Vaches laitières	133.047	130.393	— 2
Vaches nourrices	12.682	28.945	+ 128,2
Total vaches	146.729	159.338	+ 8,6
Total bovins	446.677	485.859	+ 8,8
Chèvres	6.553	6.926	+ 5,7
Brebis mères	18.070	34.731	+ 92,2
Truies mères	15.285	12.884	— 15,7
Total porcs	152.506	136.116	— 10,7
Poules	524.480	798.974	+ 52,3
Poulets de chair	1.049.120	2.960.102	+ 182,1

(Source : *D.D.A.*)

Au total, les surfaces consacrées aux animaux se réduisent, mais grâce à l'intensification fourragère le nombre de têtes de bétail ne diminue pas : si le nombre de vaches laitières faiblit, ceci est largement compensé par l'augmentation du nombre de bovins élevés pour la viande. D'autre part, le nombre de chèvres ne diminue pas comme on aurait pu le croire, car des élevages modernisés s'ajoutent aux élevages relictuels, et il en va de même pour l'élevage du mouton en plus spectaculaire : le nombre de brebis a presque doublé entre les deux dates ! Enfin, si l'élevage du porc est en crise, celui des volailles manifeste une belle vitalité.

Au total, dans la production agricole finale, les productions végétales représentent environ 25 % et les productions animales 75 %.

Malgré certains aspects positifs, ce qui est inquiétant c'est la préférence de plus en plus marquée des agriculteurs sarthois pour des systèmes plus extensifs (céréaliculture, élevage-viande) : on délaisse les productions intensives qui rapportent plus à l'unité de surface (légumes, élevage laitier et certains élevages industriels) : les célèbres rillettes du Mans sont de plus en plus fabriquées avec du porc breton. Dans ces conditions, le revenu brut d'exploitation par actif familial se dégrade et en 1977 la Sarthe était au 88e rang des départements de ce point de vue, ce qui ne laisse pas d'inquiéter.

Cette dégradation reflète à la fois le vieillissement des chefs d'exploitation (les vieux se soucient peu d'intensifier) et la montée des « grands » exploitants qui préfèrent la « course aux hectares » à l'intensification, car ils manquent de main-d'œuvre. En accroissant l'efficacité du travail, les nouvelles techniques ont masqué un moment le problème : il est patent aujourd'hui.

Les nouvelles techniques et leurs effets sur les paysages

La mécanisation de la culture

Quelle que soit la taille des exploitations et le système choisi, on cherche aujourd'hui a réduire le travail par de nouvelles méthodes et on fait à la machine de plus en plus de travaux.

Les tracteurs se sont répandus à partir des années cinquante : 3.000 environ en 1955, 16.439 en 1970. Depuis, on constate une relative stagnation du nombre total d'engins (18.982 en 1979), mais le nombre de tracteurs de plus de 35 CV a doublé entre 1970 et 1979, et ces grosses machines, qui ne formaient que 41 % du parc de tracteurs en 1970, en représentent aujourd'hui 71 %.

Pour le gros matériel de récolte, le progrès a été encore plus rapide au départ (65 moissonneuses-batteuses en 1955, 1.802 en 1970), mais, là encore, on recherche de plus en plus un matériel performant, en sorte que le nombre total d'engins a diminué (1.579 moissonneuses-batteuses en 1979 ; 577 ensileuses en 1970, 411 en 1979).

Sur les 18.048 exploitations recensées dernièrement, 4.019 n'ont pas de tracteur, ce qui laisse supposer que toutes les exploitations de

Mécanisation de l'agriculture.
(Cliché J.-M. Martin).

plus de 10 hectares en ont un et même presque toutes celles de plus de 5 hectares, et que toutes les exploitations de plus de 35 hectares en ont au moins deux. En fait, l'équipement pour les gros travaux n'est pas forcément individuel et les petits exploitants recourent fréquemment aux C.U.M.A. (cooopératives d'utilisation du matériel agricole).

Les C.U.M.A.

Les premières C.U.M.A. sont nées entre 1945 et 1950 avec les débuts de la mécanisation. Jusqu'en 1960, celles qui se sont constituées, à la suite, souvent, d'anciens syndicats de battage, étaient de grosses C.U.M.A. de plusieurs centaines d'adhérents, équipées de matériel divers. Elles se sont multipliées surtout dans les pays pauvres, de petites exploitations, à l'est et au sud du Mans, alors que dans la moitié nord-ouest, plus conservatrice, les agriculteurs se montraient plus individualistes.

Mais, entre 1960 et 1968, est née une nouvelle génération de C.U.M.A. mieux réparties sur le territoire départemental : il s'agit de petits groupements de 10 à 15 membres désireux d'acheter un matériel nouveau et cher, le plus souvent lié à la culture du maïs, et ces C.U.M.A. s'accompagnaient d'une entraide codifiée en « banque de travail ».

Sur les 200 C.U.M.A. que comptait la Sarthe en 1974, certaines ont disparu mais d'autres se sont créées pour l'arrosage ou le drainage, car la maîtrise de l'eau est à l'ordre du jour.

La culture irriguée, pratiquée d'abord dans le sud, plus exposé à la sécheresse, gagne vers le nord, surtout sur les sables et sur les plateaux calcaires. Le drainage des terres trop argileuses et des fonds de vallées a démarré plus tard, mais il progresse actuellement, en particulier au nord de Perseigne et dans le Saosnois ; ces travaux sont le plus souvent collectifs. En 1980, les surfaces irrigables atteignent 11.450 hectares (920 exploitations touchées) et les surfaces drainées récemment 12.362 hectares (161 exploitations concernées). On irrigue surtout du maïs, puis des cultures fourragères et des vergers.

Le travail des éleveurs

Les machines à traire, elles, sont des équipements individuels. Elles ont progressé moins vite que les tracteurs et les hommes ont profité de la mécanisation avant les femmes, traditionnellement chargées de la traite. Cependant, le nombre de ces engins a presque décuplé entre 1954 et 1970, passant de 850 à 8.150. Aujourd'hui, on n'imagine plus d'exploitation laitière de quelque importance sans salle de traite, où travaille aussi bien l'homme que la femme, et sans tank à lait réfrigéré.

Le travail des éleveurs se réduit aussi grâce à la multiplication des silos, à la pratique croissante du libre-service-ensilage pour les bovins, et grâce à la distribution automatique des aliments dans les ateliers d'élevage industriel.

Si l'on ajoute l'utilisation croissante des engrais et des désherbants chimiques, l'éclaircissage chimique dans les vergers, etc., on constate que la productivité du travail s'améliore dans tous les domaines. Ainsi, la production laitière sarthoise, qui a augmenté de 100.000 hectolitres entre 1970 et 1973 et est ensuite restée stable autour de 4,5 millions d'hectolitres, se fait non seulement avec des vaches plus productives, mais avec moins de travail : le nombre d'exploitations ayant des

Ensilage du maïs pour les vaches laitières, en silo couloir à Saint-Georges-le-Gaultier.
(Cliché J. Dufour).

vaches n'a cessé de reculer et les étables de grandir (1970 : 17.945 exploitations laitières avec 8 vaches/expl. ; 1975 : 12.540 exploitations laitières avec 10 vaches/expl.), ceci alors que le nombre de personnes travaillant dans ces exploitations ne cessait de diminuer. Aides familiaux et salariés disparaissent, seuls les gros arboriculteurs embauchent encore : au cours de la dernière décennie, dans l'ensemble des exploitations sarthoises, le nombre d'actifs familiaux a baissé de 30 % et le nombre de salariés permanents de 32 %.

Moins de main-d'œuvre plus efficace : ce progrès ne doit pas faire perdre de vue le problème énoncé plus haut ; est-on allé assez loin dans la voie de l'intensification en même temps que progressait la mécanisation ?

La simplification des paysages

Les nouvelles méthodes ont profondément transformé les paysages. Les grandes parcelles sont nécessaires pour éviter de tourner trop souvent les tracteurs. A mesure que la motorisation progresse, les petites bandes de cultures diverses, fourragères surtout, qui divisaient les petits champs complantés de pommiers dans les petites exploitations polyculturales, sur les sables en particulier, font place aujourd'hui à des champs plus vastes, voués à une seule culture, et on arrache de plus en plus les pommiers qui gênent le labour.

Ailleurs, les changements sont moins frappants car les paysages étaient moins complexes ; mais partout, champs et prés s'agrandissent et les mailles du bocage craquent : les régions d'élevages se couvrent de grandes pâtures entourées de barbelés, tandis que les régions céréalières rappellent la Beauce avec leur « openfield mosaïque ».

Le nouveau parcellaire se constitue soit par achats patiemment réalisés, soit par échanges amiables (cf. Champagne de Conlie), réalisés spontanément ou sous l'égide de la S.A.F.E.R. Mais ce sont les communes officiellement remembrées qui évoluent de la façon la plus spectaculaire.

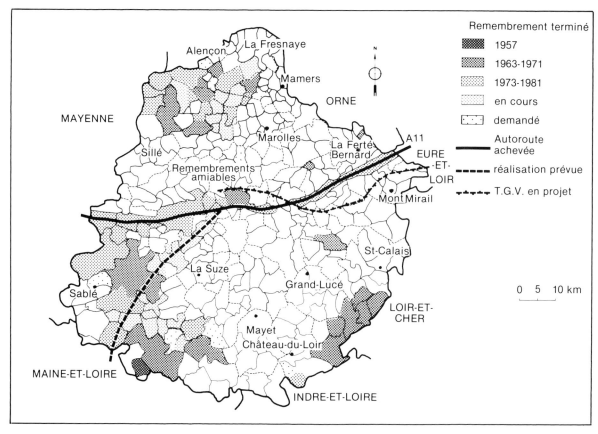

Remembrement terminé
- 1957
- 1963-1971
- 1973-1981
- en cours
- demandé

Autoroute achevée
réalisation prévue
T.G.V. en projet

0 5 10 km

Le remembrement

Le progrès du remembrement

Le remembrement n'a guère commencé dans la Sarthe avant 1963. En 1965, avec ses 1.672 hectares (trois communes), elle n'était qu'au 78e rang des départements français.

Une fois démarré, ce remembrement a progressé en tache d'huile dans trois secteurs, au sud-est, au sud-ouest et au nord-ouest. En effet, une fois les opérations terminées dans une commune, on oublie les inévitables dissensions survenues au cours de l'élaboration du projet pour ne plus retenir que les avantages, et les communes voisines ont tendance à imiter : les remembrements sont rarement isolés.

51.800 hectares étaient remembrés en 1970 et 85.100 hectares en 1974, et la Sarthe aurait conservé son retard relatif si la fixation du tracé de l'autoroute A 11 n'avait contraint un certain nombre de communes à accepter un remembrement total ou partiel. Une fois Le Mans atteint, l'autoroute a été prolongée vers l'ouest en direction de Laval : ainsi, les 100.000 hectares ont pu être atteints en 1978 et 123.000 hectares en 1981, soit 27 % de la surface totale. Actuellement, on commence les opérations sur le tracé de la future autoroute en direction d'Angers et on parle du T.G.V...

Ailleurs, il ne se passe rien, en particulier aux environs du Mans où les exploitations sont pourtant très émiettées, surtout sur les sables. En fait, le faible dynamisme de l'agriculture et la spéculation immobilière se conjuguent ici, chacun espérant qu'un jour sa parcelle sera terrain à bâtir. qu'il y ait ou non un P.O.S...

Le remembrement a entraîné l'arrachage de nombreuses haies : dans douze communes remembrées dans les débuts, on a arraché 1.207 kilomètres de haies, soit 87 mètres par hectare. Le nouveau parcellaire est généralement taillé dans le vif : on ne prévoit de maintenir que quelques haies bien venues, capables de freiner l'érosion sur les pentes ou de briser les vents d'ouest. Mais, bien souvent, les suppressions vont au-delà des intentions du géomètre et de l'écologiste...

Bocage et remembrement

Les agriculteurs, en effet, considèrent la haie comme une perte de travail et une perte de temps. Non taillée, elle s'élargit excessivement ; or, aujourd'hui, la main-d'œuvre manque et le besoin de bois n'est plus une motivation. Aussi la haie n'est-elle plus guère tolérée au bord des champs qu'en limite de propriété et les pays de culture sont de plus en plus découverts, ce qui ne manque pas de poser des problèmes d'érosion sur les pentes. Autour des prés, la haie se maintient mieux car son rôle d'abri pour le bétail est reconnu et le fossé qui l'accompagne sert de drain en cas d'humidité excessive.

Un effort a été fait lors du remembrement d'une commune particulièrement accidentée et touristique, Saint-Léonard-des-Bois, pour maintenir des haies antiérosives et garder au paysage un certain caractère esthétique ; cette opération, réussie mais coûteuse, n'a malheureusement pas pu être renouvelée. Aussi se multiplient les protestations des citadins contre la transformation de la Sarthe en une « Beauce bosselée » contre nature...

En fait, les plaines sont d'anciens openfields qui redeviennent découverts après une phase tardive et brève d'embocagement, et les bocages et semi-bocages qui les encadrent n'ont pas toujours été aussi denses qu'on les a vus dans la première moitié du XXᵉ siècle. C'est pour des raisons économiques que le bocage se fait ou se défait : la hausse récente du prix du bois, consécutive à la crise de l'énergie, freinera sans doute sa disparition.

Les dangers de l'arrachage des haies antiérosives sur les pentes : un coin de champ de maïs dévasté par le ruissellement violent lors d'un orage à Douillet-le-Joly, en juin 1971. (Cliché J. Dufour).

**Le changement
dans la diversité**

La Sarthe agricole a profondément changé ces dernières années. Non que l'agriculture fut immobile avant, mais elle changeait lentement : la polyculture avec élevage s'était peu à peu forgée et améliorée ; on pratiquait depuis des siècles les mêmes rythmes culturaux et les fermiers étaient contraints de s'y plier. Au milieu du XXe siècle, la Sarthe, avec ses vaches laitières et sa livrée bocagère, était devenue relativement uniforme.

Aujourd'hui, les « paysans » se disent « agriculteurs ». Pour beaucoup d'entre eux, l'exploitation n'est plus seulement un cadre de vie, mais une entreprise dans laquelle chacun est libre et essaie de tirer le meilleur parti de son terroir en fonction de la conjoncture et de ses forces de travail. Néanmoins, loin d'être anarchique, l'évolution en cours redonne de la personnalité aux « pays » et, plus que jamais, la Sarthe apparaît comme une région aux aspects divers : elle évoque tantôt la Basse-Normandie ou le Bas-Maine avec ses bœufs à l'engrais, tantôt la Beauce avec ses champs de blé et de maïs, tantôt les Pays de la Loire avec ses vignes et ses vergers...

**L'unité réalisée
autour du Mans**

Mais cette diversité des paysages ne l'empêche pas d'avoir une unité certaine. Si les mentalités régionales ont permis, jadis, d'opposer les paysans du nord-ouest, plus attachés à la terre et plus traditionalistes, à ceux du sud-est, plus ouverts à la coopération et à certaines idées nouvelles, les différences s'atténuent aujourd'hui : les campagnes s'urbanisent et les comportements se banalisent, ce que d'aucuns déplorent.

La modernisation
de l'habitat
accompagne
celle de
l'agriculture.
Habitat rénové
dans
une grosse ferme
de la Champagne
mancelle
(Asnières à Tennie).
(Cliché J. Dufour).

Cependant, la cohésion de cette région-puzzle, formée de régions agricoles disparates, a des fondements plus solides : elle repose sur l'influence du Mans qui s'étend sur tout le département et le cimente. La présence, en cette ville bien centrée, de puissantes organisations agricoles, fortement groupées rue Paul-Ligneul et soucieuses de traiter à égalité tous les cantons en leur dispensant les mêmes services, contribue beaucoup à l'unité du monde agricole. Malgré ses clivages politiques, la Sarthe agricole n'est pas divisée entre des organismes rivaux, comme tant d'autres départements : ainsi l'ont voulu ceux qui, en 1950, ont réalisé l'Union des organisations agricoles.

Grâce à cette U.O.A., les agriculteurs, d'où qu'ils soient, peuvent être aidés pour la commercialisation de leurs produits par de puissantes coopératives (on connaît l'importance de Yoplait et des abattoirs de la SOCOPA à Cherré). Ils sont remarquablement encadrés ; la Sarthe a même été département-pilote pour l'enseignement agricole après la guerre.

Dans ces conditions, on comprend mal la faible pugnacité de l'agriculture sarthoise aujourd'hui, comparée à l'agriculture bretonne. Sans doute faut-il voir là l'influence de la capitale trop proche et de la décentralisation industrielle trop rapide qui a perturbé le monde rural dans les années soixante. La Sarthe est située sur les marges du Bassin parisien, à la fois pour son bonheur (elle doit à cette position ses terroirs variés) et pour son malheur...

Vue de l'atelier yaourts : à gauche, la passerelle de préparation du lait ; au sol, les machines de conditionnement.
(Cliché Yoplait, Le Mans).

Le centre artisanal de Poncé-sur-Loir reçoit près de 100.000 visiteurs par an. On peut y visiter librement les ateliers de poterie, de verres soufflés, de bois, de tissage, de fers forgés et de bougies.

Les mutations industrielles

L'industrie dans le département de la Sarthe

L'industrialisation du département est un fait réel ; c'est après 1962 que l'industrie et les services ont devancé l'agriculture par le nombre de leurs emplois ; dans le même temps, le taux d'urbanisation passait de 38 % en 1962 à 58 % en 1980, encore très en deçà de la moyenne nationale estimée à 72 % en 1980. Il n'y a donc pas eu de bouleversements ; les paysages industriels sont rares, même dans les zones planifiées des villes où les activités d'entrepôt l'emportent sur celles de fabrication.

Entre 1975 et 1980, les effectifs salariés dans les entreprises industrielles de plus de 10 salariés sont passés de 69.700 à 70.825 et le nombre d'entreprises concernées de 599 à 638. Ces chiffres issus des recensements de l'INSEE et repris par la Chambre de commerce et d'industrie de la Sarthe sont différents de ceux qui sont fournis par l'ASSEDIC et publiés dans le rapport de 1981 du Comité d'expansion de la Sarthe

Réalité de l'industrialisation

Rang en 1980	Activités	Nombre d'emplois		% du total en 1980
		1975	1980	
	Hors classement : Bâtiment et travaux publics	14.820	14.790	
1	Construction navale, automobile, aéronautique	13.540	13.750	24
2	Industrie électrique, électronique	7.405	7.385	13
3	Industries agricoles et alimentaires	6.320	7.375	13
4	Industries chimiques, plastiques, caoutchouc, tabac	5.500	4.930	9
5	Produits de première transformation des métaux, fonderie	5.290	4.870	9
6	Textile, habillement, cuir	4.705	4.600	8
7	Industrie du bois, ameublement ...	3.060	3.545	6
8	Construction mécanique	3.075	3.225	6
9	Papier, presse, édition	2.940	3.095	6
10	Industries énergétiques et extractives	1.325	1.405	3
11	Matériaux de construction, verre, céramique	1.035	1.200	2
	Industries diverses	725	665	1
	Total (sans bâtiment)	54.920	56.035	100
	Total avec bâtiment	69.740	70.825	

Situation des emplois salariés en 1975 et 1980 dans les entreprises de plus de 10 salariés

(Source : *la Sarthe dans la région des Pays de Loire*, C.C.I. Le Mans)

(66.661 salariés dans 3.043 entreprises, y compris celles de moins de 10 personnes). En effet, dans certaines branches (bâtiment, industries alimentaires), le secteur des métiers est très important, mais si les quelques salariés sont comptés, les non-salariés de ces entreprises artisanales ne le sont pas ; enfin, dans le secteur des industries agro-alimentaires, de nombreuses entreprises ne relèvent pas de l'ASSEDIC mais des régimes agricoles. Pour ces diverses raisons, le classement par activités a été établi avec les seules entreprises de plus de 10 salariés, ce qui est plus logique également pour évaluer l'industrialisation dans la région. Afin de privilégier l'idée « d'usine », les entreprises du bâtiment sont restées hors classement, bien que constituant le secteur offrant le plus d'emplois ; son activité est le reflet de la politique d'équipements publics et privés ; elle suit à la fois les investissements de production et de transport, et les programmes de construction de logements.

Trois activités se partagent la moitié des emplois industriels : la construction automobile, les industries électriques et électroniques, les industries agro-alimentaires.

L'automobile

L'industrie dans la Sarthe est dominée par le secteur de la construction automobile : près du quart des emplois ; les 32 entreprises qui y sont recensées sont très inégales car le fait principal est la présence de l'usine de la Régie nationale des usines Renault avec ses 9.390 salariés au début de 1981. L'usine, en fait trois établissements : construction de tracteurs, fabrication de peintures, ateliers de fabrication de pièces automobiles, est passée de 3.000 salariés en 1947 à 9.000 en 1957 ; retombée à 7.500 en 1965, elle remontait à plus de 10.000 en 1970 et 1971, pour descendre ensuite régulièrement vers son chiffre actuel. Entre 1947 et 1957, elle pratique une embauche continuelle importante qui pèse très lourd sur le marché local de la main-d'œuvre masculine (171 femmes en 1981). Bien des agriculteurs, en particulier au sud-est du Mans, y verront l'occasion d'abandonner la terre pour les revenus plus réguliers du salariat ; la formation professionnelle se fait sur place en vue des tâches d'exécution qui sont demandées. Depuis, les réaménagements des ateliers en fonction des nouvelles tâches et des nouvelles méthodes de production ont été déterminants dans l'évolution des effectifs. Mais, avec ses 9.000 emplois, sa politique salariale, ses organismes sportifs, sociaux et culturels, l'usine Renault reste une référence dans le département.

Les industries électriques et électroniques

Les industries électriques et électroniques doivent leur deuxième place au développement qu'elles ont connu dans tout l'Ouest après 1955. Il n'y a pas eu au Mans l'équivalent de la radiotechnique du groupe Philips à Caen, de Thomson à Angers et à Brest, mais le secteur emploie 63 % de femmes contre 6 % pour le précédent. Gros demandeur de main-d'œuvre dans ses premières usines, il a joué pour beaucoup de jeunes femmes des zones rurales le même rôle que Renault pour les hommes. Son développement a coïncidé avec la politique de décentralisation industrielle.

Vue générale des usines Renault au Mans. *(Cliché R.N.U.R.).*

Robots verticaux 80 de chez **ACMA CRIBIER**, implantés dans l'atelier de soudure. *(Cliché R.N.U.R.)*.

L'agro-alimentaire

Les industries agro-alimentaires ont continué à se développer entre 1975 et 1980. Alors que les industries des groupes précédents sont marquées par leur origine extérieure au département, celles-ci paraissent plus souvent l'expression des possibilités locales. La plupart des entreprises de salaisons ont eu comme origine l'extension d'une affaire artisanale qui réussissait bien grâce au savoir-faire et à la présence sur le marché parisien. Quelques-unes ont été créées au début du siècle (à Connerré, à La Chapelle-Saint-Aubin, près du Mans), de nombreuses dans les années qui ont suivi la Seconde Guerre mondiale (Vallon-sur-Gée, Vibraye) ; elles n'échappent pourtant pas aux concentrations qui leur donnent des moyens de commercialisation nouveaux : la Société Lhuissier-Bordeau Chesnel, elle-même déjà la réunion d'entreprises de Connerré et de Champagné, fait partie d'un groupe plus vaste : Bongrain. Les abattoirs industriels sont l'œuvre de sociétés à participations coopératives ou privées complexes (Etablissements Surmont à Chérancé, SOCOPA à Cherré, près de La Ferté-Bernard, SABIM à Sablé). Le problème est toujours celui de la commercialisation. La SABIM a été créée par un groupe d'hypermarchés ; la SOCOPA s'est orientée vers la distribution, mais n'a toutefois pas ses propres magasins de vente au détail en dehors de celui qui est associé à son abattoir.

Ces grandes entreprises jouent plus sur la position intermédiaire entre l'Ouest et Paris, que sur les ressources locales ; elles ne trouvent dans la Sarthe que la moitié des porcs qui leur sont nécessaires ; par contre, les abattoirs de volailles de Sablé et de Loué sont étroitement associés à la zone d'élevage du « poulet de Loué ». Les usines de pro-

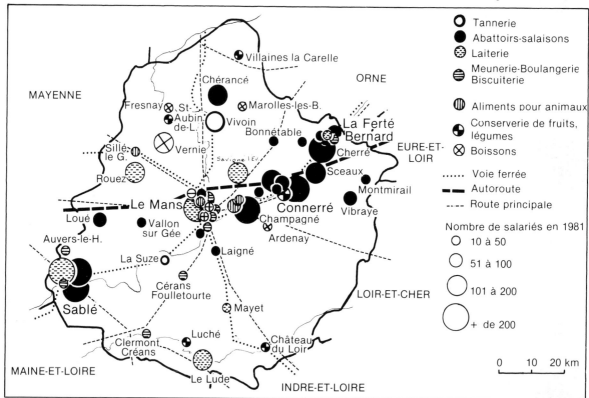

Les industries agricoles et alimentaires

duits laitiers actuelles sont également dépendantes de sociétés qui débordent l'espace départemental : les fromageries Bel, à Sablé, font partie d'un groupe national ; l'UCALM (Union des coopératives agricoles et laitières du Maine), au Mans, commercialise ses produits par l'intermédiaire de Yoplait, marque nationale ; la laiterie du Rocher, à Savigné-l'Evêque, regarde vers l'Union laitière normande, une des trois plus grandes coopératives de la France de l'Ouest. Le groupe Besnier, de Laval, qui possède la fromagerie de Rouez, a gardé une implantation plus restreinte ainsi que la CLAMAT (Centrale laitière Maine-Anjou-Touraine), au Lude. Les deux derniers exemples témoignent des réseaux de relations économiques qui peuvent se tisser dans une région, avant le stade des réseaux de relations financières déjà atteint dans les cas précédents.

La décentralisation industrielle et ses effets

Les 12.000 emplois recensés fin 1980 dans les établissements issus de la décentralisation doivent être comparés aux 29.000 qui ont été gagnés depuis 1954. Les transferts d'établissements parisiens ne sont donc pas les seuls responsables du développement industriel au cours des trente dernières années, mais ils ont attiré l'attention sur la mutation d'activités en cours, sur les possibilités de rester à travailler dans la région par une politique d'industrialisation. De 1955 à 1981, la décentralisation a donné lieu à 97 opérations dans la Sarthe, dont 56 les sept années qui vont de 1961 à 1967. N'ont été prises en compte que les opérations issues d'établissements dont le siège social est dans la région parisienne, même s'il s'agit d'une extension, car le terme de décentralisation *stricto sensu* impliquerait le transfert d'un établissement de Paris vers la province. La Régie nationale des usines Renault a ainsi procédé à plusieurs extensions qualifiées de décentralisation ; dans les décomptes qui sont faits ici, ses effectifs n'interviennent jamais. Il est souvent plus facile de repérer un établissement issu de cette décentralisation que les opérations proprement dites, plusieurs de celles-ci pouvant avoir pris comme support la même usine, agrandie d'un ou plusieurs ateliers ; ce sont les établissements qui ont servi aux décomptes de la main-d'œuvre.

Les opérations de décentralisation

Nombre d'opérations de décentralisation industrielle (1956-1981)
Moyenne annuelle sur deux ans
(trois ans en 1963-64-65)

Ces opérations sont différentes de celles qui avaient été mises en œuvre avant la guerre de 1939 pour des raisons de défense nationale et qui sont à l'origine de l'usine aéronautique d'Arnage (à l'emplacement actuel de Claenzer-Spicer) et des ateliers d'armement Renault (usinage et montage des chenillettes).

Nombre d'opérations de décentralisation effectuées de 1951 à 1981 dans la Sarthe					
	Nbre dans l'année	Nbre cumulé		Nbre dans l'année	Nbre cumulé
1951-1954	0	0	1968-1969	8	81
1955-1956	1	1	1970-1971	3	84
1957-1958	7	8	1972-1973	5	89
1959-1960	9	17	1974-1975	1	90
1961-1962	12	29	1976-1977	3	93
1963-64-65	32	61	1978-1979	2	95
1966-1967	12	73	1980-1981	2	97

(D'après C. Sautreuil, J. Bastié, *Analyse de l'Espace*, n° 2, 1981)

Les mesures prises à partir de 1950 ont pour but l'aménagement du territoire en remédiant à la congestion parisienne et en facilitant l'implantation en province ; celles qui s'échelonnent de 1954 à 1964 sont à la fois incitatives et restrictives ; en fait, les efforts ont d'abord porté sur la décongestion parisienne :

• procédure de l'agrément préalable pour les constructions de locaux industriels ;

• redevance dès que la construction dépassera une certaine surface : 500 m² en 1955, 1.000 m² en 1961 s'il s'agit d'une création ;

• prime à la démolition ou la transformation des locaux en 1960, supprimée en 1971 ;

• indemnité de décentralisation en 1964 ;

• élaboration d'une « liste des établissements dont en tout ou en partie la présence en région parisienne ne paraît pas s'imposer par les tâches qu'ils ont à remplir ou les besoins auxquels ils répondent ».

Les problèmes de répartition territoriale figurent au second plan et les entreprises ne se sont pas trop éloignées de la région parisienne. Néanmoins, les comités d'expansion économique sont prévus dès 1954 ; celui de la Sarthe est fondé en octobre 1955 ; le « fonds de développement économique et social » (F.D.E.S.), les Sociétés de développement régional sont créés en 1955 ; la DATAR date seulement de 1963 et aura à sa disposition la prime de développement industriel et la prime d'adaptation industrielle créées en 1964 : le programme d'investissement doit atteindre 300.000 F et entraîner la création d'au moins 30 emplois permanents en cas de création d'établissement ; en cas d'extension : 100 emplois, ou accroissement de 30 % de l'effectif. Ces deux primes sont remplacées en 1972 par la prime de développement régional à laquelle s'ajoutent les aides fournies par le F.S.A.I. (Fonds spécial d'adaptation industrielle) mis en place en 1978. Enfin, en 1981, la prime d'aménagement du territoire se substitue au système précédent et ne concerne plus seulement les décentralisations. En fait, les entreprises ne se sont pas trop éloignées de Paris et la Sarthe a profité de sa relative proximité, argument qui a été la raison pour laquelle elle n'a pas profité systématiquement des aides du type de la prime de développement régional. Certaines entreprises avaient quand même bénéficié, à titre exceptionnel, de ce type d'aides : Westinghouse au Mans, Promecam à Château-du-Loir, Thevals à Brûlon, Arachné-Ouest à Noyen avant 1964, Teleplastics Industries à Challes, Clemençon à Sablé entre 1964 et 1976. Enfin, de 1964 à 1979, seuls les cantons de l'ouest et du sud du département pouvaient bénéficier de certains avantages fiscaux (exonération de la taxe professionnelle, réduction des droits de mutation) : cantons de Fresnay, Sillé-le-Guillaume, Conlie et Loué ; cantons de l'arrondissement de La Flèche ; agglomération du Mans à partir de 1971.

Ainsi, dans le département, si la majeure partie des opérations se sont faites entre 1961 et 1967, les plus grands établissements (plus de 400 salariés) étaient arrivés auparavant et se sont installés dans l'agglomération du Mans : Glaenzer-Spicer en 1958, Westinghouse et Celmans en 1960 ; les deux établissements Souriau font exception : celui de La Ferté-Bernard (1960) et celui de Champagné (1966), sont toutefois sur la liaison ferroviaire directe avec Paris ; ces cinq établissements représentent les deux cinquièmes des emplois dus à la décentralisations. A partir de 1961 pour des usines de taille réduite, les entreprises hésitent moins à s'éloigner vers la zone rurale : 53 y sont créées de 1961 à 1981, contre 11 au Mans.

Bilan des opérations de décentralisation industrielle de 1966 à 1980				
	Nombre d'emplois au 31-12 de l'année			
	1966	1970	1975	1980
Agglomération du Mans . . .	3.985	5.037	4.682	4.556
Indice	100	126	117	114
Reste du département	4.096	5.856	7.005	7.796
Indice	100	143	171	190
Total du département	8.081	10.893	11.697	12.352
Indice	100	135	145	153
R.N.U.R. (Renault)	7.642	10.323	9.486	9.380
Indice	100	135	124	123

Le bilan des emplois créés montre bien la plus grande progression hors du Mans, surtout après 1970, puisque le nombre d'emplois subit alors une évolution divergente. D'une position presque égale en 1966, on est passé à une répartition de 63 % des emplois en faveur du reste du département, contre 37 % au Mans. La décentralisation a donc continué à diffuser le travail industriel dans les zones rurales, alors qu'au Mans le rythme qu'elle donne à l'évolution des emplois est inférieur à celui de l'usine Renault.

A partir des données des recensements de 1968 et 1975, on peut essayer de mesurer le poids des entreprises décentralisées dans les industries du département.

En 1968, celles-ci, à l'exception du bâtiment et des travaux publics, comptaient 45.016 emplois dont 9.042 dans les entreprises décentralisées, soit 20 % (Renault : 8.825 emplois ; 19,6 %). En 1975, sur 55.985 emplois, leur part est de 20,8 % avec 11.687 personnes (Renault : 9.486 ; 17 %). Les progressions ont été de 24,4 % pour l'ensemble, de 29,3 % pour les industries décentralisées, de 7,5 % pour Renault ; alors que de 1967 à 1970 la décentralisation et Renault créaient en même temps des emplois, cette dernière entreprise a cessé d'être après 1970 le facteur principal d'industrialisation, laissant ce rôle aux autres entreprises décentralisées ou non, avec un léger avantage pour les premières citées.

Les motifs   Les motifs mis en avant par les responsables des entreprises sont très variés, tels qu'ils ont pu être connus après une enquête effectuée en 1974 auprès d'une trentaine d'entreprises rassemblant alors près de 6.000 salariés, dont 5.000 en dehors du Mans :

• L'obligation de partir de la région parisienne.

• Les facilités de transport (réseaux ferré et routier) et la distance admise de Paris, il faut remarquer que ces opérations ont toutes été réalisées avant la mise en service de l'autoroute Océane dans le département (fin 1975). Les entreprises conservent la plupart du temps leur siège social à Paris et leur personnel d'encadrement apprécie les moyens de déplacements quotidiens offerts sur l'axe Le Mans - La Ferté-Bernard.

• Le cadre local : la région qui plaît, remarquée par certains à l'occasion de déplacements vers la Bretagne, la notoriété d'un bourg connu par sa restauration lorsque les repas d'affaires sont indispensables ont pu décider un industriel à quitter Paris.

• La main-d'œuvre : son rôle est invoqué tantôt pour s'en plaindre (pas de formation, pas de tradition de travail industriel, manque de virtuosité, rotation trop rapide), tantôt pour s'en féliciter (adaptation facile, application aux tâches, souci d'obtenir un emploi). L'aspect « bassin de main-d'œuvre » maintes fois appliqué à la France de l'Ouest n'a pas été retenu ; il intervient à coup sûr dans l'implantation d'ateliers de confection à cette même période ; le « réservoir » de main-d'œuvre rurale a fourni à ces derniers les jeunes ouvrières de la confection, à l'usine Renault les fils d'agriculteurs remplacés par la mécanisation, mais il ne s'agit pas de décentralisations parisiennes véritables. Dans un cas c'est au contraire de l'excédent sécrété par les refus d'embauche chez Renault dont on se félicite et non de l'origine paysanne. Une entreprise installée à Saint-Calais avait créé un second établissement, maintenant fermé, à Thorigné-sur-Dué, afin de mieux s'adapter à la zone de recrutement de son personnel.

• Les avantages fiscaux locaux (ici, l'exonération partielle ou complète de la patente).

Tous ces motifs sont invoqués, tantôt par les uns, tantôt par les autres et ne s'appliquent pas à un site précis d'installation ; ils concernent la politique de décentralisation industrielle dans son ensemble ; à travers leur variété, ils ne sont pas perçus de la même manière par ceux qui décident, certains privilégiant le cadre, d'autres l'environnement industriel ou social. Par contre, il semble que l'argument décisif pour déterminer la localisation ait été fourni par l'offre de terrain, qu'il soit immédiatement disponible ou d'un prix très faible. Vendu dans les années 1960 22 à 25 F le m² dans la zone industrielle nord du Mans, il a été cédé à 2 F à Allonnes par le département, et jusqu'à 0,75 F par certaines municipalités, de sorte que, au moment des hésitations entre plusieurs possibilités, c'est l'argument « terrain » qui a fait pencher la balance vers telle ville ou tel village. Les municipalités ont été très conscientes de la force de cet argument, si bien que se sont multipliés les projets et les réalisations de zones aménagées ; mais l'industriel a souvent besoin de réserves foncières adjacentes à ses premiers ateliers.

Devenues zones d'activités artisanales et industrielles, elles ont donné aux entrepreneurs locaux l'occasion de desserrer leurs ateliers et d'augmenter leur activité car, entre temps, les opérations de décentralisation se sont raréfiées (16 de 1970 à 1981).

La répartition des établissements décentralisés

La répartition dans le département des établissements décentralisés souligne un autre aspect des choix effectués : les plus importants sont dans l'agglomération du Mans : 15 à la fin de 1981 comptant 4.326 employés, contre 57 dans le reste du département avec 7.495 employés. Les entreprises ont préféré les grandes villes pour leurs grandes opérations ; cela se vérifie aussi bien à Caen, Rennes, Angers, cette préférence s'accentuant en même temps qu'augmente la distance de Paris. Les autres communes du département ont été touchées inégalement par les implantations.

La place tenue par La Ferté-Bernard est due à la présence d'un établissement de 800 salariés (Souriau). A La Flèche, la situation est plus variée : l'imprimerie Brodard et Taupin (livres de poche) étant en tête avec 337 emplois, mais, pourtant, ici comme à Sablé, le plus grand établissement industriel créé à cette époque n'est pas issu de la décentralisation parisienne : l'usine CEBAL, du groupe Péchiney. Le groupement de Château-du-Loir est le plus anciennement constitué : 3 entreprises en cinq ans (1958, 1961, 1962) sont restées de taille modeste, alors qu'à La Flèche les créations s'étalent de 1961 à 1976, dispersées sur la commune un peu au hasard des opportunités foncières, la zone

La décentralisation industrielle

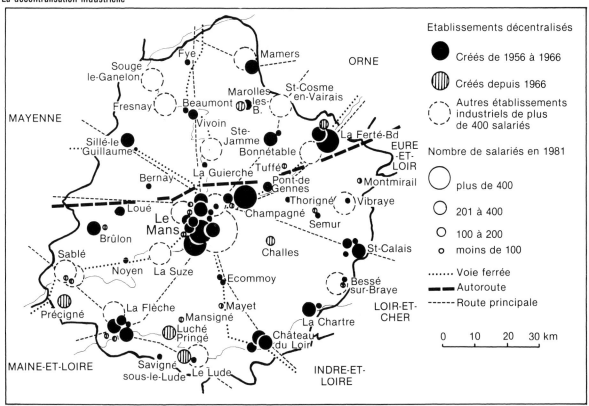

industrielle principale n'ayant accueilli que l'une d'entre elles en 1966. Le groupe de Champagné est relativement récent : 1966 et 1976, il est dominé par un établissement Souriau de 645 emplois fin 1981 ; les fabrications de matériel électrique se font à La Ferté-Bernard, les montages à Champagné, le siège social est à Boulogne-Billancourt, ce qui crée un embryon de réseau industriel de type linéaire. Le groupe de Saint-Calais doit son importance relative à un établissement situé en fait sur la commune voisine, Marolles-les-Saint-Calais : la SOMATER, 266 employés, qui s'est installée dès 1958.

	Situation au 31-12-1981	
	Nombre d'Ets	Nombre de salariés
La Ferté-Bernard	3	1.139
La Flèche	6	882
Champagné	3	859
Château-du-Loir....................	3	694
Saint-Calais	4	431
Le Lude	2	258
Sablé..............................	2	253
Marolles-les-Braults	2	233

Au total, c'est sur 39 communes que se répartissent les 57 établissements non manceaux. La dispersion s'accommode de la taille modeste des ateliers : 25 usines ont moins de 100 salariés, 16 entre 150 et 300. C'est cette taille qui paraît la plus représentative du type d'établissement né de la décentralisation. La carte permet de remarquer, par contre, que les établissements de plus de 400 salariés ayant une autre origine sont beaucoup plus fréquents bien qu'ils ne soient pas tous plus anciennement installés. Quand ils ont été ouverts dans la même période que les précédents, ils sont souvent assimilés à des décentralisations, sauf s'il s'agit d'industries alimentaires : ainsi, la CEBAL à La Flèche (1965-1966), les papeteries Arjomari-Prioux à Bessé-sur-Braye (1968) et même la SOFICA à La Suze (1947). Par contre, les deux usines de la Société Moulinex, de Mamers (1966) et de Fresnay-sur-Sarthe (1969), ne sauraient être assimilées, même si le siège social est dans la région parisienne, car l'origine de la « constellation Moulinex » est à Alençon.

Très souvent, les industries décentralisées ont pris le relais d'activités en déclin ; leur installation a été une réponse aux difficultés d'un établissement plus ancien (à Précigné, par exemple, avec l'usine d'armement de Malpaire), à la suppression d'activités qui avaient marqué la ville de leur empreinte (le dépôt de chemin de fer à Château-du-Loir). Mais elles ont également introduit le travail industriel moderne hors des régions urbaines. Jusque là, l'usine Renault du Mans avait confronté les anciens ruraux avec l'activité industrielle ; dans les campagnes, les ateliers de confection utilisaient une main-d'œuvre féminine jeune qui se savait précaire et qui abandonnerait ce travail au moment du mariage et de l'émigration vers la ville. Les nouvelles usines font appel aux hommes pour une condition de travail qui deviendra définitive. Aux ouvriers habituels des entreprises artisanales du bâtiment s'ajoutent de nouveaux ouvriers plus nombreux dans leurs établissements et qu'il faudra loger dans des constructions nouvelles, individuelles ou collectives, plus complètement dissociées de l'activité rurale. Ces usines, même de petite taille, ne sont souvent qu'un établissement d'une entreprise beaucoup plus importante, elles font partie d'un groupe national ou multinational ; leurs salariés sont confrontés à une nouvelle répartition des responsabilités ; les petites usines précédentes étaient souvent la création et la propriété d'une personne, d'un groupe familial dont on retrouvait localement l'implantation ; désormais, l'usine a un directeur qui ne saurait être l'équivalent de l'ancien notable, exception faite de quelques cas où le transfert a été total. De sorte que l'une des conséquences des décentralisations a été de faire passer le pouvoir de décision dans le nouveau tissu industriel, du niveau local au niveau national. Cependant, par l'aspect volontariste de leur implantation : interventions des municipalités, des hommes politiques, des syndicats ouvriers qui réclament des emplois, les nouvelles usines sont devenues une chose collective ; l'entreprise n'appartient plus tout à fait, moralement du moins, à ses propriétaires institutionnels, et le scandale éclate quand ceux-ci l'abandonnent comme à Ecommoy (affaire Sopanec en 1978) ou déménagent nuitamment leurs machines comme à Lavaré (affaire Romano en 1980).

Les aides locales et régionales, venues au début en complément des aides nationales dans la politique de décentralisation, vont progressivement être étendues à l'ensemble des entreprises et quand le Comité départemental d'expansion fait le bilan de son action, il ne distingue pas les décentralisations parmi toutes les nouvelles implantations dont il a eu à connaître. En fait, il y a confusion entre décentralisation et industrialisation. Il est vrai que les formes sont semblables et que très souvent de petites entreprises d'origine locale s'intègrent, pour se maintenir ou se développer, au sein de groupes plus puissants.

La répartition géographique des industries

Malgré le poids de l'usine Renault du Mans, le développement des industries alimentaires et les opérations de décentralisation ont contribué à maintenir une relative dispersion des établissements. Sur la carte de la décentralisation figurent tous ceux qui dépassent 400 salariés ; on constate leur présence sur tout le territoire sarthois ; la majeure partie d'entre eux n'est pas issue de la décentralisation ; dans la vallée de la Sarthe, de Sougé-le-Ganelon à Sablé, en passant par Fresnay, Sainte-Jamme, Le Mans et La Suze, ils maintiennent l'héritage des localisations du XIXe siècle, quand l'eau était aussi bien force motrice et moyen de transport. Mais des centres industriels secondaires se sont constitués en couronne : on y dénombre dans les entreprises de plus de 10 salariés entre 2.000 et 3.000 salariés à La Ferté-Bernard, Sablé, La Flèche, entre 1.000 et 1.500 à Mamers, Le Lude, Sainte-Jamme, Château-du-Loir.

L'importance de La Ferté-Bernard est due à la fois au développement des industries agro-alimentaires et aux décentralisations ; la relative proximité de la région parisienne a favorisé ces deux catégories d'activités. Route nationale, voie ferrée, autoroute conjuguent, ici, leurs effets.

Usine Sotapharm, installée à La Ferté-Bernard en 1974-75. Machines automatiques pour la fabrication des ampoules pharmaceutiques. *(Cliché Sotapharm)*.

A Sablé, à côté de nombreux établissements déjà présents dans la première moitié du siècle, les industries agro-alimentaires sont nées de la volonté de créer ici un ensemble cohérent qui valoriserait à la fois l'agriculture et l'industrie. En effet, les relations de Sablé avec sa région étaient matérialisées par le marché des produits agricoles subissant la concurrence des villes voisines, Château-Gontier, Laval, Angers, Le Mans ; vers 1960, les responsables locaux ont choisi l'industrialisation à partir d'établissements traitant les produits agricoles régionaux.

Par contre, les opérations de décentralisation ont été réduites et sont parfois un échec (fermeture de l'usine MAF en 1982). Il a fallu également prendre en compte dans la création d'emplois les difficultés des établissements qui ont pris le relais à Précigné d'une usine d'armement. Cette politique s'est traduite par la construction d'une vaste zone industrielle et artisanale à la sortie est de la ville, sur la route de La Flèche, en direction de l'échangeur prévu sur l'autoroute Angers-Le Mans.

La création d'industries modernes à La Flèche a suivi un tout autre cours. En effet, il n'y a pas d'industries agro-alimentaires, les deux usines existantes ayant fermé : la coopérative laitière pour regrouper ses fabrication au Mans, l'usine Bel pour être reconstruite à Sablé. Il subsiste des ateliers de confection malgré des fermetures : l'usine des Navrans près de Bazouges, Manitex reprise à Luché-Pringé par une autre société. L'industrie du cuir et de la galoche a complètement disparu ; à partir de 1960, la municipalité a favorisé l'installation d'établissements décentralisés en recherchant les terrains nécessaires et en pratiquant la location-vente des ateliers. A partir de 1965, la ville dispose de 26 hectares de terrains dans une zone industrielle à la sortie ouest de l'agglomération, sur la route de Sablé où s'installent les deux usines les plus importantes. L'espace urbain traditionnel de la petite ville éclate, car le développement des services accompagne celui des industries.

Mamers a bénéficié à la fois de la décentralisation, mais avec une seule usine et du dynamisme de la nébuleuse Moulinex partie d'Alençon.

La variété d'origine est plus grande au Lude : y sont présentes les industries agro-alimentaires avec l'usine de la CLAMAT, les industries décentralisées, la confection, tandis qu'une spécialisation dans la fabrication des salons, canapés et fauteuils s'est affirmée, entraînant avec elle celle des mécanismes à Aubigné-Racan, commune voisine.

Les usines décentralisées jouent un rôle essentiel dans le maintien à Château-du-Loir des activités industrielles : 7 emplois sur 10 des établissements de plus de 10 salariés en proviennent, tandis que d'autres activités disparaissent ou doivent être reprises par de nouvelles sociétés.

En dehors de cette couronne, il n'y a qu'un groupement de plus de 1.000 salariés à Sainte-Jamme. Les deux établissements proviennent de la division en 1968 de l'usine d'Antoigné, l'ancienne fonderie Chappée.

Le dessin des localisations industrielles dans le département apparaît bien structuré.

Au centre, le groupe du Mans, le plus important avec ses cinq établissements de plus de 400 salariés dont trois de plus de 1.000, étend son bassin d'emploi jusqu'à La Suze, Sainte-Jamme et Connerré, tandis que la zone de peuplement industriel et urbain (Z.P.I.U.) s'étend sur 33 communes. La convergence des moyens de transport, naturelle ou créée, favorise l'accumulation des activités ; la gare du Mans a reçu et expédié, en 1980, 654.000 tonnes de marchandises sur 1.359.000 tonnes dans toutes les gares du département ; le trafic routier a une disposition radiale ; seule la route de Laval à Tours par Sablé, La Flèche et Le Lude avait en 1980 une moyenne journalière annuelle proche de 4.000 véhicules.

La disposition périphérique est rompue par la vallée de la Sarthe, mais surtout par la vallée de l'Huisne et ses industries agro-alimentaires. La conjonction de la voie ferrée et de la route y est réalisée vers Paris, alors qu'elle ne l'est pas vers Rennes ou Angers.

Usine Applimo (chauffage électrique), installée à La Ferté-Bernard en 1975. Vue du hall d'essais, de 2.900 m², faisant partie du centre de recherches. *(Cliché Applimo).*

Il coexiste donc dans la Sarthe plusieurs générations d'industries. Toutes sont atteintes par la crise de l'emploi car elles fonctionnent dans un espace économique plus vaste ; toutefois, le taux de chômage supérieur au taux normal y reste au deuxième rang des départements de la région, derrière la Loire-Atlantique. Les décentralisations ont pu apparaître un moment comme un moyen de maintenir et d'étendre l'activité industrielle ; en réalité, elles ont apporté des emplois dans la période de croissance générale de l'économie française, elles ont été comme un « surplus » de cette croissance. Depuis 1974, elles se font rares et le nombre des emplois stagne quand il ne diminue pas ; or, les évolutions technologiques ne s'arrêtent pas pour autant ; de nouveaux produits apparaissent, ce qui se traduit par la substitution aux anciens de nouveaux entrepreneurs ; ceux-ci choisiront-ils la Sarthe pour y développer leurs ateliers ? Y resteront-ils ? Les facteurs de localisation subsistent : l'agglomération du Mans, avec la mobilité plus grande de la main-d'œuvre, parce que plus nombreuse, et son bon équipement en transports, amélioré par les autoroutes et les trains à grande vitesse ; la présence de petits centres secondaires à l'écart des grandes villes, mais permettant de drainer une main-d'œuvre encore trop éloignée de celles-ci.

Les mutations commerciales

Le fait « commerce moderne »

Jusqu'en 1968, année de l'ouverture au Mans de l'hypermarché « Record », en dépit d'une urbanisation rapide, le paysage commercial n'a guère changé. Il n'y a encore au chef-lieu que trois supermarchés et un seul dans le reste du département, à Saint-Calais. Au Mans, si le Prisunic de Pontlieue est récent, les grands magasins et magasins populaires (Dames de France, Nouvelles Galeries dans la rue des Minimes, Prisunic place de la République) sont les mêmes qu'avant la Seconde Guerre mondiale. Dans le département, le groupe Gentet a ouvert dans les années 1950 trois Prisunic : à La Flèche, Sablé et La Ferté-Bernard, mais ce sont toujours des magasins de centre-ville. Les supermarchés accompagnent les opérations d'urbanisme : aux Sablons, à La Chasse-Royale. Lors des implantations volontaires et planifiées sont privilégiés, soit les sites de pied d'immeubles (Chasse-Royale, Coulaines), soit le centre commercial local composé de petits magasins accompagnés parfois d'un supermarché (Allonnes, Les Sablons). Hors du Mans, le réseau commercial de détail a peu changé, il y coexiste les commerces traditionnels et les succursales des Comptoirs modernes ; le seul supermarché existant à Saint-Calais est dans le centre de la ville.

La mutation des années 1970 est très importante. Toutes les époques ont eu leurs novateurs en matière commerciale : entre 1930 et 1939, ce fut l'apparition en centre-ville des magasins populaires (Prisunic au Mans) et l'extension du réseau des succursales dans les quartiers et les bourgs (Comptoirs modernes, Familistères, Ruche Moderne, Les Echos, Docks de France) ; mais, si les structures des entreprises étaient différentes, les techniques de vente étaient peu modifiées. Avec les « grandes surfaces » commerciales périphériques, la novation est plus forte : le magasin change de taille et de méthode de vente ; sa localisation est nouvelle et fondée sur les déplacements en automobile ; c'est quelque chose de foncièrement nouveau, aussi nouveau, cependant, que l'urbanisation rapide des années 1960 et la motorisation.

Surface de vente des hyper et supermachés (en m²)		
Déjà présent au 1er janvier de l'année	Le Mans	Reste du département
1960	0	0
1962	1.520	0
1966	1.520	0
1970	11.395	450
1974	19.948	8.170
1978	24.570	14.925
1982	26.383	19.537

(Source : *Libre Service Actualité*, C.C.I. Le Mans)

Au Mans, le groupe Carrefour-Polyshop se constitue entre 1968, date de l'ouverture du premier et 1970, pour le second. Le magasin Carrefour (7.600 m²) appartient à la Société des grands magasins de l'Ouest (SOGRAMO) ; à l'origine de celle-ci, en 1968, on trouve les Comptoirs modernes du Mans et la Société des grands magasins Decré de Nantes ; celle-ci apporte la première enseigne du magasin « Record » ; en 1969, la SOGRAMO ouvre un deuxième hypermarché à Angers. Quelques années plus tard, la Société Decré se retire de la SOGRAMO et les Comptoirs modernes y accueillent la Société Carrefour, se partageant le capital à peu près à égalité. Le magasin prend alors l'enseigne « Carrefour », de même que celui d'Angers et les deux nouveaux qui sont créés à Nantes et Barentin, près de Rouen. La Société Carrefour avec sa participation et son enseigne apporte aussi ses conceptions de gestion et d'assortiment. Par contre, Polyshop est issu d'un groupe-

Une périphérie urbaine : voies de transports (route, voie ferrée et autoroute) et centre commercial en construction. *(Cliché J.-M. Martin).*

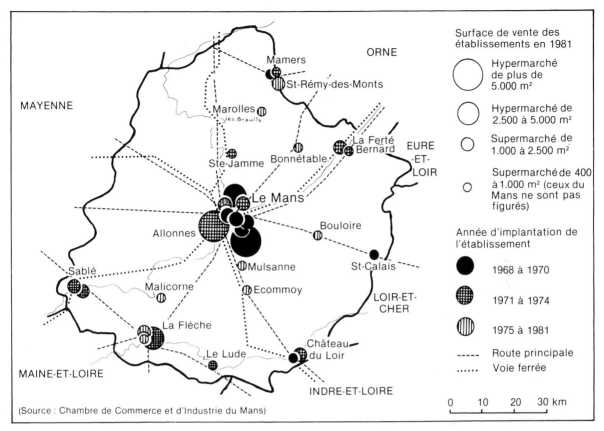

Surface de vente des établissements en 1981

Hypermarché de plus de 5.000 m²

Hypermarché de 2.500 à 5.000 m²

Supermarché de 1.000 à 2.500 m²

Supermarché de 400 à 1.000 m² (ceux du Mans ne sont pas figurés)

Année d'implantation de l'établissement

1968 à 1970

1971 à 1974

1975 à 1981

----- Route principale

...... Voie ferrée

0   10   20   30 km

(Source : Chambre de Commerce et d'Industrie du Mans)

Hypermarchés et supermarchés

ment de commerçants du centre-ville inquiets de l'évolution de celui-ci et des travaux d'aménagement prévus pour y faciliter la circulation des voitures. Il fallait donc reconstruire dans la partie sud de la ville un ensemble commercial (37 boutiques en 1981 sur 14.250 m²) de type central. L'origine et la finalité commerciale des deux établissements sont bien différentes, mais le résultat est le plus vaste ensemble commercial de l'agglomération mancelle.

Entre 1970 et 1982, trente établissements nouveaux vont s'ajouter aux huit préexistants, tandis que le libre service s'introduit dans les grands magasins et les boutiques traditionnelles. Cette mise en place va

Magasins de grande surface - Situation au 1er janvier 1982				
	Le Mans		Reste du département	
	Nbre	Surface de vente (m²)	Nbre	Surface de vente (m²)
Hypermarchés (plus de 2.500 m²)	3	15.250	1	2.600
Supermarchés (1.000 à 2.500 m²)	6	7.394	6	9.565
400 à 1.000 m²	8	3.739	14	7.372
	17	26.383	21	19.537

(Source : *Libre Service Actualité*, C.C.I. Le Mans)

suscier toute une série de réactions et mettre en route des mécanismes de transformations. C'est, d'abord, « le coup de tamis » qui secoue rudement les commerçants de tous ordres et de toutes tailles, aussi bien le grand magasin du centre que l'épicier âgé du bourg ; tous n'auront pas les mêmes moyens pour surmonter l'épreuve.

L'évolution du commerce urbain central

Le succès de la localisation périphérique incite ceux qui ont besoin de place à y recourir avec plus de confiance : magasins de meubles, d'articles de jardins, de bricolage, de loisirs, se desserrent le long des grandes routes à la sortie des villes (exemple de la route d'Angers au-delà d'Arnage). Dans le centre des villes, au Mans essentiellement, mais aussi à La Flèche, Sablé, La Ferté-Bernard, s'opère un affinage, les travaux urbains aidant. Le commerce banal, surtout alimentaire est remplacé par un commerce anomal, c'est-à-dire vendant des articles au rythme d'achat irrégulier et plus lent. Au Mans, il se fait dans le centre commerçant une mutation qualitative vers le commerce de fréquentation occasionnelle ou exceptionnelle, ce qui maintient sa position régionale. En même temps se précise une évolution dans les structures commerciales : la part des entreprises à enseigne nationale est de plus en plus grande (les franchiseurs) et le maintien du commerce indépendant exige l'adaptation permanente au changement des conditions de concurrence et des comportements d'achats. On y voit se dessiner un « hypercentre » coupé par la place de la République et l'opération Percée centrale : autour de la rue des Minimes et de la place Roosevelt d'un côté, des rues de Bolton et de Saint-Jacques de l'autre ; la spécialisation se fait ici dans l'habillement (confection, chaussures, accessoires) et l'entretien de la personne ; deux des trois grands magasins du centre s'y trouvent. Aux abords de cet hypercentre, la spécialisation se fait vers les activités d'accueil, de détente et de loisirs, en particulier dans la zone intermédiaire entre le centre commerçant moderne et le Vieux Mans ; l'existence ancienne d'un marché, maintenant transféré, et la réhabilitation du quartier peut expliquer cette orientation peu apparente dans le paysage urbain, mais réelle. Une nouvelle image du centre se forme actuellement, incorporant les effets des opérations d'aménagement qui ont créé de nouvelles surfaces commercialisables (place de la République, en sous-sol, place des Comtes du Maine et Maine 2000, rue de la Galère) et développé de multiples cheminements piétonniers. La ségrégation dans les pratiques commerciales en cours dans le centre du Mans traduit une évolution des goûts conduisant à une autre consommation culturelle. Elle a pour effet d'amener les classes populaires à être de moins en moins clientes dans le centre pour leurs besoins quotidiens ; mais, en répondant à l'émergence des classes moyennes au Mans, elle contribue à l'effacement de l'image de gros bourg flanqué de ses marchés hebdomadaires au profit de celle d'un centre urbain réel que fréquentera volontiers une clientèle sarthoise qui a cessé d'être rurale et paysanne.

La desserte commerciale de la population rurale

En s'installant à la périphérie du Mans, les hypermarchés allaient drainer de multiples clientèles : celle des quartiers neufs peu ou pas équipés en commerces de détail, celle des quartiers plus anciens où les commerçants de l'alimentation se maintiendront difficilement et celle des zones rurales proches avec leurs gros bourgs et leurs petites villes. A partir de 1972, les entreprises installent des supermarchés importants à la lisière de celles-ci afin de récupérer la clientèle qui s'évade vers les hypermarchés du Mans, d'Angers ou d'Alençon ; en même temps, elles gardent celle de leur zone rurale ; elles s'appuient souvent sur la proximité de nouvelles zones d'habitations qu'elles vont desservir avec les mêmes techniques que leurs concurrentes des grandes villes (magasins « Leclerc » à La Ferté-Bernard, Sablé, Château-du-Loir et La Flèche ; « Escale » à Sablé et La Flèche, « Intermarché » à Mamers et Saint-Calais). Parallèlement, la diffusion du commerce moderne est assurée par la mise en place d'un réseau de supérettes, dont le nombre avait triplé entre 1966 et 1977 ; si le supermarché peut être considéré comme un commerce de proximité dans un quartier du Mans, la supérette est mieux adaptée pour ce rôle dans les petits centres urbains de la Sarthe. Les Comptoirs modernes qui s'étaient surtout préoccupés d'implanter des supermarchés dans l'agglomération du Mans (enseigne « SUMA » puis « STOC ») ouvrent leur premier « SUMA » hors de cette ville à La Flèche, en 1975, et étendent un réseau de supérettes à l'enseigne « COMOD ». Des commerçants indépendants regroupés en associations de statuts divers participent également à cette rénovation des modes de distribution et de desserte de la population.

Le commerce en zone rurale se présente en fait de deux manières selon qu'il s'agit d'un commerce de village trop peu peuplé pour qu'il se soit constitué un noyau commerçant, ou d'un bourg où ce noyau existe.

Dans le premier cas, la disparition d'un certain nombre de commerces surtout alimentaires, même quand le nombre d'habitants a remonté et que ceux-ci consomment davantage, est la conséquence de changements de comportements : présence de congélateurs dans les fermes et dans de nombreuses maisons des bourgs (si on tue encore le cochon, il n'est plus salé mais congelé), présence d'une ou plusieurs voitures par foyer ; souvent, la quasi-totalité des femmes de 25 à 40 ans ont leur permis de conduire, ce qui leur accorde une autonomie pour les déplacements occasionnés par les enfants, les activités professionnelles ou les achats. Les services commerciaux des villages sont devenus insuffisants en même temps que s'élargissait l'éventail des besoins. La vente sur catalogue peut y suppléer, mais les magasins de grande surface des petites villes ou de la périphérie du Mans et d'Alençon permettent de s'approvisionner en peu de temps et pour moins cher ; ils fournissent comme certains industriels les morceaux de viande non découpée pour les congélateurs ; ceux qui sont spécialisés dans le meuble ou l'équipement de la maison offrent un choix plus vaste sans qu'il y ait à recourir au vendeur ; les magasins des centres des petites villes, par leur variété et leur gamme plus étendue d'articles pour l'équipement de la personne et les loisirs, donnent accès à un commerce plus affiné ; enfin, les marchés hebdomadaires continuent à être fréquentés très régulièrement et contribuent à définir une aire plus vaste dont la centralité s'exprime dans la petite ville et non au village. Cette évolution est inséparable de celle des autres services ; citons l'école, qu'à partir de 11 ans on fréquente dans le collège du chef-lieu de canton ; l'église qui n'est plus desservie tous les dimanches et les cérémonies collectives, comme la communion solennelle, parfois regroupées dans la paroisse principale. La disparition de l'unique boulangerie, de la dernière épicerie qui ne trouve pas preneur, du café (lieu de rencontre privilégié) est alors mise sur le même plan que la fermeture du bureau de poste et de l'école. Si bien que le commerce de détail prend une tonalité de service public et que la collectivité est tentée d'intervenir pour son maintien.

Dans le second cas, le groupement des commerces fait jouer en leur faveur la centralité. Ce groupement n'est pas seulement celui des activités représentées, mais aussi le voisinage réel des magasins, la continuité commerciale. Dans certains gros bourgs (Malicorne, Vibraye...), celle-ci est bien réalisée et le commerce garde une bonne situation en nombre d'établissements et même en possibilités d'affinage. Pourtant, la concurrence existe, les supermarchés sont fréquentés par la clientèle motorisée des jeunes ménages et des retraités. En fin de semaine, le samedi, le dimanche matin, le centre du bourg est le lieu de rassemblement des habitants des résidences secondaires, de ceux qui sont venus rendre visite à la famille restée sur place : achats d'urgence de matériel pour la maison, de cadeaux et de fleurs pour les visites, contribuent au maintien d'un commerce actif qui, par un effet de résonance, provoquera l'installation dans le bourg des gens des environs. L'animation qui en résulte se manifeste par les possibilités de rencontre que donne aux femmes restées au foyer et aux personnes âgées le fait d'aller faire ses courses : le groupement des services publics ou commerciaux fait qu'il est probable de croiser quelque interlocuteur. Le besoin de sociabilité est ainsi satisfait, que ce soit pour rencontrer ou éviter quelqu'un. L'achat du pain, du journal, du tabac conduit quotidiennement vers le lieu central où sont les commerces.

L'activité commerciale, tout en gardant son rôle fonctionnel, apporte aux lieux où elle s'exerce une animation, un surplus de sociabilité qui ailleurs fait le succès des centres villes piétonniers, et sans doute ici de quelques bourgs au dessin mieux adapté.

Le rôle intermédiaire des petites villes

Il a déjà été évoqué à plusieurs reprises. Sablé, La Flèche, Château-du-Loir, La Ferté-Bernard, Mamers, dans une certaine mesure Saint-Calais, se sont trouvés renforcés dans leur rôle commercial par le jeu de la concurrence entre les sociétés de super et hypermarchés. En position périphérique, elles retiennent une clientèle qui, un moment, s'est déplacée vers Le Mans, Angers, Tours (Alençon a joué ce même rôle dans le nord de la Sarthe), à condition d'offrir les mêmes techniques commerciales ; grande surface de vente et libre service ; les habitants des communes proches des départements limitrophes y trouvent l'avantage d'un déplacement plus court que vers leur chef-lieu. Entre Sablé et Laval, La Flèche et Angers, Château-du-Loir et Tours, aucune petite ville comparable ne s'interpose, comme par exemple Baugé, entre La Flèche et Saumur. La situation de La Ferté-Bernard et Mamers est moins avantageuse à cause de la proximité de Nogent-le-Rotrou en Eure-et-Loir, de Bellême dans l'Orne. Ce renforcement commercial des petites villes accompagne leur développement démographique, supplée aux défaillances du commerce des communes rurales quand il ne les accentue pas, car leurs supermarchés ont pris ici le relais des hypermarchés des grandes villes ; en même temps, le commerce de la petite ville évolue selon un schéma maintenant habituel : marchands de matériaux de construction, magasins d'équipement de la maison, vendeurs de véhicules automobiles neufs ou d'occasion, supermarchés trouvent à la sortie de l'agglomération les emplacements moins coûteux qui leur sont nécessaires ; le commerce banal se rétracte en ville, tandis que dans les rues qui constituent le centre, l'affinage commercial se manifeste par des installations plus modernes, à l'assortiment plus relevé ; les boutiques d'alimentation générale, les boucheries disparaissent, remplacées par les magasins de cadeaux ou de parfumerie ; les charcutiers se transforment en traiteurs et les boulangeries ont une vitrine plus pâtissière que boulangère.

La Flèche. Bordure de la ville. Maraîchage de grande activité. Serres, collectifs, foyer-logement pour personnes âgées, petite usine décentralisée, lotissement de pavillons. *(Cliché R. Rouleau).*

Les mutations récentes ont amené dans les petites villes de la périphérie du département à la fois la population ouvrière des nouvelles usines et celle des employés des services scolaires et sanitaires longtemps rassemblés au Mans. C'est encore le cas pour les services rendus aux entreprises ; par contre, la densité des emplois pour 1.000 habitants dans les administrations (services non marchands) y est très proche de celle des autres communes urbaines ; le décalage essentiel est avec les communes rurales.

Densité du tertiaire dans ses principaux secteurs (emplois pour 1.000 habitants en 1975)			
	Communes rurales	Communes urbaines	
		Le Mans	Autres
Commerce de détail alimentaire...............	7	14,9	13,5
Commerce de détail non alimentaire	5,7	23,1	23,4
Réparation et commerce automobile...............	3,7	8,3	8,2
Hôtels, cafés, restaurants ...	8,2	7,8	9,3
Services marchands rendus aux entreprises	3,3	12,9	8,5
Services marchands rendus aux particuliers	9,4	41,3	30,2
Services non marchands	30,6	77,8	71,2

(Source : *Statistique et développement*, n° 41, février 1981. G. Decand, *Aussi faible soit-il en milieu rural, le tertiaire est présent partout*)

La différence de nature du commerce de détail entre communes rurales et urbaines apparaît très bien sur le tableau : 12,7 emplois pour 1.000 habitants dans les premières, 38 au Mans et 36,9 dans les plus petites villes ; mais, surtout, en zone rurale, le commerce alimentaire de détail représente plus de la moitié des emplois (55 %) contre 39 % au Mans et seulement 36,5 % dans les autres communes urbaines ; c'est dans ces dernières que le poids du commerce de détail non alimentaire est le plus élevé ; ce fait et les transformations du paysage commercial qui ont accompagné celles des modes de consommation contribuent à accroître le rôle des petits centres urbains périphériques dans l'économie et la vie de la région.

Croissance de la population, mutations agricoles, industrielles et commerciales, tout cela peut expliquer que Le Mans ait tenté de se doter d'un véritable centre moderne dans les années 1970, susceptible de lui permettre de tenir ce rôle régional auquel, peut-être, aspire le chef-lieu du département.

Mutation et rupture : l'exemple du centre-ville du Mans (1965-1977)

Les modifications du centre-ville du Mans procèdent, pour l'essentiel, de deux opérations d'urbanisme : la « Percée centrale » dont les travaux commencés en 1965 sont presque terminés, et les transformations de la place de la République effectuées en 1969-1970. L'ampleur du bouleversement morphologique que révèle la juxtaposition brutale du passé et du présent pourrait faire illusion... La simple comparaison des deux photographies prises à vingt ans d'intervalle nous permettra de préciser l'importance des travaux effectués. Il s'agira, ensuite, d'en rappeler les modalités afin de mieux en comprendre les retombées.

A considérer leur impact, les deux opérations d'urbanisme sont non seulement de portée inégale (la seconde n'est que la retombée de la première), mais aussi de nature différente.

Place de la République, la trame de la voirie et le cadre architectural ont été en grande partie conservés. Si l'espace a été recréé, c'est avant tout en profondeur (des parcs de stationnement ont été aménagés, une galerie marchande a fini par ouvrir) et au niveau du terre-plein central qui a été agrémenté d'espaces verts, de cheminements piétonniers et d'une fontaine lumineuse. Chanzy a été contraint à une ultime retraite vers la place Washington et le marché forain s'est réfugié aux Jacobins. C'est donc à une opération de rénovation qu'il a été procédé.

La Percée centrale est d'une toute autre ampleur : elle traduit une volonté de restructuration. « C'est une véritable opération de chirurgie... que s'est fixée pour mission une commission groupant élus et chefs de services départementaux », précisait *Ouest-France* le 22 avril 1969. Tout un espace intérieur, correspondant à une superficie de 5,76 hectares, a été graduellement rasé avant d'être reconstruit en fonction d'une large artère à laquelle le périmètre doit son nom. Rien qui rappelle le passé : le bulldozer a tout effacé. Beaucoup de demeures, il est vrai, ne présentaient que bien peu de confort et avaient d'autant plus tendance à se dégrader qu'elles étaient délaissées par leurs propriétaires inquiets, de longue date, de projets d'expropriation. Mais ce n'est sans doute pas sans nostalgie que l'on redécouvrira, dans cette masse basse et diffuse caractéristique d'un « gros bourg » habitué à de lentes mutations, de vieux logis au charme discret dont l'histoire est contée par A. Bouton dans son livre *la Vie pittoresque du Mans au temps des carrosses et des chandelles,* les hôtels Goussault et M. Fay...

L'espace a été reconstruit en fonction de deux voies qui se croisent perpendiculairement et de deux masses architecturales qui ont été conçues contradictoirement.

Rénovation et restructuration

Centre d'hier. *(Cliché Delourmel).*

Centre d'aujourd'hui. *(Cliché J.-M. Martin).*

Place de la République : art martial, art conventuel (Chanzy , la Visitation) et le marché forain.
(Cliché Services techniques de la C.U.M., septembre 1966).

Des deux artères, la principale est sans conteste l'avenue de Gaulle dans l'axe de laquelle la photographie aérienne de l'actuel centre-ville a été prise. C'est au sens étroit du terme « la Percée centrale ». Si la rue de la Préfecture paraît moins importante, ce n'est pas seulement parce qu'elle est inachevée et dénuée de tout élément décoratif, mais aussi parce qu'elle est constituée de deux tronçons séparés brutalement par un passage en guichet. L'avenue de Gaulle, plus large, rectiligne, constitue au contraire une coupure d'autant plus nette que les immeubles qui la bordent sont assemblés à la manière d'un jeu de dominos et que les espaces verts, réduits à de simples liserés, ne peuvent constituer des facteurs de réunification. De part et d'autre de cette trouée, l'espace s'articule autour d'un monument-cible, la « Tour Emeraude », et d'un vide relatif, la place des Comtes du Maine. Enchâssée dans un socle triangulaire serti de boutiques, la tour se compose de douze étages de bureaux. Elle a été édifiée à des fins locatives par le Groupe des Mutuelles du Mans dont le dynamisme contribue au rayonnement de la ville. Construite selon des techniques comparable à celles de « La Défense », elle domine le centre de ses 55 mètres. La place des Comtes du Maine, conçue à l'inverse comme un possible lieu de rassemblement, est une place à tiroir constituée de deux carrés juxtaposés et dénivelés. Le plus important est une esplanade dominée en son centre par « Maine 2000 » et son profil en forme de pyramide renversée. Le plus petit, en contrebas, est partiellement occupé par un espace vert ô combien discret... cour intérieure, zone de transition ? Les deux à la fois, ce qui est révélateur de la contamination des domaines public et privé, et significatif de toute l'opération de restructuration si l'on considère la génèse du projet et les modalités de sa réalisation.

Une rupture de perspective : la rue de la Préfecture et son passage en guichet.
(Cliché Services techniques de la C.U.M., décembre 1976).

Le projet visant à renforcer le centre-ville en prolongeant l'ancienne avenue Thiers vers la cathédrale date d'un siècle environ ; le souci de mieux le relier à Paris avec lequel les échanges ne cessent de s'intensifier se manifeste plus tard. Les deux préoccupations finissent par se rejoindre dans le premier plan d'aménagement élaboré sous l'égide du ministère de la Reconstruction et du Logement, mais c'est la seconde qui finit par l'emporter. La rue de la Préfecture s'en trouve minorée et la « Percée centrale » est finalement envisagée comme une pénétrante capable de drainer le flux automobile venant de la capitale. Conçue par Paris, l'opération l'est en fait par rapport à Paris et en fonction de... l'automobile. Voilà pourquoi l'avenue de Gaulle constitue une telle coupure ; le problème ayant été posé en termes de voirie, le rôle fondamental des immeubles appelés à modeler les creux n'a pas été pris en compte. La solution inspirée par l'administration centrale est donc assez banale. Elle n'en est pas moins compliquée dans la mesure où elle suppose la destruction d'îlots d'habitation, la mise au point de procédures complexes et nécessairement lentes. Le projet, déjà altéré, est condamné à vieillir.

Ne soyons donc pas surpris si les lignes architecturales dominantes rappellent l'immédiat après-guerre et cela d'autant plus que le souci de rentabilité a parfois prévalu sur les considérations esthétiques. En effet, la municipalité Maury, probablement inquiète de l'envergure de l'opération, en a confié la réalisation à un groupe privé, la S.G.F.E. (Société de gestion foncière et d'études), qui a été créée à cet effet et a obtenu au préalable la collaboration technique d'un groupe d'architectes locaux appelés à réaliser les aménagements intérieurs, et le concours financier de promoteurs publics et privés. Quels avantages réci-

Le dirigé et le spontané

proques y trouvent les contractants ? Si la collectivité consent des avances et se porte garante de la bonne fin des travaux, elle ne prend directement à sa charge que l'infrastructure : elle évite ainsi, *a priori* tout au moins, le recours massif aux deniers publics, argument de poids dans une ville habituée à une politique malthusienne en matière d'investissement ! Quant à la S.G.F.E., elle procède par voie de remembrement amiable, formule en partie inédite, qui permet non seulement d'éluder le problème de la maîtrise des sols en milieu urbain, mais aussi le relogement graduel des habitants et le dégagement de terrains à bâtir (18 îlots sur 30). La promotion immobilière est donc un enjeu dont il convient de tenir compte si l'on veut apprécier à leur juste valeur les travaux réalisés.

Revitalisation et rupture

A considérer les retombées de la Percée centrale et de son complément, la rénovation de la place de la République, le bilan paraît mitigé. Le périmètre reconstruit présente incontestablement une homogénéité socio-professionnelle beaucoup plus grande que par le passé. Même si les fonctions résidentielles n'ont pas été négligées, une sélection par les revenus s'est opérée au profit de catégories sociales relativement aisées. L'accroissement des surfaces de bureaux et de vente a permis le regroupement des services fiscaux jusqu'alors dispersés et a été suivi d'un développement particulièrement net des fonctions juridiques, médicales, financières et commerciales. Ces mutations ont-elles contribué pour autant à donner à la ville plus de poids dans l'espace régional ? La restructuration n'est sans doute pas étrangère au renforcement du centre dont les services se sont à la fois étoffés et affinés. Il est à remarquer, cependant, qu'elle n'a guère favorisé l'implantation d'entreprises impliquant un pouvoir de décision. Tout en contribuant à renforcer la « centralité » des services, elle n'en a guère accru le rayonnement.

L'accès du centre-ville a sans doute été facilité par l'aménagement d'aires de transit et de stationnement. Mais comment ne pas regretter que les priorités aient été inversées : le piéton, même docile, reste tributaire de la circulation automobile, les cheminements qu'il emprunte étant discontinus ! Quel dommage que le transit place de la République ne s'effectue pas en sous-sol... Le vaste rond-point que constitue le terre-plein central, et qui paraît avoir été conçu beaucoup plus pour être regardé que pour être fréquenté, aurait eu plus de chance de redevenir ce lieu privilégié d'échanges et de rencontres qu'il fût jadis. Et que dire du violent contraste que forme la Percée centrale avec le reste du centre-ville ? Aucune transition n'a été ménagée : des constructions anciennes et nouvelles s'affrontent de part et d'autre d'une rue, des immeubles récents brisent les perspectives des XVIIIe et XIXe siècles. La rupture est totale si l'on considère les rapports d'échelle et les couleurs : ici des façades gris rosé, au rythme allègre, des toits animés et bleutés, là des parallélipipèdes clairs et agressifs, des barres démesurément allongées. Ensemble minéralisé, éclaté et pesant, la Percée centrale fait figure de corps étranger par rapport à un tissu urbain dont la spécificité a été ignorée. Quel trésor d'imagination faudra-t-il pour concevoir l'îlot qui devra jouxter l'église de la Couture ! En fin de compte, la solution de la restructuration, pour être banale, n'en est pas moins exclusive et brutale...

On mesure aisément la complexité des problèmes auxquels la gauche, victorieuse aux élections municipales de mars 1977 se trouve confrontée. Alors qu'elle s'engage à redonner vie au centre-ville en aménageant des rues piétonnes, en construisant des logements sociaux, et en consultant la population, elle doit veiller aussi à intégrer l'ancien et le moderne, et démontrer par là-même que la valorisation du passé et la préparation de l'avenir peuvent aller de pair. L'heure des bilans n'est pas encore tout à fait venue mais, au-delà des intentions et des difficultés éventuelles que suscite leur mise en pratique, des opérations sont lancées, d'autres sont réalisées. Parmi ces dernières, il en est une qu'il est permis de privilégier en raison de sa signification politique, de son parti pris architectural et de l'instrument qu'elle peut représenter pour la vie associative et culturelle : c'est le complexe formé par la Maison des syndicats et des associations, d'une part, et le palais de la Culture, d'autre part, auquel la municipalité du Mans a donné le nom de « Cité Cénomane ».

De l'escalier des Ponts Neufs à la Percée centrale : juxtaposition de l'ancien et du moderne, et rue piétonne. *(Cliché Norbert Touchard).*

La restructuration du centre-ville : Etoile-Jacobins. *(Cliché Yvel).*

431

Permanences et évolutions sarthoises

Département de l'Ouest, la Sarthe est souvent rattachée à ces pays où semblent dominer tradition et conservatisme. La thèse, désormais classique, de Paul Bois, a montré qu'il n'en était rien et qu'il fallait faire passer les grands clivages politiques français à l'intérieur même de l'espace sarthois : à l'ouest, foyer de la « résistance », s'opposerait le sud-est, citadelle du « mouvement ». Si cette dichotomie n'est pas complètement effacée aujourd'hui, les événements de ces dernières années et le rôle grandissant du Mans semblent à l'origine d'une nouvelle carte politique sarthoise.

Les grands tournants : mai 58, mai 68, mai 81

Mai 58   Comme tous les Français, les Sarthois suivirent avec attention les événements qui permirent le retour au pouvoir du général de Gaulle le 30 mai 1958. Pour lutter contre des actions qu'ils jugeaient subversives, différents comités se créèrent dans le département et, à plusieurs reprises, appelèrent à manifester, ainsi le Comité d'action et de défense républicaine.

> *La République est en péril, nos libertés sont menacées. Travailleurs, républicains et démocrates, répondez tous à l'appel que vous lance le Comité départemental d'Action et de Défense Républicaine. Comme à Paris, venez vendredi 30 mai, à 18 h 30, défiler de la Maison sociale à la place des Jacobins, pour manifester votre volonté de ne transiger avec aucune dictature et affirmer votre attachement au régime républicain et aux libertés démocratiques. (Ouest-France, 30 mai 1958).*

Le même jour, le Comité sarthois de défense de la République adjurait, dans un télégramme, les députés sarthois de « rejeter l'investiture de de Gaulle, symbole des factieux » (*Ouest-France*, 30 mai 1958). Parmi les destinataires, Raymond Dronne, qui en fait se trouvait à Alger depuis le 19 mai, d'où il avait lancé un appel au président du Conseil.

> *M. Pflimlin,*
> *Je suis arrivé hier, alors que s'achevait cette manifestation extraordinaire marquant l'unité de tout le peuple d'Algérie. Je vous le dis, de nouveau, seul un gouvernement de salut public présidé par le général de Gaulle peut refaire l'unité. Je vous connais et je vous estime, mais j'espère que votre esprit patriotique aura raison de votre obstination. Vive l'Algérie française, Vive le général de Gaulle. (Ouest-France, 20 mai 1958).*

Le remarquable succès obtenu au référendum de septembre 1958, 176.406 oui contre 38.410 non, soit 82,11 % de réponses positives, montra l'adhésion des Sarthois à la nouvelle constitution. Jamais, cependant, le général de Gaulle ne retrouva ce chiffre : 141.434 oui au référendum d'août 1961, 163.077 à celui d'avril 1962, où le Parti communiste appelait également à voter oui. Aux élections présidentielles de 1965, la marge s'était encore rétrécie : au deuxième tour, de Gaulle obtenait 118.383 suffrages (53,55 %), Mitterrand 102.672 (46,45 %). Dans ces conditions, l'échec final s'explique mieux : au référendum sur la décentralisation d'avril 1969, la Sarthe donnait une nette majorité au non, 51,43 % contre 48,57 %, les traces de mai 1968 n'étaient sans doute pas effacées.

En Sarthe, la répercussion des événements parisiens fut le fait essentiellement de la classe ouvrière et, plus particulièrement, du personnel de la plus importante usine du département, Renault. C'est d'elle, en effet, que partit la grève générale illimitée après un meeting tenu le 16 :

Mai 68

> *Le drapeau rouge à lettres or de la C.G.T. flotte depuis hier après-midi à l'entrée des usines mancelles de la Régie Renault. A 16 h 30, hier, le personnel réuni en meeting aux portes de l'entreprise, à l'appel de la C.G.T. et de la C.F.D.T., a décidé la grève immédiate et illimitée. Aussitôt, les 4.000 salariés, horaires et mensuels, de l'équipe de jour, auxquels s'étaient joints des cadres, décidaient d'occuper les ateliers et les locaux de la R.N.U.R., dans le calme et la dignité, en attendant la relève de l'équipe de nuit. De la sortie, débutait une longue veillée de grève dont on ne sait encore quand et dans quelles circonstances elle prendra fin. (Ouest-France, 17 mai 1968).*

De la R.N.U.R., le mouvement s'étendit à de nombreuses autres entreprises, gagnant, le 21 mai, le secteur tertiaire, et la grève était considérée comme générale par les journaux vers les 25-26. De nombreuses manifestations, défilés, prises de parole se déroulèrent, parmi lesquels celui du 28 mai organisé par la C.G.T.

> *Plus de 20.000 travailleurs en grève, répondant à l'appel de la C.G.T., soutenue par le P.C.F., l'U.F.F. et les jeunesses communistes, ont participé, mardi après-midi, à un défilé, impressionnant à la fois par son calme et sa fermeté. (Le Maine Libre, 29 mai 1968).*

Au cours de ce meeting furent réaffirmées positions syndicales mais aussi options politiques :

> *Changement de régime et gouvernement populaire dans une totale union des partis de gauche. (Ouest-France, 29 mai 1968).*

Des incidents marquèrent aussi ces journées et le Parti communiste dut même protester contre des collectages sur la voie publique et des interventions sur les marchés.

> *La Fédération communiste de la Sarthe apprend avec indignation qu'à proximité du Mans, des automobilistes sont rançonnés à raison de 10 F par cheval-vapeur, par des énergumènes incontrôlés qui exhibent un brassard du Parti communiste et, en cas de refus, menacent de détériorer les véhicules. Ces agissements intolérables sont le fait d'escrocs ou de provocateurs qui travaillent à discréditer le magnifique mouvement revendicatif des travailleurs sarthois. (R. Jarry, les Communistes au cœur des luttes sarthoises, t. 2, 1970, p. 230).*

Le mardi 18 juin, Renault se remettait au travail et les derniers, les ouvriers de Glaenzer, cessèrent la grève le 24 juin. R. Jarry tire ainsi les enseignements de ces événements.

4 juin au Mans : nous étions 35 000 aux "Jacobins"

Sur le chemin du retour, sans qu'aucune consigne ne soit donnée, pas un groupe ne passa devant la préfecture, les mensonges et les calomnies du pouvoir et de ses valets n'apparaissent que plus clairement au travers de ces faits.

Une telle manifestation a été l'image et la preuve de la communauté d'intérêt de la classe ouvrière ; les travailleurs ce jour-là l'ont ressenti ; engagés dans un même combat pour les mêmes revendications générales ils avaient à lutter ensemble contre la coalition du pouvoir et du patronat.

C'était leur seule chance de vaincre, ils ont gagné.

La manifestation du 4 juin 1968 au Mans. *(Extrait de « Mai-juin 68, 33 jours d'histoire ouvrière », édité par le syndicat C.G.T. de la R.N.U.R., Le Mans, 1968).*

Ce qui a manqué en juin pour en finir avec le pouvoir gaulliste en tant que pouvoir des monopoles, c'est avant tout l'existence d'une entente solide comprenant non seulement les partis de gauche, mais aussi les organisations syndicales, sur la base d'un programme commun, c'est-à-dire l'existence d'une véritable alliance entre la classe ouvrière, les couches sociales progressistes anti-monopolistes des villes et des campagnes.

Mais les événements de mai-juin ont mis en lumière le rôle extrêmement important que les grèves économiques et les grèves politiques, se combinant avec d'autres formes de lutte, peuvent jouer dans le développement des mouvements des masses, dans la lutte pour l'avènement d'un gouvernement anti-monopoliste, susceptible d'ouvrir la voie au socialisme. (R. Jarry, les Communistes au cœur des luttes sarthoises, t. 2, 1970, p. 244-245).

A court terme, le P.C. et la F.G.D.S. perdirent leurs sièges de députés et, par rapport aux élections de 1967, la gauche, au scrutin de 1968, passa de 90.530 voix à 87.234, les gaullistes et les modérés de 111.901 à 124.903 voix.

Mai 81 Troisième grand tournant en France mais aussi dans la Sarthe : la victoire de François Mitterrand le 10 mai. Au soir du premier tour, celle-ci ne paraissait pas évidente dans notre département.

Mathématiquement, Valéry Giscard d'Estaing, s'il n'y a pas de défections ou de mauvais reports des voix obtenues par MM. Debré et Chirac ainsi que par Marie-France Garaud, devrait disposer de 50,78 % des suffrages, le 10 mai [en 1974, il avait obtenu 51,40 % au second tour]. (Le Maine Libre, 28 avril).

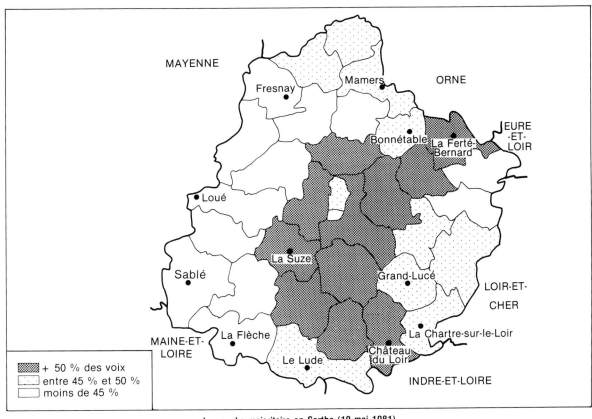

La gauche majoritaire en Sarthe (10 mai 1981)

Légende :
- + 50 % des voix
- entre 45 % et 50 %
- moins de 45 %

Parmi les inconnues, le vote au second tour des 9.832 écologistes sarthois, 3,47 % des électeurs, et, parmi les surprises, le mauvais score de Georges Marchais, 14,17 % des voix. *Ouest-France,* le 28, observait le bon résultat réalisé par le candidat socialiste dans des quartiers manceaux dont les caractéristiques communes étaient d'être construits de petites maisons et de récents pavillons, habités sans doute par la classe moyenne.

Le second tour vit donc la gauche majoritaire en Sarthe ; le 11 mai, *le Maine Libre* décrivait ainsi la nouvelle orientation politique du département :

> *Alors qu'en 1974, au deuxième tour, M. Giscard d'Estaing l'avait emporté dans la Sarthe avec 51,40 % des voix contre 48,60 % à M. Mitterrand, c'est l'inverse qui s'est produit hier. Certes, le candidat socialiste n'arrive pas tout à fait à atteindre avec 50,70 %, le score du président sortant en 1974 sur l'ensemble du département. Il se classe en tête dans 9 cantons ruraux et dans 4 des 6 cantons du Mans. Dans le chef-lieu du département, la progression de M. Mitterrand est spectaculaire puisqu'il gagne plus de 2 % par rapport au deuxième tour de 1974... Au niveau des cantons ruraux où le nouveau président a assuré son succès, il faut noter que les pourcentages sont particulièrement impressionnants : près de 56 % à La Suze, plus de 67 % à Pontvallain, près de 55 % à Ecommoy où l'appel lancé par M. Dronne, en faveur du candidat socialiste, a manifestement été suivi. (Le Maine Libre, 11 mai 1981).*

Les élections législatives de juin confirmèrent en voix cette poussée de la gauche ; celle-ci resta cependant minoritaire en sièges.

Le 10 mai, la Sarthe avait été le seul département de l'Ouest à basculer à gauche en donnant 50,70 % des voix à M. François Mitterrand. Mais la logique du soutien majoritaire, après avoir éliminé le seul député communiste des Pays de Loire au premier tour, n'a pas joué dans la même proportion qu'ailleurs en faveur du Parti socialiste, puisque avec les deux députés U.N.M.-R.P.R. élus au premier tour, l'ancienne majorité a obtenu un troisième siège, celui de la première circonscription. (Le Monde, mardi 23 juin, p. 22).

Les deux autres sièges revenaient au Parti socialiste. Ces résultats amenaient à penser que la majorité au conseil général basculerait lors du renouvellement prévu en mars 1982 : l'échec de la gauche, plus particulièrement celui du Parti socialiste, peut conduire à s'interroger sur la signification profonde du résultat observé le 10 mai.

Le comportement politique des Sarthois

Les résultats enregistrés depuis 1958 aux différents scrutins tendraient à confirmer cette constatation déjà ancienne d'A. Pouille :

La droite reprend définitivement le dessus au référendum du 5 mai 1946 et aux élections à la deuxième constituante du 2 juin 1946. Elle conservera cette majorité jusqu'à nos jours, confirmant par là que le renversement qui s'était produit à son profit en 1936 était un phénomène durable et correspondant à la volonté profonde des Sarthois soucieux de conservatisme et d'ordre social. (A. Pouille, Elections législatives et référendums dans la Sarthe, essai de géographie électorale, Le Mans, 1967, p. 98).

Législatives, sénatoriales et cantonales

Les législatives, élections nationales comme les présidentielles, permettent plus facilement aux intérêts locaux de s'exprimer et le rôle des personnalités sarthoises n'y est pas négligeable, leur implantation personnelle pouvant atténuer la répercussion des grands mouvements nationaux, on l'a bien vu en juin 1981. Du tableau ci-dessous, quelques grandes conclusions semblent se dégager. La forte personnalité de Joël Le Theule a profondément marqué la quatrième circonscription et son ancien collaborateur en a sans doute encore tiré profit en 1981. La cinquième circonscription, quant à elle, assure pratiquement dès le premier tour l'élection ou la réélection de ses deux représentants successifs, MM. d'Aillières et Gascher. Par contre, dans la première, M. Chasseguet, le successeur de l'ancien député-maire du Mans, M. Chapalain, a connu un recul continu de son électorat et quelques cantons ruraux, comme Ballon, ont changé de camp. La seconde circonscription paraît, elle, acquise à la gauche, et il a fallu les circonstances exceptionnelles de 1968 pour y permettre la victoire de Jacques Chaumont, sa réélection en 1973 étant pour beaucoup une surprise. Le Parti communiste a pu y remporter trois fois la victoire avec MM. Manceau et Boulay. Enfin, la situation paraît beaucoup plus instable dans la troisième circonscription, la personnalité de M. Dronne n'ayant pas été étrangère à cette situation.

Cérémonie militaire : au premier plan, Joël Le Theule ; au second, le docteur Maury. *(Cliché Maine Libre).*

	Elections législatives en Sarthe de 1958 à 1981						
	1958	1962	1967	1968	1973	1978	1981
I	Chapalain U.N.R. 64,54 %	Chapalain U.D.R. 67,4 %	Chapalain U.D.R. 36,7 %	Chapalain U.D.R. 70,6 %	Chasseguet U.R.P. 57,1 %	Chasseguet R.P.R. 54,2 % *	Chasseguet U.N.M. 50,1 %
II	Poignant Soc. ind. 39,7 %	Manceau P.C. 41,9 %	Manceau P.C. 56,1 %	Chaumont U.D.R. 52,6 %	Chaumont U.R.P. 50,1 %	Boulay P.C. 53,4 %	Douyère P.S. 62,4
III	Dronne U.N.R. 50,9 %	Fouet Radical 50,7 %	Fouet F.G.D.S. 52,1 %	Dronne C.D.P. 53,5 %	Dronne Républ. 50,02 %	De Maigret P.R. 51,1 %	Chauveau P.S. 50,4 %
IV	Le Theule U.N.R. 72,9 %	Le Theule U.D.R. 65,9 % *	Le Theule U.D.R. 56,2 % *	Le Theule U.D.R. 63,5 % *	Le Theule U.R.P. 55,3 % *	Le Theule R.P.R. 55,3 % *	Fillon U.N.M. 50,1 % *
V	D'Aillières Rép. 63,2 % *	D'Aillières Ind. 71,2 %	D'Aillières Ind. 61,1 % *	D'Aillières R.I. 60,7 % *	D'Aillières R.I. 53,9 % *	Gascher R.P.R. 58,3 %	Gascher U.N.M. 55,7 % *

(*) Elu au premier tour.

Les sénatoriales confirment dans l'ensemble l'influence des partis modérés : si aux élections du 22 septembre 1968, un socialiste indépendant, M. Fernand Poignant, réussit à se faire élire, gaullistes et indépendants ont, par contre, gagné les élections de 1959 et de 1977. De même, la présidence du conseil général a été pour l'essentiel assurée par des modérés depuis 1958, malgré la victoire de Max Boyer en 1967 et celle de Fernand Poignant en 1976. Les dernières élections cantonales, celles de mars 1982, ont même vu la présidence de Michel d'Aillières sortir renforcée d'un scrutin où, malgré la création de quatre cantons nouveaux au Mans, la représentation des partis de gauche a reculé dans une assemblée départementale aux pouvoirs désormais très élargis.

Municipales

Elections locales mais influençant profondément la vie des Sarthois, ces scrutins ont été marqués ces dernières années par le maintien de l'influence des notables dans les villages et dans les petites villes, F. Poignant à Saint-Calais, Joël Le Theule à Sablé, mais surtout par la victoire de la liste de gauche au Mans, en 1977, liste conduite par le communiste R. Jarry, la commune périphérique d'Allonnes effectuant à la même date un choix identique. Certes, il n'avait manqué en 1965 que 8 voix au deuxième tour pour permettre à la liste conduite par Pierre Combe de battre celle du sénateur centriste Maury. Le succès de ce dernier fut confirmé en 1966, par 250 voix d'avance, après annulation par le Conseil d'Etat de l'élection précédente, et il fut amplifié nettement en 1971, où la liste Maury l'emportait avec 33.607 suffrages contre 28.427 à ses adversaires, *la Vie Mancelle* voyant dans ce résultat l'approbation par le corps électoral d'une politique qui avait « petit à petit transformé (la cité), passant de la qualité de gros bourg à laquelle on aimait la comparer, à celle d'une ville moderne digne d'une capitale régionale » (avril 1971, p. 3). Les divisions internes, les conflits de personnes, la bonne campagne unitaire et la poussée générale en faveur de la gauche, les insatisfactions dans certains quartiers, ainsi la Z.U.P. des Sablons, peuvent expliquer le très sensible échec de la majorité sortante en 1977 et la forte progression de la gauche qui obtient 39.178 voix contre 33.787 à ses adversaires. Cette victoire ne fut pas sans influence sur l'ensemble du département où se dessine aujourd'hui une nouvelle carte électorale : à la traditionnelle opposition ouest conservateur, sud-est révolutionnaire, il faut substituer l'image d'une Sarthe de la périphérie conservatrice ceinturant un centre, formé du Mans et des cantons les plus proches, plus sensible au changement.

Une nouvelle géographie électorale

Dès les présidentielles de 1965, cette évolution était décelable.

Le nord et une partie de l'est sont tombés entre les mains de la droite, en rupture de ban avec leur orientation primitive révolutionnaire. Le sud-est et l'ouest offrent des majorités plus réduites à leurs partis traditionnels de droite ou de gauche. Une nouvelle géographie se dessine dont Le Mans serait le centre, un centre de plus en plus rouge, surtout dans sa partie sud, tandis que les extrémités du département deviennent de plus en plus conservatrices... le centre urbain dynamique évolue vers la gauche, la périphérie sclérosée vers la droite. De toutes les façons, on ne peut plus parler d'une géographie électorale stable dans un milieu moderne où tout n'est que mouvance et évolution. (A. Pouille, *Elections législatives et référendums dans la Sarthe, essai de géographie électorale,* Le Mans, 1967, p. 199).

Après les élections de 1978, Mlle Dufour constate, elle aussi, qu'*il se*

L'abbaye de l'Epau, où se tiennent certaines réunions du conseil général de la Sarthe. *(Cliché J.-M. Martin).*

> *confirme que les facteurs sociologiques prennent le pas sur l'appartenance à un espace régional. (Agriculture et agriculteurs dans les campagnes mancelles, Le Mans, 1981, p. 408).*

L'industrialisation, avec par exemple le recrutement très large des ouvriers de Renault dans l'ensemble du département, l'urbanisation — Z.U.P. des Sablons, Allonnes, Arnage ainsi que Rouillon, La Chapelle-Saint-Aubin, La Milesse — permettent, sans aucun doute, d'expliquer cette atténuation du rôle de la tradition dans le comportement politique des Sarthois aujourd'hui.

Çà et là, la vieille noblesse terrienne garde son influence, les gros exploitants restent encore bien représentés dans les conseils municipaux, cependant :

> *L'élimination progressive des agriculteurs commence à influer sur les tendances politiques qui se manifestent dans tous les scrutins. A l'ouest et au nord du Mans, l'esprit conservateur ne règne plus d'une manière aussi incontestée que naguère et les environs de Sainte-Jamme, très ouvriers depuis longtemps, ne sont plus les seuls à voter à gauche. (J. Dufour, Agriculture et agriculteurs dans les campagnes mancelles, Le Mans, 1981, p. 408).*

La diminution du nombre des petits propriétaires qui, traditionnellement, dans le sud-est surtout, votaient à gauche, et l'arrivée des résidents secondaires, peuvent expliquer l'évolution inverse d'une commune comme celle de Lombron, longtemps une des communes les plus rouges du département.

Le Vieux Mans avant restauration.
(Cliché J.-M. Martin).

« En douze années, nous avons conscience
que... Le Mans n'est plus le « gros bourg »
dont on parlait sans cesse. Le Mans est
devenu une ville authentique ». *(J. Maury,
Le Mans Informations, janvier 1977).*

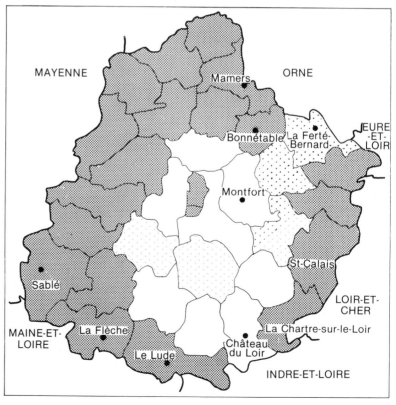

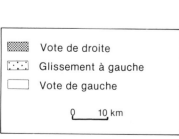

Le comportement politique des Sarthois
(dix élections de 1958 à 1981)

> *Après avoir manifesté la plus forte opposition au général de Gaulle en 1958 et avoir donné la majorité à F. Mitterrand en 1974, elle n'a donné que 49 % des voix au programme commun en 1978 ; elle a perdu sa municipalité de gauche en 1971 et ne l'a pas retrouvée en 1977. De quoi faire se retourner dans sa tombe le maire-agriculteur des années 1930 à 1950, propriétaire-exploitant d'une ferme moyenne, libre-penseur, porte-drapeau des idées socialistes, puis communistes, dans le canton de Montfort dont il fut le conseiller général estimé de tous, une belle figure caractéristique de la paysannerie des pays pauvres de la région mancelle. Le maire actuel est un résident secondaire, administrateur de sociétés au Mans, acquéreur récent d'un petit château.* (J. Dufour, *Agriculture et agriculteurs dans les campagnes mancelles*, Le Mans, 1981, p. 408).

Alors que reculent les notables traditionnels, la « nouvelle petite bourgeoisie » (ingénieurs, cadres technico-commerciaux, enseignants, etc.), installée dans l'habitat péri-urbain, qui a surgi ces dernières années autour du Mans en particulier, a déjà souvent manifesté son souci d'une gestion plus technicienne des affaires municipales, d'une orientation accentuée vers le socio-culturel (les premiers engagements personnels locaux se situant souvent dans les associations de parents d'élèves) et son désir de participer activement à la vie politique locale.

> *Logiquement, les revendications du nouveau groupe social le conduisent à se présenter aux élections municipales de 1977. Dans la plupart des cas, il s'agit de listes proches de l'Union de la Gauche [à ce propos, la comparaison entre les résultats des élections présidentielles de 1974 et de 1981 montre la progression du parti socialiste dans les communes périphériques]. Ne représentant pas encore la majorité de la population, le nouveau groupe social n'a pas réussi à s'emparer du pouvoir municipal, excepté dans deux ou trois cas. Mais l'accroissement résidentiel ne cessant pas, les prochaines élections devraient bouleverser ces données actuelles.* (A. Ozan, *les Fondements de l'espace péri-urbain*, Paris, 1981, p. 247).

Il ne faudrait cependant pas juger trop rapidement caduques les attitudes mentales traditionnelles. Même si une nouvelle carte politique semble se mettre en place, la moindre vigueur du mouvement coopératif dans le nord-ouest, où le traditionnel échange blé-pain avait bien résisté, le développement des premiers G.A.E.C. dans le sud-est, cette région où autrefois se pratiquait le « sohatage », l'achat des charrues en copropriété, témoignent que subsistent encore quelques traces des vieilles oppositions régionales.

Habitat péri-urbain.
(Cliché Yvel).

441

« Manger en tenant sa fourchette de la main gauche est une coutume de villotier. Ici, on pique le fromage au couteau, on essuie son assiette avec du pain... » (L'Empire du Taureau, p. 35. Cliché J.-M. Martin).

Catherine Paysan

Je porte ce village en moi.
Je m'en nourris jusqu'à l'écorce
Mes cheveux y puisent leur force
Et je me sens marcher plus droit.
(La musique du feu,
Denoël, 1967)

Son attachement passionné à son village natal, Aulaines, et à la Sarthe, Catherine Paysan l'a exprimé dans la plupart de ses ouvrages, depuis les récits consacrés à sa famille (*Comme l'or d'un anneau*, remarquable évocation de l'espace sarthois de la première moitié du XXe siècle), à son enfance *(Pour le plaisir),* jusque dans nombre de ses romans où le Haut-Maine et ses habitants apparaissent comme les principaux personnages. Ainsi, dans *Je m'appelle Jericho,* on découvre une évocation très vivante du comice de Bonnétable, et surtout, dans *l'Empire du taureau,* abondent des scènes désormais classiques, témoignages particulièrement réussis d'une vie rurale en voie de disparition : la moisson et le battage, la fabrication du beurre, la cérémonie du pain, la castration du cochon et son abattage..

> *Une bonne normande [la ferme en nourrit quinze] une vache de prairie naturelle, brouteuse d'herbe onctueuse, savoureuse du sel apporté par les vents de mer et du sucre dont le soleil la gorge, fournit au printemps, en une seule journée, les vingt à vingt-cinq litres de lait qu'il faut pour recueillir les deux kilogrammes de crème nécessaires à la fabrication d'un kilogramme de beurre. Du beurre fermier non falsifié qui fond à l'état pur, à la température de 35° C. (L'empire du taureau, Denoël, 1974, p. 80).*

> *Vite et bien. Un bon tueur tue, grille, toilette, vide un cochon de cent kilogrammes en quatre-vingt-dix minutes. (L'empire du taureau, Denoël, p. 120).*

Ce voyage à rebours, nécessaire à l'artiste d'aujourd'hui, est, ditelle :

> *Une manière de fuir cette époque actuelle qui ne me plaît guère, parce qu'elle est avant tout gadgetière [...] Mais surtout c'est ma façon de voyager. Dans le temps. Parce que je n'ai pas envie de bondir d'un building parisien vers un building cubain ou new-yorkais. (Ouest-France, 20 juillet 1977).*

Démarche qui lui permet, sans idéaliser le passé,

> *Je ne suis pas une passéiste parce que je n'ai pas d'illusions sur la misère. (Ouest-France, juillet 1977).*

de décrire avec lucidité le monde actuel.

> *De son fils, le père dit qu'il vieillira plus vite que lui, que le travail d'autrefois à plusieurs, en compagnie, était malgré les apparences moins dur et moins triste, moins éprouvant pour les nerfs. A la tête de trente hectares, sa grange pleine à craquer de pulvérisateurs, de sacs d'engrais bourrés d'hormones dangereuses, d'insecticides empoisonnés, de sa moissonneuse-batteuse, comme tous les paysans modestes d'aujourd'hui, le jeune fermier s'affole. Traites à payer, matériel toujours plus perfectionné à acheter avant d'avoir amorti l'ancien, assurance maladie, impôts, fermages. (Comme l'or d'un anneau, Denoël, 1971, p. 115).*

L'enracinement lucide de l'écrivain, loin de l'enfermer dans son terroir, lui offre au contraire une vaste ouverture sur le monde, « tel un arbre qui puise dans le sol la sève dont il se nourrit, mais dont la cime, auréolée d'oiseaux venus d'ailleurs, baigne dans le cosmos », nous a-t-elle affirmé avec force. A travers la connaissance profonde des êtres et du microcosme qui les entoure, l'essentiel, pour Catherine Paysan, est d'atteindre l'universel grâce à la puissance de l'imaginaire. Elle a su évoquer, dans le *Nègre de Sables,* une enfance noire à Harlem et transplanter son personnage dans un petit hameau, proche d'Aulaines, pour y observer le greffage d'un marginal au cœur d'une région du reste très peu xénophobe.

Au fil de ses romans surgissent des marginaux, thème clé de son œuvre, tout aussi essentiel que l'évocation intense et chaleureuse d'une nature omniprésente, particulièrement sensible dans ses poèmes qui rappelleront toujours les liens étroits, vitaux, existant entre l'être humain et l'univers auquel il participe.

Michèle et André LÉVY

Traditions et ruptures

*Tessons traces de cendres
des hommes assis là
Depuis tant de siècles
écoutant ces collines
Leurs regards parfois doux
songeurs sous le soleil
Les doigts pétrissant
d'immortelles argiles.*
(Dagades, Gravures).

Nos modes de vie, nos mentalités, héritage de ce lointain passé évoqué par le poète, n'ont pu qu'être bouleversés par les changements de ces dernières années. Toutes ces ruptures peuvent expliquer le respect des traditions et le goût si prononcé pour l'étude du passé le plus proche ; elles peuvent aussi faire comprendre le mal vivre d'aujourd'hui et nous rappellent que se construit sous nos yeux la Sarthe de demain.

Vivre le moins mal possible les difficultés du présent

De nouvelles attitudes

Pessimiste peut-être, cette réflexion de Jeanne Dufour traduit fort bien quelques-uns de nos problèmes actuels. Parmi ceux-ci, résultant de l'urbanisation, l'incompréhension entre des citadins, souvent de fraîche date, et des agriculteurs qui ne saisissent pas toujours très bien l'intérêt de la conservation du patrimoine naturel.

Les paysans de jadis avaient le souci de transmettre aux générations futures un patrimoine intact qu'ils soient fermiers, tenus à cultiver en bons pères de famille, ou qu'ils soient propriétaires. Aujourd'hui chez beaucoup de cultivateurs, il semble que le souci de gagner du temps et de l'argent l'emporte sur toute autre considération et, l'ignorance aidant, certaines pratiques dangereuses se multiplient. (J. Dufour, Agriculture et agriculteurs dans les campagnes mancelles, Le Mans, 1981, p. 552).

Ainsi, alors qu'ils ne peuvent plus entretenir les haies, faute de temps et de main-d'œuvre, ils ne comprennent pas l'intérêt porté au bocage et l'hostilité des citadins à l'égard d'un remembrement qu'ils estiment économiquement nécessaire.

Pour les associations de protection de la nature, le problème crucial c'est évidemment le remembrement. Le principal grief contre le remembrement concerne la destruction des chemins ruraux et de leurs haies. La solution serait de les conserver, mais se pose alors le problème de l'entretien. Certaines communes, comme Vouvray, ou associations, comme celle des chemins de randonnée, ont déjà montré qu'elles étaient prêtes à le prendre en charge. (Le Maine Libre, 15 février 1982).

Ce pessimisme s'est traduit, on l'a vu, par une baisse de la natalité. Parmi les raisons de ce changement d'attitude à l'égard de la vie :

> *Beaucoup de paysans aux revenus modestes ont conscience de vivre dans une exploitation en sursis et, s'ils ont des enfants, ils savent que ceux-ci ont très peu de chance de leur succéder un jour.*
>
> *Les animateurs ruraux sont frappés par l'ardeur que mettent les agriculteurs de tous âges à se lancer dans de nouvelles activités de loisirs : la piscine, les voyages suscitent les commentaires enthousiastes de ces hommes et de ces femmes qui ne sont pas encore blasés.* (J. Dufour, *Agriculture et agriculteurs dans les campagnes mancelles*, Le Mans, 1981, p. 560).

Grève avec occupation des locaux à SIDEP-TESA.
(Cliché M.-F. Durand-Bayle).

Chez les ouvrières rurales, l'achat de la maison individuelle peut expliquer la même attitude.

> *Si la femme ne travaille pas, l'achat d'une maison est impossible. Il est donc impératif qu'elle conserve son emploi et que le ménage s'abstienne de procréer, car la multiplication du nombre des enfants pose des problèmes souvent insolubles aux ménages ouvriers qui travaillent à deux.* (M.-F. Durand-Bayle, *les Femmes, l'industrie et l'espace, Etude de quelques cantons du nord de la Sarthe*, Caen, 1981, p. 121).

Solitude aussi des ouvriers-paysans, exclus du monde paysan sans pour autant être intégrés dans le monde ouvrier, malgré une récente amélioration. Cela constitue sans doute une des explications du taux particulièrement élevé de suicides chez les migrants journaliers et chez les salariés agricoles. L'on peut d'ailleurs noter que :

> *La Sarthe est le département où l'on se suicide le plus, avec un taux presque double de la moyenne nationale (3 pour 1.000 habitants au lieu de 1,6)... une plus grande morbidité s'observant dans les deux tiers sud-est de la région et dans le bocage des Alpes mancelles. (J. Dufour, Agriculture et agriculteurs dans les campagnes mancelles, Le Mans, 1981, p. 407).*

Une moindre prise en charge de l'individu que dans la société catholique et conservatrice de l'ouest pourrait expliquer la localisation de ce phénomène.

La crise, nous pouvons aussi l'observer dans l'Eglise catholique :

> *Qui préfère consacrer l'essentiel de son action dans la ville du Mans, ce qui lui semble plus profitable à long terme. Dans tous les cas, c'est une rupture avec la tradition d'une Eglise qui se voulait rurale. (A. Pouille, Elections législatives et référendums dans la Sarthe, essai de géographie électorale, Le Mans, 1967, p. 237).*

Mais, même là, l'avenir de certaines communautés est envisagé avec peu d'espoir.

> *Elles périront ! Dans dix ans, il y aura cent prêtres de moins dans la Sarthe. (Ouest-France, 28 avril 1982).*

Le curé de La Chapelle-Saint-Aubin observe bien la diminution de la pratique religieuse.

> *On prend le temps de pratiquer un sport, d'adhérer à diverses associations, de se rencontrer entre amis, mais pas celui d'aller à la messe. L'on se dit croyant, mais pas pratiquant. Ces enfants qu'on ne revoit plus aux assemblées dominicales, au terme des quatre années de réflexion chrétienne que couronne la profession de foi, ne sont-ils pas ces adultes de demain qui se qualifieront de croyants non pratiquants. (Ouest-France, 28 avril 1982).*

Solesmes   Mais la baisse de la pratique religieuse ne signifie pas, Jean Delumeau l'a remarquablement démontré, déchristianisation, et la Sarthe est aussi la terre où vit la communauté de Solesmes, centre d'une des congrégations bénédictines de France, foyer international du chant grégorien.

> *Après plus de quarante années d'abandon, premier des monastères bénédictins à se relever, Solesmes s'est mis à revivre en 1833, grâce à la fois, au courage et au talent d'un jeune prêtre manceau, Dom Prosper Guéranger. Ce fut lui aussi qui fonda pour les moniales, à l'autre bout du village, l'abbaye Sainte Cécile, rapidement florissante. Le nombre des moines augmentant — ils sont 95 aujourd'hui — il fallut fonder, en France et à l'étranger. Il fallut également construire, et, cela en des temps incertains, ponctués d'expulsions par le Gouvernement [1880, 1882] et d'exils [Angleterre, 1901-1922]. Doit-on le dire ? Le monastère n'est pas encore achevé !*
>
> *Fraternelle et laborieuse, tenue pour inutile par bien des gens, la vie monastique ne livre pas d'emblée son secret. Pour en percevoir quelque chose, il importe de pénétrer en cette église aux heures de prières, chantées en grégorien. A ces mélodies antiques, dont le répertoire varié doit aux travaux solesmiens, depuis plus d'un siècle, sa remise en valeur, on ne peut nier une perpétuelle jeunesse.*
>
> *Comme tous les monastères du monde, Solesmes accueille en outre volontiers, pour quelques heures ou quelques jours, toute personne désireuse de partager la prière, le silence, la réflexion et la paix des moines de saint Benoît. On s'y rend, seul ou en groupe, principalement de l'Ouest et de la région parisienne, mais aussi de plus loin. Et tous de se poser, en l'intime du cœur, la question salutaire : pour qui et pourquoi cette centaine d'hommes se réunit-elle avec tant de régularité en son église, pour chanter sept fois le jour et même avant le jour ? (Un moine de Solesmes).*

Solesmes. Gravure de de Wismes, 1862. *(Cliché Musées du Mans).*

Solesmes, où s'était installé et où mourut en 1960 le poète Pierre Reverdy, qui évoqua ainsi ce village où il aimait tant se promener la nuit.

Ce matin, la fenêtre s'ouvre sur un village de rêve. Le soleil n'a pas encore franchi les obstacles qui bornent l'horizon mais il teinte déjà les nuages de l'ouest en rose. Et tous les murs qui reçoivent ce reflet magique sont roses — les toits d'ardoises bleus et noirs. On a peine à croire que ce soit cet affreux petit village réel. (Pierre Reverdy, le Livre de mon bord, Mercure de France, 1948).

Sauvegarde des traditions et nécessaire modernité

La rapidité de l'évolution, la disparition sous nos yeux de nombreux témoignages du riche passé sarthois expliquent la multiplication des études d'histoire orale, les travaux en cours sur le patois, ainsi défini en 1950 par R. Verdier.

Un patrimoine à sauver

Un dialecte de la langue romane, plus exactement de la langue d'oïl qui florissait au Premier Moyen Age au Nord de la Loire. C'est du latin, presque exclusivement, si l'on s'en tient à l'essence des mots, mais surtout le latin populaire des marchands, puis des soldats de César, fortement influencé, phonétiquement d'abord par les parlers aborigè-

Une foire traditionnelle dans les années 60. *(Cliché J.-M. Martin).*

nes ; moins peut-être par les apports de l'invasion franque et, plus tard, très peu par ceux de l'intrusion scandinave ; enfin altéré par l'action du temps. (R. Verdier, *Dictionnaire phonétique, étymologique et comparé du patois du Haut-Maine, p. 3).*

Quelques années plus tard, il devait en prendre vigoureusement la défense et en faire une belle apologie.

Le dialecte reflète l'âme du paysan, avec toutes les nuances de l'intelligence humaine en contact permanent avec la nature, et avec, il faut le dire, une dure vie de labeur incessant. Ce qui signifie qu'il n'est nullement fermé aux épanchements de l'âme, et qu'il reste capable d'exprimer sous une forme simple, parfois très imagée, de profonds sentiments. (R. Verdier, *Grammaire du dialecte du Haut-Maine,* 1970, p. 131).

Au même souci de sauvegarde du passé appartiennent les « battages à l'ancienne », les « noces 1900 », les « fêtes des vieux métiers » et la multiplication des groupes folkloriques, sans d'ailleurs qu'il faille rechercher à tout prix l'originalité.

En réalité, on s'aperçoit qu'il y a des éléments que l'on retrouve partout, parce que c'était fonctionnel. Ce qui sépare paraît aujourd'hui moins profond que ce qui unit. Le fond commun constitue l'essentiel. Ainsi, lors des noces, en Grèce, en Sarthe, on trouve, parfois masquée par les rites extérieurs, une attitude commune à l'égard du marié, cha-

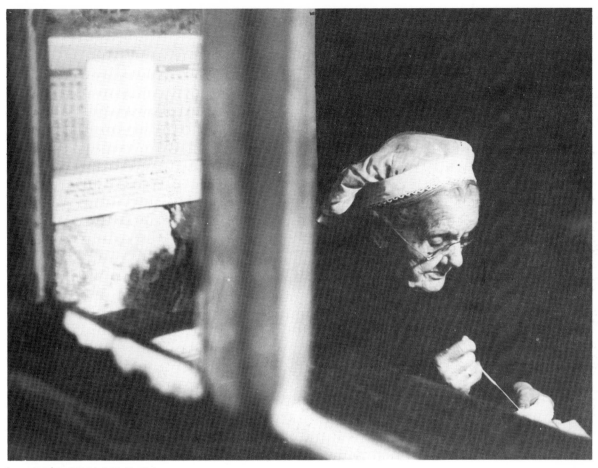

La centenaire. *(Cliché J.-M. Martin).*

huté par les célibataires, véritablement mis à l'épreuve par le groupe
des jeunes. Des traits spécifiquement sarthois ont pu cependant être
mis en valeur. Notre coiffe, la grande galette, constitue l'élément le
plus typique du costume, ainsi que la bidoche, danse d'hommes en
période de carnaval. Notons, cependant, que sur un lécythe corinthien
du musée de Béziers, un cheval jupon est représenté ; fort proche
aussi la danse du chevalet, de Montpellier, ou le chivaou-frus d'Aix-en-
Provence. L'Autrichienne, le quadrille sarthois, composé dans le centre de la France, sont bien venus d'ailleurs, mais, contrairement à ce
qui se passe aujourd'hui, nos ancêtres adoptaient ces musiques en
les dansant au rythme de leur tempérament, avec la prudence du Normand et la gaillardise de l'Angevin. (S. Bertin, membre de la Gouline
sarthoise).

Conteurs ou poètes patoisants, animateurs de revues locales, créateurs d'éco-musées tentent ainsi de maintenir vivantes ces traces du
passé qui s'enfuit. D'autres, peintres, musiciens ou écrivains, insérés
dans les grands courants de la création contemporaine, n'en sont pas
moins inspirés par la Sarthe, tel le poète alsacien Jean-Paul Klee,
auteur de cette très belle évocation de Courtanvaux.

Sous la grisaille de février, les nuages sombres, les forêts mortes :
charme sévère de Courtanvaux, sa façade blanche et noire de quasi-
caserne, sa pierre pâle pourrie de souvenirs et d'humidité. Cygnes,
canards de la mare, corneilles et corbeaux, feux-de-bûcherons et lier-
res un peu funèbres, juste adouci [tout ça] par le roucoulis suave d'une

Le château du Lude au bord du Loir. Depuis 1960, plus de deux millions de personnes ont assisté à ce spectacle qui fait revivre l'histoire d'une vieille demeure française. *(Cliché Studio Jy, La Flèche).*

tourterelle turque, invisible dans le haut des platanes d'Italie. Cheminées austères, tourelles un peu arides ; hectares des toitures d'ardoises noires et le buis, l'if, le thuya sombre des jasmins, le vert plus tendre des cèdres du Liban, près du vieux pigeonnier Louis XIII ; le charme un peu barbare de l'araucaria dans la pelouse [...] (Travers, n° 13-14).

Créer en Sarthe aujourd'hui

Nombreux sont les auteurs recensés en Sarthe. Quelques-uns d'entre eux, des romanciers surtout, mais aussi des essayistes et poètes ont atteint aujourd'hui une audience nationale. Parmi ceux-ci, outre Catherine Paysan, l'on peut citer Simonne Jacquemard et son mari Jacques Brosse, installés près du Mans, François Clément, Jean-Marie Fonteneau, Georges Jean et Paulette Houdyer qui, dans *l'Affaire des sœurs Papin,* a renouvelé cette histoire-mythe des années trente, étudiée aussi par Sartre, Lacan, une journaliste américaine, et de nombreuses fois portée à l'écran. Quelques poètes, parmi eux ceux de *Poésie vivante en Sarthe,* se retrouvent au sommaire de ces revues qui témoignent de la vitalité de la poésie contemporaine. Aux recherches des érudits s'ajoutent, désormais, les travaux universitaires qui ont trouvé une première expression collective dans *l'Histoire du Mans et du pays manceau,* publié en 1975 sous la direction de F. Dornic.

« La beauté, c'est surtout l'amour que l'on met dans ce que l'on fait. Et, pour être ressentie, la beauté doit être un phénomène de méditation pour les spectateurs. Ma peinture n'est pas faite pour être vue rapidement. C'est une mélodie qui exige le recueillement. Je ne parle pas à tous les spectateurs, mais chaque fois à un individu ». *(Roger Blaquière, ville imaginée).*

La qualité de la vie musicale est reconnue par tous. Le succès des nombreux concerts organisés dans la région, l'activité des ensembles musicaux sarthois, depuis les nombreux groupes rocks ou folks jusqu'aux « Escholiers de musicque », recréateurs de la musique ancienne, la vitalité du « Festival de jazz », le projet de création d'un festival de « musique sacrée » à l'abbaye de l'Epau, témoignent de ce dynamisme. Plus difficile semble être la pratique d'un théâtre de qualité, malgré les efforts de quelques troupes d'amateurs et l'activité des pro-

La cité cénomane. *(Cliché J.-M. Martin).*
« Si la cathédrale est l'œuvre de plusieurs siècles, ces deux réalisations, la Maison des Syndicats et des Associations et le Palais des Congrès et de la Culture, seront la marque d'une époque où les hommes ont des exigences très grandes de communication, d'échanges et de bonheur ! » *(R. Jarry, O.F., 14 mai 1982).*

fessionnels du « Radeau », du « Bosphore » ou des « Tréteaux du Perche ». La volonté d'ancrer leur action en milieu scolaire et même, pour certains, dans un milieu rural traditionnellement écarté de ce type de manifestation culturelle, constitue une des originalités essentielles de leur activité, une autre caractéristique étant certainement leur refus de toute concession, de forme ou de fond.

> Les Tréteaux du Perche *entendent affirmer que la force vitale du théâtre réside, avant tout, dans les possibilités humaines du comédien à créer un univers sensible, à la fois intime et intériorisé, et s'ouvrant au public par le biais de la découverte de l'être. Cette volonté de découvrir l'individu et de le montrer dans sa problématique humaine a contribué à établir avec le spectateur des rapports intenses, sous-tendue par l'authenticité d'une telle communication. La fragilité de cette relation exige une constante rigueur dans le travail d'investissement qui, bien qu'il soit totalement autonome et mouvant, peut s'apparenter, en quelques points, aux méthodes de formation de Stanilavsky et de Lee Strasberg.*

Chez les plasticiens se retrouve la volonté affirmée de mieux intégrer l'art à la vie de la cité. Ainsi cette déclaration de Claude Ribot.

> *Les sculpteurs devraient être en contact permanent avec les architectes des villes [la beauté d'une ville nous concerne tous]. On vit mieux dans une belle ville. La création, par exemple, de grandes sculptures fontaines devant des groupes d'ensembles ou des sculptures monumentales le long des autoroutes [voir le signal de Stahly sur l'autoroute du Sud, exemple trop rare].*
>
> *Il faudrait aussi demander l'avis de l'artiste pour créer un nouveau jardin ou améliorer la beauté de tel carrefour ou avenue, au lieu de planter d'énormes panneaux publicitaires, au hasard...* (La Vie Mancelle, janvier 1968, p. 82).

Dix ans plus tard, un certain pessimisme se faisait jour.

> *Qui, dans la Sarthe, s'intéresse au travail d'hommes comme Ribot ou Blaquière ? Existe-t-il un marché local pour leurs œuvres ? Malgré les progrès accomplis depuis dix ans, rien ne vient autoriser l'optimisme. On comprend, dès lors, que l'exigence d'un Claude Ribot soit directement proportionnelle à la solitude qu'il peut ressentir ici et qui est grande.* (M. Rosier, La Vie Mancelle, n° 172, janvier 1978).

Cela était vrai pour bien des artistes sarthois, écrivains ou plasticiens, tels Suzanne Besson, Bernard Chanson, Philippe Gauthier, d'autres encore. Le développement de l'université, l'activité en profondeur des M.J.C., des bibliothèques, des centres socio-culturels, les efforts financiers accomplis par quelques municipalités, les opérations prises en charge dans le cadre de la charte culturelle départementale, les animations à l'abbaye de l'Epau, à Vivoin, à Allonnes, dans les musées du Mans, la réussite des Vingt-Quatre Heures du Livre, véritable fête des auteurs et des lecteurs, l'essor récent des radios locales, la création de galeries d'expositions, permettent aujourd'hui aux créateurs et au public de se rencontrer plus facilement, un public qui se fait d'ailleurs lui-même acteur dans le remarquable spectacle présenté au Lude depuis plusieurs années. Dans ce département désormais largement urbanisé, l'ouverture des salles « Joël Le Theule » à Sablé, « Coppélia » à La Flèche, du « Palais des Congrès et de la Culture » au Mans, pourrait être le signe le plus apparent du renouveau d'une vie intellectuelle et artistique digne de celle que connut autrefois le Maine autour du grand chantier que fut, plusieurs siècles durant, la cathédrale du Mans.

BIBLIOGRAPHIE

BERTIN (S.). — *La coiffe sarthoise,* Le Mans, 1970.

BIDAULT (C.). — *La décentralisation dans le Maine,* thèse de 3e cycle, Paris, 1970.

BOELDIEU-TREVET (J.). — « La Sarthe : mutations et permanences politiques (les élections présidentielles de 1981) », *Société française,* n° 2, 1982.

CARRE (J.-P.), ROULEAU (R.). — « Le commerce dans le tissu urbain : le dynamisme du commerce de détail alimentaire au Mans », *l'Espace géographique,* n° 4, 1974.

D.D.A. — *Les problèmes de l'eau dans la Sarthe,* Chambre d'agriculture, Le Mans, 1979.

DIALOGUE. — *Panorama culturel de la Sarthe,* Le Mans, 1982.

DURAND-BAYLE (M.-F.). — *Les femmes, l'industrie et l'espace,* 3e cycle, Caen, 1981.

DUFOUR (J.). — *Le remembrement,* pochette A.R.D.O.S., 1979.

JACQUENAUX (E.) et al. — « La sorcellerie en Sarthe », *Cénomane,* n° 7, 1982.

MAINE-EXPANSION. — *Lettre mensuelle du Comité d'expansion de la Sarthe,* n° 41, 1981.

OZAN (A.). — *Les fondements de l'espace péri-urbain,* 3e cycle, Paris, 1981.

POUILLE (A.). — *Elections législatives et référendums dans la Sarthe, essai de géographie électorale,* Le Mans, 1967.

RANVOIZE (Dr C.). — *Le suicide en milieu rural sarthois,* Le Mans, 1964.

ROULEAU (R.). — *Commerce de détail et consommation des produits alimentaires dans la Sarthe,* 3e cycle, Caen - Le Mans, 1973.

ROULEAU (R.). — *Le Mans, le centre commerçant,* Norois, n° 111, 1981.

ROULEAU (R.), HERIN (M.). — *Analyse de quelques caractéristiques démographiques des communes des cantons de Malicorne, La Flèche, Sablé,* Norois, n° 112, 1981.

ROULEAU (R.), HERIN (M.). — *L'observation du changement social et culturel dans les trois cantons de La Flèche, Malicorne, Sablé,* C.N.R.S., 1982.

ROULEAU (R.), HERIN (M.). — *Atlas de quelques caractéristiques socio-démographiques des cantons de La Flèche, Sablé et Malicorne,* Le Mans, 1982.

TOUCHARD (N.). — *Un exemple de restructuration urbaine : le centre-ville du Mans,* C.D.D.P., Le Mans, 1978.

On trouvera dans les revues locales et dans les journaux des études indispensables pour la compréhension de cette période, en particulier la série d'articles de Michel ROSIER publiés dans *la Vie Mancelle.* De même s'impose la consultation des mémoires de l'Institut de géographie du Mans, parmi lesquels ceux de :

BONNIOL (Ph.). — *Agriculture et industries agricoles dans la région de Sablé,* 1973.

CHEMIN (A.). — *Les jeunes agriculteurs dans la Sarthe,* 1972.

MOISY (J.-Y.). — *L'espace industriel à la périphérie sud de l'agglomération mancelle,* 1976.

NAIL (J.). — *Aspects de l'évolution du commerce dans le centre manceau,* 1980.

QUESNEL (R.). — *La viticulture et l'arboriculture dans la vallée du Loir,* 1979.

TABLE DES ILLUSTRATIONS ET DES FIGURES

Pages

INDEX
DES NOMS
DE PERSONNES

Seules les principales personnalités locales et les personnalités nationales ayant joué ou jouant un rôle dans l'histoire du département sont citées dans cet index.

INDEX
DES NOMS
DE LIEUX

Cet index est sélectif. Il comprend principalement des noms de lieux situés sur le territoire de la Sarthe.

BIBLIOGRAPHIE GÉNÉRALE INDICATIVE

OUVRAGES GÉNÉRAUX SUR LE MAINE OU LA SARTHE

On trouvera dans deux ouvrage récents et fondamentaux des bibliographies très complètes :

DUFOUR (J.). — *Agriculture et agriculteurs dans les campagnes mancelles,* Le Mans, 1981, 596 p.

MENARD (M.). — *Une histoire des mentalités religieuses aux XVIIe et XVIIIe siècles : mille retables de l'ancien diocèse du Mans,* Paris, 1980, 467 p.

Les fichiers « Maine » de la bibliothèque municipale du Mans et des archives départementales de la Sarthe permettront d'élargir ce choix qui n'est qu'indicatif. On pourra également consulter la bibliothèque de la Société d'Agriculture, Sciences et Arts de la Sarthe.

Dictionnaires

PESCHE (J.-R.). — *Dictionnaire topographique, historique et statistique de la Sarthe,* Le Mans-Paris, 1829-1842, 6 vol.

PLESSIX (R). — *Dictionnaire des paroisses et communes de la Sarthe,* E.H.E.S.S., Paris, 1983.

VALLEE (E.). — *Dictionnaire topographique du département de la Sarthe,* publié par R. Latouche, Paris, 1952, 1.062 p.

Ouvrages

BEGUIN (M.). — *Le Perche,* Rennes, 1978, 32 p.

BOIS (P.). — *Paysans de l'Ouest. Des structures économiques et sociales aux options politiques depuis l'époque révolutionnaire,* Paris-La Haye, 1960, éd. abrégée, Paris, 1971, 384 p.

BOUTON (A.). — *Le Maine, histoire économique et sociale,* Le Mans, 1re édition, 4 t., 1962-1974, 3.087 p.

CAUVIN (T.). — *Géographie ancienne du diocèse du Mans,* 1845, 735 p.

DELAUNAY (P.). — *Le sol sarthois, ses historiens, son origine géologique, sa géographie botanique, économique, historique et politique,* Le Mans, IX fascicules, 1930-1941.

DORNIC (F.). — *La Sarthe,* Paris, 1975, 156 p.

DORNIC (F). — *Histoire du Maine,* Paris, 2e édition, 1973, 128 p.

DORNIC (F.). — *L'industrie textile dans le Maine et ses débouchés internationaux, 1650-1815,* Le Mans, 1955, 316 p.

FREMONT (A.), GOUHIER (J.), DUFOUR (J.). — *Les deux Maines,* Paris, 1972, 21 p.

GALLOUEDEC (L.) — *Le Maine,* Paris, 1925, 265 p.

LEBRUN (sous la direction de F.). — *Histoire des Pays de la Loire,* Toulouse, 1972, 462 p.

OURY (sous la direction de dom G.). — *Histoire religieuse du Maine,* Tours, 1978, 293 p.

WAGRET (P.), DORNIC (F.), CROZET (R.), CHARPENTIER (M.), LEVRON (J). — *Visages du Maine-Anjou,* Paris, 1968, 253 p.

HISTOIRES URBAINES

Le Mans

BOUTON (E. et P.). — *Le Vieux Mans,* Angers, 1976, 119 p.

BOUTON (Ph.). — *Le Mans en cartes postales anciennes,* Paris, 1975, 156 p.

DORNIC (sous la direction de F.). — *Histoire du Mans et du pays manceau,* Toulouse, 1re édition, 1975, 394 p. Ouvrage fondamental à compléter par « Le Mans », dossier *A.R.D.O.S.,* n° 4, 1975.

GOUHIER (J.). — *Le Mans,* Colmar, 1973, 99 p.

PUEYO (J.). — *Le Mans,* Rennes, 1979, 32 p.

TRIGER (R.). — *Etudes historiques et topographiques sur la ville du Mans,* Le Mans, 1926, 588 p., Reprint, 1977.

Autres villes du département

BARRE et BOUVET. — *Recherches historiques sur Château-du-Loir,* 1910, 136 p.

CHARLES (L. et R.). — *Histoire de La Ferté-Bernard,* Le Mans, 1877, 303 p., Reprint, 1981.

DENIS (J.-L.). — *Histoire de la ville et du château de La Chartre-sur-le-Loir,* La Chartre-sur-le-Loir, 1965, 270 p.

FLEURY (G.). — *Notes et documents pour l'histoire de Mamers et de ses monuments,* Mamers, 1898, 374 p.

GERBE (L.). — *Histoire du canton d'Ecommoy, de Bélinois en pays d'Outillé,* Le Mans, 1977, 101 p.

MEMIN (M.). — *Pontlieue et Arnage,* Le Mans, 1968, 427 p.

RENARD (L.). — *Histoire de Saint-Calais,* Les Sables-d'Olonne, 1979, 331 p.

TERMEAU (M.). — *Le Vieux Sillé : études historiques sur Sillé-le-Guillaume,* Le Mans, 1959 et 1976, 2 vol., 170 et 280 p.

SCHILTE (P.). — *La Flèche en cartes postales anciennes,* Zaltbommel, 1977, 76 p.

BIOGRAPHIES COLLECTIVES ET INDIVIDUELLES

ALLAIN (J.-C.). — *Joseph Caillaux,* 1978 et 1981, 2 vol., 537 et 596 p.
Enfants dans la Sarthe d'autrefois, dossier *A.R.D.O.S.,* n° 9, 1980.

CHABOT (M.). — *L'escarbille histoire d'Eugène Saulnier, ouvrier verrier,* Paris, 1978, 280 p.

CHEVALLIER (A.). — *Histoire de l'aviation dans la Sarthe de 1678 à nos jours,* Le Mans, 1972, 64 p.

COQUIS (A.). — *Léo Delibes : sa vie et son œuvre (1836-1891),* Paris, 1957, 166 p.

DELATTE (dom P.). — *Dom Guéranger, abbé de Solesmes,* Paris, 1909-1910, 2 vol., 456 et 459 p.

ESNAULT (G.-R.). — *Dictionnaire des artistes et artisans manceaux,* Laval, 1899 et 1901, 306 et 307 p.

HOUDYER (P.). — *L'affaire des sœurs Papin,* Paris, 1966, 313 p.

JARRY (R.). — *Les communistes au cœur des luttes des travailleurs sarthois (1920-1970),* Le Mans, 1970, 2 vol., 320 et 324 p.

LEMEUNIER (F.). — *A.-J. Trouvé-Chauvel, banquier et maire du Mans, ministre des Finances de la IIe République (1805-1883),* Le Mans, 1953, 216 p.

NEANT (sous la direction de H.). — *Métiers oubliés ou disparus ; enquêtes dans le Perche sarthois,* La Ferté-Bernard, 1974 et 1977, 2 vol.

PAYSAN (C.). — *Comme l'or d'un anneau,* Paris, 1971, 229 p.

PAYSAN (C.). — *Pour le plaisir,* Paris, 1975, 255 p.

HERALDIQUE, METROLOGIE, NUMISMATIQUE, SIGILLOGRAPHIE

BARET (R.). — *Armorial ecclésiastique sarthois, du Concordat de 1801 à nos jours,* Laval, 1949-1960, 3 vol.

CORDONNIER (P.). — *Armorial des chefs-lieux de cantons du département de la Sarthe, Troyes, 1962, 100 p.*

GIARD (J.-B.). — *Le trésor d'Allonnes,* Revue numismatique, Paris, 1962, 9 p.

GUERNY (R. de), LINIERE (R. de). — *Armorial de la Sarthe,* Le Mans, 1942, 343 p., extrait de l'armorial général de France dressé par d'Hozier, en 1696.

HUCHER (E.). — *Sigillographie du Maine,* Paris, 1852, 24 p.

LINIERE (R. de). — *Armorial de la Sarthe : notices généalogiques sur les familles résidantes ou possessionnées dans la région sarthoise au cours des XVIIe et XVIIIe siècles,* Le Mans, 1948, 360 p.

ROQUET (H.). — « Rapport des mesures anciennes du département de la Sarthe avec celles du système métrique », in *Bulletin du Comité départemental pour la recherche et la publication des documents économiques de la Révolution,* Sarthe III, 1908, p. 137-148.

ARCHEOLOGIE, BEAUX-ARTS

Généralités

Abbaye de l'Epau, exposition de 1980, *les Trésors du patrimoine sarthois,* Le Mans, *1980, 2 vol.*

BROSSE (sous la direction de J.). — *Dictionnaire des églises de France,* Paris, 1966-1971, 5 vol., t. IV, *Ouest et Ile-de-France,* 1968.

Congrès archéologique de France, *Maine,* 1961, Paris, 450 p.

FORCE (duc de La et alii). — *Eglises et abbayes de la Sarthe,* Bordeaux, 1971, 152 p.

LADRANGE (P.). — *Châteaux de la Sarthe,* Paris, 1978, 30 p.

OURY (dom G.). — *Eglises de la Sarthe,* Paris, 1977, 30 p.

SOULANGE-BODIN (H.). — *Châteaux du Maine et de l'Anjou,* Paris, 1943, 126 p.

WISMES (O. de). — *Le Maine historique, archéologique et pittoresque,* Nantes, 1861, s.p., ill.

Antiquité - Moyen Age

BOUTTIER (M.), RIFFAUD (A.). — *Regarder et comprendre une cathédrale,* Le Mans, 1981, 80 p.

C.D.D.P. — *A la découvertre de l'archéologie dans le Maine : préhistoire et proto-histoire,* Le Mans, 1976, 56 p. + diapositives.

C.D.D.P. — *A la découverte de l'archéologie antique,* Le Mans, 1974, 21 p. + diapositives.

MUSSAT (sous la direction de A.). — *La cathédrale du Mans,* Paris, 1981, 192 p.

VERDIER (R.). — *La promotion antique du Haut-Maine,* Le Mans, 1971, 41 p.

Les Temps modernes

BIDAULT (P.). — *Les potiers d'étain du Mans des XVIIe, XVIIIe et XIXe siècles,* Le Mans, 1976, 101 p.

BIDAULT (P.). — *Les potiers d'étain du Maine,* Le Mans, 1983.

BIDAULT (P.). — *Etains religieux des XVIIe, XVIIIe et XIXe siècles,* Paris, 1971, 80 p.

CORDONNIER-DETRIE (P.). — « Une collection mancelle de bois d'illustration, d'ornement et d'imagerie du XVe au XIXe siècles », collection Monnoyer, extrait de *B.S.A.S.A.S.,* Le Mans, 1929.

LITTERATURE, LINGUISTIQUE

GOHIER (J.). — *Dictionnaire des écrivains d'aujourd'hui dans les pays de l'Ouest*, Les Sables-d'Olonne, 1980, 269 p.

GRAS (M.). — *Robert Garnier : son art et sa méthode*, Genève, 1965, 141 p.

HAUREAU (B.). — *Histoire littéraire du Maine*, Paris, 1870-1876, 2.708 p.

LEBEGUE (R.). — *Les Juives de R. Garnier*, Paris, 1979, 247 p.

LEVY (A. et M.). — *Poésie vivante en Sarthe*, Chassagne-Saint-Denis, 1979, 154 p.

MAGNE (E.). — *Scarron et son milieu*, Paris, 1924, 344 p.

STAUB (H.). — *Le curieux désir, Scève et Peletier du Mans, poètes de la connaissance*, Genève, 1976, 126 p.

Le patois

MONTESSON (R. de). — *Vocabulaire du Haut-Maine*, Paris-Le Mans, 1921, 201 p.

VERDIER (R.). — *Grammaire du Haut-Maine*, Le Mans, 1969, 164 p.

VERDIER (R.). — *Dictionnaire phonétique, étymologique et comparé du patois du Haut-Maine*, Le Mans, 1959, 320 p.

ETHNOGRAPHIE, FOLKLORE

A.R.D.O.S. — *Habitat rural et mode de vie*, n° 10, 1981.

CANTET (P.). — *Le droit d'aînesse dans les coutumes d'Anjou et du Maine, de 1508 à 1790*, Toulouse, thèse de droit, 2 vol., 621 p.

CASTELLANE (T. de). — *Contes du Maine et de l'Anjou, récits du folklore manceau et angevin*, Paris, 1979, 153 p.

CORDONNIER (P.). — *Quelques contes et légendes du Haut-Maine*, Le Mans, 1941, 115 p.

DEAN-LAPORTE. — *Les contes manceaux, récits et monologues en patois du Maine*, Le Mans, 1933, 213 p.

DELAUNAY (P.). — « La médecine populaire, ses origines magiques, religieuses, dogmatiques et empiriques », extrait de la *Médecine internationale illustrée*, Tours, 1930, 80 p.

GERBE (L.). — *Le pâtou*, Le Mans, 1978, 188 p.

LEPART (J.). — « A la recherche de l'insolite, origines des superstitions et de la sorcellerie dans le Maine », in *B.S.A.S.A.S.*, 1973-1974, p. 282-455.

MENARD (J.). — *Les danses folkloriques sarthoises*, Le Mans, 1971, 48 p.

MENIL (A.). — *La maison rurale dans le Maine et le Haut-Anjou*, Nonette, 1982.

PIOGER (A.). — « La fête de Saint-Vincent, patron des vignerons, célébré à Poncé, Sarthe », *B.S.A.S.A.S.*, 1971-1974, p. 173-176.

PIOGER (A.). — « Quelques saints thaumaturges du Maine », *B.S.A.S.A.S.*, 1955-1956, p. 221-238.

TABLE DES MATIÈRES

PERMANENCES ET EVOLUTIONS
(XVIe siècle - milieu XIXe siècle) ... 183
René Plessix